KB101129

가로지나
세로지나
꽃은핀다

가로지나
세로지나
꽃은핀다

1판 1쇄 찍음 2017년 6월 29일
1판 1쇄 펴냄 2017년 7월 7일

지은이 | 카르페XD
펴낸이 | 정 필
펴낸곳 | (주)뿔미디어
편집장 | 박경희
디자이너 | 김수지
기획·편집 | 양동은, 최재훈, 박주현

출판등록 | 2002년 9월 11일 (제1081-1-132호)
주소 | 경기도 부천시 원미구 소향로17 303(두성프라자)
전화 | 032)651-6513 / **팩스** | 032)651-6094
E-mail | bnm2011@hanmail.net
블로그 | http://blog.naver.com/bbulbnm
비북스 | http://www.b-books.co.kr

ISBN 979-11-315-8020-2 04810
ISBN 979-11-315-8019-6 04810 (SET)

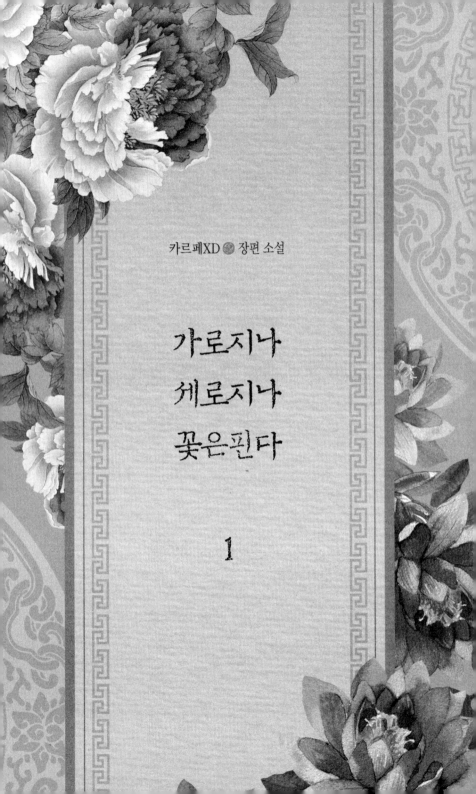

카르페XD ☯ 장편 소설

가로지나
세로지나
꽃은핀타

1

목차

서장(序章)

　새가 지저귀는 소리에 '백모란'은 눈을 떴다. 전날 밤이 늦도록 불안함에 떨었던 게 무색하게도 마음은 지극히 평온했다. 덮고 있던 이불을 젖히고 일어나 문을 열어 보니 하늘이 흐려 해가 조금도 보이질 않았다. 바람이 차갑다 못해 칼날같이 매서웠다. 그의 기억대로였다.

　운명에 이끌리기라도 하듯 모란은 옷을 갈아입고 얼음장 같은 물에 깨끗이 세안을 했다.

　용모를 단정히 한 후에는 자박자박 조용히 집 주위를 한 바퀴 돌아보았다.

　자그마치 십 년을 산 곳이었다. 그는 이 집을 떠날 준비를 하고 있는 중이었다.

　"모란, 오늘은 일찍 일어났네?"

　막 일어났는지 옆집의 문밖으로 종종거리며 걸어 나오던 아이가 종알거렸다. 금년 여섯 살 난 여아로 그다지 붙임성 없는 모란에게도 친근하게 굴곤 했다. 대답 대신 머리를 쓰다듬어 주자 휘둥그레 뜬 눈으로 바라보고는 후다닥 뛰어 제 집으로 도망쳤다. 그러더니 잠시 후에 다시 머리만 내밀어 수줍게 미소 지었다. 모란도 옅게 미소 지었다.

그는 의원(醫院)에 가는 중 이웃 몇을 더 만났다. 어릴 적 모친을 일찍 여의고 혼자 자란 모란인지라 다들 호의적이었다.

'하지만 그 호의도 오늘로 끝이겠지.'

쓴 미소가 지어졌다. 의원에 도착한 모란이 들어가기 전 잠시 자신의 옷차림을 살폈다.

"사부님."

정좌(正坐)하고 약초를 다듬고 있던 진은록이 고개를 돌렸다. 모란이 새삼 이 작고 낡은 의당을 둘러보았다. 십 년 동안 지낸 집보다도 더 집처럼 느껴지는 곳이었다. 익숙하다 못해 몸에 밴 약초들의 냄새……

"모란아."

이름을 부르고는 바라보는 진은록의 시선이 날카로웠다. 그는 과묵하지만 언제나 환자들의 증상을 관찰하는 일이 직업인지라 사소한 것 하나 놓치는 법이 없는 의원(醫員)이었다. 동시에 모란의 스승이자 아버지 같은 존재였다.

한참 그를 바라보던 모란은 진은록이 다듬던 약초를 내려 두었을 때에야 입을 열었다.

"오늘 날이 상당히 춥습니다."

"……환자가 많겠구나."

모란이 말을 돌리자 진은록이 무심하게 대답했다. 얼핏 겉으로는 냉정해 보여도 속으로는 정이 많은 사람이었다. 어딘가 이상함을 눈치챘음에도 추궁하지 않는 건 모란을 배려하기 때문일 터였다.

옆에 앉아 약초를 같이 다듬으며 모란은 진은록의 모습을 살폈다. 수수하지만 깨끗한 백삼, 정갈한 차림새, 고아한 태도와 존경받아 마땅한 인격. 그의 인생에 두 번 다시 나타나지 않을 존재였다.

'사부님께 나는 훌륭한 제자였습니까?'

차마 입 밖으로는 낼 수 없어 속으로 묻고는 완전히 다듬은 약초를 정리했다. 목각함까지 차곡차곡 정리하고 난 뒤 공손하게 고개를 숙였다.

"사부님, 저는 잠시 남궁가(南宮家)에 다녀오겠습니다."

"또 너를 부르더냐?"

드물게도 진은록이 혀를 찼다. 그가 혀를 차는 상대가 누구인지 아는 모란은 그저 그렇다고 대답할 따름이었다. 이 모든 게 자업자득임을 알면서도 입 안이 썼다. 다시 사부님을 사부라고 부를 수 있는 때가 올까? 그 무엇도 확신할 수 없으니 지금 흘러가는 모든 시간이 소중했다.

"그럼 이만 가 보도록 하겠습니다."

의원을 나서기 전, 모란은 가능한 한 정중하게 인사를 올렸다. 마음 같아서는 절을 올려도 몇 번을 올렸겠지만 그럴 수가 없었다.

문을 나서고도 그는 두 번이나 뒤를 돌아보았다. 그러고는 마침내 무거운 발걸음을 옮겼다.

오늘날 남궁세가(南宮世家)는 무림 구파일방 오대세가 중에서도 감히 천하제일이라고 칭해도 될 만한 가문이었다. 직계에서부터 방계까지 재능이 출중한 자들이 넘쳤고 가문에 소속된 장원의 수는 헤아리기 힘들었다. 그뿐이랴, 여러 표국과의 계약으로 매달 막대한 상납금도 받고 있었다. 가문의 역사에 기록될 만한 전성기였다.

때문에 대문을 들어서기도 전부터 시비(侍婢)나 하인, 변변찮은 방문객들은 종종 남궁세가의 위용에 압박되곤 했다. 그러나 모란은 달랐다. 이 거대한 가문은 그에게 있어 다른 의미의 집이었다.

조금의 긴장감도 없이 무심하게 대문을 통과한 모란은 귀하고 비싼 청기와가 깔린 담벼락을 따라 걸었다. 어릴 적부터 밥 먹듯이 드나든 곳이라 모란을 제지하거나 신분 검사를 하는 무사는 한 명도 없었다.

이윽고 그는 성영문(成永門)을 지나 화정당(花亭堂)에 이르렀다. 여덟 살부터 열여덟 살인 지금까지 모신 도련님인, 남궁연이 머물고 있는 곳이다.

화정당에 들어서려 하자 문지기 무사인 원형이 슥 가로막고 섰다. 하도 자주 왔다 갔다 하여 서로 얼굴이 익숙했다. 원형이 근엄하게 물었다.

"이른 아침부터 무슨 일이냐."

"도련님께서 오늘 아침 시중을 들라고 명하셨습니다."

원형이 미간을 찡그렸다. 그러고는 잠깐 굳게 닫힌 문 너머를 보았다. 태어날 때부터 지냈고 이틀에 한 번 꼴로 오는 곳이지만 이렇게 보니 모란은 기분이 새삼스러웠다.

"아직 기상하지 않으셨을 텐데."

"도련님 성격 아시잖습니까. 일어나셨을 때 바로 보이지 않으면 또 저만 경을 칠 겁니다."

혀를 찬 원형이 가타부타 말없이 문을 열어 주었다. 그는 모란이 여덟 살일 때부터 남궁연이 쥐 잡듯이 잡아 대는 걸 본 사람이었다. 남궁연에게 괴롭힘을 당하고 엉망인 몰골로 나오는 모란에게 간식거리를 쥐여 줄 정도로 정이 많은 남자이기도 했다.

화정당에 들어선 모란은 잠시 주위를 둘러보았다. 위명(威名)이 쟁쟁한 남궁세가임에도 볼품없는 정원이다. 아무리 겨울이라 하여도 동백꽃이나 매화나무 몇 그루쯤은 있을 법했으나 꽃한 송이 보이지 않았다. 겨울뿐만이 아니다. 여름에도 이 정원에는 꽃이 피는 일이 없었다. 화정당(花亭堂)이라는 이름이 무색했다.

앞뜰의 정원을 가로질러 걸어간 모란이 가만히 서서 문을 바라보았다. 마음이 다시 복잡해졌지만 이내 평온하게 가라앉았다. 이각(二刻)[1] 정도를 기다렸을까, 마침내 문이 열리며 주인이 모습을 드러냈다.

두터운 망토를 걸치고 나온 청년, 남궁연은 안색이 희다 못해 창백했다. 소매 밑으로 언뜻 드러나는 손목은 무인임에도 마른태가 났으며 찌푸린 미간에서는 예민한 성정이 그대로 나타났다.

그는 곧잘 바위니 나무니 하는 단단한 것들에 비교되는 무인의 모습과는 거리가 멀었다. 조금이라도 변화가 생기면 시들어 죽어 버리는 난(蘭)과 같았다. 혹은 모친을 닮아 수려하고 섬세한 외모가 수국이나…… 국화 같기도 하였다.

모란은 잠시 자신의 강건한 팔뚝을 내려다보았다. 이제 막 성인이 된 나이치고도 강건함이 넘치다 못해 흘러내리는 이 육체와는 아주 달랐다.

"네가 왜 여기에 있느냐?"

모란을 발견하자마자 남궁연의 얼굴이 짜증으로 일그러졌다. 모란은 대꾸 없이 그저 바라보기만 했다.

자신이 이날을 얼마나 기다렸던가? 자그마치 십 년이었다. 길고도 길었으나, 짧다면 짧다고 할 수도 있었다. 이날이 오기

---

1) 삼십 분

를 기다리기도 하면서 한편으로는 영영 오지 않기를 바라기도 하였다. 백모란이, 남궁연으로 돌아갈 수 있게 되는 바로 이날을.

백모란은, 아니…… '남궁연'은 행복하고 보람찬 삶을 제 발로 걷어차고 이렇게 자신의 운명을 찾아왔다. '연'은 이렇게 십 년 만에, 단 한 번도 행복한 적 없던 제 인생을 되찾으러 돌아왔다.

"남궁연."

연은 자그마치 십 년 만에 자신의 이름을 입 밖으로 내어 불렀다. 고작 하인이 자신의 이름을 함부로 불러 댔다는 사실에 충격을 받았는지 남궁연은 잠시간 말문이 막혔다. 고운 얼굴이 일그러지는 것은 금방이었다.

"죽고 싶어서 환장을 했구나."

싸늘한 얼굴에는 진심으로 죽이고 싶다는 살기가 어렸다. 눈빛이 밑도 끝도 없는 혐오와 경멸로 번득였다. 연이 얌전히 남궁연의 시중을 들 때에도 이따금 보던 시선이었다.

"남궁연."

연이 한 번 더 이름을 불렀다. 그러고는 웃었다. 다음 단어를 입에 내는 것은 더 쉬웠다. 통쾌하기까지 했다.

"이 병신아."

다음 순간으로 찾아온 것은 창자가 끊어지는 듯한 고통이었다. 눈앞이 잠시 까마득 멀어졌다. 겨우 정신을 차렸을 때에 그는 형편없이 땅 위를 구르고 있었다. 아무리 그 수준이 낮고 몸 상태가 안 좋다 해도 남궁연은 무인이었고, 남궁세가의 차남이었다. 그저 평범한 농부의 아들로 태어났을 뿐인 백모란의 몸으로 덤빌 상대가 아니었다.

"다시, 말해 봐."

퍽! 잔인한 발길질이 이어졌다. 얼마나 세게 걸어차였는지 몸이 잠시간 붕 뜰 정도의 타격이었다. 혈이 뒤틀리고 내상이 가해지는 고통은 정말이지 끔찍했다.

차인 곳을 다시 차일 적에는 상대가 정말 죽이고 싶어 한다는 걸 잘 느낄 수 있었다.

연은 이해했다. 그가 그랬고, 연 자신이 그랬으니까. 백모란을 죽이고 싶어 하는 저 마음을 그 누구보다도 잘 이해했다.

눈앞이 깜깜해지는 가운데, 마침내 이 소란을 알아차렸는지 웅성거리는 소리가 들렸다. 채이고 밟혀 얼음장 같은 차가운 바닥을 구르면서 연이 쿨럭쿨럭 기침했다. 경악한 원형이 달려와 남궁연을 말렸다.

"도련님, 모란은 무공을 배우지 않은 녀석입니다! 이러다가 죽이시겠습니다."

"이거 놔!"

연은 속에서 울컥울컥 올라오는 걸 간신히 참으며 고개를 들었다. 증오가 뚝뚝 떨어지는 눈을 한 남궁연이 온몸을 부들부들 떨고 있었다. 화정당 문밖으로는 제법 익숙한 얼굴들이 보였다. 그들은 '백모란'이 피 칠갑을 한 모습에 하나같이 기겁하고 있었다.

"아까 뭐라고 했어! 다시 말해 봐!"

다시 잔인한 발길질에 채인 연은 하늘을 보며 드러누웠다. 숨도 쉬기 어려운 게, 아무래도 방금 채이며 몸 어딘가가 부러진 게 분명했다.

몸속이 뒤틀리고 꼬이는 극심한 통증에도 연은 비죽 입꼬리를 올렸다.

언제나 이렇게 하고 싶었다. 십 년 동안 이 몸에서 지내면서도 이 대화는 조금도 잊어 본 적이 없었다.

잊을 수가 없었다. 누가 봐도 비웃는 게 분명한 표정에 원형은 얼굴이 새파랗게 질렸고 남궁연은 분노에 얼굴이 희게 질렸다. 연은 그 분노에 쐐기를 박았다. 피에 물든 입술이 다시 움직였다.

"병…신 새끼……."

목소리는 거의 나오지 않았다.

그러나 입 모양은 분명했다. 말리느라 애를 쓰고 있는 원형이나 멀찍이 떨어져 있는 구경꾼들은 못 보고, 오로지 남궁연만이 볼 수 있는 모욕이었다. 더는 참을 수 없던 남궁연이 이를 갈며 발을 크게 들어 올렸다.

퍽, 하는 소리와 함께 연의 정신은 그만 까마득하게 멀어지기 시작했다. 마지막으로 보았을 때는 주강이 남궁연을 제지하고 있었다. 분노로 얼굴이 벌겋게 익은 남궁연도 창백한 얼굴로 눈을 감으며 비틀거리다가 쓰러지는 걸 시야에 담으며 연은 눈을 감았다.

이제야 모든 게 제대로 돌아갈 때였다.

一章 : 연과 모란, 모란과 연

남궁연(南宮淵).

그는 금년 스무 살의 청년이다. 또한 남궁세가 가주 남궁영명의 삼남 이녀 중 차남이었으며 예민하고 아랫사람 괴롭히기 좋아하는 고약한 성정을 가지고 있었다. 그는 남궁세가의 차남이라는 위치에도 불구하고 명문 세가 내에서는 그다지 평이 좋지 않았다.

물론 성정 때문만은 아니다. 주위 사람들에게 떠받들어지며 자라난 후기지수들 중에는 성격이 고약한 자들이 제법 있었으니 성정 따위가 큰 결함이라고 할 수는 없었다. 그가 낮게 평가되는 이유는 어릴 적 원인 불명의 고열에 며칠을 앓아누운 뒤부터 허약해진 심신 때문이었다.

반면 남궁세가의 장남인 남궁연오(南宮鍊悟)는 올해 스물다섯으로 중원오룡들 중에서도 손꼽히는 잠룡(潛龍)이었다. 문무(文武)에 있어 놀라운 재능을 소유했으며 대나무같이 다소 융통

15

성이 없는 면은 있었으나 협(俠)과 의(義)를 아는 사내였다. 남을 이끄는 데에 있어서도 탁월했다. 외모도 사내답게 준수했으며 강골이었다. 그러니 자연히 장남과 차남은 비교가 될 수밖에 없었다.

정말이지 하나부터 열까지, 남궁연은 장남과는 완전히 반대였다. 남궁연오와 달리 남궁연은 태어나서부터 스무 살이 되는 이때까지 부족하기만 한 인생을 살아왔다. 물질적으로 부족했다는 의미는 아니다.

그의 모친인 모용단리는 연이 일곱 살이 되었을 때 병사하였다. 그렇다면 연에게는 있어서 모친이 애틋할 법도 했지만 전혀 아니었다. 그는 일곱 살이 되기 전까지 딱히 모친의 애정을 받으며 자라난 적이 없었다. 대부분의 시간을 유모의 손에서 길러져 어미의 젖 한번 물어 보지도 못했다.

오히려 남궁연오는 어린 동생인 연을 나름 어여삐 여기기는 하였다. 하지만 남궁세가의 후기지수로서 동생에게 그렇게 많은 시간을 낼 수는 없었다. 게다가 부친인 남궁영명은 연에게 거의 관심이 없었기에 모용단리가 작고한 뒤로 연은 죽 거의 혼자였다. 예민한 성격에는 그런 성장 환경이 많은 영향을 주었다.

그런 연에게 백모란은 좋지 않은 의미로 특별한 존재였다.

연은 열 살 때 심한 고열을 앓았고, 거의 죽었다가 다시 살아났다. 크게 앓은 뒤로는 몸이 현저하게 약해져 무공을 익혀도 큰 성취를 보기가 힘들었다. 머리는 좋은 편이라 무엇을 배워도 잘 이해하곤 했지만 남궁세가는 무가(武家)다. 과거 대대로 검황(劍皇)이며 검후(劍后)를 배출한 남궁가는 언제나 무(武)를 첫째로 쳤다. 아무리 다른 재능이 걸출해도 검을 제대로 쓰지 못하면 의미가 없었다.

뒷배가 되어 줄 모친도 없고 검에 재능도 없으니 연이 받는 건 무관심한 시선뿐이었다. 의식주가 훌륭해도 마음은 외롭고 쓸쓸하였다. 몸이 아프니 성격은 예민해졌고 의지할 사람이 없으니 모든 말과 행동에 날이 섰다. 그 날카로운 성질이 주변의 만만하고 어린 하인에게 향하는 건, 어찌 보면 당연한 일일 수도 있었다.

연은 언제나 자신의 하인인 백모란이 죽도록 싫었다. 그래서 매일같이 괴롭혔다. 저보다 두 살 어리기까지 한 어린아이니 어느 정도는 봐줄 법도 했건만 백모란을 향하는 손속은 항상 잔인했다. 제 앞에서 알짱거리는 게 꼴도 보기 싫은 데다가 이따금은 놀랍게도 그가 자신을 위협하는 것처럼 느껴지기도 했던 것이다.

그렇게 싫으면 내쫓은 뒤 다른 하인으로 하여금 일하게 하면 되는데도 그는 꼬박꼬박 백모란을 불러 괴롭혀 댔다. 백모란은 처음에는 반항을 하는가 싶다가 나중에는 체념했는지 고분고분해졌는데, 그게 오히려 연의 행동을 가혹하게 만드는 이유가 되었다.

성격이 좋지 않다 해도 연은 다른 사람을 그렇게 괴롭힌 적은 없었다. 백모란만이 유일한 예외였다. 모란만 보면 시시때때로 손발이 나가곤 했다. 모욕적인 언사는 일상이었다. 당연히 그런 둘을 보는 눈과 귀가 있으니 세가 내에서 연의 평가는 점점 낮아지기만 했다.

모란도 자신처럼 모친을 일찍 여읜 탓일까? 아니면 자신과는 다르게 주변 사람들과 잘 지내서였을까? 연은 종종 고민해 보았지만 도무지 이유를 알 수가 없었다. 그렇게 이유 모를 괴롭힘은 점차 가혹해지기만 했다. 악의도 강해져만 갔다.

그렇게 연은 모란과 십 년을 같이 지냈다. 그럼에도 미운 정조차 들지 않았다. 모란도 연도 이 상황에 완전히 익숙해질 때쯤 사건이 터졌다. 연의 인생을 정신적으로나 육체적으로나 송두리째 바꿔 버리는 사건이었다.

그날은 춥다 못해 바람이 칼날처럼 아렸다. 그래도 방 안에서만 있자니 답답하여 문을 열고 나왔더니 밖에 부르지도 않은 백모란이 있었다. 그는 우두커니 서서 자신을 바라보는 중이었다. 그와 시선을 마주친 순간 연은 성질이 울컥 치밀어 올랐다.

"네가 왜 여기에 있느냐?"

날도 춥고 짜증이 나니 화풀이를 하려고 다음 발걸음을 내딛는 순간이었다. 백모란이 아주 뚜렷한 음성으로 연의 이름을 불렀다. 남궁연, 하고.

감히 제 이름을 부르는 목소리에, 연은 처음에는 어안이 벙벙했다. 그리고 금방 불같은 분노가 찾아왔다. 그동안 착한 척 얌전한 척하며 본모습을 속이고 있었다고 생각하니 정말로, 진심으로 죽이고 싶었다.

간신히 검을 빼어 들지 않은 건 백모란이 무공을 배우지 않은 사람이란 걸 알고 있기 때문이었다. 그게 아니라면 죽여도 진즉에 죽였을 것이다.

"죽고 싶어서 환장을 했구나."

정말 죽이고 싶은 마음으로 노려보아도 백모란은 반성의 기미조차 보이지 않았다. 심지어 그가 다시 자신의 이름을 부르고…….

"이 병신아."

……하고 말할 적에는, 연의 이성이 완전히 끊겨 버렸다. 얼마나 죽이고 싶던지 백모란이 피를 토하고 발끝에 딱딱한 게 채여도, 문지기며 사람들이 말려도 멈추지 않았다.

그가 멈춘 건 모란이 마지막으로 피를 토하고는 까무룩 정신을 잃을 때였다. 주위 사람들의 경악 어린 시선을 받으며 연이 비틀 뒤로 물러났다. 추운 날씨에 숨이 찰 정도로 두들겨 패서인지 아니면 심적인 소모가 있어서인지 그는 그대로 까무러치고 말았다.

다시 눈을 떴을 때 연의 눈에 보이는 건 낯선 방의 풍경이었다.

머리 위로는 흙과 나무, 그리고 지푸라기를 성기게 엮어 인 천장이 있었다. 찬 기운이 올라오는 나무 바닥은 연이 움직일 때마다 삐걱거렸다. 화정당이 아니다. 화정당에 이렇게 허름한 곳은 없다.

이내 더 충격적인 사실을 깨달은 연은 자리에서 벌떡 일어나고 말았다. 그의 몸이 믿을 수 없을 정도로 작고 어리고 낯설었다. 가장 낯선 것은 곁을 지키고 있다가 저를 모란이라고 부르며 걱정 어린 얼굴로 대하는 중년의 여성이었다.

그랬다. 연은 여덟 살의 어린 백모란이 되어 있었다.

처음에는 도무지 믿을 수가 없어 넋을 놓았다. 자신이 백모란이 되었다니, 그것도 여덟 살의 어린 백모란이 되었다니 이럴 수가 있나. 그 누구도 믿지 못할 이야기였다. 이야기의 당사자인 연조차 이건 꿈이 아닐까 몇 번을 의심하고 또 의심했다. 그러나 엄연한 현실이었다.

정신적인 충격은 고스란히 어린 몸으로 전해졌다. 연은 몇 날 며칠을 고열을 내며 앓았다. 열 살 때 그랬던 것처럼 죽을 듯이 온 몸이 들끓는 고통에 시달렸다.

하나뿐인 아들이 그렇게 앓으니 모란의 모친은 몹시 걱정하여 곁에서 떨어지지 않고 정성껏 간호했다. 낯설기만 한 여인을 보는 연의 눈에는 눈물이 성글게 맺혔다가 굴러떨어졌다.

어떻게 이런 일이 있을 수 있을까……. 왜 자신에게 이런 일이 벌어진 걸까? 모란을 괴롭힌 죗값을 받는 것인가?

열로 혼몽해진 가운데 밭일과 바느질로 거칠어진 손이 이마의 땀을 훔쳐 낼 때면 제 어미의 곱고 보드라운 손과 겹쳐 보이곤 했다. 정작 연의 모친이 그랬던 적은 한 번도 없는데도.

연이 진은록을 만나게 된 건 그가 앓아누운 지 사흘째의 일이었다. 이러다가 제 자식에게 큰일이라도 날까 염려스러웠던 모란의 어미가 데려온 것이었다. 열기에 흐릿해진 눈으로 연은 작고 허름한 문을 열고 들어오는 진은록을 보았다. 곱고 알록달록한 비단옷도 아닌데, 그저 깨끗한 흰옷일 뿐인데 움직임 하나, 내뱉는 말 하나가 고아했다.

원인 불명의 열이 모두 가라앉고 난 뒤에도 연은 한참을 적응 못하고 단기간 실어증을 앓았다. 모란의 모친이 무얼 해도 고개만 젓고 대답도 하지 않았다. 이불은 불편했고 식사도 거칠고 맛이 없어 입에 맞지 않았다. 아니, 그보다는 놈이 바뀐 충격이 가장 컸다. 잠깐 괜찮아졌다가도 다시 열이 나기 일쑤라 진은록은 한동안 연을 지켜보았다. 그러다가 하루는 경기까지 하여 모란의 모친은 일을 하러 나가는 동안 그를 진은록의 의원(醫院)에 데려다 놓았다. 그게 사제지간의 시작이었다.

아마도 뛰어난 의원인 진은록의 입장에서는 이유 없는 열이나 실어증이 이해되지 않았을 것이다. 의원에 데려다 놓은 건 증상이 그리 심각하지는 않았어도 혹시나 하는 생각 때문이었을 거라고, 연은 추측했다.

아무튼 그렇게 가게 된 진은록의 작은 의원은 매일같이 아프고 가난한 사람들로 바빴다. 연은 첫날은 아무런 의욕도 없이 하루 종일 한자리에 앉아 있다가 다음 날부터는 차츰 진은록의 의술 활동에 흥미를 보이기 시작했다.

진은록의 의술은 놀라운 수준이었다. 침 한두 번 놓고 나면 기어서 온 사람이 걸어서 나갔으며, 얼굴이 희거나 파랗게 질린 사람에게 약을 지어 주면 얼마 후 건강한 혈색으로 돌아와 감자나 쌀, 야채 따위의 식량을 보답으로 들고 돌아왔다.

종종 고급스러운 옷을 차려입은 사람들이 찾아와 간청하는 때도 있었다. 진은록은 그 어떤 사람이든 치료를 거절하는 법이 없었다. 대신 가난한 사람들과 부유한 사람들에게 받는 값이 달랐다.

진은록은 연이 의서나 자신이 침을 놓는 행위에 관심을 가지고 있다는 사실을 빠르게 알아차렸다. 그가 중풍 환자를 치료하는 동안 연이 의서를 뒤적이자 눈여겨보고는 늦은 밤 환자들이 다 돌아가고 난 뒤에 물었다.

"배우고 싶으냐?"

고개를 끄덕끄덕하자 그는 다음날 연에게 낡고 깨끗한 책을 한 권 가져다주었다. 무언가 하여 열어 보니 천자문이었다. 아무리 몸이 여덟 살이어도 정신 연령은 스무 살인 연은 대충 훑어보는 시늉을 하고는 진은록에게 도로 내밀었다. 모란의 몸으로 들어온 후로 처음으로 그가 입을 열었다.

"모두 읽을 줄 압니다."

크게 앓고 난 뒤 아이가 처음으로 말문을 열어 한 말에 의심하거나 부정할 법도 했지만 진은록은 눈썹만 한번 찌푸리고는 말았다. 대신 가타부타 말없이 기초적인 경맥학서(經脈學書)를 가져다주었다. 무인으로서 혈도 자리 정도는 당연히 기본적으로 알고 있던 연이 막히는 곳 없이 이해하자 그때부터 진은록의 본격적인 가르침이 시작되었다. 연은 정식으로 그의 제자가 되었다.

진은록의 치료와 모란 모친의 정성 어린 보살핌 덕에 연의 몸은, 아니 어린 모란의 몸은 곧 완전히 회복되었다. 그러나 일상은 그가 원하는 대로 돌아가지 않았다. 얼마 안 가 연은 모란이 처한 처지를 깨닫고 말았다. 바로 어린 백모란이 어린 연의 하인이자 몸종이었다는 점이다. 완전히 회복되었으니 그는 다시 도련님의 수발을 위해 남궁가로 불려 가야만 했다.

열 살의 남궁연은 병마에 지쳐 수척한 얼굴을 하고 있었다. 자신을 보자마자 혐오와 경멸 어린 표정을 떠올리는 자기 자신을 보며 연은 다시금 충격을 받았다. 그랬다. 지금의 자신은 스무 살이나 혹은 열 살의 연이 아닌 여덟 살의 어린 모란이었다.

십 년 전 과거의 자신이 모란에게 했던 괴롭힘을 고스란히 그대로 받으면서 연은 처음에는 반항도 해 보았다. 그러나 시간이 얼마 지나자 깨달음이 찾아왔다. 자신은 지금 과거에 살고 있으니, 언젠가는 바로 '그 순간'이 찾아오는 것이다. 미래이자 현재인, 스무 살의 연이 열여덟 살의 모란을 두들겨 패다가 정신을 잃고 쓰러지는 바로 그때가.

연은 자신이 정교하게 잘 짜여진 운명을 따라 살고 있다는 사실을 받아들였다. 받아들이니 그다음은 쉬웠다. 그저 십 년이 지나기만을 기다리며 인내하면 됐다.

뜻밖에도 이 시간은 연에게 있어 마냥 힘들거나 괴롭지만은 않았다. 연과는 다르게 백모란의 어린 몸은 매우 건강하고 또…… 건강했다. 고뿔 한번 걸리는 일이 없었고 힘도 좋았다. 아무리 고된 일을 해도 지치는 법이 없었다.

모란의 몸에 들어온 지 일 년도 채 안 되어 모란의 모친은 폐렴으로 작고하였으나 연에게는 큰 영향을 미쳤다. 그 짧은 기간 동안 받은 모정은 가랑비처럼 연을 적시고 무르게 만들었다.

남궁연일 때는 없던 친구, 이웃, 스승……. 그 모든 게 낯설면서도 행복하고 좋았다. 딱 하나, '남궁연' 도련님이—그러니까 자기 자신이— 괴롭히는 것만 뺀다면, 다소 빈궁하고 이따금 굶는 일이 있긴 해도 거의 완벽한 삶이었다.

그렇게 십 년이 지나 정해진 그날이 다가오면 올수록 연은 심한 갈등에 시달렸다. 그의 사부에 비하면 한참 모자란 실력이지만 이제 의술 실력이 많이 숙달되어 그는 제대로 된 의원 노릇을 할 수 있었다. 이웃과 환자들이 제게 보내는 신망이 그토록 좋을 수가 없었다.

왜 남궁연으로 돌아가야 하나? 이렇게 좋은데 남궁연으로 살아야 하나? 저를 좋아하는 사람 한 명 없는 그 외롭고 가련한 삶으로?

몇 날 며칠을 고민했으나 결국 내린 결론은 남궁연으로 돌아가야 한다는 것이었다. 어쨌거나 그는 백모란이 아닌 남궁연이었으니까. 그게 이치인 것이다.

연은 바로 '그날', 새벽이 밝자마자 진은록에게 인사를 올리고 남궁가로 향했다. 다시 원래대로 돌아올지 어떨지 미래에 대한 확신은 없었다. 그래도 이렇게 해야 옳다는 건 본능적으로 알고 있었다. 그날에는 무언가가 있을 것이다. 제 인생을 제대로 고쳐 놓을 무언가가.

그렇게 연은 반항도 없이 남궁연이 자신을 가혹하게 두드려 패도록 내버려 두었다……. 마침내 끔찍한 고통 속에서 정신을 잃고 난 뒤 연은 무의식중에 지난 과거들을 꿈꾸었다.

열 살의 자신, 스무 살의 자신…….

여덟 살의 백모란, 열여덟 살의 백모란…….

그가 가졌던 두 명의 어머니들과 은록, 형님, 그리고 수많은 사람들이 연의 뇌리를 스치고 지나갔다. 억겁처럼 느껴지는 시간이 지난 후에야 그는 비로소 정신을 차렸다.

다시 정신을 차리고도, 연은 두려워 차마 눈을 뜰 수가 없었다. 한참을 주먹만 꽉 쥐고 있다가 그는 익숙한 냄새를 알아차렸다. 약초 냄새였다. 약초 냄새 하니 반사적으로 떠오르는 건 그의 사부인 진은록이었다. 연이 억지로 무거운 눈꺼풀을 들어 올렸다. 누군가가 있었다.

"사…부님?"

그러나 실망스럽게도 상대는 낯설면서도 익숙한 얼굴의 의원이었다. 아플 적마다 연을 진료하는 세가 의원 중 한 명이었다. 연이 깨어난 걸 알아차리자 의원은 다시 손목을 잡아 맥을 짚어 보면서 물었다.

"도련님, 정신이 드십니까?"

돌아…왔구나……. 연이 멍하니 제 손을 들어 보았다. 햇빛에 잘 익어서 짙은 모란의 피부와는 달리 희고 말랐다. 그리고 차가웠다. 자신의 몸이 한참 만인 것처럼 느껴지기도 하고 한편으로는 바로 어제 일처럼 가깝게 느껴지기도 했다. 모란으로의 삶이 마치 긴 꿈을 꾼 것처럼 느껴졌다. 연이 멍하니 대답 없이 앉아 있어도 의원은 익숙하다는 듯 제 할 일을 다 했다.

"기가 허해지셨습니다. 보신에 좋은 약탕을 올려놓고 갈 테니 식사 후에 드십시오."

"……."

"그럼 저는 이만……."

한참을 제 손끝만 내려다보던 연이 주섬주섬 치료 도구를 챙기던 의원을 붙잡았다.

"내가 의식을 잃은 지 얼마나 되었습니까?"

"일각(一刻)[2]이 채 안 됩니다. 몸이 큰 충격을 받아 잠시 의식을 잃으신 것이니 큰 이상은 없을 겁니다."

대답하고는 그가 고개를 숙이며 물러났다. 여전히 멍한 채로

2) 십오 분

연이 몸을 일으켜 앉았다. 자신의 몸으로 돌아가는 꿈을 여러 번 꾼 적 있기에 이번에도 꿈인가 하는 의문이 들었다. 그러나 꿈이 이렇게 생생할 리가 없었다.

연은 면경을 들여다보았다. 볼 때마다 낯선 느낌이 들던 백모란의 몸과 얼굴과는 다르게 익숙했다. 한참 동안이나 얼굴을 이리저리 살피다 보니 이제야 제자리를 찾았다는 느낌이 들었다. 백모란과는 다르게 혈색 없는 흰 얼굴이……. 그러나 백모란의 시선으로 보는 것과는 또 달랐다.

"이럴 때……가 아니지."

식은땀을 닦아 내며 연이 자리에서 일어났다. 건강한 몸에 있다가 돌아와서 그런지 이 몸이 더 안 좋게 느껴졌다.

비틀거리며 문을 열고 나가니 가장 먼저 보이는 건 주강이었다. 그의 호위무사며…… 동시에 '백모란'이 제법 친하게 지내던 사람이기도 했다. 그러나 지금은 아니다. 또한 앞으로도 그럴 일은 없을 테지. 이제는 다 지난 일이라 연의 입맛이 썼다.

주강이 정중히 고개를 숙여 보이는데 얼핏 연을 스치는 시선이 별로 좋지 않았다. 전에는 몰랐으나 연은 이제 알 수 있었다.

"도련님, 어딜 가십니까?"

주강의 질문을 연은 그냥 무시했다. 대답할 기분도 아니었고 대답하고 싶지도 않았다. 신발을 신으며 하늘을 올려다보니 언제 흐렸냐는 듯 맑게 개어 있었다. 뜰에는 핏자국이 점점이 흩뿌려져 있었다. 죽지는 않았겠지. 그러나 내상이 제법 심각할 것이다. 스스로 자초한 일이면서도 연은 등골이 서늘했다.

백모란의 집으로 향하면서 연의 마음은 불안함과 초조함으로 넘실거렸다. 이제 백모란은 어떻게 되는 것일까? 백모란의 원래 혼이 돌아오나? 아니면, 그저 그대로 텅 빈 몸이 되나? 연은 부디 전자이기를 바랐다. 마음이 급하니 경공을 써서 몸을 날리는데 돌연 주강이 가로막았다.

"도련님!"

"비켜, 주강."

어떤 상처든지 다친 바로 직후의 처치가 중요하다. 물론 사부가 얼마나 상처 치료를 잘해 놓았겠냐마는 연은 자신의 눈으로 직접 확인하고 싶었다. 게다가 아까 얻어맞으면서 무언가 심상치 않은 구석이 있었다.

"그 정도면 모란도 정신을 차렸을 것입니다."

그 정도로 패 놓았으면 충분하지 않냐는 의미였다. 연은 잠시 주강을 물끄러미 바라보았다. 진은록도 과묵한 편이었으나 주강은 그보다도 더 말수가 적은 사내였다. 모란이었을 적 주강과 나름 대화를 트기까지는 오랜 시간이 걸렸다. 먼저 말을 건네는 경우도 없고 붙임성도 없었으나 좋은 사람이었다. 실력도 좋았고. 그러나 그런 점이 지금은 방해였다.

'해임한다고 할까?'

그런 생각을 하다가 연이 속으로 고개를 저었다. 자신의 호위를 맡고 있기는 하나 주강은 자신의 사람이 아니었다. 비키지 않으면 해임한다고 윽박질러도 그에게는 아무런 협박도 되지 않는다. 잠시 고민하다가 연은 솔직하게 입을 열었다.

"해코지하려고 가는 게 아니니까 비켜."

"……."

"주강, 비키라고 했어."

눈도 깜박이지 않고 노려보자 마침내 주강이 물러났다. 연이 발에 힘을 주어 몸을 날렸다. 고작 경공술 좀 펼쳤다고 숨이 차속으로 빌어먹을, 하고 욕을 지껄였다.

도착해 보니 백모란의 집 근처에는 사람들이 모여 웅성거리고 있었다. 그들은 연이 도착하자마자 찬물이라도 뿌린 것처럼 입을 딱 다물었다. 자신에게 향하는 따가운 시선들을 헤치며 연이 문을 열고 들어갔다. 그리고 주강이 따라 들어오기 전에 면전에서 탁 소리 나게 문을 닫았다. 다행히 주강은 연이 닫은 문을 열고 들어오지는 않았다.

"이런……."

연이 혀를 찼다. 이불 위에 반듯하게 누워 있는 백모란의 몰골은 말이 아니었다. 서둘러 정좌하여 맥을 짚었다. 늑골에 금이 갔고 팔과 다리가 부러졌으나 뼈가 부러진 건 그다지 위중하지도 않았다. 위험한 건 내상을 입으면서 뒤틀린 혈도였다.

진찰을 해 보니 기문혈(期門穴), 중완혈(中婉穴)부터 시작해 그 부근 총 일곱 가지의 혈도에 문제가 있었다. 연은 백모란의 옆에 놓인 침구(鍼灸)들을 발견했다. 그의 사부가 들렀다 간 게 분명했다. 아마 진은록도 연과 똑같은 진단을 내렸겠지. 그리고 가지고 있는 침구로는 안 된다는 걸 깨달았을 것이다.

뼈는 진은록이 맞춰 두었으니 손대지 않아도 괜찮았다. 연이 깊게 심호흡을 하며 백모란의 몸에 손을 얹었다.

백모란의 몸에 들어간 날부터 연은 매일매일 이날을 떠올리고 곱씹고 외웠다. 그는 혹여라도 실수로 자신의 몸에 돌아가지 못하는 일은 피하고 싶었다. 그러다 보니 드는 의문이 있었다. 자신이 그리도 심하게 구타했는데 백모란의 몸은 과연 괜찮을 것인가? 평범한 사람인데? 죽지나 않으면 다행일 수준의 폭행이었다. 연은 무언가 조치를 취할 필요성을 느꼈다.

고민한 끝에 연은 백모란의 몸으로 직접 창궁대연신공(蒼穹大衍神功)을 익혔다. 남궁세가의 직계만 배울 수 있는 내공심법이었다. 모든 내공심법이 그렇지만 창궁대연신공은 특히나 정갈한 내공을 단련하는 데 특별났다. 백모란의 몸을 마음대로 쓰고 자신의 괴롭힘으로 몸을 혹사시키는 것에 대한 나름대로의 보상이었다. 그러나 그 이유뿐만은 아니었다.

연은 원래대로 돌아온 뒤에는 내상을 입은 백모란을 추궁과혈(椎宮過穴)[3]하여 치료할 생각이었다. 그중에서도 내공을 주입하는 방식을 이용할 계획이었는데, 이는 어지간히 가까운 사이가 아니면 시행하지 않는 방법이었다. 그래도 이렇듯 자신의 내공을 흘려 넣어 뒤틀린 혈을 바로잡으면 불구가 되는 일은 절대 없을 터였다.

제 내공을 소모하게 된다는 단점이 있기는 했으나 아무래도 좋았다. 어차피 있으나 마나 한 내공이 아니던가……. 연은 사부로부터 의술을 배우면서 무인으로서의 미래는 이미 버린 지 오래였다.

다만 이 방법을 쓰기 위해서는 서로가 가능한 비슷하거나 같은 성질의 심법을 가져야만 했다. 진은록에게는 불가능한 방법이었다. 그의 내공의 성질은 남궁세가의 것과는 완전히 달랐다. 남궁세가의 내공이 정순한 물과 같다면 진은록의 내공은 번개와도 같았다. 그래서 연은 백모란의 몸으로 창궁대연신공(蒼穹大衍神功)을 배운 것이다. 그는 최대한 치료 효과를 극대화하고 싶었다.

연은 일단 운기조식 하듯 혈도를 한 바퀴 따라 흘려 넣었다. 그 과정에서 미세하게 뒤틀린 혈도 두 개도 잡아냈다. 다른 사람의 몸이었으면 모르고 지나갔겠지만 자신이 한번 썼던 몸이었으니 알아채는 것이 쉬웠다.

평상시 몸과 다른 점을 샅샅이 훑어 낸 뒤 그는 본격적인 치료를 실행했다. 기문혈을 시작으로 차근차근 다른 혈도를 원래대로 고치고 나자 온몸에 진력이 빠지고 식은땀이 비 오듯 쏟아졌다.

---

3) 진기로 혈을 자극해 인위적으로 호흡을 인도하는 방법

"하아……."

손을 떼어 낸 연이 숨을 골랐다. 식은땀 때문인지 아까보다 몸이 더 차게 식은 느낌이 들었다. 자리에서 일어나기 전 연은 낯설면서도 익숙한 얼굴을 바라보았다. 이제 더는 경멸이나 혐오, 혹은 죽이고 싶은 마음은 들지 않았다. 그때의 자신이 마치 다른 사람처럼 느껴지기까지 했다.

"미안해, 백모란."

그래도 십 년 동안 백모란의 재산도 나름대로 모아 두었고, 지금은 부상을 입었지만 나중에는 남궁세가의 심법 덕에 몸도 다시 건강해질 터. 지켜보다가 그의 상황이 어려워지면 몰래 도와줄 생각도 있었다. 그게 연이 할 수 있는 최선이었다.

물론, 이 몸의 주인이 다시 돌아온다는 전제하에지만…….

자리에서 일어난 연이 문을 열자 주강이 바로 앞에서 기다리고 있었다. 주강은 연의 어깨너머로 백모란의 몸을 훑고는 말없이 옆으로 비켰다. 연이 신발을 신고 걸어가자 아까와 마찬가지로 수군거리고 있던 사람들이 입을 다물었다. 그가 잠시 사람들의 얼굴을 살펴보았다. 모두가 익숙한 얼굴들이다……. 환자로 찾아왔거나, 혹은 오며 가며 인사를 나눴었지.

마음이 심란하여 도망치듯이 빠른 걸음으로 나오던 연은 진은록과 정통으로 마주치고 말았다. 냉정하고 침착한 그의 사부가 드물게도 살기 어린 시선을 보내는 바람에 연은 그 자리에서 얼어붙었다. 그는 연을 휙 지나 백모란의 집 안으로 들어갔다.

예상은 했으나 가슴이 덜컥 가라앉는 건 어찌할 수가 없었다. 진은록이 연을 그냥 지나친 건 그가 남궁세가의 차남이어서가 아니다. 그저 백모란을 치료하는 게 그의 우선 순위였기 때문이다.

연은 다시 발걸음을 옮겼다. 올 때와는 달리 터덜터덜 다소 힘없는 발걸음이다. 진은록은 진맥을 하자마자 분명 뭔가 달라져도 크게 달라졌음을 바로 깨달을 것이다. 이미 진단을 해 보았으니 백모란의 상태가 위중했다는 걸 누구보다 잘 알겠지. 그리고 잠깐 사이에 그 상태가 기적적으로 호전되어 있다는 것도 알게 될 것이다. 한 달 정도 요양하면 완전히 원래대로 돌아오리란 것도.

허나 안다 한들 무엇을 어쩔 것인가? 어떻게 추측을 할 것인가? 항상 백모란을 못 잡아먹어 안달이었던 남궁연이 몸소 찾아와 치료해 주었다고? 그것도 의술의 의도 모를 도련님이? 의심을 가지겠지. 가지고도 남았다. 그래도 어쩔 수 없었다. 차마 백모란의 몸이 불구가 되게 내버려 둘 수는 없었다. 의원이면서 본인만큼 몸을 잘 아는 데다가 같은 심법을 가진 사람만이 완치할 수 있을 그런 내상이었다.

어차피 이제 더는 그의 사부가 아니었다. 그의 친구이자 아버지였던 이는 순식간에 남보다도 못한 사람이 되어 버리고 말았다. 연이 코웃음을 쳤다. 제자를 그 꼴로 만들었으니 원수가 되면 되었겠지. 진은록이 목숨을 중히 여기는 의원이었기에 망정이지 그렇지 않았다면 모란의 원수를 갚기 위해 찾아와도 이상할 일이 아니었다.

연은 남궁세가로 들어가면서 천천히 속으로 이별을 고했다. 퍽 심력을 소모하는 일이었다. 하루아침에 알고 지내던 모든 사람들과 생이별을 했을 뿐만 아니라 이제는 그 모든 사람들이 자신을 싫어하는 상황이다. 각오를 하지 않은 건 아니다. 그러나 각오를 한다고 모든 일이 쉬워지는 것도 아니었다.

연은 오늘 아침 백모란의 몸으로 걸어온 길을 다시 따라 걸었다. 영성문을 지나 화정당으로 들어서니 뜰의 핏자국은 그사이 사라져 있었다. 그의 예민한 성정 때문에 화정당의 시비들은 꽤 바지런한 편이었다.

묵묵히 제 뒤를 쫓아온 주강에게는 시선 한번 주지 않은 채, 연은 성큼 방에 들어섰다. 겉옷 하나 안 걸치고 나갔다 왔더니 몸이 한기로 떨렸다. 그의 형인 남궁연이나 주강이 겨울에 외투는커녕 얇은 겉옷 하나 걸치고 다니는 것과는 달랐다. 연은 그래서 겨울이 유독 싫었고, 또 한편으로는 다른 '어떠한 이유'로 좋기도 했다.

두꺼운 이불을 덮고 누우면서 연은 생각에 잠겼다. 백모란이 다시 깨어나게 되면 어떻게 될까? 영혼이 없으니 백치가 되나? 혹은 아예 깨어날 수가 없게 될까? 아니면 자신처럼 잠시 어디론가 갔던 영혼이 원래대로 돌아오는 걸까? 돌아온 그의 몸에는 이전의 기억들이 남아 있을까?

어려운 문제였고, 백모란이 깨기 전까지는 답을 찾기 어려운 의문들이기도 했다. 차게 식었던 몸이 체온을 되찾는 데는 시간이 꽤 걸렸다. 그동안 연은 백모란으로 살아왔던 인생을 곱씹으며 오래도록 생각에 잠겼다.

'이런, 깜박 졸았군.'

벽에 기댔던 몸을 일으켜 세우며 진은록이 피곤한 미간을 꾹꾹 눌렀다. 눈을 뜨자마자 시선이 향하는 곳은 그의 제자가 누워 있는 침상이었다. 사흘째 모란은 정신을 차리지 못하고 있다. 습관적으로 맥부터 짚어 보던 은록의 얼굴이 근심과 의문으로 찌푸려졌다. 아무리 생각해도 이해가 가지 않았다.

진은록이 이곳 안휘성(安徽省)에 자리 잡은 지도 어언 이십 년째다. 한때 그는 황성에서 일하던 솜씨 좋은 의원이었다. 그러나 황성이 어떤 곳이던가? 온갖 부조리함과 부정부패가 판치는 곳이었다. 실력보다는 가문과 권력, 그리고 지위에 의한 처방이 내려지는 게 일상다반사라. 곧은 성정의 은록은 일한 지 얼마 안 되어 넌더리를 내며 황성에서 나왔다. 일가친척이 없었으니 딱히 고향에 돌아가고 싶지도 않았다.

그는 몇 년을 떠돌아다니며 명의라는 명성을 쌓다가 마침내 안휘성에 당도하여 작은 의원(醫院)을 하나 차렸다. 그는 가난한 자건, 부유한 자건, 혹은 인성이 악하거나 선하거나 상관하지 않았다. 환자들은 거절하지 않고 모두 받았다. 고통 앞에 귀천이 있던가?

대신 그는 반드시 치료에 대한 비용을 받아 내되 상대의 형편에 따라 값을 다르게 책정했다. 재산이 많은 자에게는 많이 받아 내어 그 비용을 가난한 자에게 베푸는 형식이었다.

진은록이 제자를 들인 건 안휘성에 정착한 지 십 년 째 되는 해였다. 어느 가난한 과부의 어린 아들이 며칠 내내 고열을 내며 앓고 있어 치료하게 되었는데, 전혀 원인을 알 수가 없었다.

그저 열뿐이라면 이상할 일은 아니었다. 어린아이들은 원래 종종 이유 없이 고열을 앓곤 했으니. 그러나 앓고 난 아이는 실어증을 앓았다. 목과 성대에는 이상이 없었으니 머리에 이상이 생겼거나 정신적인 문제였다.

아이의 모친은 정신적인 충격을 받을 일이 없다고 했으나 은록이 보기에는 아무리 봐도 정신적인 문제였다. 아이는 식사도 거부하는 일이 잦았고 하루 종일 아무 일도 하지 않고 앉아 있기만 했다. 전형적인 울병(鬱病)[4]의 증상이었다. 거기에 다시 열을 내고 발작하는 일이 있어 은록은 일단 혹시나 하는 마음에 의원에 두고 지켜보기로 했다.

4) 우울증

의원에 있는 동안 아이는 은록의 의술에 관심을 보였다. 회복이 되려는 긍정적인 징후로 본 은록이 넌지시 물었다.

"배우고 싶으냐?"

아이가 고개를 끄덕이자, 그는 다음 날 천자문을 가져다주었다. 당연하다면 당연한 행동이었다. 의서(醫書)를 읽으려면 먼저 글자를 알아야 한다. 그런데 놀랍게도, 아이는 이미 글자를 알고 있었다. 기초적인 경맥학서를 가져다주자 막히는 부분 없이 이해하기까지 하였다. 은록은 그때서야 아이에게 이름을 물어보았다. 잠시 망설이다가 아이가 대답했다.

"백…모란입니다."

그때부터 모란은 진은록의 제자가 되었다.

자식이 없는 그에게 있어서 아들 같은 존재였고, 자신의 모든 것을 물려주어도 될 만한 아이였다. 모란은 총명했고 의원이라면 응당 지녀야 할 측은지심(惻隱之心)과 냉정함도 가지고 있었다. 그렇게 아끼던 제자였다. 그런 아이가 남궁연에게 맞아 죽을 지경에 이르렀다며, 마을 사람이 헐레벌떡 달려와 알릴 적에 은록의 가슴은 덜컥 내려앉았다.

오래도록 모란을 알았기에, 은록은 남궁연이 얼마나 모란을 못살게 구는지도 알고 있었다. 남궁연이 모란에게 손찌검을 한 건 이번이 처음은 아니었다. 헤아리기 힘들 정도였으며 가끔은 도를 넘을 때도 있었다.

하루는 머리에서 피를 흘리고 돌아오기에 어지간해서는 간섭하지 않는 은록이 진지하게 남궁세가의 하인 일은 그만두는 게 어떻겠냐고 권유하기도 했다. 마을에서 모란은 이미 의원과도 같은 존재였다. 남궁연의 하인으로 있기에는 아까운 인재가 아닌가. 그러나 무슨 영문인지 모란은 쓰게 웃으며 고개를 저을 뿐이었다. 본인이 괜찮다니 은록으로서는 어찌할 방도가 없었다.

그런 일은 그만두라고 진즉 말려야 했던 것을. 피투성이가 되어 누워 있는 제자를 보며 은록이 탄식했다. 맥을 짚어 보니 내상으로 엉망진창이었다. 모란이 워낙 건강한 체질이었기 때문에 어릴 적 이후로 맥을 짚어 보는 건 처음이었던 은록이 잠시 멈칫했다.

'모란이 언제 무공을 배웠던가?'

의문이 들었으나 지금은 그게 중요한 게 아니었다. 그는 일단 부러진 팔다리의 뼈를 맞춘 뒤 자리에서 일어났다. 단기간의 치료로 해결될 만한 수준의 내상이 아니었다. 의원으로 바로 데려왔으면 좋았을 텐데 워낙 심하게 다친 데다가 경황이 없어 사람들이 바로 모란의 집으로 데려간 모양이었다.

모란의 집에서 의원까지는 얼마간 거리가 있었다. 초조하고 다급한 마음으로 치료 도구를 가지고 돌아오던 중 은록은 남궁연과 마주쳤다. 지치고 피곤한 얼굴로 걷던 남궁연이 무표정하게 고개를 들어 올리더니 흠칫했다. 분노가 치밀어 올라 은록이 주먹을 꽉 쥐었다.

남궁연이 모란의 집에 들렀다 온 것이 틀림없었다. 그가 남궁연을 공격하지 않은 건 바로 뒤에 선 주강이 고개를 흔들어 보인 탓이었다.

자신의 분노보다는 위중한 제자가 더 급했기에 은록은 이를 악물고 그를 지나쳤다. 그가 당도하자마자 마을 사람이 희게 질린 얼굴로 남궁가의 공자가 들렀다 갔노라 고하였다. 은록은 불안한 마음에 단숨에 문을 열고 들어와 다시 맥부터 잡았다. 한참 뒤 은록이 눈을 크게 떴다.

"……이게 무슨……."

믿기지가 않아 몇 번을 다시 살펴보아도 결과는 똑같았다. 들끓던 내기(內氣)나 뒤틀렸던 혈도가 제대로 치료가 되어 있었

34

다. 부러진 뼈와 상한 근육이 회복되도록 한 달 정도 충분히 쉰다면 원래대로 건강해질 수 있었다.

은록은 자리에서 벌떡 일어나 서성거리다가 다시 앉아 차근히 맥을 짚어 보았다. 역시 혈도며 기맥이며 모두가 정상이다. 그가 부정했다.

"말도 안 되는 일이다."

은록은 이십여 년이나 환자를 치료해 왔다. 그렇기에 내상이란 절대 우습게 볼 상처가 아님을 잘 안다. 정양 생활과 함께, 침과 뜸으로 천천히 뒤틀린 혈을 제자리에 돌려놓는 장기적인 치료를 요했다. 놀라운 건 갑자기 치료된 내상뿐만이 아니었다. 아까는 여유가 없어 그냥 지나쳤으나 지금 다시 확인해 보니 모란의 몸은 분명 내공을 배운 흔적이 남아 있었다.

그는 몇 번 남궁세가의 무사를 치료한 적이 있었다. 남궁세가에도 상주하는 의원들이 있긴 했으나 그들은 오로지 직계만 상대했던 탓이다. 진찰할 때마다 무사들의 몸에서 그는 남궁가 특유의 정순한 내공심법을 느낄 수가 있었다. 모란이 배운 내공심법이 바로 그런 성질이었다. 그러나 질적인 면에서는 놀라울 정도로 차이가 났다.

남궁세가의 직계를 한 번도 치료해 본 적은 없지만, 이 정도라면 직계만 배우는 내공심법이 아닐까 하는 생각이 들 정도였다.

만약에 모란이 남궁세가의 내공심법을 배웠다는 걸 전제로 하면 단시간에 이 정도 수준으로 치료하는 것이 완전히 불가능하지만은 않았다. 추궁과혈이란 방법이 있지 않은가.

하지만 추궁과혈이라니! 조건이 까다로웠다. 시전하는 사람의 내공 손실이 크니 함부로 행할 수 있는 방법이 아니었다. 은록이 이를 악물었다. 대체 누구일까. 모란과 동일한 남궁세가의 심법을 배웠고 의술을 아는 자, 그리고 본인의 내공을 내주어도 될 정도로 친밀한…….

다시 자리에서 벌떡 일어난 그가 문을 열고 나왔다. 그리고 궁금함에 기웃거리고 있던 마을 사람을 한 명 붙잡아 물었다.

"남궁연 외에 이 집에 들른 다른 사람은 없었습니까?"

"그 공자 말고는 아무도 없소이다."

"그럴 리가…… 없는데."

마을 사람이 이상하게 보거나 말거나 은록은 고개를 저었다. 그는 방금 말도 안 되는 가정을 한 참이었다. 다른 누구도 아닌 바로 그 남궁연이 모란을 위해 몸소 와서, 무인에게 있어서는 그 무엇보다도 중요한 내공을 넘겨주면서까지 치료를 했다는 가정 말이다. 하지만 남궁연이 왜 그런 짓을 하겠는가? 모란을 못 잡아먹어 안달 난 자가?

다시 방으로 돌아온 은록은 몇 번이고 모란의 상태를 살폈다. 그가 혹시나 모르고 지나친 어떠한 흔적을 찾으려 했으나 그런 건 없었다.

모란이 깨어나지 못하는 며칠 내내 은록은 시간이 날 때마다 곁을 지키며 무슨 수로 회복된 것인지 알아내려 애를 썼다. 수면 시간까지 줄여 가며 서적을 뒤지고 맥을 짚어도 소득은 없었다. 그렇게 지낸 것이 벌써 오늘이었다.

'오늘쯤에는 깨어나야 할 텐데.'

정신이 들었을 때와 들지 않았을 때의 진단에는 또 차이가 있었다. 은록이 침음하며 맥을 짚던 손을 놓았을 때였다. 미동 없이 가만히 누워 있던 모란의 손이 돌연 은록의 손목을 놀라울 정도의 힘으로 세게 낚아챘다. 정신이 드느냐고 묻던 은록이 멈칫했다.

그도 그럴 것이 자신을 바라보는 백모란의 눈이…….

아침에 눈을 뜨자마자 연은 면경부터 확인했다. 며칠이 지난 지금까지도 자신이 원래대로 돌아온 게 좀 믿기지가 않았다. 당연한 일이었다. 자그마치 십 년 만인 것이다.

일어나 종을 흔들자 잠시 뒤 시비가 따뜻한 세숫물을 내왔다. 의복을 정갈히 하고 세수를 하고 나니 다음으로는 하인 하나가 아침을 들고 왔다. 익숙한 얼굴이었다. 백모란일 적 나름 안면을 트고 산 사람이다.

공손하게 고개를 숙이고는 있지만 연은 그가 자신을 퍽 싫어한다는 사실을 알아차릴 수 있었다. 이 또한 예상한 일이라 놀랍지는 않았다. 언제는 평판 따위를 신경 썼는가?

그러나 백모란으로 지낼 적 이 사람과 얼마나 친했는가를 떠올리면 입맛이 썼다. 이곳 남궁세가는 중원에서 제일가는 가문이었으나 그랬기에 연은 결코 이곳에서는 행복해질 수가 없었다.

젓가락을 든 채 연은 물끄러미 자신의 식사를 내려다보았다. 따끈하니 갓 지은 흰쌀밥과 종류가 여섯 가지나 되는 반찬은 한참 동안 먹지 못했던, 맛 좋고 고급스러운 음식들이었다. 백모란일 적에는 가난하였기에 고기반찬 구경하기가 힘들었다. 그나마도 남궁세가에서 일하였기에 겨우 몇 번 얻어먹을 기회가 있었다.

몇 숟가락 뜨다가 연이 수저를 내려놓았다. 자신의 몸으로 돌아온 건 좋기는 하였으나 백모란이 가지고 있던 건강함이 그리웠다. 입맛도 몸 상태가 좋아야 제대로 돈다. 연은 얼마 먹지도 못하고 상을 물렸다.

상을 물린 뒤 가만히 앉아 있으려니 익숙한 사람들의 얼굴이 툭툭 떠올랐다. 백모란은 아직도 의식을 잃은 상태인가? 사부님은 어찌 지내실까. 만약에 백모란의 원래 몸 주인이 돌아온다 해도 그게 나는 아닐 테니, 하루아침에 제자를 잃은 셈이 되실 텐데.

가까운 사람들에 대한 생각은 이내 환자들에 대한 생각으로 옮아갔다. 전날까지 가능한 환자들의 치료를 마무리하려고 했으나 그러지 못한 사람들이 있었다. 제대로 치료해 주고 싶었는데 그게 아쉬움으로 남았다.

그가 이런저런 생각에 잠겨 있을 때였다. 밖이 갑작스럽게 소란스러워졌다. 무슨 일인가 하여 자리에서 일어나려는데, 벌컥 문이 열렸다. 성큼성큼 방 안으로 들어오는 사람은 놀랍게도 그의 형제인 남궁연오였다. 그는 차갑게 장포 자락을 펄럭이며 자리에 앉았다.

"형님."

연이 엉거주춤 일어나기도 전에 연오가 차게 명령했다.

"앉아라."

그가 이렇게 갑자기 나타날 거라고는 꿈에도 생각하지 못했던 연은 놀란 얼굴로 자리에 앉았다. 참으로 오래간만에 보는 얼굴이었다. 남궁연일 적에야 가족 식사니 무엇이니 하여 못해도 며칠에 한 번씩은 볼 수 있었다. 그러나 백모란에게 남궁연오란 일 년에 한 번이나 멀찌감치에서 보면 다행일 정도로 까마득한, 그 남궁세가의 소가주였다.

그는 오랜만에 보는 형님의 얼굴을 살폈다. 준수하면서도 강건한, 연과 달리 참으로 사내다운 얼굴이 그를 엄하게 노려보고 있었다. 그러고 보니…… 형님에게 혼났던 것도 한참이나 예전이지, 아마. 십 년 전의 일이 마치 어제처럼 느껴지기도 하고 아주 옛날의 일처럼 느껴지기도 했다.

"네가 무슨 잘못을 했는지 모르겠다는 얼굴이구나."

차갑게 꾸짖는 소리를 듣고서야 연은 현실로 돌아왔다. 아니, 무슨 잘못을 했는지 모르겠……지만은 않았다. 사고를 하나 쳐 놓지 않았나. 그다지 후회하지는 않았으나 속마음이야 어쨌든 반성하는 모양으로 연이 고개를 숙였다.

"무인이란 자가 어찌 무공을 익히지도 않은 사람을, 그것도 네 아랫사람을 그 지경으로 만든단 말이냐?"

할 말이 없었기에 연은 그저 묵묵부답으로 응했다. 연오가 보내는 시선이 따갑게 느껴졌다. 기분이 나쁘지는 않았다.

'무인이란 자라…….'

아무리 좋게 봐 주어도 연의 무공 성취는 길거리 삼류 무사보다 약간 더 나은 수준밖에는 되지 않았다. 거칠고 힘든 수련이라도 할라치면 앓아눕는 탓이다. 남궁세가의 수치라며 사람들이 공공연히 수군거리는 일에 익숙한 연은 연오의 이런 반응이 오히려 새로웠다.

'그나마 나를 무인 취급하기는 하는구나.'

꽤 오랜 시간을 보고 지냈는데도 연오는 그렇게 가깝게 느껴지는 형제는 아니라 언제나 대하기 어려웠다. 성정이 대나무처럼 곧고 꼿꼿하기 때문이었다. 하지만 그는 한편으로는 관대하기도 했다. 동생으로 있을 때는 알 수 없었지만 백모란으로, 남궁세가의 사람으로 일하면서 알게 된 점이었다. 남궁연오는 퍽 아랫사람을 아끼는 편이었다. 그러니 지금의 분노가 이해도 갔다.

"이유가 있다면 말해 보거라."

이유라면 있었다. 남궁연일 때는 병신이라는 모욕을 들어서이고, 백모란일 때에는 원래 몸으로 돌아가기 위해서였다. 어쩔 수 없는 일이었고 어느 쪽도 연오에게 해명은 되지 않을 것이었다. 잠시 고민하다가 연이 담담하게 입을 열었다.

"하인이 건방지게 굴어 손찌검을 하고 말았습니다."

"남궁연!"

연오가 언성을 높여도 연은 눈 하나 깜짝하지 않았다. 대신 고개를 더 숙여 보였다.

"앞으로는 이런 일 없을 겁니다."

이것 하나만은 진심이었다. 백모란의 몸으로 지냈기 때문인지 이제 더는 백모란에 대해 부정적인 감정이 남지 않았다. 그저 사람이 이런 경험을 할 수 있구나 하는 생각이 들었을 뿐이지…….

하지만 그 형편없는 변명이 연오의 마음에 찰 리가 없었다. 자신의 아우가 못마땅했던 연오가 들어왔을 때처럼 차가운 바람을 일으키며 자리에서 벌떡 일어났다. 연은 그저 묵묵하게 시선을 바닥에만 두었다. 연오가 보기에는 조금도 반성하지 않는 얼굴이라 심기가 더욱 험악해져만 갔다.

"충분히 반성할 때까지 내 눈에 띄는 일 없도록 해라. 알겠느냐?"

한마디로 무기한 근신이란 이야기였다.

"예, 형님."

연이 고분고분 대답하자 연오는 딱딱하게 굳은 낯으로 뒤도 돌아보지 않고 방을 나갔다. 그제야 고개를 든 연이 작게 한숨을 쉬었다. 안 그래도 대하기 어려운 형제였다. 보통 도련님이 하인을 두들겨 팼다 하여 근신처럼 무거운 처분을 받는 일은 드물었으나, 연오는 바로 그런 드문 사람이었다. 불의는 결코 눈감아 주지 않았다. 그럴 만한 힘도 있었다. 그는 장차 남궁세가의 가주가 될 몸이었으니까.

남궁영명에게는 총 다섯 명의 자식들이 있으나 감히 연오의 위치를 넘볼 자는 없었다. 정실의 자식인 데다 남궁세가의 소가주에 무공의 성취도 매우 뛰어났던 것이다. 성정 또한 곧고 올바르니 앞으로 남궁세가는 전에 없을 전성기를 누리리라 다들 떠들어 대곤 했다.

'그러나 빛이 강하면 그림자가 더욱 짙어지는 법이지…….'

아무튼 근신이니 당분간 화정당 밖으로는 나가지 못할 것이었다. 연은 잠깐 자리에 누웠다가 다시 일어났다. 전에도 화정당 밖으로는 나가는 일이 드물었지만 백모란으로 살다 왔기에 몸이며 손이 심심했다.

'전에는 대체 뭘 하면서 지냈지?'

연은 새삼 자신의 빈약한 인맥을 돌아보았다. 모란일 적과는 달리 이렇게 근신 처분을 받아도, 혹은 아프거나 무슨 일이 생겨도 찾아오는 이 한 명 없었다. 지금 때면 한참 환자를 돌볼 시간이었는데……. 그는 새삼 의원의 약초 냄새가 그리웠다.

첫날은 그럭저럭 방에서 잠이나 자며 보냈지만 둘째 날이 되고 셋째 날이 되자 연은 무료해 죽을 지경이 되었다. 정말로, 예전의 자신은 뭘 하면서 보냈단 말인가?

하릴없이 이불에 놓인 자수의 수나 세던 연은, 문득 문을 열어 보았다. 실력이 그다지 좋지 않아 인기척을 감지할 수는 없었지만 아마 밖에는 주강이 있을 터였다. 바깥문까지 열고 나가자 바람이 훅 불어닥치는데 마치 주먹에라도 맞은 듯 뺨이 다 얼얼했다.

'모란일 때는 이런 추위는 별거 아니었는데.'

무공의 성취가 높지는 않아도 봄이라도 건강하다면 좋았을 것을……. 부질없는 생각을 하며 문 앞을 지키고 서 있는 주강에게 다가갔다. 무표정하게 서 있던 그가 고개를 돌려 연을 바라보았다.

“주강.”

“예, 도련님.”

무어라 말을 꺼내야 할지 알 수 없어서 연은 잠시 눈을 굴렸다. 남궁연일 때 주강에게 먼저 말을 걸었던 게 손에 꼽았다. 사실 모란이 되고 나서야 주강의 이름이 주강이라는 걸 알 정도였으니까.

“백모란은…… 좀 어떻지?”

드물게도 주강이 바로 대답하지 않고 연을 빤히 바라보았다. 그래, 그렇게 죽어라 두들겨 패 놓고는 안부를 묻는다니 어처구니없기도 하겠지. 그래도 연은 답을 기다렸다. 한참 만에야 주강이 입을 열었다. 겨울바람만큼이나 찬 목소리였다.

“별로 친한 사이가 아니라 어떤지 잘 알지 못합니다.”

쌀쌀맞군……. 아무튼 죽지는 않았다는 건 알겠다. 물론 연이 원하는 대답은 그런 게 아니었다. 아직 깨어나질 못했나? …… 아니 그런데, 자신 정도면 주강에게 있어 꽤 친한 편이 아니었던가? 다소 서운한 감정이 들었다.

견딜 수 없을 정도로 날이 추워서 다시 방으로 돌아온 연은 지필묵(紙筆墨)을 꺼내 들었다. 이렇게 놀고만 지내다가 알고 있던 지식을 모두 잊을까 염려가 되었다. 사부에게서 배운 것을 다시 쓰며 정리하고 있자니 문득 떠오르는 게 있었다.

‘그래, 이 남궁세가를 나가자.’

가족들이며 친척들이 있어도 그는 더는 이 집안에 있기 싫었다. 연오를 제외한다면 다른 이들은 사실 혈육으로 느껴지지도 않았다. 어떻게 가족이라고 할 수 있을까?

자신의 부모에 대해 생각하던 연이 지그시 눈을 감고 고개를 흔들었다. 차라리 아무도 자신을 모르는 먼 곳으로 떠나 새로 인연을 만들고 싶었다.

'의원을 하나 차리자. 사부님이 했던 것처럼 꾸려 나가면서, 인연이 닿는다면 좋아하는 사람과 혼인을 하여 자식도 가져야지. 정말 가족을 만들어야지.'

어차피 자신이 나가도 붙잡을 사람은 없었다. 하지만 근신 중이니 지금 당장은 안 될 터다. 연오는 사람은 좋아도 융통성은 없어 한번 정한 바는 결코 바꾸지 않았다. 만약 자신이 이대로 집을 나간다면 추격대를 보내 잡아들이고도 남았다.

일단 나가자고 계획하니 원래의 몸으로 돌아온 뒤 울적했던 심기가 많이 좋아졌다. 연이 자신의 방을 뒤졌다. 가지고 있는 패물들을 박박 긁어모아 보니 앞으로 그럭저럭 살아갈 만한 재산이 되었다. 무언가 돈 될 만한 게 더 없나 자개장을 뒤지던 연의 손이 멈칫했다.

"이건……."

연의 시선이 진주가 알알이 박힌 고급스러운 비녀와 낡아서 색이 바랜 서신에 향했다. 어머니의 유품이었다. 이 또한 참으로 오랜만에 본다. 입술을 깨문 채 한참을 응시하다 비녀와 서신에는 손도 대지 않고 탁 서랍장을 닫았다. 속이 갑갑하여 잠시 한숨을 쉬고 있는데 밖에서 도련님, 하고 시비가 불러 왔다.

"소가주께서 부르십니다."

"형님께서 어쩐 일로?"

"식사를 같이하자고 하셨습니다."

"그래, 알겠다."

연이 잠시 생각에 잠겼다. 근신한 지 얼마 되지도 않았는데……. 이쩼든 의복을 단정히 하고 방을 나서자 주강이 조용히 뒤를 따랐다.

연오가 지내는 곳은 세가에서도 안쪽 조용한 곳에 위치한 화월당(華月堂)이었다. 도착하니 화월당의 정원에 동백꽃이 흐드러지게 피어 있었다. 미간을 찌푸리며 조용히 정원을 지났다. 문 앞에 서자 시비가 조용히 문을 열어 주었다.

"형님, 부르셨습니까."

"음, 그래."

연이 오자 연오가 보고 있던 서적을 덮었다. 이 자리에는 연오만 있는 것은 아니었다. 세가의 열두 장로인 남궁자영과 남궁인이 미리 자리하고 있었다. 장로님, 하고 인사하자 둘도 가볍게 받아 주었다. 연은 속이 불편해지기 시작했으나 내색하지는 않았다. 연오가 손짓을 하자 시비가 금세 음식을 날라 왔다.

"다들 앉으십시오. 너도 앉거라. 주강에게 들으니 식사를 자주 거른다고 하던데."

"그리 자주 거르는 것은 아닙니다."

연이 자리에 앉으며 변호하자 연오가 가볍게 혀를 차며 고개를 저었다. 그는 저보다 다섯 살 어린 아우가 항상 신경 쓰였다. 원체 건강이 좋지 않은 데다가 계절이 변할 때마다 크게 앓아눕기에 염려되어 의원에게 여러 번 보이기까지 했다. 그러나 그때마다 별다른 원인은 없다는 불만족스러운 대답만 들었을 뿐이다.

"하루에 겨우 두 끼 혹은 한 끼를 먹는다는데 그게 어떻게 자주 거르는 것이 아니냐. 지난번에 보니 안색이 좋지 않아서 내도록 마음에 걸리더구나."

연은…… 무어라 할 말이 없었다. 원래대로 돌아온 뒤에는 스스로 생각하기에도 건강이 퍽 좋지 않긴 했다. 하지만 건강이야 원래도 그러지 않았나? 그래도 이 집안에서 자신을 걱정하는 건 연오뿐이니 그저 얌전히 고개를 끄덕였다.

"앞으로는 제대로 식사를 하도록 하겠습니다."

"그래……."

딱히 만족하지 않은 얼굴로, 연오는 잠시 빈자리 하나에 시선을 주었다. 그의 바로 옆자리였다. 눈치 빠른 시비가 주인이 원하는 답을 바로 내놓았다.

"한위 도련님은 자리에 계시지 않았습니다."

잠시 미간을 찌푸리기는 하였으나 연오는 다른 동생의 부재에 가타부타 말을 더하지는 않았다.

연은 잠시 자신의 동생인 남궁한위에 대해 떠올려 보았다. 남궁한위는 연오가 이처럼 가족끼리의 식사 자리를 만들어도 잘 나타나지 않았다. 연오와는 달리 큰 연회가 있을 때나 한두 번 얼굴을 본 정도라 그다지 친한 사이는 아니다. 하기야 언제는 친한 사람이 있었냐마는.

세가의 소가주와 함께하니만큼 식사는 고급스럽고 맛이 좋았다. 연오와 장로들이 대화를 나누는 동안 연은 말없이 얌전히 식사만 했다. 전에는 이렇게나 말이 없는 편이 아니었기에 연오가 이따금 의아한 얼굴을 했다. 마침내 그가 연아, 하고 불렀다.

"몸이 안 좋은데 내가 억지로 불러낸 것은 아닌가 모르겠다."

"아닙니다. 생각할 것이 있어서 그랬습니다."

사실이기도 했다. 이 집을 나간 후에 대해 상상해 보니, 그래도 연오만큼은 그립고 아쉽겠지 하는 마음이 들었던 것이다. 연오가 주의 깊게 연의 얼굴을 살피다가 막 입을 열려던 찰나였다.

"생각만 많으니 몸이 그 모양인 게 아니겠느냐."

익숙한 목소리에 연은 등골에서 피가 싹 빠져나가는 기분이 들었다. 황급히 자리에서 일어나 뒤를 돌았다. 연오와 장로들도 자리에서 일어나 가주를 향해 포권지례(抱拳之禮)를 올렸다. 이 자리에서 예고도 없이 들이닥친 남궁영명에 동요한 사람은 연뿐인 것 같았다. 그는 아버지를 좋아하지 않았다. 아니, 좋아하지 않는 수준을 넘어 증오했다.

연오가 한위가 앉을 예정이었던 빈자리로 물러나자 남궁영명이 천천히 발걸음을 옮겨 왔다. 연은 이상하게 남궁영명의 시선이 자신에게 오래도록 머무른다는 느낌을 받았다.

"식사하는데 내가 방해를 했구나. 앉거라."

고개를 든 연은 남궁영명이 그 느낌이 착각이 아니라는 걸 깨달았다. 그저 묵묵히 기다리고 있자 뚫어져라 바라보던 남궁영명이 마침내 입을 열었다.

"듣자 하니 하인에게 폭력을 휘둘렀다고?"

연이 뭐라 대답하기도 전에 기다렸다는 듯이 연오가 대답했다.

"근신 처분을 내렸습니다. 깊이 반성하고 있을 것입니다."

"아니지, 아니야."

영명의 손이 시비가 새로 내온 식기를 들어 올렸다. 무인 특유의 단단하고 굳은살이 많은 손이었다. 그가 소면을 잠시 뒤적이다가 도로 젓가락을 내려놓았다.

"아랫것이 말을 듣지 않으면 상벌을 분명히 할 필요도 있는 법이다. 어쩐 일로 연이가 연오보다 잘할 때도 있구나."

연이 조용히 목울대를 울렸다. 그는 정말 이자가 증오스럽고 혐오스러웠다…….

이 자리에서 유일하게 기분 좋은 사람인 영명이 음식 대신 술잔을 기울여 마시고는 연오에게 손짓을 했다. 연오가 담담하게 고개를 숙였다.

"연이의 근신은 이만하면 됐다."

"알겠습니다, 아버지."

연오의 대답을 끝으로 한동안 누구도 말을 꺼내지 않았다. 간간이 연오와 장로 사이에 말이 오가던 것과는 다르게 완전한 침묵 속에서 식사가 이루어졌다. 영명은 세가의 일에 대해 연오와 몇 가지 말을 나누었다. 대체로 영명이 일방적으로 무엇을 어찌하라 지시하는 것이었다.

연은 점차 불편해지는 속을 억누르느라 곤욕이었다. 한없이 길게만 느껴지는 식사가 끝날 무렵 영명이 연에게 칭찬이랍시고 말했다.

"네게도 내 피가 흐르기는 하는구나."

칭찬이라니, 칭찬일 수가 없었다. 세상에서 제일가는 모욕이었다. 연이 이를 꽉 악물었다. 다행이라면 식사가 끝나기 전 영명이 먼저 자리를 떴다는 것이다. 연오는 아무 말도 없었지만 어쩐지 연에게 미안해하는 것도 같았다.

사실 연은 어떻게 남궁영명의 아래에서 연오 같은 아들이 나올 수 있는지 이해할 수가 없었다. 연오의 모친인 황보세희를 닮아서일지도 모른다.

그럼 자신은, 제 어머니를 닮아서 이런 걸까? 그런 생각을 하다가 연이 마음속으로 고개를 저었다. 쓸데없는 생각이었다.

"주강은 잠시 남거라."

연과 함께 막 나가려던 주강이 연오의 부름에 발걸음을 돌렸다. 화월당을 나가기 전 연은 잠시 말끄러미 주강을 바라보았다. 그는 연오에게 다가가 작게 무언가 보고하는 중이었다. 주강은 연오가 붙여 준 호위무사다. 단순히 호위뿐만이 아니라 연오에게 꼬박꼬박 연의 동향을 알려 주는 역할도 하고 있었다. 물론 감시라기보다는 연의 봄 상태를 살피는 것에 가까웠으나, 어쨌든 연의 사람이 아닌 건 분명했다.

얼마 전까지는 연도 자신의 사람들이 있었으나 그들은 처음부터 제 몫은 아니었다. 십 년이 지나면 사라져 버릴 그런 인연들이었지. 알면서도 그럴 수밖에 없었다. 남궁연으로 돌아오면 아무 의미도 없을 관계인데도 정이 그리워서…….

남궁영명 때문에 얹혔는지 오늘따라 속이 유달리 메슥거렸다. 소화도 시킬 겸 좀 먼 길을 돌아가는 걸 선택했다. 날이 매우 추워 온몸이 아렸다. 입김을 뱉으며 자박자박 걸음을 옮길 때였다.

"……?"

갑자기 제 앞의 그림자가 길어져 연이 멈칫했다. 이 그림자가 자신의 것이 아니라는 걸 깨달은 순간은 늦었다. 돌연 뒤에서 우악스러운 손이 뻗어 와 입을 틀어막았다.

연이 반사적으로 팔꿈치를 휘둘렀으나 가볍게 막히고 말았다. 다음으로는 이상한 느낌이 번지더니 온몸이 굳었다. 딱히 점혈을 당한 것도 아닌데 놀라울 정도로 몸이 둔해졌다.

정체불명의 누군가는 축 늘어진 연을 가볍게 옆구리에 끼고 빠르게 몸을 움직였다. 연은 자신의 눈을 믿을 수가 없었다. 그의 눈 아래에서 땅이 빠른 속도로 스쳐 지나갔다.

'보법도 아니고, 경공도 아니야. 어떻게 이런 식으로 움직일 수가 있지?'

얼마 안 가 그들은 으슥한 곳에 다다랐다. 연은 갑자기 자신을 이리 납치하듯 데려가는 사람이 누군지 알 수가 없었다. 자신에게 원한을 가진 사람? 아니, 아니다. 시비나 하인들에게 좋은 주인은 아니었지만 원한을 가질 정도는 아니었다. 무엇보다 그 남궁세가 안에서 감히 이런 짓을? 게다가 시비나 하인들은 무공을 모르는 이들이 많았다.

그러면 돈을 노린 납치일까? 연오는 납치하기에는 무공이 고강하여 버거우니 차라리 연을 납치하자 생각한 걸지도 모른다. 천하의 남궁세가가 돈 때문에 직계 자식을 죽게 내버려 두었다는 오명이 퍼지게 둘 수는 없으니, 영명은 마지못해 돈을 주긴 줄 것이었다…….

그러나 차가운 바닥에 내팽개쳐졌을 때 연은 그 모든 생각을 수정할 수밖에 없었다. 눈앞에 서 있는 자는 매우 익숙한 사람이었다.

백모란!

연이 숨을 헐떡거렸다. 어떻게 백모란이 여기에?

그는 도무지 자신의 눈을 믿을 수가 없었다. 이 추운 겨울에 맨가슴이 드러나도록, 망나니처럼 겉옷만 대충 걸친 백모란이 뻬딱하게 서서 무표정하게 연을 내려다보고 있었다. 부러진 오른쪽 팔과 다리 한 짝에 부목을 대고 있었고 얼굴에는 맞아서 터지고 멍이 든 상흔이 아직도 남아 있었다. 어디로 보나 백모란이었다.

그래, 백모란이 깨어날 거라고 생각은 했다. 어떤 식으로 깨어날 것인지에 대해서도 여러 상상도 해 보았다. 그러나 그 상상들 중 백모란이 세가에 찾아와 납치하듯 자신을 어디론가 데려간다는 건 없었다. 게다가 어떻게? 어떻게 자신을, 세가의 막강한 무공을 지닌 사람들에게 전혀 들키지 않고…… 도통 설명할 수 없는 방식으로 자신을?

그가 아는 백모란의 몸은 이런 일을 할 수가 없었다. 고작 내공심법 하나 배워 매일 운기조식을 하던 수준이었던 것이다.

"어…떻게……."

어느새 마비는 풀려 있었다. 다음 순간 연은 비명을 질렀다. 백모란이 자신에게 발길질을 하기에 반사적으로 팔을 들어 막자 극심한 고통이 터졌다. 부러졌거나, 못해도 최소한 금이 갔을 것이 분명했다. 연이 식은땀을 흘리며 꼼짝도 못하고 웅크리자 백모란이 걷어차듯이 그의 가슴을 발로 밟아 눕혔다. 빠득

이를 악물 정도로 고통스러운 중에서도 연은 도무지 백모란에게서 눈을 뗄 수가 없었다.

'이 사람은 대체 누구인가?'

백모란인 것은 분명했다. 오래도록 봐 온 얼굴은 익숙한데도 완전히 낯선 사람 같았다. 자신이 들어가 있을 때의 얼굴과 저자의 얼굴이 완전히 달랐다……. 같은 얼굴인데 분명……. 머리카락이며 옷이며 풀어 헤친 망나니 같은 옷차림도 다른 사람처럼 보이게 하는 데 크게 일조하는 중이었다.

"네가 그 남궁연이냐?"

조롱하는 어투로 묻고는 백모란이 가슴을 짓밟은 발에 더 힘을 주었다. 호흡이 답답해진 연은 쿨럭 기침을 하며 그를 올려다보았다. 백모란은…….

아니, 남자는 더없이 야성적으로 보였다. 한편으로는 폭력에 거리낌이 없었다. 동시에 무감정하기도 했다. 연은 몸이 떨리는 게 추위나 고통 때문인지, 아니면 두려움 때문인지 분간을 할 수가 없었다.

무엇에 홀리기라도 한 듯 정신이 멍했다. 자신이 이 남자를 두려워하고 있나? 그런가? 분명 팔이 부러졌기 때문만은 아니었다. 지난 십 년간 연은 폭행에는 이골이 나 있었으니…….

"듣자 하니 내 몸을 이렇게 만들어 둔 게 너라면서?"

연의 눈이 휘둥그레졌다. 그는 막 정답을 얻어 낸 느낌이었다. 이자는 정말 백모란이다. 그렇게 생각하니 이상하게 안도감마저 들었다. 이제는 절대 저 몸으로 들어가게 되는 일은 없으리라, 그런 확신도 들었다.

이자가 백모란이구나. 자신이 차지하고 있던 몸의 원래 주인. 연은 저도 모르게 물어보고 말았다.

"백모란……?"

그리고 다시 입을 꾹 다물었다. 남자는 눈썹을 들어 올리더니 이내 씩 웃었다.

"즐거운 시간을 가지기 전에…… 변명 정도는 들어 주도록 할까."

발끝이 부러진 팔을 툭툭 건드렸다. 다시 비명이 튀어나올 것 같았으나 연은 그저 입만 다물고 버렸다. 없어? 다시 물어보면서 백모란이 뺨을 긁적였다. 연은 저 사내가 몹시도 낯설었다. 그제야 자신이 진짜 백모란을 잘 알지 못한다는 게 가까스로 떠올랐다. 근 십 년간 연이 알게 된 건 오로지 자기 자신뿐이었다.

"뭐어, 변명할 게 없단 말인가."

"……."

"그냥 넘어가 줄 수도 있겠지. 하지만 난 당하고는 못 살아서 말이야. 이 팔과 다리 부러진 거 네가 한 거지?"

그가 이를 드러내며 웃었다. 팔은 부러졌으니 다리만 남았군. 우리 공평하게 하자고. 그렇게 말하는 순간 훅 느껴지는 무언가가 있었다. 연은 등골이 오싹해 어깨를 움츠렸다. 무얼까?

인간인가, 이 사내는?

분명 어딜 보나 인간인데 그런 느낌이 들었다. 언제 웃었냐는 듯 백모란의 얼굴에서 표정이 사라졌다. 연은 한 번도 저런 표정을 짓는 사람을 본 적이 없었다. 마치 굴러다니는 돌멩이나 연이나 똑같이 보는 눈이었다. 무서워 떨면서도 연은 저항 없이 눈을 질끈 감고 이어질 폭력을 기다렸다. 백모란의 말에 동의하기 때문이었다.

아무리 그간 고통을 받은 건 자신이라고는 해도 그는 백모란의 몸을 해치고 상하게 만들었다. 십 년 동안이나 자신은 셀 수 없이 백모란을 두들겨 패고 괴롭혔다. 믿기지 않을 정도로 잔혹하게 굴 때도 있었다. 지금에서는 왜 그랬는지 이해가 안 갈 정도로. 백모란은 자신에게 똑같이 되갚아 줄 권리가 있었다. 그런 게 바로 중원에서 은원(恩怨)을 갚는 방식이었다.

"……?"

그러나 아무리 기다려도 고통은 찾아오지 않았다. 의아해하며 고개를 들어 보니 백모란은 턱을 문지르며 생각에 잠겨 있었다. 그가 흠, 하는 소리를 냈다.

"……백모란?"

자신의 이름을 되묻는 것처럼 중얼거리더니 백모란이 발을 치웠다. 허리를 숙인 그가 연의 멱살을 잡아 반쯤 일으켰다. 그가 뭘 하려는 건지 몰라 조금 바르작거리는 연의 턱을 억세게 잡았다. 그러고는 연을 '들여다보았다'.

연이 헉, 숨을 쉬었다. 코가 닿을 정도로 가까이서 본 백모란의 눈동자는 검다기보다는 밝은 갈색에 가까워 보였다. 그저 평범한 사람의 눈인데 그 안에 무언가 특별한 것이 있었다. 동공에 금색의 공이, 아니 고리가 있었다. 그 고리가 느리게 흘러갔다…….

마치 강이 흘러가는 것처럼. 그리고 강은 흘러가 바다가 되고……. 이윽고 모란의 동공 안에서 거대한 것이 크게 일렁였다.

보고 있으려니 연의 정신이 멍해졌다. 이상하게도 자신의 마음속 깊은 곳이 상대에게 보여지는 것 같았다. 마음속? 아니, 마음보다도 더 근본적인 것이, 연의 근원이.

"어쩐지 익숙한데. 예전에 본 적이 있어."

익숙할 만도 하지. 멍한 와중에도 연이 생각했다. 네가 정말 백모란이라면, 모란이라면 말이지. 그럴 수밖에 없지 않아. 왜냐면 우리 어릴 적에……. 거기까지 생각하고는 연이 퍼뜩 몸을 떨었다. 언제 정신이 흐릿했냐는 듯 도로 맑아졌다. 그가 숨을 헐떡였다. 마치 심해에 빠졌다 나온 것만 같았다. 방금 그게 대체 뭐였지?

"나한테…… 무슨 짓을 했어?"

연이 파르르 떨며 물었으나 백모란은 그대로 무시했다.

"어쩐지 익숙하더라니, 이제 떠올랐다. 너 그 꼬맹이구나."

그렇게 말하더니 백모란이 눈썹을 찡그리며 연을 위아래로 훑었다. 아까처럼 기이한 느낌은 들지 않았다. 그냥…… 그냥 사람의 눈이었다. 너무 자라서 못 알아봤네. 중얼거리더니 백모란이 뒷덜미를 긁었다. 이제 그는 적대감은 어디로 갔는지 다소 난처해하는 얼굴이었다. 연은 뚫어져라 그를 노려보다가 깨달았다.

백모란은 무언가 알고 있는 것이다. 자신이 갑자기 과거로 돌아간 것도 모자라 백모란의 몸에 들어간 이유에 대해서.

"어디……."

입을 여는데 나오는 목소리가 떨려 연은 좀 자존심이 상했다. 심호흡을 하고는 다시 침착하게 물었다.

"어디에 있다가 왔어?"

그렇게 묻자 백모란은 물끄러미 연을 바라보다가 멱살을 잡은 걸 놓아 주었다.

그러더니 언제 폭력을 휘둘렀냐는 얼굴로 어린애 일으키듯 겨드랑이에 손을 넣어 일으켜 주기까지 했다. 연이 정색하며 밀쳐도 아무런 소용이 없었다.

갑자기 연의 기분이 급속도로 하락하기 시작했다. 심지어 나이로 따지면 그는 백모란보다 두 살은 더 많았다. 스무 살과 열여덟 살이 아닌가. 그런데 도무지 백모란은 그 나이로 보이지 않았다.

"이상한데……."

중얼거리더니 백모란이 돌연 덥석 연의 몸을 슥 쓰다듬듯이
만져 보았다.

손이 불쑥 소맷자락 안으로 기어 들어와 손목을 쥐자 기겁한
연이 뿌리치며 뒤로 물러났다. 뭐, 뭐야……?

"십 년이면 이보다는 더 말라야 하는데."

"……?"

"지나치게 건강하네. 아니면 다른 루트로 돌았나?"

"뭐?"

루트라는 게 대체 뭔지 모르겠다. 난생처음 듣는 단어다. 아
니, 루트인지 루드인지 따위는 알 바 아니었으나 지나치게 건강
하다는 말이 연의 귀에는 매우 거슬렸다. 지나치게 건강해? 그
는 열 살 이후로는 한 번도 건강하다는 말을 들어 본 적이 없는
사람이었다.

얼굴을 붉히며 연이 반사적으로 허리를 더듬다가 주위를 두
리번거렸다. 제 검이 저 멀리 떨어져 있었다.

"아니, 물론 지금 네 몰골이 건강하다는 말은 아니고……."

물론 이 말 역시 마음에 안 들었다. 백모란이 지껄이는 말 하
나하나가 죄다 거슬렸다. 한껏 예민해진 연이 그를 쏘아보았
다. 궁금한 게 있으니 일단은 참았다. 백모란을 향한 이유 없
는 혐오나 증오는 다 사라졌다고 생각했는데 그도 아닌 모양인
지…….

"십 년 전 나한테 무슨 일이 있었는지 너는 알지?"

"알지."

그러고는 백모란이 턱을 긁적였다.

"그런데 굳이 설명할 필요성은 못 느끼겠는데."

정말로 귀찮다는 어투였다. 하지만 딱히 약을 올리려는 건 아

닌지 잠깐 생각에 잠겼다. 그가 다시 연을 위아래로 살펴보았다. 그렇게 하면 무언가 보이기라도 하듯이. 그가 피곤했는지 미간 사이를 꾹꾹 눌렀다.

"확신이 없는데…… . 지금은 말고, 다음에 만나면 설명해 주도록 하지."

"그게 무슨…… ."

돌연 백모란이 다가오기에 연이 다시 뒤로 물러났다.

"내가 아직 이 몸에 적응을 못 해서 지금은 제대로 못 보거든."

연은 그 제대로 본다는 게 아까 이상한 눈을 하던 것임을 직감적으로 알아차렸다.

"아, 뭐. 팔 부러트린 건 미안하게 되었어. 실은 기분이 좀 안좋아서…… 여차하면 죽일까도 생각했거든. 나도 나름 봐준 것이니 너도 그걸로 나름 봐주렴."

아무렇지 않게 사과하고는 백모란이 웃었다. 연은 조금 질렸다. 무슨 이런 놈이 다 있지?

연은 백모란의 몸에서 지내게 된 이후로는 내내 원래 몸이 어떤 사람일까 생각해 왔다.

소심한 성격일까? 아니면 그의 사부 같은 사람일까? 다혈질일지도 몰라. 연은 심지어는 몸의 주인이 원래대로 돌아오면 친구가 될 수 있지 않을까 기대까지 했었다. 그도 그럴 게 다른 사람들은 절대 믿을 리 없는 각별한 경험을 한 사람들이 아니던가?

연이 코웃음을 쳤다. 친구? 저런 막 나가는 자와, 친구? 전에 정신 나간 것처럼 백모란을 두들겨 패거나 이유 없는 적개심에 휘둘려 괴롭히고 나서도 연은 저렇게 태연하지는 않았다.

다른 사람들 앞에서 내색은 안 해도 방에 돌아와서는 제게 인격적으로 무슨 문제가 있는 건 아닐까 심란해하곤 했던 것이다. 그러나 백모란은 마치……. 사람의 팔다리를 부러뜨리거나 죽이는 것을, 벌레를 해하는 것과 동일하게 여기는 것만 같았다.

조금 전 이해할 수 없던 두려움을 맛보았던 연은 꾹 입을 다물었다.

십 년 전 그 순간 왜 그런 일이 벌어지게 된 건지 이유가 몹시 궁금했으나 그렇게 중요하지는 않았다. 중요한 질문은 따로 있었다. 연이 마른 입술을 핥아 축였다.

"다시 그런 일이 벌어지진 않을 테지?"

"그래."

연은 잠시 땅바닥을 쳐다보다가 고개를 들었다. 다리를 부러트린다고 했던 게 떠올랐다. 그러나 지금 태세를 보니 그럴 것 같지는 않았고, 연도 고통을 자처하고 싶지 않았다.

"그러면…… 됐어."

그렇다면 더는 상관이 없었다. 이제는 전처럼 백모란을 보기만 해도 기분이 나쁘고 세상에서 아예 사라져 버렸으면 하지는 않았다. 동시에 백모란에게 굳이 관여하고 싶은 마음도 없었다.

연은 직감적으로 알아차렸다. 저 남자와는 관여되어서 좋을 게 없다. 인생이 아주 피곤해질 것이다. 친구? 짧게 나눈 대화만으로도 알 수 있었다. 저 남자와는 절대 친구 같은 건 될 수가 없다. 그는 자신과는 완전히 다른 성향의 사람이었다.

연은 미련 없이 그 자리에서 돌아섰다. 지금 보니 그가 있는 곳은 남궁세가 외곽의 인적 드문 대나무 숲이었다. 남궁영명과 함께 식사를 한 것도 그렇고 부쩍 피곤하였기에 얼른 돌아가서 쉬고 싶었다.

아까 내던져지면서 발목을 접질렸는지 연이 발을 조금 절었다. 팔 역시 아프다 못해 식은땀이 줄줄 날 정도였다. 화정당까지는 거리가 꽤 있었기에 걸어갈 생각을 하니 다소 막막했다. 뜻밖에도 모란이 말을 걸어왔다.

"데려다줄까?"

내심 움찔하기는 했어도 연은 들은 척도 하지 않았다. 속이 메슥거리네. 며칠 동안은 꼼짝도 하지 않고 누워서 지내야겠다.

"데려다준다니까?"

됐으니까 알아서 갈 길 가라고 말하려는 찰나였다. 뒤를 돌아보니 백모란이 그 자리에 없었다. 억세게 잡아챘던 처음과는 다르게 다소 부드러운 손길이 어깨를 틀어쥐더니 몸이 붕 허공으로 떴다.

"……!"

도대체 어디서 그런 힘이 나오는 건지, 모란은 힘도 들이지 않고 아이 들 듯이 달랑 연을 들어 올려 옆구리에 꼈다. 연의 얼굴이 벌겋게 달아올랐다.

아까야 정신이 없어서 그냥 그러려니 했지만 지금은 말이 다르지 않나!

"이거 놔!"

심지어 모란과 연은 키가 비슷하여 발이 땅에 질질 끌렸다.

"거 가만히 좀 있어. 가다가 쓰러지지나 말고. 내가 이리 호의를 베풀어 주는 게 얼마나 드문 일인데."

쓰러지다 못해 다 죽어 가는 경우라도 이런 호의는 필요 없었다. 연은 빠져나가려고 애를 썼지만 허리를 죄고 있는 팔 힘이 너무 억세서 그럴 수가 없었다.

아무리 검술로는 남궁가에서 무시당하는 신세라고는 해도 연도 엄연한 무인이었다. 제 몸이 약해진 건지 아니면 백모란의 힘이 세진 건지……. 아니, 아무리 그래도 백모란이 힘이 이렇게 셀 리가 없다는 건 연이 제일 잘 알았다. 대체 어찌 된 일인지 모르겠다.

그가 자꾸 버둥거리고 팔꿈치를 휘두르자 옆구리를 쥐어박힌 모란의 눈가에 씰룩 성질이 솟았다.

"얌전히 있어야…… 착한 아이지?"

그렇게 말하면서도 눈빛은 어땠냐면, 골치 아프게 이걸 어떻게 할 수도 없고, 딱 그런 눈빛이었다. 게다가 모란의 인내심은 짧기까지 했다. 그가 손을 들어 올리더니 연의 얼굴을 향해 뻗었다. 손의 그림자가 눈가를 덮자마자 의식이 흐려지며 눈앞이 캄캄해졌다.

정신을 차렸을 때, 연은 자신의 방에 고이 눕혀진 상태였다. 벌떡 일어나다가 신음하면서 아픈 팔을 감싸 쥐었다. 누가 조치했는지 부목이 대어져 있었다.

부러진 팔만 아니었다면 연은 백모란을 만난 게 꿈을 꾼 것이라고만 생각했을 것이다.

일어나자마자 연은 자신의 몸부터 살펴보았다. 점혈을 당하거나 하면 사람의 몸에는 항상 흔적이 남는다. 그러나 몸 어디에도 점혈을 당한 흔적은 남아 있지 않았다.

"대체 어떻게 한 거지?"

심지어 연을 기절시킬 때 모란은 몸에는 손도 대지 않았다. 현실적으로 말도 안 되는 기술이었다.

굳이 손도 안 대고 사람을 기절시키거나 점혈할 수 있는 방법은 탄지신통(彈指神通)[5] 정도밖에는 없었다. 그러나 모란이 탄지신통과 같은 고수의 수법을 쓸 수 있을 리가 만무했다. 연의 미간에 골이 잡혔다.

일단은 그가 자신의 팔을 살폈다. 단순 골절로, 굳이 뼈를 맞

5) 손가락을 튕겨 암기를 쓰거나 그 충격으로 원거리에 있는 상대에게 타격을 주는 수법

출 필요까지는 없었다. 복합 골절이면 골치 아플 뻔했는데 다행이었다.

누군지는 몰라도 부목을 대 놓은 솜씨는 의술에 조예가 있는 사람의 것은 아니었다. 연이 혀를 찼다. 가능한 한 들키지 않고 돌아와서 알아서 치료하려고 했는데 성가시게 됐다. 다시 감으려고 습관대로 붕대를 푸는데 밖이 수런거렸다. 세가의 의원이 당도한 모양이었다.

의원을 맞이하려고 몸을 돌린 연이 눈을 휘둥그레 떴다. 그러거나 말거나 상대는 붕대가 다 풀려 있는 팔을 보며 눈살을 찌푸렸다.

연은 습관적으로 튀어나오려는 말을 간신히 삼켜 냈다. 의원이 인사를 했다.

"진은록입니다."

연은 아까 백모란을 만났을 때만큼이나 놀랐다. 진은록이 여기 오는 건 있을 수 없는 일이었던 것이다.

환자들은 지위나 신분을 막론하고 모두 치료하는 진은록이지만 그 치료에는 딱 한 가지 조건이 있었다.

사경을 헤매는 수준이 아니라면 환자는 반드시 의원에 직접 찾아와야 할 것.

그도 그럴 것이 진은록의 의원은 매일 문전성시였다. 매일 아침 문을 열기도 전부터 환자들이 문 앞에 진을 치고 기다렸다. 그러면 은록이 치료 준비를 하는 동안 연은 밖에 나가 기다리는 환자들을 위중한 순부터 제일 먼저 온 순으로 골라낸 뒤 다른 사람들은 돌려보냈다. 그렇게 하지 않으면 그 수가 도저히 감당이 되지 않았다.

상황이 이렇다 보니 진은록은 의원 밖으로는 걸음하지 않았다. 집으로 직접 찾아가는 시간에 환자를 열은 더 진찰하고 치료할 수 있었다. 그런 진은록이 직접 찾아왔다? 그것도 고작 팔이 부러진 정도로? 청하지도 않았는데……

아니, 청하지는 않았겠지만 주강이 알리기는 했겠지. 주강과 은록은 제법 친분이 있었으니까. 그 모든 걸 고려해 보면 공식적인 요청이 없는데도 은록이 굳이 의원을 잠시 닫고 찾아올 이유가 있는 것이다.

연은 그 이유가 무엇인지 잘 알 수 있었다. 분명 백모란 때문이다. 하루아침에 제자가 다른 사람처럼 변했으니 이리 찾아오신 게 아닌가. 모란에게 유일하게 수작을 부릴 수 있는 사람이 자신뿐이니.

백모란을 떠올리고는 연이 반사적으로 이를 갈았다. 예전과는 달리 이유 있는 짜증이었다. 분명 내 발로 걸어가겠다고 했는데도 기절까지 시켜 가면서 사람을 짐짝처럼 날라? 완전히 제멋대로인 인간이었다. 연이 세상에서 제일 싫어하는 부류이기도 했다.

"팔이 부러졌군요."

연은 그저 말없이 고개만 끄덕였다. 당장은 무어라 할 말이 떠오르지 않았다.

지금 당장이라도 제가 사부님의 제자라며 말하고 싶다가도, 한편으로는 일 크게 키우지 말고 입 꾹 다물고 있어야 한다는 마음이 상충했다. 몇 번이나 다짐하지 않았나. 남궁연으로 돌아가면, 전의 인연에 미련을 가지지 않기로.

은록은 그저 환자를 치료하러 나왔다는 태도로 치료 도구를 펼쳤다. 연이 잠시 그리운 눈으로 침구며 뜸, 금창약과 각종 연고를 바라보았다. 어서 세가를 나가야 다시 의술을 펼칠 수 있을 텐데……

은록은 부러진 팔을 상세히 살폈다. 그도 연처럼 단순 골절이라는 진단을 내렸다. 그가 팔꿈치 위 혈도에 침을 꽂자 놀랍도록 고통이 싹 가셨다. 여전히 깔끔한 솜씨에 연이 내심 감탄했다. 은록은 뼈와 근육이 상한 정도를 살피고는 연고를 발랐다. 마지막으로 부목을 대고 붕대를 감으면서 그가 물었다.

"어떻게 했습니까?"

예상했던 질문에 연은 시치미를 뗐다.

"무얼 말입니까?"

"백모란 말입니다."

"제가 백모란을 두들겨 팬 일 말입니까?"

일부러 거슬리게 말했는데도 은록은 화도 내지 않고 연을 물끄러미 바라보았다.

시선을 돌리고 싶었지만 지지 않고 바라보자 은록이 붕대 끝에 마무리 매듭을 지면서 다른 걸 물었다.

"팔은 왜 부러졌습니까?"

팔이 왜 부러졌냐면…… 원래대로 돌아온 백모란이 찾아와서는 똑같이 갚아 주겠다고 발로 걷어찼기 때문이지……. 물론 사실대로 말할 수 있을 리가 없었다. 평소의 가해자와 피해자가 완전히 바뀐 것이다. 아무도 믿어 주지 않겠지. 연은 대충 둘러댔다.

"갑자기 주위가 어지럽더니 정신을 잃고 말았습니다. 깨어나니 팔이 부러져 있더군요."

거기에 그럴듯한 이유도 떠올라서 연이 덧붙였다.

"원한 살 짓을 많이 했으니까요. 정신을 잃은 사이 팔이 부러져도 이상할 건 없지 않습니까?"

평소 자신의 평판을 생각해 보면 제법 그럴싸한 데다가 설득력 있는 이유라고 생각했는데 진은록의 표정이 영 묘했다. 평소 연의 사부는 남궁연이란 사람에 대해 왈가왈부하지는 않았다.

그러나 눈치로 보았을 때 매우 싫어하는 게 분명했는데 왜 저런 얼굴인지 알 수가 없었다. 은록이 눈썹을 찌푸렸다.

"정신을 잃었을 때 증상이 정확히 어떠했습니까?"

아, 이상하게 여긴 게 아니라 쓰러진 이유를 알고 싶으셨던 거군. 연이 납득했다. 언제나 진은록에게 일 순위는 환자, 또 환자였다. 비록 그 환자가 자신의 제자를 죽을 지경에 이르도록 두들겨 팬 놈일지라도……

그러고 보니 한 번도 연은 은록에게 진짜 몸으로는 진찰받아 본 적이 없었다. 세가의 의원이나 자신이나 제대로 된 원인은 찾지 못했으나 사부라면 다르지 않을까 연이 은근히 기대했다.

"귀에서 이명이 들리고 많이 어지러웠습니다. 가슴도 시리고 답답했고요."

"쓰러진 건 이번이 처음입니까?"

"이전에도 여러 번 있었습니다."

딱히 세지는 않았지만 두세 달에 한 번씩, 상태가 안 좋을 때는 꼭 그랬었다. 특히 겨울이나 아니면 더운 여름에. 무공의 성취가 높으면 추위나 더위에는 영향을 받지 않는다는데 연에게는 그런 성취는 영영 올 것 같지 않았다.

"맥을 짚어 보도록 하겠습니다."

아니, 잠깐. 맥은……. 그러나 미처 거부하기도 전에 은록이 팔꿈치의 침을 빼내며 연의 팔목을 잡았다. 진맥을 하던 은록의 미간에 주름이 잡혔다. 속으로 쯧 혀를 차던 연이 눈을 깜박였다. 어지간하면 저런 표정은 보기가 힘든데……

이런저런 생각이 떠올라 연이 잡히지 않은 손을 꾹 쥐었다. 내 몸이 많이 안 좋나? 아니면 사부님도 원인을 모르시는 건가? 그는 한참을 맥을 짚어 본 뒤에야 손을 떼어 냈다.

"제 제자와 같은 내공심법을 배웠군요."

이럴 줄 알았다. 애초에 처음부터 당신은 세가 의원이 아니니 진찰받지 않겠다고 뿌리쳐야 했는데, 정과 미련이 무어라고. 어찌 대답할까 잠시 고민하다가 연이 일단 부정하고 보았다.

"어떻게 백모란이 남궁가의 직계에게만 허용되는 내공심법을 배운단 말입니까? 큰일 날 소리를 하시는군요."

"……."

"세가의 무사들에게서 변변찮은 것이나 배웠겠지요."

겉으로는 정색하면서도 연이 내심 다행이라고 여겼다. 지금만큼은 은록이 진맥하고 있지 않은 게 다행이었다. 심경의 동요를 들켰을 테니까. 연의 부정에도 은록은 별말을 덧붙이지 않았다. 연은 오히려 그게 불안했다.

"근래 한기를 많이 느낍니까?"

"추위를 좀…… 타기는 합니다."

다시 진찰로 돌아온 은록은 연의 손을 잡아 보았다. 손발이 차군, 그가 중얼거렸다. 열 살 때 크게 앓은 후로 연의 몸은 내도록 이랬다.

더위나 추위를 많이 탔다. 체온이 쉽게 올랐다가 쉽게 떨어지곤 했고, 겨울이면 손발이 찬 건 당연한 일이었다. 그는 은록의 미간에 주름이 깊게 잡히는 걸 유심히 바라보았다. 사부도 정확한 원인은 모르는 모양이었다.

"일단 몸을 보신하는 탕약을 지어 드리겠습니다."

일단? 일단이라니?

은록은 펼쳐 두었던 침구와 각종 도구들을 둘둘 말아 정리했다. 그리고 전혀 사적인 이유 없이 찾아온 의원처럼 단조로운 목소리로 처방을 내렸다.

"아침 식사를 한 후, 그리고 저녁 식사를 하기 전 탕약을 복용하도록 하십시오. 발목은 며칠 동안 무리하여 움직이지 않으면 곧 나을 겁니다.”

은록은 아무런 언질도 하지 않은 부상까지 알아차렸다. 그만큼 그의 의술은 뛰어났다.

“하루 이틀 치료로 개선될 만한 몸 상태가 아닙니다. 시간이 나시거든 제 의원에 들러 진찰을 받도록 하십시오. 만약 탕약을 먹고도 또 쓰러지는 일이 생긴다면 상태가 더 악화되었다는 의미니, 짧게 살다 가고 싶지 않다면 반드시 들러야 합니다.”

짧게 살다 가고 싶지 않다면이라……. 독설에 가까운 진찰 결과였다.

전부터도 자신이 오래 살 것 같다는 생각은 들지 않았다. 하지만 사부에게 직접 확인받는 건 또 기분이 묘했다. 연이 아무 말도 없자 어떻게 받아들였는지 은록이 다시 못을 박았다.

“허투루 하는 소리가 아닙니다. 탕약이 떨어지면 다시 의원에 들러 받아 가십시오. 진찰은 받지 않겠다면 사람을 보내 탕약만 받아 가도 될 것입니다.”

“……탕약이 떨어지면 들르겠습니다.”

안 된다고 생각하면서도 연은 덜컥 대답을 해 버리고 말았다. 은록이 잠시 그를 바라보다 나가기 전 다시 물었다.

“태어나서부터 그랬습니까?”

“아니오, 어렸을 때 크게 앓고 난 후부터 이렇습니다.”

작게 고개를 끄덕인 은록이 조용히 나갔다. 그 뒷모습을 보는 연의 마음은 복잡했다. 제자를 그 지경으로 만든 사람인데도 불구하고 치료해 주는 마음가짐이 대단하기도 했고, 한편으로는 그에게 제자가 그리 큰 의미는 아닌가 싶기도 했다. 물론 전자의 경우가 맞겠지만.

은록이 떠나고 난 뒤 연은 잠시 생각에 잠겼다. 그도 의원이기는 하였으나 의학에 있어서는 아직 사부를 따라갈 수가 없었다. 그가 제 몸 상태를 살폈다.

'이상한데…….'

전에도 이랬던가? 원래도 좋지 않던 몸이지만, 연은 백모란의 몸에 들어갔다 돌아온 후부터는 더욱 악화되었다는 느낌을 지울 수가 없었다.

분명 어딘가가 문제라서 기의 흐름이 불규칙하고 날뛰는 듯하는데 몇 번이고 살펴보아도 혈도나 기맥에는 아무런 문제가 없었다.

태어날 때부터 연이 이런 건 아니었다.

어렸을 때는 그도 나름대로 장래가 유망하였다. 벌모세수(伐毛洗髓)[6]도 했고 연오보다는 못하지만 나름 영약도 먹으며 꾸준히 몸을 가꿨다. 그 모든 유망함과 재능이 열 살 이후로 한순간에 바뀌어 버렸다. 약하고 느린 맥을 짚어 보다가 연이 한숨을 쉬었다. 세상에는 건강하다가도 갑자기 병을 얻는 사람이 한둘이 아니었다. 자신도 그 안에 속한다고 하여 이상할 건 없었다.

그러나 전과는 달리 이제는 욕심이 생겼다. 백모란이 되기 전에는 그저 건강하지 못한 제 몸과 세상이 원망스러웠을 뿐, 오래 살고 싶다는 생각은 없었다. 하지만 지금은 달랐다. 이 세가를 나가고 싶었고, 가족이나 지인을 만들고 싶었다. 더 많은 환자들을 완치하고 싶기도 했다.

'딱히 사부님을 뵙고 싶어서만 찾아가려는 건 아니야. 제대로 의원 일을 하고 싶어.'

찬 바람이 새어 들어오는 문을 제대로 닫으며 연이 벽에 기댔다. 오늘 여러 가지 일이 있어 피곤했다. 특히나, 백모란 그자…….

그런 무례한 자와 다시는 관여되고 싶지 않으면서도 한편으

6) 아직 임동양맥이 닫히지 않은 갓난아기에게 진기를 불어넣어 무공을 익히기에 적합하도록 여러 혈맥을 타통하는 것

로는 관심이 가는 건 어쩔 수 없었다. 아무리 원래 그자의 몸이라고 해도, 나름 그 몸으로 꾸렸던 인생이 있었던 것이다. 마음이 복잡했다.

　연은 그렇게 한참을 앉아 생각에 잠겼다.

二章 : 형제

'미약하지만 확실히 몸이 나아졌다.'

쓴 탕약을 삼키면서 연이 진단을 내렸다. 몸이 나아졌다고는 해도 어디까지나 손이 전보다 덜 시린 정도의 호전이었다. 그가 입 안에서 탕약을 굴려 맛과 향을 분석하려고 애를 썼다.

"칡, 황기……. 석창포(石菖蒲), 그리고 백두구(白豆蔲)를 넣으셨군."

백두구라니, 소화가 잘되지 않는 건 말도 하지 않았는데. 하긴 몸이 찬 사람은 대체로 소화가 잘 안 되는 편이니 바른 추측이긴 하지.

탕약을 여러 번에 나누어 마셔 보았으나 연은 두 가지의 약초는 끝내 알아내지 못했다. 예전이라면 사부에게 바로 가르침을 청할 수 있었을 텐데. 마음속에 아쉬움이 남았다.

연이 탕약을 비우자 기다리고 있던 하인이 도로 내갔다. 원래의 몸으로 돌아온 지도 벌써 며칠이나 지났다. 아직도 백모란의 몸에 있는 것 같다는 생각이 들 때마다 그는 면경을 확인했다. 여전히 자신의 몸이었다. 다시 백모란으로 돌아가는 일은 없었다. 물론 굳이 면경으로 확인할 것까지도 없었다. 백모란과 자신의 몸 상태는 천지 차이였으니까.

그러고 보니 그날 이후로 모란과 다시 마주치는 일도 없었다. 의원에 가면 마주칠 일이 있을 수도 있겠지만……. 마주친다고 해서 딱히 무슨 일이 벌어질 것 같지는 않았다. 그저 데면데면 지나가겠지. 그래야 할 테고, 그러기를 바랐다.

연이 자리에서 일어났다. 근신이 풀리긴 했으나 그는 딱히 밖으로 나갈 생각은 없었다. 아직도 날이 쌀쌀하다 못해 매서웠다. 화정당 안이나 천천히 거닐며 산책이나 하고 올 생각이다.

문을 열고 나간 연이 자신의 정원을 새삼스럽게 다시 둘러보았다. 계절마다 심는 식물이 달라서 나무들은 겨울에도 잎이 파랬다. 주강은 자리에 없었다. 그는 종종 세가의 일로 자리를 비울 때가 있었다.

천천히 걸음을 옮기다 연은 화정당에서 일하는 시비와 하인 몇과 마주쳤다. 모두가 익숙한 얼굴이었다. 같이 식사를 했거나, 이야기를 나누었거나 혹은 연에게 치료를 받은 적이 있거나……. 그러나 지금 그들은 예민한 성정의 도련님 심기라도 거스를까 말없이 정중하게 고개만 숙여 보였다.

연은 딱히 정원을 좋아하는 편은 아니었지만 그래도 그중에 그나마 마음에 드는 곳이 있다면 커다란 연못이었다. 제법 거대한 연못과 그 중앙에 위치한 정자는 척 보기에도 운치가 좋았다.

한참 정자를 바라보던 연의 시선이 어느 곳에 가서 멎었다. 정자로 건너가는 다리 입구 근처에 작고 노란 꽃이 산들산들 피어 있었다.

그러고 보니 슬슬 봄이 올 시기이긴 하지.

빤히 꽃을 바라보던 연은 다가가…… 발로 짓밟았다. 다시는 꽃을 피우지 못하게 꽉꽉 짓이기고 나서야 그는 만족했다.

사실 백모란의 몸으로 사는 게 다 좋지만은 않았다. 딱 한 가지, 그의 이름만은 정말 마음에 들지 않았다. 모란의 어미는 백모란을 품을 적에 아이가 딸인 줄로만 알아서 이름을 그리 지었다. 하지만 태어난 건 사내아이였고, 다시 짓기 귀찮았는지 아니면 모란꽃을 유독 좋아했던 건지 백모란의 이름은 그대로 백모란이 되었다.

하필 사람 이름을 꽃 이름으로 지을 것은 뭐란 말인가.

연은 세상에서 꽃이 제일 싫었다. 그는 봄보다는 겨울이 훨씬 좋았다. 꽃이 들어간 것 중에 좋아하는 것은 딱 하나, 화무십일홍(花無十日紅)[7]이란 말이었다. 그가 퍽 마음에 들어 하는 어구다. 어떤 꽃이든 반드시 지기 마련이니.

할 일도 없겠다, 그는 정자 근처를 돌며 다른 꽃들도 지르밟아 없었다. 핀 꽃도 얼마 없었기에 곧 할 일이 사라진 연은 오도카니 연못 근처, 적당히 평평한 돌 위에 앉았다. 인정하고 싶지는 않았지만…… 솔직히 좀 쓸쓸했다. 왜 전에는 혼자 있는 게 좋다고 생각했을까? 아마…… 혼자 있는 방법만 알고 있었으니까 그런 거겠지.

시장처럼 사람이 바글바글한 건 좋아하지 않지만 완전히 홀로 지내는 건 또 다른 이야기였다. 식사 때가 지나도 챙기는 사람 한 명이 없었다. 자신이 찬 바람 맞으며 하루 종일 여기에 앉아 있어도 그 누구 하나 신경도 쓰지 않을 것이다…….

바스락거리는 소리가 들린 건 바로 그때였다. 처음에는 잘못 들었나 싶었지만, 다시 바스락하고 풀숲이 흔들리는 소리가 들

[7] 열흘 붉은 꽃은 없다

렸다. 연이 자리에서 벌떡 일어나며 허리춤의 검에 손을 가져갔다.

"누구냐!"

연오나 주강 정도나 되면 바로 기척을 알았겠지만 연은 그런 정도는 되지 못했다. 얼굴을 굳힌 그가 천천히 다가갔다. 근처의 풀숲을 발로 걷어찼으나 딱히 걸리는 것은 없었다. 검집으로 헤집어 봐도 그저 풀잎과 줄기뿐이었다. 이제 슬슬 몸이 차갑게 식기도 하여 연은 찜찜한 기분으로 돌아왔다. 세가 내이니 위험한 일은 없겠지만…… 과연 동물이었을까?

산책을 마치고 오니 주강도 돌아와 있었다. 연은 주강에게 방금 전의 일을 말할까 잠시 고민하다가 고개를 저었다. 별일 아닐 것이다. 또 말해 봤자 무엇 하겠는가? 주강의 반응은 시원찮을 것이었다. 그가 충성하고 있는 사람이 연이 아니기 때문이다.

연은 주강에 대해 잘 알지 못했다. 백모란일 때도 마찬가지였다. 그의 나이도, 가족도, 출신 고향도 알지 못한다. 듣기로는 연이 태어나기도 전, 남궁세가 주최의 무술 대회에서 제일(第一)의 자리를 차지했다고 한다. 최연소의 나이라 당시 화제였다고들 했지…….

확실히 주강의 무공은 놀라울 정도였다. 그의 호위도 완벽했다. 그가, 이따금 연에게 경멸 어린 시선을 보내는 것만 제외한다면.

그러나 무예가 고강한 고수들이 이따금 허약한 자신을 업신여기는 건 익숙한 일이었다. 연은 크게 개의치 않았다. 애초에 주강이 제게 신경을 제대로 쓰질 않으니 수풀에서 뭔가 바스락거렸다고 말한들 소용이 없는 것이다.

'형님은 쓸데없는 걱정이 많으시지.'

연이 작게 한숨을 쉬었다. 주강이 연오의 감시역이라고는 해도, 진짜 감시는 아님을 알고 있었다. 감시라기보다는 나름 연오의 보살핌이라고 해야 옳을 것이다. 그러니까 언제였던가, 더위를 먹고 인적 드문 곳에 쓰러진 후부터 주강이 붙어 다녔던 것 같은데……. 자신이 그때 아마 주강에게 짜증도 좀 냈었을 테고……. 그래, 싫어할 만하군.

"좀 더 건강해지면 되겠지."

중얼거리며 연이 푹신한 침상 위에 몸을 뉘였다. 어쨌든 그의 목표는 다가오는 봄까지 건강해져서 세가를 나가는 것이었다. 마음 같아서는 지금 당장 뛰쳐나가고 싶지만, 겨울에 나갔다가는 십중팔구 된통 앓아누울 것이 분명했다.

그날 연은 산책을 해서인지 드물게 푹 자고 일어났다. 약한 불면증도 앓고 있었기에, 다음 날도 일어나 산책을 하게 된 건 당연한 수순이었다.

그는 어김없이 화정당 정원의 뒤쪽에 자리 잡은 연못으로 향했다. 다리를 지나던 그는 멈칫했다. 시야에 걸리는 노오란 작은 꽃이 있었다. 지나가다 말고 다시 돌아와 다리 입구에 난 작은 꽃을 빤히 바라봤다.

"……내 착각인가?"

어제 분명 이 근처 꽃은 밟아 없앤 것 같았는데……. 미간에 주름을 잡은 연이 다시 꽃을 짓뭉갰다. 노란 꽃잎들을 툭툭 차서 연못에 빠트리기까지 했다. 그리고 나서야 만족한 얼굴로 마저 산책을 마쳤다.

그러나 그다음 날, 다시 산책을 나온 연은 자신의 눈을 의심할 수밖에 없었다. 어제 그 자리 그대로 똑같이 자그마한 노란 꽃이 산들거리고 있었다. 이렇게 재생력이 강한 꽃이 있을 수가 있나? 한참을 꽃을 노려보다가 땅을 파낼 만한 것을 찾아 주위를 두리번거렸다. 아예 뿌리까지 제거해 버릴 생각이었다.

다시 부스럭 소리가 들린 것은 바로 그때였다. 연이 멈칫했다. 잠시 생각한 끝에 그가 못 들은 척 다시 발걸음을 옮겼다. 연못의 정자로 향하는 작은 다리를 건너가면서 흘깃 보자 수풀 아래 무언가 보일락 말락 삐죽 튀어나와 있었다. 얼핏 보면 지나가 버릴 그런 무언가였다. 연이 안력을 돋웠다. 사람의 손가락이었다. 그러나 어른이라기에는 작고……. 어린아이인가?

'세가에서 일하는 어린 시비나 하인이겠군.'

"이리 나오렴."

"……."

아마 자신이 지나가자 숨어 버린 게 아닐까 추측하며 연이 부드러운 목소리를 냈다. 환자 중에는 몸이 약한 자들이 많다. 대부분 노인과 어린아이들이었고, 덕분에 연은 구슬리는 목소리를 내는 데에는 익숙해져 있었다.

"혼내지 않을 테니까, 어서."

과연 그의 추측은 맞아서 잠시 후에 작은 인형(人形)이 엉금엉금 수풀에서 기어 나왔다. 열세 살쯤 된 어린아이였다. 고개를 푹 숙이고 있어서 연은 제대로 얼굴을 확인할 수가 없었다. 옷차림이 퍽 꼬질꼬질했다. 산이며 들을 쏘다니다 돌아온 작은 짐승 같은 모양새였다.

"내가 지나간다고 하여 그렇게 숨어 있지 않아도 된단다."

연의 말에 아이가 얼굴을 들었다. 까맣고 퍽 똘망똘망해 보이는 눈이었다. 그런데 이상도 하지……. 연은 어째서인지 낯익은 얼굴이라고 생각했다. 내가 어디서 이 아이를 봤지? 대체 어디서? 어렴풋이 떠오르려고 할 때쯤이었다. 갑자기 아이가 후다닥 도망쳤다.

"잠시만⋯⋯!"

연이 붙잡기도 전 아이는 다람쥐처럼 날래게 수풀 안으로 다시 기어 들어갔다. 그 후로는 완전히 자취를 감추고 말았다. 황망하여 연이 잠시 그 자리에 섰다. 주변은 높은 담장과 잘 꾸며 놓은 수풀, 그리고 나무가 전부였다. 대체 어디로 간 걸까?

"도련님."

갑자기 주강의 목소리가 들려서 놀랐지만 연은 내색하지 않으며 고개를 돌렸다. 다가온 주강은 날카로운 시선으로 주위를 살폈다. 수상쩍은 기척을 느끼고 온 모양이었다.

"누가 있었습니까?"

연은 잠시 아이가 사라진 수풀을 다시 바라보았다. 이제 아이가 누구인지 기억해 낸 찰나였다. 그가 시치미를 뗐다.

"아니, 작은 동물이었어."

주강은 의심스러운 얼굴이었으나 연이 그렇다는데 할 말은 없는 듯했다. 연이 손짓했다.

"돌아가 봐. 혼자 있고 싶으니."

"⋯⋯알겠습니다."

마지못한 기색으로 주강이 돌아간 뒤 연이 팔짱을 끼고 수풀 근처를 어슬렁거렸다. 아무리 아이라도 그렇지 주강이 제대로 확신을 하지 못하고 돌아갈 정도로 기척이 조용하다니 놀라웠다. 무엇보다 주강이 다가오는 걸 먼저 감지하고 도망친 것이다. 그 외에도 의아한 점이 한두 가지가 아니었다. 주강이 가고 난 뒤 연은 한동안 그 자리에서 기다렸으나 다시 수풀이 바스락거리는 일은 없었다.

아이가 다시 나타난 건 그로부터 사흘 뒤의 일이었다. 놀라서 도망갔으니 다시는 안 오려나, 하고 있던 연이 흠칫했다. 수풀

아래 꾀죄죄한 얼굴이 불쑥 나타나 있었다. 아이치고는 정말 놀라울 정도로 기척이 조용했다.

"⋯⋯한위, 맞지?"

이름을 불러 주니 아이, 한위가 눈을 휘둥그레 떴다. 연이 내심 혀를 쯧 찼다. 사실 얼굴을 알아본 것만으로도 용했다. 한위는 일 년에 한두 번, 남궁영명이나 남궁연오의 생일 연회 때나 구석진 자리에 잠깐 앉아 있다가 사라지곤 했던 것이다. 출신이 그다지 좋지 않아 세가에서 완전히 무시받는 위치였다.

남궁세가 직계 간의 사이는 다소 복잡했다. 일단 남궁영명의 삼남 이녀 중 연오와 첫째 누이는 정실부인인 황보세희의 자식이었다. 둘째 누이는 예전에 영명과 연인 관계에 있던 여인 사이에서 태어났다.

연은 어떠하냐 하면 굳이 따지자면 첩실의 자식이었다. 그러나 첩실이라 하여도 연의 모친인 모용단리는 오대세가 중 하나인 모용가(慕容家)의 여식이다. 결코 무시할 수 없는 위치인 것이다. 게다가 연이 남궁영명을 증오하는 것과 별개로, 영명은 연을 나름 신경 썼다. 물론 연오와 비할 바는 안 되었지만.

반면 한위 모친의 출신은 한미하기 짝이 없었다. 세가 내에서 들리는 소문에 따르자면 그녀는 기루에서 일하던 하녀였다고 했다. 한위는 영명이 술에 취해 '실수로' 가진 관계에서 태어난 아이였다. 한위를 낳고 난 뒤 얼마 안 되어 그녀는 산욕열(産褥熱)로 사망했고 한위만이 세가로 보내졌다.

그 후 한위는 있는 듯 없는 듯 조용하게 자라났다. 영명이 한위가 자신의 눈에 띄는 걸 몹시 싫어한 탓이다. 세가의 가주가 그러하니 다른 사람들의 취급이 어떻겠는가?

원래도 한위가 이 정원을 들락거렸었나? 연은 알 수가 없었다. 전의 그는 방 밖으로 나가는 것조차 즐기지를 않았다. 밖으로 나갈 때는 유일하게 모란을 괴롭히기 위해서였다.

'모란의 몸에 들어가기 전이라면 한위에게 이렇게 말을 거는 일도 없었겠지.'

딱히 한위가 소위 천한 출신이기 때문이 아니다. 백모란일 때나 지금이나 그런 건 아무래도 상관없었다. 그저, 얼마 전까지의 '남궁연'은 그다지…… 사교적인 편이 아니었기에…….

"내가 누군지 아느냐?"

연못 옆 나무로 만들어진 의자에 앉으며 묻자 한위가 눈만 데굴데굴 굴리더니 고개를 끄덕거렸다. 그가 알기로 한위는 분명 열다섯이다. 그런데도 몸이 놀라울 정도로 작았다. 단순히 체격이 작은 게 아니었다. 연의 눈으로 보기에는 영양 섭취 부족으로 인한 발육 부진이었다. 게다가 하고 다니는 행색도 열다섯이라기보다는 열 살에 가까워 보였다. 빼빼 마른 이 녀석이 그의 동생이며 혈육이라는 사실이 새삼 연의 가슴에 와 닿았다.

연이 유심히 관찰하는 동안 한위는 경계하면서 조금씩 가까이 다가왔다. 앉으라는 의미로 톡톡 의자 옆을 두드리자 눈만 깜박거렸다. 못 알아들었나 해서 연이 친절하게 알려 주었다.

"여기 앉으렴."

한위가 슬그머니 다가와 앉으려고 할 때였다. 엉덩이를 간신히 붙이자마자 벌떡 일어나는 게 아닌가. 그러고는 갑자기 또 지난번처럼 후다닥 달아나더니 바스락거리며 수풀로 숨었다. 아니나 다를까 이번에도 주강이었다. 그가 주위를 살펴보는 가운데 연이 한숨을 쉬었다.

"새였어."

"새……입니까?"

"그래. 누가 애완용으로 키운 것 같던데."

그렇게 말하고는 연은 다음번에도 주강이 한위를 달아나게 하는 일이 있을까 봐 덧붙였다.

"앞으로 사소한 일로 쓸데없이 오지 좀 마."

좀 재수 없게 말했나? 하지만 이 정도로는 해야 안 올 것 같고……. 주강은 잠시간 연을 빤히 바라보더니 고개를 숙이고는 물러났다.

다음 날 연은 산책을 나가기 전 이것저것 챙겨 들었다. 물건을 품에 밀어 넣고 연못으로 향한 연이 우뚝 서서 정자로 건너가는 다리를 노려보았다. 저 빌어먹을 노란 꽃은 대체 왜 자꾸 피어나는 거지?

그가 꽃을 짓밟지 못한 건 한위가 수풀에서 불쑥 튀어나온 탓이었다. 하는 수 없이 꽃에서 신경을 끈 연은 의자에 앉았다. 다시 톡톡 두드리자 이번에는 한위가 한결 고분고분하게 다가왔다. 그러더니 눈치를 보며 의자 끄트머리에 엉덩이를 조심스럽게 붙이고 앉았다.

"흠……."

잠시 한위를 관찰하며 살펴보다가 일어난 연이 연못으로 향했다. 가지고 온 천을 연못 물에 적신 그가 한위의 턱을 잡았다. 한위의 눈이 커다랗게 뜨이더니 바짝 얼어붙었다. 제 손위 형제가 왜 이러는지 알 수가 없어서 바짝 긴장한 것이었다. 그러거나 말거나 연은 적신 천으로 꼬질꼬질한 얼굴을 박박 닦아 냈다. 얼굴빛을 확인하기 위해서였다.

'안색은 괜찮군. 딱히 병이 있거나 하지 않아. 건강한 체질이야.'

그는 눈꺼풀을 뒤집어 보고, 흙이 묻다 못해 거뭇한 소매를 걷어 마른 팔의 맥도 짚어 보았다. 어린아이답게 몸이 뜨끈뜨끈했다. 하지만 날씨가 여간 추운 게 아니었기에 뺨은 추위로 발그레했다.

"네가 몇 살이지?"

연의 질문에 한위가 고개를 갸우뚱하더니 손가락을 꼼질거리며 접었다. 그러고는 수를 헤아려 보는 듯하더니 아무렇게나 손가락을 펼쳤다. 연이 미간을 슬며시 찌푸렸다. 정신 연령이 심하게 낮다. 하지만 몸에는 문제가 없었는데…….

"말을 못 하는 것이냐?"

눈을 깜박거리더니 한위가 고개를 저었다.

"아니……요."

말을 못 하는 것은 아니니 다행이기는 한데 말투가 어눌하고 느렸다. 연이 다시 맥을 짚어 보았다. 기혈이나 기맥에는 막힌 곳이 없고 통천혈(通天穴)이나 백회혈(百會穴) 부근의 흐름도 이상이 없었다. 오지(五遲) 혹은 오연(五軟)[8]과는 거리가 멀었다. 백치(白癡)도 아니다. 눈빛이 맑고 또렷했다.

속으로 드는, 설마 하는 가정을 지우며 연이 품에서 작은 보따리를 꺼냈다. 보따리를 풀어 헤치자 주먹밥 두 개와 당과 몇 개가 나왔다. 입을 조금 벌린 한위가 꼴깍하고 침 삼키는 소리를 냈다. 배에서는 희미하게 꼬르륵 소리도 났다. 연이 오늘 아침 식사로 만든 식사였다.

"먹으렴."

밀어 주자마자 한위는 사양도 않고 덥석 손으로 주먹밥을 쥐어 와구와구 먹었다. 그 모습을 보자 연의 마음속에서는 안쓰러운 감정이 번졌다. 아무리 남궁영명이 없는 사람 취급을 한다고는 해도 이 정도일 줄은 몰랐다.

"시비나 하인들이 네게 밥을 안 주니?"

주먹밥을 모두 먹은 한위가 고개를 끄덕거렸다. 연의 낯빛이 흐려졌다. 교육도 제대로 못 받았고 사람과의 교류도 적은 게 분명했다. 그것도 모자라 굶기기까지 하다니? 아무리 출신이

8) 자폐증

천하다고 해도 있을 수 없는 일이었다.

"할미가 줬는데……. 할미이가 아안, 일어나요."

"할미?"

"으응. 잠만 자."

그러더니 한위가 돌연 구슬 같은 눈물을 서럽게 뚝뚝 흘렸다. 연이 당황했다. 그는 우는 아이를 달래는 일에는 그다지 익숙하지 않았다. 보통 치료를 받는 아이들은 죄다 울음을 터트리곤 했으니 굳이 달랠 필요성도 못 느꼈던 탓이다.

어색하게 팔을 뻗어 등을 어루만져 주었더니 한위가 흐끅거리는 소리를 내며 울었다. 그러나 울음이라기엔 너무 조용했다. 숨을 죽여 우는 게 익숙하다는 건 그다지 좋은 의미는 아니었다……. 어린아이가 울어도 달래는 사람이 없었다는 의미니.

위로가 어설퍼서 그랬는지, 아니면 그간 쌓인 서러움이 많아서 그랬는지 한위는 한참 만에야 울음을 멈췄다. 눈이며 코가 안쓰럽게 붉었다.

"이…거 가져가도 돼요?"

"그래."

고개를 끄덕인 연이 당과를 천으로 싸 주었다. 한위가 소중하게 당과를 품고 일어났다. 훌쩍거리면서도 한위는 머뭇거리다가 연에게 꾸벅 고개를 숙여 보이고는 수풀 속으로 사라졌다. 연이 생각에 잠겼다. 할미라는 건 아마도 한위를 돌보는 사람인 거겠지. 병으로 앓아누웠나? 최악의 가정을 하자면 죽은 것일 수도 있었다. 그러나 무엇보다 중요한 건 그 지경이 되었는데도 아무도 둘에게 신경을 쓰지 않는다는 것이다.

그날 밤 연은 이리 뒤척 저리 뒤척 하면서 잠을 설쳤다. 지척에 중한 환자가 있다는 생각을 하니 쉬이 잠이 오지 않았다. 어쩌면 한위를 돌보고 있는 사람은 그가 능히 치료할 수 있는 환자일 수도 있었다.

손이 근질거렸다. 백모란의 몸에 들어간 뒤 그는 한참을 환자를 치료하지 못했다. 이따금 감각이 둔해지는 게 아닐까 염려가 되기도 했다.

'하지만 치료 도구가 없어.'

현실적인 고민을 하던 연은 얼마 안 가 벌떡 자리에서 일어났다. 없으면 사 오면 될 것을, 무얼 고민하고 있나?

다음 날 연은 일찌감치 일어나 옷을 차려입었다. 오늘은 좀 오래 거닐 예정이니 옷은 특별히 따뜻한 것으로 골랐다. 괜히 춥게 다니다가 작년…… 그러니까 체감상으로는 십일 년 전이지만, 아무튼 그때처럼 가벼운 기침에서 폐렴으로 번지게 되는 일은 사양하고 싶었다.

외출 준비를 마친 연이 화정당을 나서자 주강이 조용히 따라 붙었다. 사실 혼자서 외출하고 싶었지만 그는 연의 말은 듣지 않았다. 연도 이제는 그러려니 하며 없는 사람 취급했다.

'사실 모란일 적이나 지금이나 주강의 태도가 크게 다르진 않단 말이지.'

시비나 하인 같은 경우에는, 남궁연일 때는 몰랐던 면모를 많이 보여 주곤 했다. 그들은 모란에게는 시비나 하인이 아닌 이웃이며 형이었고 누나였다. 귀엽다고 음식을 나눠 주기도 했고 이가 드러나도록 크게 웃었으며 술주정을 부리기도 했다.

그러나 주강은 어떠했냐면 바늘 하나 들어가지 않을 견고한 태도를 유지했다. 모란일 때도 그가 길게 말하는 걸 본 적이 없었다. 그냥 사람이 그런 것이다.

남궁세가를 나선 연이 천천히 주위를 둘러보았다. 익숙한 풍경이 새삼스럽게 다가왔다. 아마 자신이 저 풍경 중에 하나가 될 일은 없겠지.

가면서 낯익은 사람을 몇 만났으나 반은 연의 얼굴도 못 알아보았고, 반은 알아보고는 멀찌감치 거리를 두고 걸었다. 모란일 적에도 익히 알고는 있었으나 연은 새삼 제 평이 안 좋다는 걸 체감했다.

연은 바지런히 걸었다. 사람들이 바글거리는 시장을 지나 외곽으로 들어가자 주루가 하나 보였다. 만물상(萬物相) 금향루(錦香樓). 진은록과 종종 오곤 하던 곳이었다. 주루에 들어가기 전 연이 주강을 바라보았다. 이곳에 온 건 남궁세가에 알려져도 좋지만 무엇을 사는지는 딱히 알리고 싶지 않았다. 남궁세가의 차남이 치료 도구를 구입했다는 게 알려져도 큰일까지는 나지 않겠지. 그러나 굳이 알려 성가신 일이 생기는 것도 원치 않았다.

"여기서 기다리고 있도록 해."

연의 말에 주강은 마치 보이기라도 하는 듯 이 층을 잠시 쳐다보더니 묵묵히 입구에 섰다. 제게 시선 한번 주지 않는 주강을 잠시 바라보다가 연은 걸음을 옮겼다.

금향루는 만물상이라는 명칭답게 모든 것을 파는 곳이다. 손쉽게 물건을 구입하고 싶은 사람들이 비용을 지불하면 대신 발품을 팔아다 대리 구매해 줬다. 또한 구매한 물품은 그 누구에게도 내용을 발설하지 않는 것으로도 유명했다.

남궁세가의 차남이 치료 도구를 구입했다는 게 알려져도 큰일까지는 나지 않겠지. 그러나 굳이 알려 성가신 일이 생기는 것도 원치 않았다.

연은 이 층의 한 객실로 안내받았다. 일각 후 비용을 치르고 난 뒤 침구(針灸)며 약재에, 어린아이 옷가지 등 물건을 들고 아래로 내려오니 주강이 아까와 똑같은 자세로 기다리고 있었다. 가끔 연은 자신의 호위가 나무나 돌로 만들어진 사람으로 느껴질 때가 있었다…….

가벼운 외출만으로도 연은 다소 피로해졌다. 평소 일어나던 시간보다 일찍 일어난 탓도 있었다. 세가로 돌아온 연이 보따리를 풀었다. 일단 침구 같은 도구들은 자개장 안 깊숙한 곳에 넣었다. 옷가지와 아이들이 좋아할 만한 먹거리만 챙겨 연못으로 향하니 오늘도 마찬가지로 한위가 수풀에서 튀어나왔다. 어제와 같은 옷차림이었다. 다른 점이라면 더 꼬질꼬질해졌다는 것뿐이었다.

오늘은 말하지 않아도 한위가 냉큼 연이 앉은 의자 옆에 앉았다. 연이 가져온 보따리를 보며 눈을 반짝거리는 모습에 풀어헤쳐 안에 든 것을 보여 주었다. 장난감이며 당과, 떡 따위의 간식이었다. 한위는 특히나 장난감은 어쩔 줄 몰라 하며 만지작거리더니 감사 인사를 했다. 열다섯 살이면 장난감에는 흥미를 잃을 나이다. 그럼에도 저렇게 좋아한다는 건 변변찮은 놀잇감이 하나도 없었다는 거겠지.

떡을 손에 쥐고 야무지게 베어 먹는 한위를 보며 연이 넌지시 입을 열었다.

"한위야."

"네에."

"내일은 해가 지고 나서 올 수 있니?"

한위가 크게 고개를 끄덕거렸다. 형이 관심을 보여 주니 정에 굶주린 아이는 해가 지면 춥다는 것 따위는 아무래도 상관없는 것 같았다. 연이 굳이 저녁에 만나자고 한 이유가 있었다. 며칠에 한 번 주강이 자리를 비울 때가 있는데 그때가 바로 내일 저녁이었다. 연은 보따리 안에 겨울옷을 넣고는 한위의 몸에 잘 매어 주었다.

"추우니까 내일은 이걸 입고 오렴."

"네에."

대답은 꼬박꼬박 잘하는군. 연이 아무 생각 없이 한위의 머리를 쓰다듬어 주다가 멈칫했다. 언제 감았는지 머리가 기름지다 못해……. 언제 씻기기도 해야 할 텐데. 겨울이니 연못에서 씻길 수도 없는 노릇이다.

한위가 신나서 뛰어가고 난 뒤 연은 정자 다리 입구에 핀 노란 꽃을 노려보았다. 매일같이 새로 피는 기현상에도 연은 아랑곳하지 않고 꽃을 짓밟아 뭉개 주었다. 그러고는 자리에서 일어나 화정당 안으로 향했다. 연의 발아래에서 꽃잎이 흐트러져, 걸음을 옮길 때마다 희미한 꽃향기를 남겼다.

그리고 그가 떠난 자리. 산들거리는 미풍이 일더니 노랗고 작은 꽃이 하나하나 다시 영글기 시작했다…….

"도련님, 잠시 자리를 비우도록 하겠습니다."

밖에서 무뚝뚝하게 주강이 고했다. 그리고 연이 대답하기도 전에 조용히 사라졌다. 이때만을 기다렸던 연이 덮고 있던 이불을 밀어 내며 자리에서 일어났다. 침구를 챙겨 든 그가 조용히 문을 열고 나왔다. 겨울 밤바람이 매우 사나워서 잠시 몸을 떨며 제자리에 섰다가 다시 걸음을 옮겼다.

연못으로 향하니 한위가 연과 함께 앉았던 그 의자에 앉아서 얌전히 기다리고 있었다. 연이 쯧, 하고 혀를 찼다. 추웠을 텐데……. 이복형제라고는 해도 엄연히 자신의 동생인데 이렇게 숨어서 만날 필요가 있나 회의감이 들기도 했다.

그러나 어쩔 수 없었다. 남궁연이 사람을 치료해 준다는 건 아무도 믿지 않을 테니까. 연은 성가신 일은 피하고 싶었다. 더군다나 이곳에서 한위의 처지를 보았을 때, 세가의 의사를 불러 봤자 마지못해 와서 봐주거나 약 같지도 않은 약을 지어 주고 갈 게 뻔했다.

"네 할미에게로 가자."

"정말요?"

한위가 눈에 띄게 좋아하더니 다시 수풀로 달려갔다. 연이 잠시 수풀을 노려보았다. 대체 어디로 드나드는 거지? 한위처럼 수풀 속을 기어 지나갈 수는 없으니 연이 가볍게 담장을 넘었다. 한위는 벌써 나와서 기다리고 있었다.

한위는 걸음이 무척 빨라서 연은 따라가는 데 곤욕을 치렀다. 경공도 어두운 와중에는 별 도움이 되지 않아 발을 헛디뎌 넘어진 것도 몇 번이었다. 부끄러움에 한위가 보기 전에 얼른 일어나기는 했지만 속으로는 연신 욕지거리를 삼켰다. 빌어먹을 몸뚱이 같으니라고. 백모란의 몸을 체험해 봤기에 제 몸이 얼마나 형편없는지 지나치게 잘 느껴졌다.

한위는 세가의 외곽 중에서도 인적 드문 곳을 따라 걸었다. 평소에도 자주 쏘다니는 길인 게 분명했다. 둘은 하인들의 처소를 지나 더 으슥한 곳으로 향했다. 그 할미란 사람이 지내는 곳임이 분명했다. 세가에서도 사람이 잘 다니지 않는 데다가 한기 어린 바람이 부는 곳이었다. 엄습하는 추위에 연이 말없이 몸을 떨었다.

"여기이, 여기요."

연은 잠시 제 눈을 의심했다. 그 남궁세가에 어떻게 이런 초가집 같은 곳이 있을 수가 있지? 아무리 그래도 세가의 공자를 돌보는 사람인데 취급이 너무 박했다. 지금 당장 해결은 못 하기에 일단 잠자코 문을 열고 들어서자 병자 특유의 냄새가 훅 끼쳤다. 그가 가져온 호롱에 불을 붙였다. 방 안이 환해지며 그제야 병자의 모습이 제대로 보였다.

"할미."

한위는 노파의 곁으로 달려가 손을 쥐고는 눈물을 글썽였다. 연은 병자의 머리맡에 놓인 당과를 볼 수 있었다. 작게 한숨이 나왔다. 일단 문을 닫은 그가 눈살을 찌푸렸다. 방바닥이 냉골 같았다. 이런 곳에 있으면 안 날 병도 나겠다.

침구를 꺼내 든 연이 노파를 살폈다. 의식은 없으나 숨은 쉬고 있고 몸이 차가웠다. 손발에 붓기가 있었으며 명치를 눌러보자 간이 부은 것이 느껴졌다. 연이 맥을 짚는 동안 한위는 소리도 내지 않고 가만히 지켜보았다.

'만성신염(慢性腎炎)이로군.'

간이 허약해져 온몸에 기운이 없고 무기력하니 일어나지 못하는 것이다. 덥지도 않은데 도한(盜汗)[9]이 있으며 정신도 혼몽할 테고. 그나마 다행인 건, 치료 못 할 정도는 아니라는 것이다. 나이가 많으니 이렇게 앓고 있을 뿐이다. 게다가 무공을 익힌 흔적이 있었다. 연에게는 익숙하게 느껴지는 내공심법이었다.

연이 침구를 펼쳤다. 한쪽 팔이 부러졌어도 침은 잘 놓을 수 있었다. 침을 놓기 전 조심스럽게 병자의 옷을 풀어 헤쳤다. 침을 놓기 좋을 만큼만 벗기니 눈에 들어오는 것이 있었다. 날개를 펼친 작은 새 문신이 어깨에 있었다. 이를 확인하니 연은 모든 것이 이해가 갔다. 노파는 하오문(下午門)에 속한 사람이었다.

하오문(下午門)이란 무엇인가. 무림강호에는 셀 수 없이 많은 파들이 있다. 그중에서도 점소이, 시비, 기녀 등 낮은 곳의 이들로 이루어진 문파가 있으니 그 문파가 바로 하오문이다. 세상

---

9) 식은땀

어디에나 있었고 동시에 어디에도 존재하지 않는 문파. 사람을 대하는 게 일이기에 정보 습득에 능하기도 하였다. 정보를 얻어야 살아남으니 그들이 익히는 무공은 공격이나 방어보다는 은신에 집중되어 있었다. 언제나 있는 듯 없는 듯 지내며 정보를 얻는 것이다.

아마 주강도 확신하지 못할 정도로 은밀한 한위의 기척은 이 노파에게 배운 것일 가능성이 컸다. 아무리 그래도 어린 나이에 놀라운 성취였다. 재능이 있다는 소리겠지. 시선을 돌리자 한위는 연이 노파에게 침을 놓는 걸 움찔하면서도 눈 하나 깜박이지 않고 지켜보는 중이었다. 보통 이 나이 또래 아이들이 침놓는 걸 보는 것만으로도 괴로워하는 걸 생각해 볼 때, 여간내기가 아니었다.

침을 모두 놓고 난 뒤 기다리면서 연은 고민에 빠졌다. 만성신염에는 육미탕(六味湯)이 제일 효과적이다. 하지만 바닥을 따뜻하게 땔 나무도 없는데 이 노파나 한위가 탕을 만들 수는 없을 것 같았다. 그렇다면 효과는 좀 떨어져도 환으로 만들어 주는 수밖에 없겠군. 만약에 나무가 있다 해도 약탕 만드는 데 쓰느니 방을 지피는 데 쓰는 게 건강에는 백번 나았다. 연이 이런저런 궁리를 하는 동안 노파가 신음 소리를 내며 깨어났다.

"할미!"

한위가 반색을 하며 반겼다. 노파는 한참을 눈을 깜박거린 후에야 연이 있다는 사실을 깨달았다. 노파가 당황한 기색으로 어쩔 줄 몰라 하는 걸 연은 모르는 척 침구를 정리했다. 연이 침을 모두 제거하자 한위가 울먹이며 노파에게 안겨 들었다.

"이제 아프지 마!"

연은 노파가 손짓으로 한위에게 대화하는 걸 보며 미간을 접었다. 벙어리였구나. 연은 못 알아보는 손짓도 한위는 잘만 이해했다. 이제야 한위의 말투가 어눌한 것도 이해가 갔다. 벙어리 유모와의 교류가 주가 되었으니 말에 능숙할 리가 없었다.

"응, 맞아. 형님이야!"

노파가 무슨 말을 했는지는 몰라도 한위가 해맑게 외쳤다. 노파의 얼굴 가득한 근심 걱정은 보이지도 않는가 보지……. 아무튼 볼일을 모두 마친 연이 자리에서 일어났다. 으슬으슬한 게 영 몸이 좋지 않았다. 그에게는 따뜻한 방이 필요했다.

"내일 또 보자꾸나, 한위야."

"네에, 형님!"

한위가 씩씩하게 대답했다. 이제는 둘이 당과도 나눠 먹을 수 있겠지. 흘끗 두 사람을 보고는 연이 문을 닫고 나왔다. 그리고 도란도란 한위의 말소리가 울리는 낡은 누각을 바라보았다. 환자가 회복되는 것을 보는 건 언제나 좋았다. 그 광경은 그의 마음을 채워 주곤 했다.

화정당으로 돌아오는 길은 이상하게 쓸쓸한 느낌이 들었다. 어두침침한 길을 돌아오면서 그는 한 번 더 넘어졌다. 이번에는 밤눈이 어둡고 급히 걸어서가 아니라 다리에 힘이 풀린 탓이었다. 담장을 휙 넘다가, 지난번 백모란에게 패대기쳐져 다쳤던 발목도 다시 삐었다. 나무를 짚고 서서 가만히 욕설을 지껄이고 있는데 저쪽에서 어둑한 그림자가 다가왔다.

"도련님."

연은 이번에는 놀라서 작게 헉, 하는 소리를 내고 말았다. 벌써 시간이 이렇게 되었나? 그가 아무렇지 않게 시치미를 뗐다.

"무슨 일이야?"

쌀쌀맞게 묻자 주강의 시선이 잠시 연의 다리에 향했다가 이내 거두어졌다. 아무것도 아닙니다, 답하고는 주강이 다시 조용히 원래 자리로 돌아갔다. 이를 꽉 문 연은 힘겹게 자신의 따뜻한 방으로 돌아갔다. 들어가서 보니 손바닥이며 무릎이 죄다 까져 있었다. 한숨을 쉬면서 이불 안으로 기어들었다.

다음 날 연은 끙끙 앓느라 늦게까지 일어나지 못했다. 작게 기침을 한 뒤 무거운 몸을 일으켰을 땐 등이 식은땀으로 축축했다. 몸이 영 좋지를 않았지만 할 일이 있었다.

그는 시비가 소세용으로 받아다 놓은 뜨거운 물을 놓고 약재를 잘게 쪼개고 썰었다. 한위에게 줄 육미지황환(六味地黃丸)을 만들기 위해서였다. 부러진 팔 때문에 한쪽 손으로 약을 빚느라 초반에는 애를 좀 먹었다. 그래도 어떻게 요령을 익혀 몇십 개를 동글동글 잘 빚어 놓으니 벌써 점심이었다.

시비들이 점심을 가지고 오기 전 연이 환약을 잘 싸서 치워 두었다. 오늘도 한위 줄 주먹밥을 만들 생각이었다. 한위는 좀 잘 먹을 필요성이 있었다. 연이 점심을 가지고 온 시비에게 일렀다.

"연오 형님에게 시간 괜찮으면 단둘이 저녁을 같이 먹지 않겠냐고 전하거라."

"네, 알겠습니다."

연이 먼저 연오에게 식사를 같이하자고 청하는 건 흔한 일은 아니었다. 허나 이번에는 할 말이 있었기에 꼭 같이 식사를 해야 했다. 잠시 후 돌아온 시비는 연오가 흔쾌히 승낙했노라 전해 왔다.

연이 주먹밥이며 환약을 싸서 나가자 한위가 몸을 쭈그리고 앉아 연못에 작은 조약돌을 던지며 놀고 있었다. 밥인 줄 안 잉어들이 잽싸게 다가왔다가 느릿느릿 다시 돌아가는 걸 반복하고 있었다. 한위야, 하고 부르니 한위가 반색하며 달려왔다.

"형님."

보따리를 풀자마자 한위는 주먹밥이며 먹거리를 여지없이 손으로 집어 와구와구 먹었다. 오늘은 기운을 좀 차린 노파가 신경을 썼는지 옷이 바뀌어 있었고 얼굴도 덜 꼬질꼬질했다. 머리카락도 보송해 보였다. 연은 마음 놓고 한위의 머리를 쓰다듬었다.

"한위야. 돌아갈 때 이걸 꼭 가지고 가렴. 뭉그러지거나 부서지지 않도록 조심해서 들고 가야 한다."

한위가 보따리를 받아 들었다. 콩 냄새를 맡아 보더니 냄새가 별로 좋지 않았는지 미간을 팍 찡그렸다. 약간 불안했던 연이 덧붙였다.

"약이니 가지고 가서 아침저녁으로 꼭 두 번씩 먹으라고 해."

"할미에게?"

"그래. 그래야 할미가 다시 그렇게 아프진 않을 거야."

눈을 휘둥그레 뜬 한위가 결연한 얼굴로 고개를 끄덕였다. 이제 그는 연에 대한 경계를 완전히 푼 듯했다. 아마도 자신에게 이렇게 대해 주는 사람도 없었거니와, 형이니 가족이라는 생각이 들어서였겠지. 그러나 가족이라고 해서 다 이러지는 않는 것을. 연이 쓰게 웃었다. 남보다도 못할뿐더러 원수 같은 가족도 있는 법이다.

연은 가만히 앉아 한위가 하는 모양을 지켜보았다. 혼자서도 잘 놀았다. 아니, 혼자 노는 방법밖에 모르는 것 같았다. 한위는 제법 한참을 연의 곁에서 머물다가 갔다. 수풀 속으로 기어 들어가면서도 헤어지기 싫은지 내내 아쉬운 얼굴을 했다. 딱히 놀아 준 것도 없이 지켜보기만 했는데도.

연은 한위가 대체 어디로 드나드는지 알기 위해 수풀이며 담장 근처를 뒤적거리다가 저녁 식사 시간이 되었음을 알리는 시비의 목소리에 돌아섰다. 뭐, 언젠가는 알아내는 날이 오겠지……. 지금은 형님을 뵐 때였다.

"어서 오거라. 어쩐 일로 네가 먼저 나와 식사를 하자고 하는
구나."

화월당에 당도하니 연오가 반갑게 맞이했다. 그는 오랜만에
먼저 만남을 청한 아우가 퍽 반가운 눈치였다. 오늘도 화월당에
는 처리해야 할 일거리가 가득이었다. 연오는 두루마리 한 무더
기를 밀어 내며 탁자에 앉았다. 소면을 시작으로 맛깔스러운 음
식들이 식탁 위에 올라왔다. 잘 구워져 반들거리는 오리구이는
입맛이 없는 연조차도 젓가락을 뻗고 싶은 마음이 들게 만들었
다.

'형님이 신경 좀 쓰셨구나.'

이 화기애애한 분위기를 깨려니 연은 다소 양심이 찔렸다. 그
러나 몰랐으면 모를까 근래 들어 알게 된 사실은 그냥 넘어갈
수가 없는 것이었다. 이런저런 이야기를 나누다가 분위기가 무
르익을 쯤에 연이 찻잔을 내려놓았다. 연오가 의아한 눈빛을 보
냈다.

"형님, 실은 궁금한 것이 있어 이렇게 식사를 함께하자고 한
것입니다."

"궁금한 것? 얼마든지 물어보아라."

술을 훌쩍 마시고는 연오도 잔을 내려놓았다. 연은 연오를 잠
시 찬찬히 살펴보았다. 그는 어릴 적부터 연을 여러모로 신경
써 주곤 했다. 의원이며 진귀한 약에, 못해도 며칠에 한 번은
얼굴을 보며 어찌 지내는지 물어봐 주었다. 주강을 붙여 신변에
이상이 있거든 바로 알 수 있도록 하기도 했다.

지금도 연을 향하는 눈빛에는 염려와 걱정이 들어 있었다. 이

미 성인이 된 사내에게는 분명한 과보호였으나, 그 과보호 덕에 연은 그나마 남궁세가가 완전히 미워지지 않았다. 영명의 남궁세가와 연오의 남궁세가는 다를 것을 믿기 때문이다.

그러니 이번 일에는 약간의 배신감마저 들었다. 완벽하고 곧다고만 느껴지는 형님이었기에 더욱이 그랬다.

"얼마 전에 우연히 한위를 만나게 되었습니다."

한위의 이야기를 꺼내자 아니나 다를까 연오의 얼굴에서 미소가 사라졌다.

"한위가 세가에서 제대로 된 처우를 받지 못하는 것 같더군요."

"……."

"먹을 것을 주는 사람도 없어 굶고 다닌 모양입니다. 어찌 저와 이리 처지가 다릅니까? 한위나 저나 같은 아우가 아닙니까?"

그 말을 하면서 연의 마음도 편하지만은 않았다. 한위는 연오에게만 동생이 아니라 그에게도 동생이었다. 모란으로 지내면서 뉘우침과 반성이 있었으니 돌아와서 이렇게 챙기는 것이지, 그런 경험이 아니었다면 그 역시 한위에게 신경도 쓰지 않았을 것이다. 실로 가식적인 태도였다. 그러나 가식적이어도 한위의 삶이 조금 더 나아진다면 아무래도 좋았다.

연의 질문에 연오는 한참 침묵하더니 조용히 술을 한 잔 더 마셨다. 그도 한위가 어찌 지내는지 알고 있는 게 분명했다.

"굶고 다니는 줄은 몰랐구나."

"형님."

"나름 신경을 써 준다고 써 줬는데 한참 부족하지. 안다."

연오가 신경을 써 주는 정도가 분명 연에게 하는 것과는 달랐다. 그는 꼬박꼬박 연을 식사 자리에 부르면서도 한위는 그렇지 않았다. 세가에 충성스러운 시비나 하인들을 배치해 주지도 않았고, 유일하게 한위를 돌보는 노파가 다 죽어 가도 방치했다. 그런데 그 사실을 인정하는 연오의 얼굴은 괴로워 보였다. 연오는 다시 술을 들이켰다.

"연아. 아버지는 한위를 싫어하신다."

단호하던 평소의 모습과는 다르게 드물게도 연오가 느릿느릿 말했다.

"그건…… 알고 있습니다."

"그냥 싫어하는 정도가 아니야."

연오의 목소리가 무거웠다. 연이 식어 가는 음식에서 시선을 떼어 냈다.

"그분의 아들로서 응당 받아야 할 대접을 받는 것도 못마땅해 하시는 정도지. 심지어 나의 도움까지도 말이다."

연이 미간을 찌푸렸다. 연오는 곧은 사람이었다. 그는 의로운 행동이 무엇인지 알고 있었으며 실제로도 그렇게 행동하곤 했다. 그런 연오에게 있어 옳은 일 중의 하나는 부모의 말에 순종하는 것이다.

그러나 남궁영명이 어디 제대로 된 부친이던가? 연은 연오가 영명의 부당한 지시로 인해 심적으로 괴로워하는 것을 몇 번이나 지켜봤었다. 바로 지금처럼.

"내가 사람을 붙여 돌봐 주려고 할 때마다 한위에게는 좋지 않은 일이 일어났다. 감히 언급할 수는 없지만…… 누가 그랬는지는 자명한 일이지."

연은 이해할 수가 없었다. 그렇게 한위가 싫다면 대체 왜 세가 내에 데리고 있는가? 다들 말을 하지 않았다 뿐이지 남궁영명에게는 자식들이 더 있었다. 정확히 몇 명인지는 모르고 알고 싶지도 않았으나 자식이라 하여 반드시 세가 내로 들이지 않는다는 것만은 분명했다. 연오도 그 이유까지는 모르는 것 같았다.

"언젠가는 한위를 내보내려고 한다. 세가는 한위에게 절대 좋은 곳이 아니야."

연은 연오의 속마음을 읽었다. 그가 생략한 말 또한 알아차렸다. '남궁영명이 살아 있는 세가는'인 것이겠지. 그건 연에게도 똑같이 해당되는 일이었다.

그간 많이 답답했던지 연오가 자신의 계획을 털어놓았다. 나중에 한위를 일단 남궁세가와 연이 닿은 소박한 상회에 보내 일을 배우게 한 다음, 자신이 정식으로 가주 자리를 물려받으면 한위가 원하는 일을 하게 할 생각이라고 했다.

"영특한 녀석이니 뭘 해도 잘 해낼 수 있겠지."

연오가 쓰게 웃으며 다시 술잔을 비웠다. 무공으로 술기운을 밀어 내 등 뒤에서 미약한 아지랑이가 일었다. 소가주로서 그는 술을 마실 수는 있어도 취할 수는 없는 처지였다. 마침내 오리고기를 한 입 먹은 연이 일단 칭찬했다.

"훌륭하네요."

"그렇지? 나도 꽤 마음에 들어 하는 요리란다."

맛있는 오리구이에 대한 칭찬으로 분위기가 밝아지자 연이 슬그머니 말을 꺼냈다.

"그럼…… 한위 나갈 때 저도 같이 나갈까요? 한위는 세상 물정도 전혀 모를 테고……."

연오가 정색하자 연이 속으로 이크, 하고 혀를 찼다. 연을 아끼는 것과는 별개로 그는 엄격한 손위 형제이자 소가주였다. 그가 탁 젓가락을 내려놓았다. 미간만 찌푸렸는데도 기세가 제법 매서웠다.

"한위와 네가 같으냐? 그런 소릴 하려거든 좀 강건해지고 나서나 말하거라."

"제 건강이…… 뭐가 어떻습니까?"

내심 발끈하여 대꾸하면서도 말 같잖은 소리라는 건 스스로 잘 알았다. 하룻밤 잠시 한위와 짧은 밤 마실 나갔다고 다음 날 해가 중천에 다다를 때까지 앓는 몸뚱어리가 아니던가? 그래서 겨울 대신 봄에 세가를 나가려고 하는 것이었고…….

"그리고 세상 물정 모르는 건 너도 마찬가지가 아니더냐? 한위 내보낼 때 사람 딸려 보낼 테니 그건 걱정하지 말아라."

연은 세상 물정 모른다는 말만큼은 동의할 수 없었다. 모란의 몸으로 살면서 그는 세상의 쓴맛을 제법 보았다. 남궁세가의 공자로 살 때는 실로 상상도 한 적 없던, 그런 쓴맛이었다. 어미를 잃은 농사꾼의 아들이란 그런 위치였다. 사부인 진은록이 곁에 있었기에 그나마 그 삶이 좋아질 수 있었던 것이다.

"봄부터는 배움을 받거라. 내가 보기에 너는 나중에 세가의 장로가 되는 것이 좋겠구나."

세가의 장로라……. 그다지 놀라운 제안은 아니었다. 세가에서 장로란 무슨 위치에 있던가? 가주의 측근이며 방계이든 직계이든 남궁세가와 핏줄로 얽힌 사람들이었다. 그들은 가솔들의 존경을 받으면서 동시에 그에 걸맞은 영화를 누렸다. 보통은 연처럼 장남 외의 형제자매들이 장로가 되곤 한다.

그러나 연은 절대 세가의 장로가 될 생각은 없었다. 연오가 좋은 것과는 별개로 그는 세가가 지긋지긋했다.

"연아, 대답이 없구나."

"알겠습니다, 형님."

형님에게는 죄송하지만 아무리 생각해도 장로가 되는 건 안 되겠다고 그는 생각했다. 서운해하실 수도 있겠지……. 하지만 연은 의원이 되고 싶었다. 의원이 되어서 사람들이 완쾌하는 모습, 또 그 완쾌한 사람들을 사랑하는 이들이 기뻐하는 모습을 보며 살고 싶었다. 물론 이렇게 말해 봤자 '네가 의술의 의 자나 아느냐' 하는 반박이 돌아올 게 뻔했기에 연은 그런 속마음은 내놓지도 않았다.

"한위의 얘기가 나왔으니 말인데, 네게 부탁이 있구나."

"얼마든지 말씀하십시오."

"난 못 하지만, 대신 너라도 한위를 좀 봐주렴. 아버지도 네가 한위를 챙겨 줄 거라고는 생각지 못하실 것이다. 나 역시 네가 한위 이야기를 꺼냈을 때 놀라웠으니까."

연이 속으로 쓰게 웃었다. 연오가 놀라워할 만도 했다. 그동안 연이 행동해 오던 게 있었으니까. 그는 어렴풋한 기억 속을 더듬었다. 그러고는 몇 년 전 연회에서 한위가 애타는 시선을 보낼 적에 자신이 야멸차게 고개를 돌렸던 걸 기억해 냈다.

"명심하도록 하겠습니다."

대답을 하니 연오의 시선은 대략…… 네가 이제야 사람이 되는구나, 그 정도에 가까웠다.

"주강에게도 언질을 줘 놓을 테니 필요하거나 급한 일이 있으면 언제든지 말을 전하거라."

연이 고분고분하게 고개를 끄덕였다. 그러니까 형님 말씀은 남궁영명이 의심하지 않도록 나름 한위를 챙겨 주라는 건데……. 순간 그의 머릿속에 반짝 떠오르는 게 있었다. 영명이 의심하지 않게 한위를 챙겨 주는 일이 생각보다 쉬울 것 같았다.

저녁을 마치고 연은 다시 찬 바람에 몸을 떨며 화월당을 나왔다. 자박자박 화정당으로 돌아가는 길에 연이 멈칫했다. 그가 고개를 돌려 시선을 돌렸다. 해가 뉘엿뉘엿 지고 있었다. 한위가 어디서 지내더라? 미리 말을 해 주긴 해 줘야 할 것 같은데.

"어디 가십니까?"

"잠깐 들를 곳이 있어."

연은 하오문의 노파가 지내는 낡은 누각으로 향했다. 가서 한위를 보게 되면 좋고, 아니면 환자 상태를 보고 오면 되는 것이다. 아까 연오가 주강에게 언질을 했으니 이제는 편히 보러 가도 된다.

'그렇다면 주강은 형님의 말은 따라도 아버지에게 충성하지는 않는다는 의미군.'

흘깃 주강을 바라보니 그는 묵묵히 연을 따라가고 있었다. 연이 다시 고개를 돌렸다. 연오는 원래도 재능 있는 사람들이 많이들 따르곤 했다. 그에게는 그런 힘이 있었다. 예민하고 사람을 가까이 하지 않는 연조차도 그의 형은 좋아하지 않고는 버틸 수가 없었다.

이런저런 생각을 하다 보니 어느넛 낡은 누각이 코앞이었다. 아무리 봐도 누각이라기보다는 창고에 가까운 건물이다. 빛이 안에서 어른어른하고 한위의 목소리가 들리기에 연이 조용히 한위야, 하고 불렀다. 용케도 들었는지 문이 벌컥 열리며 한위가 뛰쳐나왔다. 강아지처럼 기운 넘치는 녀석이었다.

"형님!"

잠시 화정당에 들러 먹을거리라도 들고 왔어야 했나 하는 생각이 들었으나 한위는 그저 연이 왔다는 사실만으로도 좋은 모양이었다.

팔짝거리던 한위는 뒤늦게 주강의 존재를 눈치채고는 뻣뻣하게 굳었다. 주강은 조용하게 한위를 노려보고 있었다. 연이 미간을 찌푸렸다. 한위를 마음에 들어 하지 않는 사람들이 세가에 꽤 많다는 건 알았지만 그중에 주강도 속하는 줄은 몰랐다.

"한위야, 들어가자."

한위가 끄덕끄덕하면서도 끝까지 주강의 눈치를 봤다. 연은 뒷걸음질 쳐 슬그머니 누각 안으로 들어가는 한위의 뒤를 따랐다. 둘은 막 저녁을 먹고 있던 중인 듯했다. 식은 밥에 마른 나물 반찬 두 가지가 고작이라 연이 속으로 혀를 찼다. 겨우 병석을 털고 일어난 병자와 한참 자라는 중인 한위에게는 적절치 못한 식단이었다.

연이 들어서자 노파는 자리에서 일어나더니 돌연 큰절을 올렸다. 말은 없어도 치료해 준 것에 대해 크게 고마워하고 있다는 걸 느꼈다. 연은 잠자코 노파의 팔을 잡아 앉혔다.

"살릴 수 있으니 살렸을 뿐입니다."

그래도 노파는 몇 번이나 꾸벅거리다가 주섬주섬 이불 밑에서 무언가를 꺼내 조심스럽게 내밀었다. 무언가 하여 받아 보았더니 대(帶, 허리띠)에 매달고 다니면 될 법한 장신구였다. 명주실과 무언지 모를 전을 엮어 만든 장신구를 보자 연이 눈을 깜박였다. 그는 이 비슷한 걸 전에도 본 적이 있었다.

'스승님이 이런 걸 차고 다니셨지.'

번잡스러워 장신구는 하고 다니지 않는 분인데 의아했던 기억이 난다. 완전히 똑같지는 않아도 비슷한 물건을 보니 정감이 가, 연은 사양하지 않고 받아들였다. 그 앞에서 대에 차 보이니 노파의 안색이 환해졌다.

"잘 쓰도록 하겠습니다."

감사를 표하고는 연이 손을 내밀었다. 노파가 한위를 한번 쳐다보았다가 자신의 손을 내밀었다. 맥을 짚어 보니 아직도 만성 신염의 증상이 있기는 하나 훨씬 안정된 상태였다. 약을 꾸준히 먹고 있는 게 분명했다.

"달포하고도 반은 약을 먹어야 몸이 낫을 것입니다. 약을 다 먹고 난 후에도 증상이 지속되면 한위를 통해 전달하도록 하십시오. 나이가 있으니 앞으로도 조심해야 하고요."

말을 하면서도 연은 다시 허름한 상차림을 보게 되는 것이었
다. 이런 걸 먹고 지내면서 제대로 회복되기란 힘든 일이었다.
방도 아직도 냉골이었고 이불도 홑이불이었다. 호롱불조차 그
나마 연이 지난번에 주고 갔기에 방을 밝힐 수 있는 것이다. 방
안을 둘러보며 연은 대충 한위를 통해 챙겨 줄 것들을 유념해
두었다.

"한위야. 내일은 화정당 연못에 오지 말고 여기에 있어야 한다."

진맥을 마친 연이 말하자 한위가 동그란 눈을 깜박거렸다. 얼
굴에는 조금 불안한 빛이 떠올랐다.

"왜요……?"

"내일 사람이 찾아와 너를 내게 데려올 것인데……."

말을 하면서도 연의 말꼬리가 흐려졌다. 그가 세워 둔 계획은
전적으로 한위의 협조가 있어야 순조롭게 진행된다. 다행스럽
게도 이런저런 설명을 하자 한위는 어떤 상황인지 알아서 눈치
채고는 고개를 끄덕거렸다.

연이 물끄러미 총명한 아우를 바라보았다. 어렸을 때부터 제
대로 교육을 받았다면 지금쯤 어떠했을까 하고 상상해 보게 되
는 것이다.

"그럼 내일 보도록 하자."

자리에서 일어나자 한위도 벌떡 일어나 따라오려는 것을 연
이 마저 저녁을 먹으라고 앉혀 두고 나왔다. 문을 닫고 나오니
주강은 아까 그대로 서 있었다. 어떻게 저리 미동도 없이 서 있
을 수 있는지 연은 도무지 알 수가 없었다. 고수가 되면 다들 저
런 걸 할 수 있게 되나 보지?

연은 다시 칼날 같은 바람을 가르며 화정당으로 향했다. 그가
겨울이란 존재에 대해 한 다섯 번쯤 저주를 퍼붓고 있을 때였다.

"도련님."

주강이 돌연 자신을 불렀다. 연은 처음에는 잘못 들은 줄로만 알았다. 그도 그럴 것이 어지간해서는 자신에게 말을 걸지 않는 사람이 아니던가? 뒤를 돌아보자 주강이 한참 바라보더니 아닙니다, 하고 말을 마쳤다.

연이 눈썹을 찌푸렸다. 아무 말도 안 할 거면 대체 뭐 하러 불렀어? 부른 이유가 아주 짐작이 안 가는 건 아니었다. 아마 한위와 어느 사이 저렇게 친해졌냐고 묻고 싶은 거겠지.

둘은 침묵 속에 묵묵히 걸어 화정당에 도착했다. 연은 여느때와 마찬가지로 뜰에 우뚝 버티고 선 주강을 한번 보고는 문을 닫고 안으로 들어갔다. 유달리 추운 밤이었다.

"예?"

열심히 화정당 뜰을 비질하고 있던 하인이 휘둥그레진 눈으로 되물었다. 연은 마루를 열심히 닦고 있던 하인과 물동이를 지고 나르고 있던 시비의 시선이 자신에게 향하는 걸 느낄 수 있었다. 그런 건 전혀 신경 쓰지 않는다는 얼굴로 연이 다시 지시했다.

"한을 데려오라고 했어."

하인은 어리둥절한 얼굴로 비질을 멈추고 공손히 말했다.

"도련님, 죄송하지만 한이라는 사람이 누구인지 모르겠습니다."

"내 아우 말이다."

그제야 하인은 연이 누구를 말하는지 알아차린 듯했다. 예민한 주인을 거스르지 않으려는 게 분명한 태도로 그가 정중하게 말했다.

"한위 도련님을 말씀하시는지요."

"이름이 한위던가? 그래, 아무튼 그 녀석."

하던 가락이 있었기에 쌀쌀맞은 말투 내기는 쉬웠다. 하인은 허리를 공손히 숙여 보인 뒤 비질은 다른 사람에게 맡기고 화정당을 나섰다.

그 자리에 서서 기다리고 있자 잠시 뒤에 하인이 한위를 데리고 왔다. 한위는 다소 어색하게 형님, 하고 인사했다. 연이 팔짱을 끼고 한위를 내려다보았다.

"네게 참 실망이 크다. 형님이 계시면 응당 매일 인사를 하러 와야 마땅한 법인데."

이런 연은 처음 보는 한위가 눈을 휘둥그레 떴다. 뒤늦게 그가 인사했다.

"안녕……하세요, 형님……."

"안녕 못 하면 어쩔 것이지?"

안 그래도 동그란 한위의 눈이 더 커졌다. 하인과 시비들의 얼굴에는 공통적인 표정이 떠올라 있었다. 딱히 놀란 표정은 아니었다.

아마 그들에게는 익숙한 모습일 터였다. 정도가 더 심한 수준으로 매일 모란에게 하던 짓이었으니까.

"형으로서 어리석은 아우에게 가르침을 줘야지 안 되겠다. 따라 들어오거라."

한위는 고분고분하게 쪼르르 연의 뒤를 쫓아 들어왔다. 문을 닫고 이제는 둘을 보는 시선이 없다는 확신이 들자 연이 한위에게 방석 위에 앉으라고 손짓했다. 한위가 신기한 얼굴로 연의 방을 두리번거렸다.

연은 아침은 먹었냐고 물어보려다가 보나 마나 부실했을 게

빤하여 꿍쳐 놓았던 주먹밥을 내놓았다. 오늘 아침 식사로 만든 것이었다. 한위가 주먹밥을 와구와구 먹는 동안 그가 아이의 행색을 위아래로 살폈다. 오늘도 꼬질꼬질하다.

"한위야, 하루 종일 뭘 하고 지내지?"

"으음. 할미랑 밥 먹고……. 나가서 놀다가 연못 왔다가……. 저녁 먹으러 돌아가요."

연은 게 눈 감추듯 주먹밥을 먹어 없애고 귤을 까고 있는 한위를 말끄러미 바라보았다. 그러니까 하루 종일 놀기만 한다는 소리였다.

어젯밤 연은 한위를 찾아가 이제는 매일같이 화정당에 오게 될 것이라고 말했다. 남 앞에서는 차게 대하지만 그게 진심은 아니며, 단둘이 있을 때의 태도가 진짜라는 것도 일러 주었다. 한위는 놀랍게도 연이 자신을 그렇게 대해야만 하는 이유를 알고 있었다.

'가주님 때문이지요?'

그렇게 말하는 데 한위의 표정에는 한 치 원망도 없었다. 그게 그저 한위에게는 당연한 일인 것이다. 한위는 남궁영명을 아버지라고 부르지도 못하였다. 물론 연은 아버지라고 부르지 않는 편이 좋겠다 여겼다. 아버지라고 부를 가치가 없는 사람이었다.

"여기 와 있는 동안은 글을 좀 배워 보지 않겠니?"

"글이요?"

문무(文武) 중 연은 안타깝게도 한 가지밖에 가르칠 수가 없었다. 무공은 가르칠 만한 재능이나 체력이 안 될 뿐더러 너무 눈에 띄었다. 세가에서 남의 눈에 띄게 되면 영명의 귀에도 들어가게 된다.

한위는 연의 제안에 맹렬하게 고개를 끄덕였다. 배우고 싶은 열정이 대단한 건지 아니면 그저 연이 하자고 하는 건 다 좋아서 그러는 건진 알 수가 없었다.

"그럼 일단 밖에 나가서 시비에게 소셋물을 받아 오렴."

"네!"

하인을 시킬 수도 있지만 연은 일부러 한위를 시켰다. 소셋물을 받아 오는 건 보통 종들이 하는 일이다. 연은 남들에게 자신이 한위를 종으로 부리는 것처럼 보이기를 바랐다. 아마도 세가 내에서는 모란 대신에 한위를 괴롭히는 것으로 소문이 날 것이다.

그게 연이 바라는 바다. 세가 내의 평판이야 아무래도 상관없었다. 어차피 곧 나갈 곳이었고, 연오만 사실을 제대로 알고 있으면 되는 일이다. 평판이 안 좋을수록 세가를 나가는 일 또한 수월해질 터였다. 게다가 한위가 이 일로 세가 내의 사람들에게 동정이라도 받을 수 있게 된다면 더욱이 좋았다.

잠시 후 한위가 놋그릇에 찰랑이는 따뜻한 물과 마른 천을 가지고 왔다. 연은 천을 물에 적신 후 한위에게 내밀었다.

"이것으로 네 손을 깨끗이 닦고 옷을 가지런히 하렴. 무언가를 배울 때에는 항상 정갈한 차림이 적합하거든."

연의 말에 한위가 흙이 묻어 꼬질꼬질한 자신의 손을 내려다보고는 깨달은 표정을 지었다. 꾸물꾸물 손을 닦는 동안 연이 머리도 단정하게 묶을 두건을 내밀었다. 한위가 서툴게 두건으로 산발하고 있던 머리카락을 묶어 넘겼다. 연은 옅은 미소를 지으며 지필묵을 꺼냈다.

시간이 지난 뒤 그는 깨달았다. 한위는 정말이지 가르치는 보람이 있는 제자—물론 정식 제자는 아니지만 가르치는 입장에서 말하자면—였다. 하나를 가르치면 열을 알았고, 총명하여 이해도 좋았으며 외우는 것도 곧잘 했다. 배우는 내내 전혀 지루한 기색을 보이지도 않았다. 가르치면서 연은 자신보다 좋은 스승에게 배우면 좋았을 텐데 하는 생각을 여러 번 했다.

그날의 배움이 끝난 후에 연은 가지고 있는 지필묵을 옷가지에 둘둘 싸 내밀었다.

"가는 길에 누가 묻거든 내 빨래를 가지고 가는 것이라 하면 된다. 지필묵은 네가 가지고, 옷은 나중에 몸이 더 커지거든 입고. 의심을 살 수도 있으니 밖에서는 낡은 옷을 걸쳐 입는 게 좋겠다."

한위가 얼핏 수수해 보이는 옷을 만지작거렸다. 한위가 입은 옷소매가 짧아 손목이 훤히 드러나는 게 전부터 여간 신경 쓰이는 것이 아니었다.

"하지만 너무…… 큰걸요."

"금방 자랄 거야. 내 장담하지."

연이 보기에 한위는 타고난 강골이었다. 제대로 먹고 자기만 한다면 금세 자라날 것이었다. 소중하게 옷가지를 품에 안은 한위가 꾸벅 인사하고는 문을 열고 나갔다.

'좀 더 제대로 된 옷을 입게 하고 싶은데.'

연은 한위를 보기만 하면 챙겨 주고 싶은 욕심이 생겼다. 하지만 뭔가 주고 싶어도 딱히 줄 것이 없었다. 자신이 가진 것들은 죄다 한위가 쓰기에는 눈에 띄는 것뿐이다.

'어디 보자, 고기를 섭취해야 하니 육포 한 더미와……. 다 해졌으니 신발도 필요하겠고.'

남궁연으로 돌아오고 난 뒤로는 꽤 무료했던 차라 연은 한위에게 이것저것 해 줄 계획에 골몰했다. 그냥 해 주는 것이 아니라 영명의 눈을 피해 잘해 줘야 하는 것이었다. 영명이 싫어하는 행동을 한다는 묘한 승리감과 더불어 궁리하는 재미도 있었다.

연은 형으로서 가르침을 준다는 핑계로 다음 날에도 한위를 불러 댔다. 시비들 보란 듯이 한위에게 모진 말을 하기도 했다.

"너는 워낙 아는 게 없으니 뭘 시킬 수도 없겠다. 잉어 밥은 줄 수 있느냐? 멍청하여 어디 제대로 주는 방법이나 아느냐?"

그러면 한위는 신나서 잉어 밥을 쥐고 연못으로 달려갔다. 연이 연못을 좋아하는 것처럼 한위도 연못을 좋아했던 탓이다. 일도 없이 빈둥거리는 것 같으니 화정당이라도 돌고 오라 그러면 신나서 뜀박질을 하고 왔다. 한위는 달리는 걸 퍽 좋아했다. 건강에도 좋을 것이다. 잔심부름도 여러 번 시켰다. 하지만 이것만으로는 부족한 감이 있었다.

"도련님, 탕약입니다."

어떻게 해야 진짜 굴리지 않으면서도 한위를 더 굴리는 것처럼 보일까 궁리하고 있을 때였다. 시비가 조심스럽게 연을 불렀다. 글씨를 쓰고 있던 한위가 눈치 빠르게 붓을 내려놓고는 자리에서 벌떡 일어나 방 한구석으로 가 무릎을 꿇고 앉았다.

"들여오거라."

시비가 문을 열고 들어와 김이 모락모락 나는 탕약을 올려 두었다. 쓴 탕약을 마시자 몸에 온기가 번졌다. 연이 탕약을 모두 마시자 시비가 공손히 알려 왔다.

"내일부터는 올릴 탕약이 없습니다. 의원에 사람을 보내 약을 받아 올까요?"

그러고 보니 탕약이 떨어질 때가 되기는 하였다. 연이 잠시 고민했다. 사부가 진찰을 받으러 오라고는 했지만 정말 가도 괜찮을지…….

남궁연으로 돌아오고 나서는 백모란의 인연에는 미련을 가지지 말자고 했지만 그게 잘되지 않았다. 의원에 들르면 그가 맡고 있던 환자들도 몇 볼 수 있지 않을까?

연의 시선이 문득 한위에게 향했다. 그가 알기로 한위는 내내 세가에서만 자라났다. 아마 밖에 나간 적은 거의 없을 것이었다. 잠깐 고민하던 연은 마침내 결론을 내렸다.

"아니, 내가 직접 가서 받아 오겠다. 진찰을 받을 일도 있으니. 한위 너도 따라오거라."

한위가 눈을 휘둥그렇게 떴다. 연이 시비 들으라는 듯 입을 열었다.

"영 쓸모가 없으니 짐꾼으로라도 써야겠지. 이리 와. 외출할 옷을 꺼내 오너라."

무표정했으나 시비가 슬쩍 동정 어린 눈빛으로 한위를 흘긋 보는 것을 연이 확인했다. 그의 계획은 순조롭게 나아가고 있었다. 그는 한위가 정말 외출할 옷을 찾아 뒤적이는 걸 지켜보다가 시비가 나가자마자 팔을 잡아 말렸다. 한위가 고르는 옷을 입고 나갔다가는 고뿔에 걸릴 터다. 연은 두꺼운 장포를 두 겹 입은 뒤 위에 외투를 껴입었다. 한위가 참지 못하고 발을 굴렀다.

"여기 밖으로 나가요?"

"그래. 시장에 가 볼 생각이야. 가 본 적이 있어?"

"아뇨! 한 번도요!"

흥분으로 한위의 뺨이 발그스름하게 물들었다. 그 모습이 귀엽기도 하고 안쓰럽기도 했다. 한위는 열다섯이 될 때까지 벙어리 유모와 함께 세가에서만 지내며 냉대를 받고 자랐다. 그럼에도 낙천적이고 성격이 퍽 밝았다. 어쩌면 남궁영명이 아니었다면 연오만큼이나 뛰어난 재능을 가진 어린 무인으로 이름을 날릴 수도 있었을 텐데……

문을 열고 나가니 한위가 눈치를 보며 슬그머니 연의 뒤에 붙었다. 주강은 한위에게 잠시간 냉랭하기까지 한 시선을 한번 보냈다.

연은 그런 주강이 뜻밖이었다. 주강은 좋아하는 것을 거의 티 내지 않는 만큼이나 싫어하는 것도 티 내지 않는 사람이었다. 혹 애들을 싫어하나?

주강을 경계하던 것도 잠시, 세가를 나가자 한위의 얼굴은 환해졌다. 연의 곁에 딱 붙은 채 그는 주위를 연신 두리번거렸다. 모든 것이 신기할 터였다. 마침 점심시간이기도 하니 연은 한위를 데리고 객잔으로 향했다.

객잔은 그렇게 고급스러운 편은 아니었고 음식도 연오와 먹은 것처럼 훌륭하지는 않았지만 오리구이며 소면에 교자 등은 썩 먹을 만했다.

한편 한위로서는 이때까지 살아온 날 중에 오늘이 가장 신나는 날이었다.

그날 연못에서 연에게 존재를 들키기 전까지 한위의 세계는 협소했다. 벙어리 유모와 비가 새고 찬 바람이 드는 낡은 전각, 사람들의 냉대와 허기, 추위, 외로움……. 자신에게도 가족이 있다는 건 알았지만 연오나 연이나 그에겐 너무나 먼 사람이었다. 연회가 열릴 때나 가까이서 볼 수 있는 사람들이었던 것이다.

그런데 예상과는 달리 놀랍게도 연은 한위를 내치지 않았다. 왜 몰래 정원에 숨어들었냐고 혼내지도 않았고 말투가 어눌하다고 놀리지도 않았다. 난생처음 먹어 본 맛있는 주먹밥과 당과를 주었다. 며칠 동안 끙끙 앓으며 식음을 전폐하던 유모를 치료해 주기도 했다.

한위에게 있어 연은 그늘진 세상에 뜬 해와 같은 존재였다. 행동거지가 우아하고 조용한 연을 보고 있으면 자신의 거친 행동을 돌아보게 되었다. 그리고 어느 순간 그의 형을 따라하게 되는 것이다. 배울 때는 정갈한 차림을 해야 한다는 걸 들은 후로 그는 흙장난을 하고 난 뒤에는 꼭 물에 손을 씻었다.

세가 밖은 처음이었다. 세가의 무서운 무사들이나 조용하고 차가운 어른들과는 다르게 밖의 사람들은 활기차고 시끄러웠다.

사람들이 이렇게 떠들썩할 수 있다는 걸 한위는 처음으로 알았다. 주먹밥도 맛있었지만 오리구이도, 소면도…….

행복한데 문득 서러워진 한위는 잠시 훌쩍이고는 와구와구 음식을 먹었다.

연은 그런 한위에게 음식을 조용히 밀어 주었다. 많이 먹여서 얼른 살을 찌워야겠다는 생각이었다. 조금 살이 붙은 것도 같으나 아직도 열세 살 정도로 밖에는 안 보였다.

객잔에서 음식을 먹고 난 뒤 연은 한위에게 사과 사탕과 꼬치도 사서 쥐여 주었다.

이 시장에서 할 수 있는 재미난 건 거의 다 하게 해 줄 생각이었다.

천천히 걸으며 한위에게 시장 구경을 시켜 줄 때였다. 돌연 연의 몸이 굳었다. 저만치서 익숙한 사람 둘이 실랑이를 하는 중이었다. 그중 한 사람의 얼굴이 익숙해도 지나치게 많이 익숙했다.

"이런 식으로 나올 거야? 전 씨에게서 다 듣고 왔는데."

"글쎄, 모란아……. 나는 모른대도."

아니……. 백모란이…… 저기서…… 뭘 하고 있는 거지? 지난번처럼 횅하게 가슴팍을 풀어 헤친 꼴이 끔찍하여 연이 잠시 지그시 눈을 감았다가 떴다. 저건 원래 주인 몸이다, 원래 주인이 어떻게 옷을 입든 나랑은 상관없는 일이다, 속으로 되뇌었다.

백모란과 대화하는 사람은 연도 익히 아는 사람이었다. 땔감을 베어다가 파는 이웃집 한철이란 사람이었다.

'저게 대체 뭐 하는 짓이야?'

연이 파르르 떨며 주먹을 꾹 쥐었다. 상대를 윽박지르는 모습이 마치 저잣거리 왈짜 같았다. 아니, 왈짜패도 저런 상스러운 옷차림은 하지 않았다.

"형님?"

한위가 조심스럽게 불러도 연은 꿈쩍도 하지 않고 둘이 하는 모양을 지켜보았다. 한철이 울상이 되어 마지못해 무언가를 백모란에게 넘겨주었다. 기어이 무언가를 뜯어낸 백모란은 씩 웃었다.

"모란아, 너 그때 머리라도 다쳤니? 응? 대체 왜 이러는 거냐, 요즘."

"머리 다친 걸로 보여?"

백모란이 활짝 웃으며 상체를 드밀자 한철이 질겁하여 주춤 뒤로 물러났다. 연은 그 반응을 잘 이해할 수 있었다. 모란에게는 형용할 수 없는 무언가가 있었다.

"머리 다쳤냐는 건 내가 지금 미친놈 같다는 말인가?"

"아니! 내가 언제 그런, 그런 식으로 말했나."

그냥 말이 그렇다는 거지, 말이. 한철이 시선을 피하며 극구 부정했다. 전에도 한번 이런 식으로 덴 적이 있는 모양이었다. 백모란이 콧노래를 부르며 지나가자 한철이 고개를 내저으며 땅에 침을 뱉었다. 연은 그 행동 또한 이해가 갔다.

엮이지는 않고 싶지만, 그냥 넘어가지도 못하겠다. 연이 조용히 백모란의 뒤를 따랐다. 아무리 봐도 백모란의 행동은 그동안 연이 저 몸으로 쌓아 둔 인맥을 죄다 파괴하는 걸로만 보였다.

그래, 상스러운 옷차림을 하건 이웃집 사람에게 어떻게 대하건 지금의 연과는 상관없는 일이다. 상관없는 일인데……. 꼭 저런 식으로 대해야 하나? 자신은 이제 말조차 붙이지 못하는 사람들인데.

부당한 분노이지만 연으로서는 어쩔 수 없는 분노이기도 했다. 그사이 모란은 또 한 상인에게 들러 무언가를 뜯어낸 뒤 휘적휘적 걸음을 옮겼다. 그다음으로 향하는 곳은 다름 아닌 기루였다. 노골적으로 기녀에게 추근거리며 붙는 걸 보고 연이 탄식하고 말았다. 손이 너무나도 자연스럽게 가슴으로 가는 게 아닌가. 정말 마음에 들지 않는 사람이다.

한위도 옆에 있었기에 연은 독하게 마음먹고 돌아섰다. 견물생심(見物生心)이라, 자꾸 보니까 욕심이 생기는 것이다. 눈으로 보지 않고 모르는 척하면 될 일이었다. 그래, 지나간 인연에는 미련을 가지지 말자.

"이제 의원으로 가야지."

걱정스러운 눈으로 자신을 보고 있는 한위에게 말하며 연이 발걸음을 돌렸다. 진은록의 의원은 이곳에서 멀지 않았다. 벌써부터 피곤해 그가 발걸음을 빨리할 때였다.

"섭섭하게, 봤으면서도 왜 모른 척 그냥 가?"

대뜸 귓가에서 들리는 소리에 연이 펄쩍 뛰었다. 휙 뒤를 돌아서니 백모란이 저만치서 손을 흔들며 걸어오고 있었다. 어떻게 된 일이지? 방금 바로 옆에서 말하는 것 같았는데. 지난번에 손도 대지 않고 자신을 기절시킨 것도 그렇고, 정말 이해할 수 없는 수법이었다. 전음과는 또 달랐다. 그러나 연은 그냥 무시하기로 했다.

"형님, 저 사람이 손을 흔들어요. 아는 사람이에요?"

"모르는 사람이야."

차갑게 말하며 연이 빨리 걸었다. 그러나 모란의 걸음이 더 빨랐다. 왜 제지하지 않나 싶어 주강을 쳐다보니 그는 모란을 그저 바라보기만 할 뿐이었다. 젠장, 그렇지. 그에게 있어 모란은 아직까지 연에게 얻어맞아 거의 죽을 뻔한 불쌍한 녀석일 터였다.

"정말 너무하네, 달링."

"뭐?"

달…… 뭐라고? 백모란은 알 수 없는 수법으로도 모자라 알아들을 수 없는 소리를 지껄여 댔다. 무슨 뜻인지는 몰라도 연이 듣기로는 굉장히 거슬렸다.

모란이 빙글빙글 웃었다. 제게 또 무슨 뜻밖의 짓을 할까 노려보느라 연은 의원 앞에 쭈그리고 앉아 있던 어린아이가 다가오는 것도 알아차리지 못했다.

"남궁연 공자이신가요?"

아이가 똘망똘망하게 물었다. 정신없는 연을 대신해 한위가 고개를 끄덕여 보았다. 어린아이는 쪼르르 안으로 달려 들어가더니 다시 나왔다. 그리고 아까와는 달리 감초를 쥔 손으로 연의 옷자락을 잡아당겼다.

"공자님, 의원님께서 들어오라 하셔요."

그렇게 말한 아이는 심부름의 대가로 얻은 게 틀림없는 감초를 소중하게 쥐고는 쪼르르 달려갔다. 연이 마지못해 모란을 무시하고 들어가려고 할 때였다. 모란도 연을 따라 들어오는 게 아닌가. 무시하고 싶어도 도무지 무시할 수가 없었다. 결국 연이 쏘아붙였다.

"그쪽은 왜 들어와?"

"왜 들어오긴? 제자이니까 들어오지."

제…자……. 연의 속에서 무언가 부글부글 끓었다. 목구멍까지 치밀어 오르는 걸 억누르며 안으로 들어섰을 때, 은록은 막 환자에게 침을 놓는 중이었다. 오래간만에 사부의 얼굴을 보니 연은 한결 모란을 참기 쉬워졌다. 마지막까지 침을 놓은 뒤에야 은록은 연을 맞이했다.

"이리 앉으십시오."

제 뒤에 있는 백모란은 무시하려고 애쓰며 연이 얌전히 자리에 앉았다.

앉자마자 진은록은 맥을 잡기 위해 손을 뻗다가 잠시 연의 손바닥을 쳐다보았다. 뭔가 하여 연도 제 손바닥을 바라보니 긁힌 자국이 남아 있었다. 지난번 한위의 유모를 치료해 주러 가는 길에 몇 번이고 넘어져서 생겼던 자국이었다. 슬그머니 주먹을 쥐니 진은록이 가볍게 손목 어딘가를 꾹 누르는 것만으로 다시 펼치게 만들었다.

"그 몸으로는 가능한 한 상처를 입는 걸 피해야 합니다, 공자."

충고를 한 뒤 은록은 진맥을 시작했다. 연은 가만히 앉아 은록의 미간에 조금씩 주름이 잡혀 가는 모습을 지켜보았다. 한참 있다가 그가 물었다.

"지어 준 약은 제대로 먹었습니까?"

"말씀하신 대로 아침저녁으로 먹었습니다."

연의 말에 은록이 눈썹까지 찌푸렸다. 바라보는 시선이, 그런데도 몸이 이런 꼴이란 말인가? 하고 말하는 듯했다. 은록은 이내 연의 부러진 팔에 감겨 있던 부목도 풀었다.

붓기가 많이 가라앉아 있었다. 이리저리 살핀 뒤 그가 고개를 끄덕였다.

"며칠 후면 부목을 풀어도 되겠군요. 하지만 약은 장기적으로 꾸준히 복용하십시오."

연이 고개를 끄덕거렸다. 은록이 내린 진찰 결과는 연이 내린 것과도 비슷했다. 건들거리는 태도로 팔짱을 끼고 있던 모란이 입을 연 것은 바로 그때였다.

"약 같은 걸로는 소용없을 텐데, 아마."

연이 휙 뒤를 돌아보았다. 모란은 또 이상한 느낌의 눈을 하고 있었다. 연과 시선이 마주치자 언제 그런 눈을 했냐는 듯 뒷머리를 벅벅 긁고는 그가 고개를 까닥거렸다. 정말이지 건방진 태도였다.

"의원 양반, 당신도 알고 있잖아?"

모란의 말에 은록이 묘한 얼굴로 그를 바라보았다. 그는 화를 내거나 호통을 치거나 하지 않았다. 정작 화가 나는 사람은 따로 있었다.

의원…… 양반? 연은 순간 현기증까지 나는 느낌이었다. 그는 한 번도 은록을 저런 식으로 부르는 사람을 본 적이 없었다. 하물며 그 몸의 주인이 백모란이어서야! 결국 참지 못하고 연이 자리에서 벌떡 일어나고 말았다.

자신이 알던 예전 사람들에게는 어떻게 굴든 상관없는데 사부에게 그러는 것만은 못 참겠다.

"백모란! 잠시 좀 보지, 당장!"

그렇게 외치는 순간 의원 안에 있던 익숙한 얼굴들이 연을 바라보는데 표정이 이랬다. 저 도련님 한동안 안 그러다가 또 성질 나오네, 하는……. 안 나가면 어쩔 거냐는 식으로 나올 것 같던 모란은 뜻밖에도 순순하게 연을 따라나섰다. 주강도 따라오려고 하기에 연이 딱 막아섰다.

"따라오지 말고 약이나 받아 와. 한위는 여기 있고. 알겠어?"

그 날 선 태도에 주강이 미간을 찌푸리고 한위가 입을 조금 벌렸다. 연은 대답도 듣지 않고 옷자락 차갑게 날리며 의원 밖으로 나갔다.

오늘도 환자가 줄을 서서 기다리는 골목을 지나 으슥한 곳으로 가서야 멈춰 섰다. 단둘인 걸 확인한 연이 백모란을 쏘아보았다. 모란이 히죽 웃었다. 연은 저 웃음이 정말 싫었다.

"뭐 하는 짓이야?"

"무슨 말인지 모르겠는데."

연이 왜 이렇게 화를 내는지 다 알겠다는 얼굴로 모란이 능청을 떨었다. 연은 예전에 이유 없이 모란을 증오하던 때와 지금 중 언제가 더 감정이 격렬한지 알 수 없을 정도였다.

"꼭…… 꼭 사람들에게 그따위로 대해야 해? 사람이 가져야 할 기본 예의라는 게 있지!"

"기본 예의라는 걸 배워 먹지 못한 몸이라서 말이야."

모란이 아까 시장에서 한 것처럼 슬그머니 상체를 연에게 기울였다. 연은 조금도 동요하지 않고 이 야만스러운 사내를 노려보았다. 그의 행동거지만 놓고 보면, 완전히 다른 세상에서 온 사람 같았다.

"그리고 말이야, 내가 기본 예의 없이 사람들을 대하든 말든 무슨 상관인데?"

"……."

"착각하고 있나 본데, 이건 내 몸이거든. 알겠어? 내 이웃. 내 입. 내 눈. 내 코. 응?"

뭐라 할 말이 없어서 연이 몸을 부들부들 떨었다. 백모란의 말이 다 맞는 탓이다. 돌연 왜 이렇게 자신이 화를 내고 있나 회의감이 든 연은 몸에서 힘을 뺐다. 그래, 백모란이 어떻게 하든, 이제는 그가 상관할 바가 아니었다. 이제 백모란은 백모란이고 남궁연은 남궁연이었다. 완전히 별개의 인생이었다.

"그래, 맞는 말이네. 내가 큰 착각을 했군. 하도 그 몸에 오래 있어서 말이야."

진짜로 백모란과 더는 엮이지 않으리라. 다짐을 하고 연이 차

게 돌아서자 눈썹을 치켜세운 모란이 휙 몸을 날려 앞을 가로
막았다. 심기가 좋지 않았기에 연의 입에서 나오는 말도 좋지는
않았다.

"저리 꺼져."

"아니, 뭐⋯⋯. 하지만 사람이라면 무릇 예의범절이란 걸 알
긴 알아야겠지."

"무슨 헛소리를 지껄이는 거야?"

팩 쏘아붙이자 모란이 어깨를 으쓱했다. 어째 모란이 자신을
퍽 귀엽다는 시선으로 보는 것도 같았다. 물론 말도 안 되는 생
각이었다.

"성의를 보여 주면 난 좀 더 예의 바른 인간이 되어 줄 수 있
어. 모든 사람에게 그럴 수는 없지만 최소한 의원 양반과 두세
사람에게는 그래 줄 수 있지. 지금 돈 좀 가지고 나왔지?"

"뭐?"

"돈 좀 있으면 내게 달라고 하는 말이야."

너무 어처구니가 없어서, 연은 말없이 백모란을 바라보았다.
지금 이 인간이 정말 자신에게 돈을 달라고 하는 게 맞나? 그것
도 이렇게 노골적으로? 정말 왈짜패가 아닌가. 왈짜패도 이런
식으로 돈을 뜯지는 않았다.

문제는 이 제안에 솔깃해하고 있는 자신이었다. 갈등 끝에 연
은 마지못해 품속에서 전낭을 꺼냈다. 더럽고 치사하니 먹고 떨
어지라는 마음으로 바닥에 툭 내던졌다. 모란이 히죽 웃으며 전
낭을 주워 툭툭 흙먼지를 털었다. 연 같으면 자존심이 상해서라
도 받지 않았을 것이다. 믿을 수 없을 정도로 뻔뻔한 자였다.

"이걸로는 모자란데. 딱 그 의원 양반이라는 호칭을 의원이라
고 바꿀 정도의 예의범절인걸. 여기의 두 배를 내면 의원님이라
고 불러 줄 수 있어."

그렇게 말하고는 모란이 덧붙였다. 그렇다고 내가 사부님이라고 부르는 건 싫을 거 아냐?

"……진심이야?"

"물론 진심이지. 돈 많잖아, 너. 남궁세가가 이 근방에서는 그렇게 잘나간다면서? 오대세가 구파일방이라……. 뭐 여기서는 아신족(亞神族) 같은 존재 아닌가?"

자칭 신의 첫째 자식들이라 우기던 그놈들처럼 오만한 것 같진 않지만. 모란이 여전히 모를 소리를 지껄였다. 아신족이 뭔지는 모르겠지만 모란이 자신을 뜯어먹기 쉬운 돈줄로 본다는 사실은 잘 알 수 있었다. 연은 이런 자에게 정말 돈을 내주어야 하는가 생각했다.

그렇게 많은 액수는 아니었으나 적은 액수 또한 아니었다. 그러나 저 야만인이 사부를 조금이라도 예의 바른 태도로 대하게 만들 수 있다면 연은 그 정도쯤이야 얼마든지 내줄 수 있었다.

"좋아. 하지만 지금은 돈이 없으니 따라오도록 해."

"잘 생각했어."

연은 모란은 쳐다보지도 않고 의원으로 돌아갔다. 한위가 안절부절 기다리고 있다가 달려 나왔다. 주강의 손에는 은록이 지어 준 탕약이 들려 있었다. 연은 은록에게 인사를 하고 갈까 잠시간 고민하다가 제 뒤에 모란이 붙어 있다는 사실을 떠올렸다. 모란이 아까처럼 구는 꼴은 다시는 보고 싶지 않았다.

세가로 돌아가기 전, 연은 한위의 품에 이것저것 들려 주었다. 겨우내 유모와 한위가 따뜻하게 입고 잘 옷, 육포 한 꾸러미, 서책과 지필묵 따위였다. 한위는 모란을 힐끔힐끔 쳐다보면서 오늘도 연이 준 걸 소중하게 품에 꼭 안고 돌아갔다.

"꽤 강하네?"

화정당으로 가는 길에 모란이 주강에게 껄렁거렸다. 주강이 눈썹을 들어 올렸다. 연이 노려보자 받은 것이 있는 모란이 조금 더 성의 있게 말했다.

"자네, 그 나이에 꽤 강하구만?"

"……."

연이 속으로 이를 박박 갈았다. 원하는 걸 얼른 주고 내쫓을 생각이었다. 그리고 다음부터는 모란을 봐도 아는 척도 하지 않을 것이다.

화정당에 들어오자 시비와 하인들은 오래간만에 제 주인의 심기가 차갑다는 걸 알아차리고는 조심스럽게 움직였다. 연이 방으로 들어서니 모란도 자연스럽게 따라 들어왔다. 그러더니 문을 닫았다. 왜 문을 닫나 의심스럽게 보다가 연이 빨리 내주고 쫓아 보내자는 생각으로 패물을 찾았다.

대충 값어치가 나가는 것들을 찾아내 쥐여 주자 모란이 히죽 웃었다.

"받아. 이거면 됐지?"

"이거면 충분하지. 원하는 대로 네 사부에게는 예의 바르게 굴어 줄 수 있어."

그런데 모란이 가지는 않고 털썩 눌러앉는 게 아닌가. 그러더니 수작을 부리기 시작했다.

"듣자 하니 전에 의원이었다면서?"

"……."

"널 찾는 사람들이 꽤 많던데."

연은 등을 돌린 채 대꾸도 하지 않았다. 모란과 엮이지 않겠다는 다짐은 패물을 건네준 순간부터 시작되는 것이었다. 안 그래도 맡았던 환자들의 병세를 끝까지 보지 못해서 짜증 나는데 모란이 긁어 대니 연의 인내심은 빠른 속도로 바닥났다. 참다 못해 주강을 불러 내쫓으려고 할 때 모란이 쿡, 말로 연을 찔렀다. 도무지 무시할 수 없는 그런 말이었다.

"전처럼 계속 그 사람들 치료할 수 있게 해 줄까?"

결국 참지 못하고 연은 모란을 휙 돌아보고 말았다. 이러면 안 되는 걸 알면서도 그의 마음속에 있는 어느 한 부분은 모란의 말에 홀린 듯이 고개를 들고 있었다. 이자가 대체 어떻게 사람들을 치료할 수 있게 해 준다는 걸까?

연이라고 자신이 맡았던 환자들을 다시 찾아갈까, 하는 생각을 안 해 본 건 아니다. 남궁연이라는 신분이야 옷차림만 좀 바꾸면 숨길 수 있었으니까.

가장 큰 걸림돌은 주강이었다. 연오에게 무슨 명령을 받았는지는 몰라도 그는 연이 세가 밖으로 나갈 때 한 번도 따라나서지 않은 적이 없었다. 주강 같은 고수를 따돌릴 수 있는 방법은 없었다.

만약 연이 의술을 펼치는 모습을 주강이 보면 연오의 귀에 들어가는 건 시간문제였다. 그럼 연오는 당장 연을 불러내겠지. 언제 어떻게 의술을 배웠냐고 추궁하면 대답하기가 곤란했다. 의술이 어디 책으로만 배울 수 있는 기술이던가? 반드시 스승이 필요한 학문인 것이다. 무엇보다 연은 그 누구에게라도 남궁세가의 '남궁연'이 의원이 된다는 사실을 알리기 싫었다.

무림인들은 의원을 업신여기는 경향이 있었다. 무공을 배우면 고뿔 정도는 걸리지도 않게 될뿐더러 고수의 경지에 이르면 금강불괴(金剛不壞)부터 만독불침(萬毒不侵)의 몸까지 이룰 수 있지 않던가.

허약하여 무공도 배우지 못하는 남궁세가의 차남이 어쩔 수 없이 의원 나부랭이나 되었다고 강호인들이 떠들어 댈 게 눈에 훤했다. 의원은 나부랭이라고 불릴 만한 직업도 아니고, 어쩔 수 없이 되는 게 아닌데도!

떠들어 대는 거야 상관이 없지만 일단 소문이 나면 '남궁'이라는 성씨를 떼고 타지에 조용히 정착해 사는 건 어려워지는 것이다.

'의원이라는 건 비밀 중의 비밀로 부쳐야 해. 등잔 밑이 어둡다고, 그래야 내가 나중에 세가를 나가서 의원으로 활동해도 설마 그 남궁연이라고는 의심도 안 할 것 아니야.'

남궁세가와 상관없는 사람으로서 한적한 시골에서 의원으로 지내는 삶이라……. 생각만 해도 좋았다. 잠시 행복한 상상을 하던 연은 퍼뜩 정신을 차렸다. 그리고 현실을 직시했다.

"네가 어떻게? 주강을 따돌리는 건 쉬운 일이 아니야."

지난번 몰래 한위의 유모를 치료하러 나갈 수 있던 것도 그나마 세가 안이었기에, 그리고 주강이 자리를 비웠기에 가능한 일이었다.

연이라고 그간 주강을 따돌리려고 시도하지 않았겠는가? 그러나 당당히 세가를 걸어 나가든 따라오지 말라고 으름장을 놓든, 담장을 넘든 언제나 주강은 귀신같이 알아차리곤 했다. 그동안 데리고 다녔던 호위무사 중 가장 깐깐한 자였다.

"그거야말로 쉬운 일이지."

그렇게 말한 백모란이 돌연 손을 뻗어 연의 입을 틀어막았다. 워낙 부지불식간에 당한 일이라 당황한 연은 대처도 하지 못했다. 곧바로 까마득하게 세상이 멀어지는 느낌이 들었다. 연은 숨도 쉬지 못했다. 바닥이며 천장이 비틀리더니 다음 순간에는 땅과 하늘을 토해 놓고 있었다.

땅에 발이 닿는 느낌이 들자마자 연이 모란을 공격했다. 그제야 그가 틀어막았던 입을 놔 주며 얼른 뒤로 물러났다.

"아이고."

모란이 인상을 쓰며 연에게 쥐어박힌 옆구리를 문질렀다. 그 움직임에는 과장하는 태도가 없잖아 있었다. 그가 투덜거렸다.

"혹시라도 소리를 지를까 봐 그런 거야."

그러거나 말거나 연은 숨을 헐떡거리며 주위를 둘러보기에 바빴다. 그들이 있는 곳은 놀랍게도 산꼭대기였다. 깎아지른 절벽과 차가운 바람, 그리고 저 멀리 보이는 남궁세가가 비현실적이었다. 믿기지 않았던 연이 비틀거리며 절벽으로 다가가자 모란이 뒷덜미를 잡아끌었다. 연이 차갑게 그 손을 뿌리쳤다.

"무슨 짓을 한 거야? 환각? 아니면 기문진법(奇門陣法)[10]인가? 아니, 진법이라고 해도 대체 어떻게 그 짧은 순간에……."

"궁금하지? 손 내주면 뭘 한 건지 알려 줄게."

모란이 씨익 웃었다.

도대체 이 사내는 어떤 작자인가? 불한당이나 사기꾼같이 구는가 하면 인간이 아닌 것 같기도 했다. 도대체 어느 것이 본래의 모습인지 알 수가 없었다.

연이 한참을 노려보다가 손을 내밀자 그가 근처 나무에서 솔방울 하나를 따서 얹어 주며 손을 잡았다. 다시 주위가 비틀리는 느낌이 들어 연이 눈을 질끈 감았다 떴다. 자신의 방이었다. 그가 자신의 손을 바라보았다. 손바닥 위에 아까 모란이 따다 준 솔방울이 남아 있었다. 환각이 아니었다. 모란이 아무렇게나 털썩 방석 위에 앉으며 지껄였다.

"뭐라고 할까, 말하자면 순간이동이라고 하는 거야. 이쪽에는 없는 개념이지, 아마?"

"순간……이동?"

"순간적으로 이동한다는 의미에서."

뜻을 이해 못 해서 되물은 건 아니었다. 그게 정말 가능하냐는 의미로 물은 것이었다. 경공에 뛰어난 사람들이라면 남궁세

---

10) 안개나 바람 등의 물리적인 변화, 기이한 현상, 환강 등을 겪게 만드는 일종의 결계

가에서 아까 그 산꼭대기에 도달하는 건 그다지 어렵지 않은 일이다. 그러나 다리를 움직이지도 않고 그 자리에 서서 이동하는 건 말이 달랐다. 심지어 모란은 방문을 열지도 않았다.

"대체 어떻게 한 거야?"

"방금 그건 마법이라고 하는 거야. 이를테면 이런 거지."

손가락을 까딱하자 연의 손바닥 위에 있던 솔방울이 사라졌다가 모란의 손바닥 위에 나타났다. 그가 손바닥 위의 솔방울을 한 바퀴 굴렸다. 그러자 어느 순간 솔방울이 불에 타기 시작했다. 눈으로 보면서도 믿기지 않는 현상이었다. 연이 우뚝 그 자리에 서서 모란이 부리는 재주를 쏘아보았다.

"……마법이라고?"

돌연 솔방울이 재가 되어 흩날렸다. 바람을 타고 스륵 문틈 사이로 사라지는 모습은 기이하기까지 했다. 연이 알고 있는 상식 내에서 굳이 설명하라면 허공섭물(虛空攝物) 내지는 삼매진화(三昧眞火) 정도였지만 이 정도의 무공은 연이 알고 있는 모란의 몸으로는 불가능한 것이었다. 모란이 건성건성 손을 흔들어 댔다.

"이쪽 용어로 설명하자면 특별한 원기를 이렇게 저렇게 운용해서 유형이나 무형의 형태에 간섭을 하는 거야. 가령 순간이동 같은 경우에는 공간을 비틀고 접는 거지."

"……."

"그러니까 종이를 접으면 가장자리 끝에서 끝 면이 맞닿는 것처럼……. 아니 뭐, 지금 이런 게 중요한 건 아니고. 아무튼 이거라면 네가 몰래 나가서 원하는 대로 할 수 있잖아."

연은 대답 대신 모란을 바라보았다. 손도 대지 않고 기절시킨 것이나 아니면 바로 옆에서 말하는 것처럼 들린 건 이런 술수의 한 종류인 모양이었다.

"이게 당신이 있다가 온 곳의 기술인가 보지?"

"뭐어, 그렇지."

"어디에 있는 곳이야? 대륙 너머 서방?"

모란이 심드렁하게 고개를 저었다.

"아니, 아냐. 여기나 대륙 너머나 다 비슷해. 내가 온 곳은 저기 어디쯤이지. 보이지 않는 어떤 벽을 열두 번 넘어가면 있는…… 이곳보다 훨씬 거칠고 위험하고, 생명력이 넘치는 아름다운 곳이야."

"……."

"달이 두 개나 뜨고 바다는 금색으로 반짝거리며 빛나지. 하늘에 섬이 떠다녀. 비가 오는가 해서 고개를 들어 보면 섬에서 흘러내리는 폭포수 자락이거든."

거칠고 위험하고, 생명력이 넘치는 아름다운 곳? 두 개의 달과 금빛 바다, 그리고 하늘을 떠다니는 섬이라니 연으로서는 상상이 가지 않았다.

잠시 그 광경을 상상해 보다가 연이 고개를 저었다. 아무튼 방금 모란이 한 방법대로라면 세가를 몰래 나가는 것쯤이야 식은 죽 먹기였다. 봄이 와 세가를 나갈 때가 되면 이용할 수 있겠다 싶었다. 한참 고민하던 연이 팔짱을 꼈다.

"대가는?"

연의 태도에 모란이 눈을 깜박이더니 슬그머니 입꼬리를 올렸다.

"이해가 빨라서 좋군."

은록에게 예의를 차리라는 것만으로도 돈을 받아 갔는데 자신을 다른 곳으로 이동시켜 주는 데에도 대가를 받을 거란 건 당연한 일이 아니던가? 모란이 빙그레 웃었다.

"신원 보증을 좀 해 줬으면 해."

120

"신원 보증?"

"남궁세가의 차남 정도나 되면 충분히 신원 보증할 만한 신분이 되지 않나?"

무슨 꿍꿍이인지는 모르겠지만 그렇게 손해 보는 일은 없겠다 싶던 연이 고개를 끄덕였다. 신원 보증쯤이야 해도 그만, 안해도 그만이었다.

"좋아, 그럼 거래 성립된 거지?"

모란이 손을 내밀었다. 악수하자는 게 분명한 모양새였으나 이 제멋대로인 사내에게 휘말려 기분이 좋지 않았던 연은 거들떠도 보지 않았다. 악수? 그가 코웃음을 쳤다. 어쩌면 처음부터 모란과 자신은 어쩔 수 없는 악연일 뿐일지도 몰랐다.

"볼일 끝났으면 이제 나가."

뭐어, 하고 어깨를 으쓱한 모란이 휘적휘적 문을 열고 나갔다. 문이 닫히고, 연이 한숨을 쉬었다. 피곤했다. 이상하게 모란과 있을 때마다 기운이 빨려 나가는 느낌이 들었다.

자리에 앉으며 그가 미간을 접었다. 아무리 모란이 세가를 몰래 나가는 걸 도와준다고는 해도 너무 쉽게 승낙한 감이 있었다. 그 마법인가 뭔가에 정신이 홀린 게 틀림없었다. 하지만 그 마법이란 건 정말이지…… 기묘하고 이상한 것이었다.

연은 방금 전 모란이 보여 줬던 것들을 회상하다 이내 이불을 퍽퍽 때리며 심적으로 괴로워했다. 이제 와서는 거래를 무를 수도 없었다. 했던 말을 번복하는 건 그가 싫어하는 행동 중 하나였다.

다음 날이 될 때까지도 연의 기분은 저조했다. 딱히 그렇게 나쁜 건 아닌데 그렇다고 좋은 것도 아니었다. 사실 그는 모란이 약속을 지키리란 것에 대해 그다지 큰 기대를 하고 있지는 않았다. 은록에게 예의를 차리게 되면 좋은 것이고 그렇지 않다면 돈을 좀 잃는 것이다. 두 번째 거래도 마찬가지였다.

오후가 되어 연의 기분이 좀 나아진 건 한위 덕분이었다. 무엇을 가르쳐도 한위는 척척 잘도 깨달았다. 검을 배워도 좋을 것 같은데. 정말 좋을 텐데. 연은 한위를 가르칠 때마다 드는 아쉬움을 접어야만 했다. 가르칠 만한 사람도, 장소도 마땅치가 않았다.

한위를 보내고 난 뒤 연은 의복을 정갈히 하고 앉았다. 차를 마시며 모란이 오기를 기다리던 그가 눈을 가늘게 떴다. 어느 순간 방 한구석이 아지랑이처럼 일렁이기 시작했다. 차를 내려 두자 잠시 후 모란이 허공에서 불쑥 튀어나와 방에 발을 디뎠다. 오늘은 어쩐 일로 가슴팍을 풀어 헤치지 않았지만 역시나 옷은 아무렇게나 걸쳐 입은 채였다.

심지어 술 냄새도 미미하게 났다. 연이 한숨을 쉬며 자리에서 일어났다. 모란이 말했다.

"어째 나에게 할 말이 많은 얼굴인걸."

"무슨 할 말이 있다고."

연은 쌀쌀맞게 대꾸하며 나갈 채비를 했다. 모란은 퍽 신기한 얼굴로 그가 이것저것 걸쳐 입는 모습을 지켜보았다. 하긴 한겨울에 헐벗고 다니다시피 하니 이렇게 옷을 입는 게 신기할 법도 하겠지…….

"맨손으로 가게? 보통 여기서 치료할 때는 이상한 바늘을 쓰지 않나?"

모란의 말에 연이 눈썹을 들어 올리며 뒤돌아보았다. 오늘 바로 환자를 치료하러 가라는 이야기인가? 그야 나쁠 것은 없지만 믿기지 않아 그가 되물어 보았다.

"오늘 바로 가자고?"

"오늘 아니면 내일? 아니면 다른 날에 가도 괜찮고."

잠시 고민하다가 연이 고개를 끄덕였다. 그가 자개장 안 깊숙이 넣어 뒀던 침구를 챙겨 들었다. 약재는 고민하다가 짐만 될 것 같아 다시 내려 두었다. 그는 안을 좀 더 뒤져 얼굴을 가릴 면사포를 찾아냈다. 시험 삼아 썼다가 다시 곱게 접어 소매 안에 밀어 넣으니 모란이 빤히 바라보고 있었다. 연이 눈썹을 찌푸렸다.

"왜?"

자신이 뭘 했다고 저런 이상한 시선으로 바라보는지 알 수가 없었다. 모란은 어깨를 으쓱하고는 언제 그렇게 바라보았냐는 듯 빙그레 웃었다.

"이제 출발할까?"

출발하기 전 연은 침소의 호롱불을 껐다. 자는 것처럼 보이게 하기 위해서였다.

모란이 손을 내밀었다. 연이 고민하다가 팔을 내밀자 억센 손아귀가 팔목을 휘어잡았다. 이상하게도 못 본 사이 모란의 몸이 부쩍 자란 느낌을 받았다.

순간이동 특유의 아찔한 느낌과 함께 땅에 발을 디딘 연은 그 느낌이 착각이 아니라는 걸 깨달았다. 모란의 몸은 분명히 자라나 있었다. 팔뚝도 좀 더 두꺼워졌고, 키도 컸고 전체적으로 근육이 더 붙은 느낌이다.

'원래의 영혼이 들어가면서 몸의 성장도 달라진 건가? 하지만 난 왜 돌아온 뒤에 몸이 더 안 좋아진 것 같지⋯⋯?'

찬 바람에 연이 작게 기침하며 모란의 손에서 제 팔을 빼냈다. 주위를 둘러보니 날이 저물어 어두운 가운데 저 멀리서 유일하게 반짝거리며 빛나는 건물이 하나 있었다. 연이 눈을 가늘게 떴다. 어쩐지 익숙한 건물이었다.

"저기로 가면 되나?"

"그래. 이제 가서 필요할 때 신원 보증을 해 주면 돼."

모란이 먼저 앞서 걸어갔다. 자박자박 따라가던 연은 곧 저 익숙한 건물의 정체를 깨달았다. 남궁세가에 꼬박꼬박 상납을 하는 상회 중에서도 제법 규모가 큰 청진상회였다.

'아니……. 설마 신원 보증을 하라는 게 저기서 하라는 건가?'

연은 도무지 모란이 무슨 일을 할지 짐작이 가지 않았다. 이자가 처음 만날 때부터 지금까지 계속 예측 불가한 언행만 일삼은 탓이었다.

"저기서 신원 보증은 왜?"

"별건 아니고 돈을 좀 빌리려는데 출입부터가 안 되어서."

연이 입을 딱 벌리고 모란을 바라보았다. 자신이 모란에게 준 돈도 꽤 되지 않던가? 그런데 돈을 더 빌린다고?

"내가 준 돈으로도 부족했다고?"

"부족하니까 저기에 빌리러 가는 거겠지?"

설마……. 이자가 사기꾼이 아닐까? 연은 모란이 얼마나 빌리는지 보고 신원 보증을 해 주든가 말든가 해야겠다고 생각했다. 안 그래도 세가를 나갈 때 돈이 필요한데 모란이 거덜 내게 둘 수는 없는 노릇이었다.

……아니면 빌리게 내버려 두고 청구는 세가로 가게 해? 어차피 못해도 봄에는 나가 버릴 테니 괜찮은 계획 같았다.

청진상회의 문을 지키고 있던 무사가 모란을 보자 바로 인상을 팍 썼다. 그러다가 뒤를 따라오는 연을 보더니 알아보고는 눈을 휘둥그레 떴다. 연은 연오나 영명을 따라 몇 번 이곳에 와 본 적이 있었다.

"아이고, 공자님! 이 늦은 시간에 여기까지는 무슨 일이십니까?"

연은 모란을 한번 흘긋 보고는 마지못해 입을 열었다.

124

"이자의 신원 보증을 하러 왔습니다. 돈을 좀 빌리러 왔더니 들여보내지도 않고 그대로 내쫓았다면서요?"

무사는 몹시 당황한 기색이었다. 연은 이해했다. 자신 같았어도 모란 같은 자는 바로 내쫓아 버렸을 것이다. 아무리 좋게 봐줘도 모란은…… 풀어 헤친 머리며 가슴팍이 드러나게 헐렁하니 입은 옷까지, 망나니 같은 몰골이었다. 무사가 연의 눈치를 보며 황급히 사과했다.

"죄송합니다. 제가 미처 알아보지를 못했습니다."

"……아닙니다. 누가 봐도 오해할 정도로 번잡스러운 행색이긴 하지요."

연이 아무렇지 않은 얼굴로 동행하는 사람을 에둘러 비난하자 무사가 어색하게 웃으며 길을 내주었다. 모란이 눈썹을 들어 올리며 중얼거렸다. 번잡스러운 옷차림? 연은 그 말을 못 들은 척 걸음을 옮겼다. 사실을 말한 것뿐이다.

"공자님, 어서 오십시오."

청진상회의 상주(商主) 연양운이 나와 연을 맞이했다. 상주씩이나 되는 사람이 굳이 나와 맞이하는 이유가 있었다. 연오만큼은 아니어도 연 역시 장차 세가에서 한자리 크게 차지할 사람이었기 때문이다.

물론 그럴 일은 없겠지만 연은 굳이 지금 그 착각을 정정해 줄 필요성을 느끼지 못했다.

"지난번에 비해 훤칠해지셨군요."

"그렇습니까?"

"그럼요, 그렇고말고요. 제가 또 사람 보는 눈이 뛰어나지 않습니까?"

연이 속으로 쓰게 웃었다. 훤칠은 무슨……. 면경을 보다 보면 연은 이따금 놀랄 때가 있었다. 면경 속의 자신이 종종 곧 죽

125

어 버릴 사람처럼 보이는 탓이었다.

입에 발린 말을 하며 양운이 연을 안쪽으로 안내했다. 화려한 객실 안으로 들어가 의자에 앉자 차며 술이 나왔다. 연은 입맛이 없어 차만 잠시 마시고 말았으나 모란은 입맛을 다시며 술잔을 사양하지 않았다.

햇볕에 그을린 목울대가 술을 삼키느라 부드럽게 움직이는 걸 바라보다 연이 차갑게 고개를 돌렸다.

"무슨 용건으로 찾아오셨는지요."

모란이 단번에 술 한 병을 비우거나 말거나 표정의 변화도 없이 양운은 웃는 얼굴로 물었다. 연은 한숨을 쉬고 싶었으나 참으며 입을 열었다.

"이자가 돈을 빌리고 싶다고 하여 신원 보증을 서 주려고 합니다."

"공사님께서 신원 보증을 서 주신다면 얼마든지 믿을 수 있지요. 그래, 대협께서는 얼마나 빌리실 생각을 하고 계십니까?"

소협도 아니고 대협이라……. 양운의 비위는 정말 좋기도 했다. 모란은 벌써 다 마셔 빈 병을 내려놓고는 씨익 길게 웃었다.

"그렇게 많이는 아니야. 금 열 냥 정도?"

연이 휙 모란을 쳐다보았다. 금 열 냥! 그 정도면 자그마치 쌀 오백 석을 살 수 있는 정도의 돈이었다. 모란이 대체 그런 돈이 왜 필요하단 말인가?

백모란으로 지낼 적에 연도 나름대로의 돈을 모아 두었다. 그렇게 많다고는 못하지만 몇 년 정도는 일하지 않아도 충분히 먹고살 수 있는 돈이었다. 돈만 있나? 몸을 뉘일 수 있는 집도 있었다. 심지어 작은 밭도 하나 사 두었다. 언젠가 돌아올 진짜 백모란을 위해서! 이런 사내일 줄 알았다면 그런 고생은 하지 않았을 테지만.

"열 냥이라……. 그럼 대협께서는 어떤 식으로 돈을 사용할 생각입니까?"

"일단은 들고 도박장을 가 볼까 해."

태연하게 모란이 대꾸했다. 연이 패물을 주며 '예의를 차릴 것'을 부탁한 은록을 제외한다면—제대로 지키는지는 모르겠지만— 그는 거의 모든 사람에게 하대했다. 그런데 어쩐지 그의 하대는 자연스러운 느낌이 들었다. 이상한 일이었다.

게다가 이따금 연은 그의 머리 위에서 날카롭게 반짝이는 무언가가 보이는 듯했다.

말도 안 되는 일이지만 그건 그저 날카롭게 반짝이는 것이 아니라 마치 왕관이나 태양처럼 느껴졌다.

"이 근처 도박장들을 돌며 서너 배 정도 자금을 불려야지. 그 다음에는 사람을 고용하고. 만들고 판매하려고."

"무엇을 만들고 판매한단 말입니까?"

당연하다면 당연한 질문에 모란이 귀를 후비며 심드렁하게 대꾸했다.

"상인에게 제 돈 버는 재주를 털어놓는 사람도 있던가?"

하도 어이가 없었는지 양운이 너털웃음을 터트렸다. 그러더니 곧장 모란을 위아래로 날카롭게 훑어보았다. 연은 양운이 상당한 보증금을 요구할 거라고 생각했다. 아니, 승낙도 하지 않을 거라고 여겼다. 그만큼 모란의 요구는 어처구니없는 것이었다.

그러나 양운은 뜻밖에도 흔쾌히 승낙했다.

"좋습니다! 남궁연 공자님께서 신원 보증을 해 주신다 하니 빌려주지 않을 이유가 없지요. 자네, 계약서를 가지고 오게."

그가 손짓을 하며 옆에 서 있던 시중인에게 계약서를 가지고 오라 했다.

탁자 위에 놓인 계약서를 읽은 연이 미간을 찌푸렸다. 그럼 그렇지, 보증금의 액수가 제법 높을뿐더러 만약의 상황에는 제가 대신 갚도록 되어 있었다.

물론 금 열 냥 정도는 충분히 갚을 수 있긴 했다. 연에게도 제법 타격이 있어서 그렇지. 하지만 이대로라면 세가를 나가는 건 초여름까지 미뤄지게 된다.

'지장을 찍어, 말어? 내가 이렇게까지 해 줘야 하나? 이걸 해 준다고 하여 백모란이 정말 약속을 지킨다는 보장은 또 어디에 있지?'

고개를 돌려 모란을 바라보니, 그가 그윽한 시선으로 자신을 바라보는 중이었다. 연은 바로 질색했다. 왜 저런 이상한 눈으로 사람을 보는 거야?

고민하던 그는 결국 결정을 내렸다.

'좋아. 백모란의 몸을 사용한 사용료가 꽤 된다 이거지.'

십 년 동안 모란의 몸을 괴롭히고, 그의 인생을 마음대로 사용한 값이. 비록 원하지 않던 사용이었지만 어쨌든……. 생각해 보니 빚이 남은 것도 같은데, 이런 거라면 갚아 버리는 게 마음이 편했다.

만약, 아니 만약도 아니다. 모란이 이렇게 돈을 빌려 가고 난 뒤 돈을 갚지 않으면 그걸로도 좋았다. 혹은 약속을 지키지 않는다면, 그것 역시 좋았다.

백모란에 대한 빚은 완전히, 정말 완전히─티끌 하나 없이─ 청산할 수 있는 것이다.

연은 모란이 금 열 냥이라는 돈을 갚으리라고는 조금도 생각이 들지 않았다. 약속을 제대로 지키리란 기대도 안 했다.

모란의 행동이 워낙 예측 불가이다 보니 신뢰가 가지 않는 탓이다.

연이 지장을 찍자 양운이 조심스럽게 계약서를 연과 모란에게 한 장씩 주고 자신도 한 장을 가져갔다. 연이 가지고 있던 패물로 보증금을 지불했다. 양운이 보증금을 조심스럽게 받아 살펴보았다. 그러더니 곧 전낭에 반짝거리는 금 열 냥을 담아 모란에게 주었다.

살다 보면 알면서도 이렇게 금 열 냥을 허공으로 날려 버릴 수도 있는 거군. 계약서를 챙겨 품속에 넣으며 연이 생각했다.

"거래 감사합니다, 공자. 대협, 부디 좋은 결과 있기를 바랍니다."

양운이 공손하게 포권지례를 했다. 그는 상회의 대문 앞까지 연과 모란을 직접 배웅해 주기까지 했다. 청진상회를 나오며 모란은 기분 좋은 얼굴로 금 열 냥이 든 전낭을 던졌다 받기를 반복했다.

그 모습을 보며 연이 면사포를 썼다. 바람이 불자 면사포가 하늘거리며 뺨을 스쳤다.

"여기 있으면 한 시진(약 두 시간) 후에는 다시 돌아오도록 할게."

주강 몰래 나오는 것도 나오는 것이었지만, 돌아가는 것 역시 문제였다. 몰래 나왔으니 대문으로 당당하게 들어갈 수는 없는 노릇이었다. 돌아갈 때도 모란이 필요했다. 연이 걸음을 옮기자 모란이 전낭을 품 안에 밀어 넣으며 냉큼 앞을 가로막았다.

"혼자 가려고? 같이 가지 그래."

"모란 대협께서는 도박장에나 가시지."

연이 건조하게 대꾸하며 걸음을 옮겼다. 도박꾼은 그가 혐오하는 종류의 사람 중 하나였다. 모란으로 있을 적에 도박꾼인 가장이 아내와 아이를 굶어 죽게 만드는 걸 몇 번이나 보았던

가. 치료비를 도박비로 날리는 일도 부지기수였다. 연은 모란의 평가가 앞으로 얼마나 더 바닥으로 떨어질지 감조차 오지 않았다.

"딱히 오늘만 날은 아니잖아?"

연이 뭐라 말하려고 입을 열었다가 다시 닫았다. 제멋대로이고 예측 불가인 이 사내에게 말을 한다고 하여 들을 것 같지는 않았다. 아니, 가만. 영 도움이 안 되지는 않겠다. 연이 모란의 얼굴을 위아래로 훑어보았다. 아무래도 데려가야겠군. 치료를 방해만 하지 않으면 되니까. 연은 그렇게 생각하고는 고개를 끄덕여 승낙했다.

그러나 모란은 다른 방면에서 방해였다.

"의원 일은 얼마나 했느냐?"

"몸은 원래 그렇게 안 좋았나?"

걸어가는 내내 모란은 이런 질문에서 시작하여,

"올해로 나이가 몇이나 되지?"

"저녁은 먹고 하는 게 어때? 난 이미 저녁 먹었지만 한 끼쯤은 더 먹을 수도 있거든."

별의별 물음을 던져 댔다. 연이 대꾸하지 않자 급기야는 시시껄렁한 말까지 해 댔다. 아니, 정확히는 시시껄렁하다기보다는 별 해괴하고도 전에는 들어 보지도 못한 말이었다.

"면사포가 되게 잘 어울리는데. 아니, 얼굴을 가려서 좋다는 건 아니고. 그 있잖아, 아슬아슬한 분위기를 내가 참 좋아하거든."

칭찬 같기도 한데 그다지 기분이 좋지는 않았다. 사내가 같은 사내에게 왜 저런 칭찬을 한단 말인가? 뭐 사내답다거나, 아까 청진상회의 상주 양운이 한 것처럼 훤칠하다는 칭찬도 있는데 하필 면사포가 뭐가 어째?

연은 고개를 절레절레 저으며 모란이 무슨 말을 하든 무시하기로 다짐했다. 한 귀로 듣고 한 귀로 흘리며 바지런히 걷자 곧 그가 목표한 집이 나타났다.

환자들 중에서는 거동이 불편하거나 일하기에 바빠, 혹은 가족이 무신경하여 의원에 오지 못하는 사람들도 꽤 많았다. 은록은 의원 밖으로 나가기가 곤란한 처지니 그럴 때면 연이 직접 찾아가 치료를 하고 오곤 했다. 오늘 찾아가려는 사람은 바로 그런 환자였다.

사실 환자들을 다시 치료할 수 있게 해 준다는 모란의 제안에 넘어가긴 했어도 연은 내심 걱정이 많았다. 과연 난생처음 보는 사람인 자신에게 치료를 하게끔 허용하겠냐는 것이었다. 그래도 어떻게 설득을 해 보려고 했는데 모란이 있으면 그 설득도 필요하지 않았다. 백모란이야말로 그들에게 익숙한 의원의 얼굴이었으니까.

"계십니까."

낡은 초가집 앞에 선 연이 점잖게 불렀다. 잠시 후 문이 열리며 어린아이가 쪼르르 달려 나왔다. 누구십니까, 하고 또랑또랑 물어보더니 아이가 고개를 갸우뚱하며 모란을 바라보았다. 눈썹을 찌푸리다가 아이가 입을 조금 벌렸다.

"아버지, 모란 의원님이 오셨어요!"

방 안을 향해 소리치고는 아이가 어서 들어오시라는 모양새로 문 옆에 섰다. 연과 모란이 들어갈 적에 아이가 고개를 갸웃거리더니 물었다.

"모란 의원님, 어째서 오늘은 그런 차림으로 오셨나요?"

그 말에 모란이 들어가다 말고 눈썹을 들어 올리며 뒤를 돌아보았다.

아이의 질문에 어떻게 대답할지 흥미로우면서도 연은 한편으로는 걱정이 되었다. 워낙 제멋대로인 자가 아니던가. 다행히도 모란은 태연하게 대꾸해 주었다.

"내 차림이 뭐 어때서 그러냐?"

"입은 모양새가 마치 망나니 같아요. 못 알아볼 뻔하였습니다. 전에는 공자님 같더니 오늘은 산적 같으세요. 무슨 일이 있으셨는지요? 산에서 구르기라도 하셨나요?"

"뭐? 산적? 세상에 어디 나같이 잘생긴 산적도 있더냐?"

"그리고 말투도 이상하시네요……."

솔직하기 짝이 없는 아이의 말에 모란의 눈썹이 높이 치솟았다. 어린아이가 말도 참 잘하는구나. 연이 속으로 생각했다. 아이의 말을 듣고 모란이 깨달은 바가 있기를 바랐으나 그는 아무렇지도 않았는지 피식 웃으며 아이를 지나칠 따름이었다.

방 안에 들어서자 환자가 누워서 둘을 맞이했다. 이 사내는 어느 날 갑자기 중풍이 와 다리 한쪽을 제대로 쓰지를 못했다. 연이 무려 일 년을 넘게 돌본 자였다. 모란이 벽에 삐딱하게 기대는 동안 연은 조용히 자리에 앉아 가지고 온 침구를 꺼내 들었다.

환자가 연을 어리둥절한 얼굴로 보았다. 얼굴 한쪽에도 마비가 온 탓에 그가 뭉개진 발음으로 말하자 어린아이가 용케도 알아듣고 통역을 해 주었다.

"귀하신 분은 여기에 어떤 일로 오셨나요?"

어린아이가 귀하신 분이라고 하는 이유가 있었다. 입은 옷차림도 옷차림이었으나 분위기가 남달랐던 탓이다. 환자를 치료하기 위해서는 밝아야 하기에 가지고 온 호롱불을 켜며 연이 희미하게 웃었다. 호롱불이 너울지는 면사포 아래 입술이 고운 호선을 그리자 아이가 눈을 휘둥그레 떴다.

"모란 의원님은 다른 일이 있어 앞으로 의원이 되지 않기로 하셨다. 그래서 이제부터는 내가 치료를 할 참이란다."

"그럼…… 새 의원님이신 거군요!"

"그렇지."

연이 환자의 맥을 짚고 다리를 마사지 해 주고, 침을 놓아 주는 동안 아이는 내내 입을 헤 벌리고 바라보았다.

아픈 사람과 그의 가족들에게 있어 의원은 일종의 권력을 가진 존재였다. 그들로서는 이해할 수 없는 지식으로 몸을 낮게 하는 사람이었으니까. 그렇기에 아이의 눈에 연은 유별나 보였다.

그러나 그뿐만이 아니었다. 아이는 연의 분위기가 묘하다고 생각했다. 아이로서는 이해할 수 없는 그 어떠한 분위기는 모란은 아슬아슬하다고 말한 바로 그것이었다.

그러나 아이와 모란이 연을 바라보는 시선의 종류는 각각 달랐다. 모란이 표정 없는 얼굴로, 면사포에 가려진 연의 얼굴을 찬찬히 살펴보았다. 흥미와는 거리가 먼 시선이었다. 마치 책을 읽는 듯 탐색하는 눈초리였다. 연은 집중하느라 그런 것은 전혀 눈치채지 못했다.

마침내 연이 치료를 마쳤다. 다행히 그간 못 들른 것치고는 환자의 상태가 양호했다.

"앞으로 두 달가량 정양 생활을 하면 걸을 수 있게 될 겁니다."

연의 진찰에 아이와 환자의 얼굴이 밝아졌다. 둘의 모습을 보자 모란 때문에 허공으로 날린 금 열 냥으로 불편했던 속이 훅 누그러졌다. 날릴 만한 가치가 있는 돈이었다.

"감사합니다, 새 의원님!"

침구를 챙겨 자리에서 일어난 연은 아이의 어깨를 도닥였다. 훨씬 어렸지만 어째서인지 한위가 떠올랐다. 연이 부드럽게 물었다.

"네 이름이 뭔지 물어도 될까?"

"양이라고 해요, 의원님!"

저를 바라보는 양이의 눈이 부담스러울 정도로 빛났다. 모란일 적에는 이 애가 이런 적이 없었는데, 연이 다소 의아해하며 양이에게 물었다.

"괜찮다면 혹시 몸이 어디 아픈 사람을 알려 줄 수 있겠니?"

양이 고개를 세차게 끄덕였다. 연과 함께 나서기 전에 양이는 자신의 아버지가 불편하지 않도록 유일하게 움직일 수 있는 왼쪽 팔이 닿는 범위에 물그릇이며 수건 따위를 놓아두었다. 간병에 익숙한 모습이었다.

모친은 어디 갔을까, 희미한 의문이 잠깐 떠올랐다 금방 가라앉았다.

덩달아 제 모친까지 떠오른 탓에 기분이 다소 가라앉은 연은 그 의문을 완전히 지워 버렸다.

양이는 충실하게 연의 부탁에 임했다. 가난하면 식사를 잘 못하게 되어 몸이 허약해진다. 몸이 허약해지면 병이 따라오는 건 자연스러운 일이었다. 그런 연유로 이 허름한 마을에는 아픈 사람이 꽤 많았다.

양이는 연을 아픈 사람들에게로 안내했다. 처음 연을 보고 경계하던 사람들도 양이와 모란 덕에 자연스럽게 받아들이곤 했다. 다행스러운 일이었다.

시간 가는 줄 모르고 환자들을 찾아 치료한 연이 문득 밤하늘을 올려다보니 달이 한참 기울어져 있었다. 이제는 돌아갈 때였다.

졸린 눈을 비비는 양이의 손에 연이 감초와 돈 조금을 쥐여 주었다. 양이의 눈이 휘둥그레졌다.

"잠시만요!"

잠시 후 돌아온 아이의 손에는 무언가가 들려 있었다. 작은 꽃다발이었다. 양이가 조심스럽게 연의 손 위에 꽃다발을 올렸다.

"오늘 정말 감사했어요, 새 의원님."

소곤거리고는 양이가 꾸벅 인사를 했다. 아이가 집으로 달려가는 모습을 지켜보던 연이 뒤를 돌아보았다. 그리고 뒤늦게 모란이 치료하는 동안 내내 조용했다는 사실을 깨달았다. 뜻밖이었다.

모란은 말없이 연을 바라보며 부서지는 달빛 아래 서 있었다. 망나니같이 야만스럽고 경박했던 모습은 온데간데없이 낯선 모습이었다. 눈빛이며 분위기가 서늘하다. 무심하게 자신을 보는 모란의 모습을 보자니 문득 떠오르는 게 있어 연이 물었다.

"지난번 사부님에게 그랬지. 내 몸은 약 같은 걸로는 소용없을 거라고. 그게 무슨 의미지? 당신도 의술을 배웠어?"

모란은 대답 없이 연에게 가까이 다가갔다. 제게 손을 뻗는 걸 쳐 내며 연이 뒤로 물러났다.

잠깐 연을 바라보는 눈이 이상한 빛으로 일렁이나 싶더니 모란이 이내 빙그레 웃었다.

"나는 의술 같은 건 몰라. 그냥 감으로 알 뿐이지."

"……감이라고."

맥이 탁 풀린 연이 중얼거렸다. 그럼 그렇지. 혹시나 하고 기대했던 건 역시나 어리석은 짓이었다. 마법이라는 이상한 재주를 부릴 줄 알기에 자신의 몸이 이유 없이 아프고 허약한 이유에 대해서도 알 줄 알았다. 모란이 능청맞은 얼굴로 손을 내밀었다.

"충분히 볼일을 본 것 같으니 이만 가 보도록 할까."

"잠시만 기다려 줘."

양이가 줬던 꽃다발을 손가락 끝으로 집은 연이 성큼성큼 걸어갔다. 이내 냇가를 발견한 그가 미련 없이 꽃다발을 떠내려 보냈다. 손을 탁탁 털고 난 뒤 연이 돌아섰다.

"이제 됐어."

그러나 모란은 연에게 다시 손을 내밀지 않았다. 그가 둥둥 저 멀리 떠내려가고 있는 꽃다발을 보면서 흐음, 하는 소리를 냈다.

피곤했던 연이 미간을 접었다. 왜 안 가고 이러고 있는 거야? 애가 준 꽃다발 버렸다고? 안 그래도 양심이 좀 찔렸던 연은 입매를 굳혔다.

"왜?"

모란이 묻자마자 이런 종류의 질문을 예측하고 있던 연이 즉각 대답했다.

"난 꽃이 싫어."

"꽃이 왜 싫은데?"

"싫은 데 이유가 있나?"

마음이 내심 불편했던 연이 쌀쌀맞게 대답했다. 그러자 모란이 의미심장하게 웃으며 이렇게 말하는 것이 아닌가…….

"모든 것에는 다 이유가 있지. 그냥이나 우연 따위는 없단 말이야."

그리 말하고는 모란이 손을 내밀었다. 아픈 곳을 찔린 느낌이라 정말이지 잡기 싫었지만 마지못해 팔을 내주었다. 이미 세 번이나 겪었지만 순간이동을 하는 감각은 정말이지 아찔하고 기묘한 것이었다.

익숙한 방 안에 도착한 연이 비틀거리면서 모란에게서 멀어졌다. 환자들을 치료하면서 체력을 거의 다 써 버렸기에 그가 입 안으로 신음 소리를 삼키며 면사포를 벗었다.

"앞으로도 오늘 이 시간 때쯤에 오도록 하지. 매일 오면 될까?"

겉옷을 벗던 연이 믿기지 않아 모란을 바라보았다. 앞으로 몇 번 정도 더 이런 식으로 다녀오는 걸 바라긴 했어도, 매일까지는 원하지 않았는데.

무슨 꿍꿍이인가 싶어 한참 바라보다가 연이 의심스럽게 물었다.

"매일매일?"

모란이 과장하여 크게 고개를 끄덕였다.

"그럼. 매일매일. 왜, 그게 거래 조건 아니었나? 신원 보증을 하는 대신 앞으로도 '계속' 사람들을 치료할 수 있게 해 준다고."

"그건…… 맞지만."

모란이 계속 환자들에게 데려다준다고 하는데도 연은 어쩐지 마음이 찜찜하였다. 그가 예상한 모란의 행동은 이런 게 아니었는데. 깔끔한 빚 청산, 깨끗한 관계 청산이라는 결과물이 저 멀리 사라져 가고 있었다.

연과 달리 전혀 피곤한 기색이 없는 모란이 과장스럽게 몸을 이상한 방식으로 굽혀 보였다. 아마도 그가 지내다 왔다는 곳의 인사법인 모양이었다.

"그럼, 남궁연 공자. 내일 보도록 하지."

말을 끝내자마자 모란은 언제 있었냐는 듯 순식간에 사라졌다. 연은 그가 사라진 구석을 한참을 노려보았다. 도대체가 의중을 조금도 짐작할 수가 없었다.

하지만 단순히 야만스럽고 사기꾼 같은 남자가 아니라는 건 확실했다.

더는 견딜 수 없을 정도로 피로하다는 생각이 들었을 때에야 연은 침의로 갈아입었다.

환자를 치료하는 동안에는 집중해서 깨닫지 못했지만 몸이 마치 얼음장같이 차가워져 있었다. 이불을 덮으며 연이 한기에 몸을 떨었다.

'내가 잘못된 거래를 한 건 아닐까.'

사부에게 예의를 차리라는 대가로 패물을 조금 지불했다. 이로써 그 문제는 끝이다. 다음으로는 환자를 치료할 수 있게 도와주는 대가로 금 열 냥을 지불했다. 그런데 그걸로 문제가 끝나지 않았다.

대충 도와주는 척하고 어영부영 넘어갈 거라는 예상과는 달리 모란이 매일매일 도와주겠다니. 이게 과연 좋은 일이기만 할까? 확실한 건 모란과 더 이상은 절대 엮이지 않겠다는 초반의 다짐과 거리가 멀어져만 간다는 것이었다……

눈꺼풀이 무겁게 내려앉는 가운데에서도 불안한 마음이 들어 연은 쉽게 잠을 이루지 못하고 한참을 뒤척였다.

연이 일어난 건 해가 중천에 떴을 때였다. 좀 더 오래 자고 싶었지만 정원에서 기다리고 있을 한위가 생각나 그가 억지로 몸을 일으켰다.

아직도 어젯밤의 한기가 가시지 않았는지 몸이 으슬으슬한 느낌이 들었다. 밤새도록 방이 따뜻하게 지펴졌는데도 오늘도 손발은 차가웠다. 시비가 가져다준 탕약을 먹고 나자 다행히도 몸에 온기가 돌았다.

'지난번보다 확실히 이 약이 더 센데.'

사부님이 꽤나 비싼 약재를 쓰셨구나 생각하며 연이 빈 탕약 그릇을 바라보았다.

곧 시비가 그릇을 치우고 점심 식사를 내왔다. 입맛이 없어 연은 몇 숟가락 뜨는 둥 마는 둥 하며 남은 것들은 한위 줄 생각으로 챙겼다.

밥과 반찬은 적절히 주먹밥으로 만들고 떡과 당과는 간식으로 쌌다. 한위가 맛있게 먹는 모습을 생각만 해도 흐뭇하고 좋았다.

한위에게 줄 작은 보따리를 챙겨 들고 나온 연이 자박자박 연못으로 향하다 멈칫했다.

어디서 향긋한 향이 흘러나오고 있었다. 이 계절에는 전혀 어울리지 않는 그런 향기였다. 대체 뭔가 하여 걸음을 빨리한 연이 악, 하는 소리를 내고 말았다.

화정당 정원이 연못을 중심으로 둥글게 완전히 꽃밭이었던 것이다.

"이게 대체 무슨……."

제 눈을 의심한 연이 눈을 감았다 떠 보아도 보이는 건 바뀌지 않았다. 칼날 같은 찬 바람이 뺨을 할퀴는 게 다 비현실적으로 느껴질 정도였다.

풀밭에는 작은 꽃들이 만발하였고 나뭇가지에는 화사한 꽃들이 흐드러지게 주렁주렁 매달려 있었다.

이쪽은 겨울인데 저쪽은 화사한 봄철이니 말이나 되는 소리인가?

연은 우두커니 서서 한참 동안 꽃밭을 노려보았다. 동백꽃이나 매화 외에도 봄이나 여름에만 피는 종류도 있었다. 인간의 힘으로는 이 계절에 피우는 게 불가능한 꽃들이었다. 그리고 연은 불가능해 보이는 일을 해낼 수 있는 사람을 알고 있었다. 감탄하는 소리가 들린 건 바로 그때였다.

"우와아."

한위는 연에게 괴롭힘을 당하는 척하는 오후 외에는 연못 옆 어느 구멍으로 기어 들어오곤 했다. 오늘도 마찬가지라 몰래 기어 들어오던 한위가 꽃밭을 보고는 입을 헤 벌렸다.

"겨울인데도 꽃이 엄청 많아요, 형님!"

"그렇구나……."

연이 영혼 없이 대답했다. 꽃을 싫어하는 그로서는 아무리 아름다운 광경이라도 그저 끔찍할 따름이었다. 그가 조용히 이를 갈았다.

백…모란……. 성큼성큼 걸어간 그가 파들파들 떨며 특정한 꽃들을 일단 먼저 땄다. 말리면 약재로 사용할 수 있는 종류였다. 딱 그거 하나만 괜찮았다. 그 외에는 죄다 짓밟아 없애고 싶었다.

"한위야."

연이 이상하리만큼 부드럽고 상냥하게 불렀다. 그가 일단 식용으로 먹어도 괜찮은 꽃들을 따다가 한위에게 넘겨주었다.

"이건 먹어도 되는 꽃이니 할미 가져다주고 오렴. 이 보따리도 가져가서 같이 먹고."

"네에!"

신난 한위가 연에게서 꽃과 보따리를 받아 들었다. 그냥 가기 아쉬웠는지 가다가 유난히 탐스럽게 핀 복사꽃도 따다가 수풀 속으로 바스락거리며 사라졌다.

한위가 사라지자마자 연이 허리춤에 매고 있던 검을 잡았다. 스르릉 하는 소리와 함께 검이 뽑혀 나왔다. 꽃나무째로 베어 버릴 생각이었다.

정원사가 이상하게 여기겠지만 아무래도 좋았다. 차라리 정원사가 또 연 공자 지랄 같은 성격 나왔다고 여기는 게 꽃을 이대로 내버려 두는 것보다는 백배 천배 나았다.

연은 가차 없이 꽃이 핀 가지들을 베어 냈다. 베고 또 베고……. 꽃밭의 꽃들도 자근자근 밟아 뭉개며 최근 받은, 오갈데 없는 분노와 짜증을 풀고 있을 때였다.

"이건 좀 너무한데."

마지막 한 송이까지 짓밟은 연이 뒤돌아서자 백모란이 가볍게 휘파람을 불며 스러진 꽃들로 처참해진 정원을 둘러보는 중이었다.

검 좀 휘둘렀다고 숨이 차 연은 마지못해 들고 있던 검을 다시 꽂아 넣으며 모란을 노려보았다.

"네가 이렇게 한 거지?"

"내가?"

백모란은 뻔뻔하게도 숨기려는 시도조차 하지 않으며 시치미를 뗐다.

글쎄, 내가 그랬던가? 빙글빙글 웃은 그가 잘린 나뭇가지를 주워 들었다. 가볍게 나뭇가지를 휘두르자 순식간에 꽃들이 만개하기 시작했다. 연이 치를 떨며 뒤로 물러났다. 심장이 쾅쾅 뛰었다.

"내 정원이야! 허튼 수작 부리지 말고 꺼져!"

"허튼 수작이라니. 천금을 쥐도 못 가질 정원으로 만들어 주었거늘."

모란이 나뭇가지 위로 여러 꽃들을 피워 냈다. 흡사 꽃다발로 보일 정도였다. 꽃잎이 팔랑거리며 땅으로 떨어졌다. 연은 말없이 모란이 하는 짓을 노려보고만 있었다. 안 그래도 싫은 꽃은 모란의 손에 들리자 더욱 싫은 것이 되어 있었다. 근처에 가기도 싫었다.

"너……."

갑자기 떠오른 생각에 연은 턱 숨이 막혔다. 꽃이 만발한 자신의 정원에 충격을 받아서 잊고 있던 사실을 떠올린 탓이었다.

"저 연못 다리 근처에 피어 있던 노란 꽃, 네가 한 거지?"

연이 분노로 몸을 떨었다. 짓밟아도 자꾸만 다시 피어나던 그 빌어먹을 꽃! 백모란이 했던 거였구나!

게다가 모란이 매번 노란 꽃을 피워 낸 거라면 걸고 넘어갈 게 한 가지 더 있었다. 뒷골이 당기고 혈압이 올랐다. 그가 언성을 높였다.

"이때까지 매일 여기에 몰래 왔었어?!"

어처구니가 없고 기가 막혔다. 연이 노려보며 따지거나 말거나 이번에도 모란은 뻔뻔하게 모르는 척 연못 근처나 거닐었다. 그가 연못 위로 발을 디뎠다. 놀랍게도 발은 물속으로 잠기는 일이 없었다. 수면 위를 걸으며 모란이 물었다.

"왜 그렇게 꽃을 싫어해?"

연은 대꾸하지 않았다. 그는 검을 뽑고 싶은 갈등에 시달리는 중이었다. 실력이 좋은 편은 아니었지만, 어쨌든 무인이었다. 사람을 향해 검을 함부로 뽑아서는 안 된다는 걸 연도 잘 알고 있다. 그럼에도 모란이 너무 뻔뻔하고 얄밉게 나오니 갈등이 치열한 것이다…….

모란은 들고 있던 꽃나무 가지를 수면 위에 흔들었다. 꽃잎이 떨어진 자리마다 물 위로 연꽃이 요란하게 피어났다. 연은 잠시간 그 광경에 정신이 팔리고는 입술을 깨물었다. 잠시라도 현혹되니 자존심이 상했다.

"분명 꽃을 싫어하는 이유가 있을 텐데……. 이유가 없는 게 확실해?"

연은 모란이야말로 왜 저렇게 이유에 집착하는지 이해가 가지 않았다.

왜 꽃이 싫냐고? 그 생김새며 향기까지 모든 게 마음에 들지 않으니까!

"당장 내 정원 원래대로 돌려놔."

그가 윽박질렀다. 모란은 들은 척도 하지 않고 연못 위에서 빙글 몸을 돌렸다. 그리고 고개를 숙이더니 방울처럼 아담하고 작은 흰 연꽃 한 송이를 땄다.

연못에서 나온 그가 가볍게 손을 흔들자 연이 해치운 꽃 더미가 풀썩 주저앉더니 흙먼지로 화했다. 그가 부리는 현란한 재주들을 보고 있으려니 연의 정원이 아니라 마치 백모란의 정원 같았다.

"이름도 꽃 같은데, 왜."

모란이 끝까지 박박 연의 속을 긁어 댔다. 눈 깜짝할 사이에 그가 곁으로 다가와서는 머리카락에 연꽃을 꽂아 주었다. 축축한 느낌에 연이 짜증스럽게 털어 내자 연꽃이 바닥으로 떨어졌다.

"난······."

연이 보란 듯이 상대의 눈앞에서 연꽃을 콱 밟았다. 발아래에서 연꽃이 으스러졌다. 모란이 전혀 유감스럽지 않은 얼굴로 저런, 하고 중얼거렸다.

"내 이름, 싫어해."

"······."

"왜, 내 이름도 무슨 이유로 싫어하는지 물어보시지?"

형체도 남지 않을 정도로 자근자근 밟아 뭉갠 연이 뒤로 물러났다. 모란이 뺨을 긁적거렸다. 흐음, 하고 그가 눈을 굴리고는 입을 열었다.

"네가 왜 네 이름을 싫어하는지는 알고 있어. 약한 연(軟)이라 싫어한다며?"

뜻밖의 대답에 연이 당황했다. 모란이 맞는 말을 해서가 아니다.

남궁영명은 한위에게 하는 것과는 달리 나름대로 연을 신경 썼다. 그러나 연오에게 향하는 관심에 비하면 그 차이는 하늘과 땅 차이였다.

만일 연이 연오에게 걸림돌이 된다면 조금의 망설임도 없이 연을 그대로 치워 버릴 정도의 차이 말이다.

그 차이는 이름에도 반영되었다. 연오의 이름은 연오(練悟), 언제나 단련하여 깨닫게 된다는 뜻이었다. 정말이지 그는 그 이름 그대로 자랐다. 오성(五性)이 뛰어나 모든 것에 능했고 무공의 성취에 있어서도 깨달음이 남달랐다.

반면 연은 어떠했던가? 연의 이름은 연오의 이름에서 연이라는 발음을 따온 것이다. 형제 간에 으레 쓰곤 하는 돌림자조차도 아니었다. 무르고 약한 연(軟)이라고 하여 딱 걸맞은 이름이라 하는 걸 영명에게 직접 들었으니까.

그러니 연은 자신의 이름을 좋아할 수가 없었다. 자신의 몸이 이렇게 약한 것도 이름 때문인 것으로 느껴질 때가 한두 번이 아니었다.

그러나 이 사실은 사람들 사이에 널리 알려진 것은 아니었다. 남궁영명 혼자서나 즐기는—웃기지도 않은— 농담거리였으니까.

연오가 매우 유명하여 연까지는 사람들이 관심을 주지 않았을뿐더러 보통은 남궁연이라고 부르면 충분한 탓도 있었다. 제 이름의 의미까지 궁금해하는 사람은 없었던 것이다. 연이 얼굴을 굳혔다.

"누가 그런 이야기를 했지?"

누가 말했든 간에, 하필이면 모란에게 그런 사실을 알려 준 사람을 가만두지 않을 작정이었다. 모란이 허리를 숙여 연의 발에 밟힌 연꽃을 주워 들었다.

너덜너덜해진 꽃잎을 한 장 떼어 내자 그것은 곧 반짝이는 가루가 되어 흩날렸다. 연은 모란이 자신의 눈을 현혹하려는 게 분명하다고 생각했다.

꽃잎을 모두 떼어 낸 모란이 손바닥 위에서 빙그르르 꽃대를 굴리며 어처구니없는 제안을 했다.

"이렇게 하자. 누가 나한테 네 이름에 대해 말했는지 알아내면 너는 네 정원에 손대지 않도록 하지."

"뭐? 내가 왜 내 정원을 가지고 그런 불합리한 내기를……."

"너무 광범위하니까 힌트를, 아니 단서를 주자면……."

연의 항의는 들은 척도 하지 않고 모란이 말을 끊었다. 그리고 히죽 웃었다.

"네가 아는 사람이고, 나이는 어려. 그리고…… 귀엽나? 응, 그래. 꽤 귀엽게 생겼거든."

"이봐!"

바짝 약이 오른 연이 언성을 높였다. 모란은 마치 소리가 안 들리는 사람처럼 무시했다. 그리고 해가 떠 있는 높이를 가늠하더니—벌써 시간이 이렇게 됐네— 이따가 보자며 휙 사라져 버리고 말았다.

몹시 어이가 없었던 연이 어른이 되어서는 처음으로 발을 구르고 말았다. 심지어 허공에 대고 주먹질까지 해 보였다. 아직도 연못에는 연꽃이 남아 있었다……. 겨울이라 물은 얼음장 같아 들어가 건져 낼 수도 없었다. 결국 혈압이 치솟은 연의 이마에 작은 핏대가 섰다.

"백모란!"

물론 모란은 돌아오지 않았다. 휑한 정원에는 반짝거리는 가루 조금과 연꽃, 그리고 백모란을 향한 분노로 찬 연의 외침만이 남아 쟁쟁 울릴 뿐이었다.

三章 : 연회

오늘도 정원에는 꽃이 피어 있었다.

"……."

일어나자마자 꽃부터 봐야 하는 연의 얼굴은 벌레라도 씹은 사람처럼 보였다. 오늘은 약초로도, 식용으로도 쓸 수 없는 쓸 데없이 화려하기만 한 꽃이다. 연은 천천히 걸어가 나뭇가지를 쳐 냈다. 어차피 겨울이라 내버려 두면 금세 시들어 떨어질 테지만 그 잠시간조차 보기 싫었다.

정원에 꽃이 핀 지 오늘로 한 달이나 되었다. 이제는 처음처럼 거대한 규모로 피지는 않았다. 그러나 정원 구석구석 숨어서 핀 꽃나무 가지들은 연의 심기를 거스르기엔 충분했다. 자신의 정원에 감히 꽃이, 꽃 따위가 피었다고 생각하니 도무지 내버려 둘 수가 없었다. 연은 꽃을 모조리 따서 약용으로 쓸 수 있는 건 말리고 식용으로 쓸 수 있는 건 한위에게 들려 보냈다.

매일같이 제 정원에 꽃을 피우고 가는 건 싫었으나 그와 별개로 모란은 성실했다. 그는 첫날 이후로 꼬박꼬박 늦은 오후마다 연을 데리러 왔다. 연은 면사포를 쓰고 나가 환자들을 치료했고, 모란은 하품이나 하면서 연이 하는 모양을 지켜보다가 시간이 되면 또 돌려보냈다.

그 과정에서 한 번쯤은 들킬 법도 한데 한 번도 주강에게 걸린 적이 없었다. 연이 내심 궁금해하는 걸 눈치챘는지 모란은 설명도 해 주었다.

"그것도 마법의 일종이지. 너 대신에 비슷한 기척을 남겨 두고 오는 거야."

물어본 적 없다고 쌀쌀맞게 대답하긴 했으나 마법에 대한 호기심은 커져만 갔다.

무공이란 대개 공격과 방어에 치중된 것들이다. 달리 말하자면 전투 기술이라고 할 수 있었다. 기맥을 상세하게 짚어 보거나 상대에게 전달할 때를 제외한다면 내공은 좀 더 강력한 공격을 위해 주로 사용되곤 했다. 사람의 몸에서 나온 것이 사람을 해치기 위해 쓰이는 것이다.

그러나 모란이 사용하는 마법이란 완전히 종류가 달랐다. 공간을 뒤틀고 꽃을 피워 낸다. 불을 터트리고 물을 흘려보내며 바람을 일으켰다. 인력으로 할 수 없는 초자연적인 현상을 만들어 내는 기술⋯⋯. 호기심을 가지지 않을 수가 없었다.

'아마 무림에 공개된다면 사술(詐術)이라고 지탄받겠지.'

똑똑 딴 꽃잎 덩어리를 흙 속에 파묻어 버리며 연이 생각했다. 그러나 그가 보기에는 사술 같아 보이지는 않았다. 사술은 대개 비열하고 비겁한 성격의 기술이었다. 하지만 모란의 마법은 기이하고 거짓말 같아도, 보기에 기분이 나쁘지는 않았다. 이 빌어먹을 꽃을 피울 때만 빼고.

'꽃을 피운다면 약초도 피울 수 있을 텐데.'

하루 이틀 사이에 자라나는 약초라니 생각만 해도 좋은 것이었다. 당장 환자에게 필요한 약초를 구하지 못해 발만 동동 구른 적이 있었기에 더욱 그랬다. 심각한 질병에는 대개 희귀하고 값비싼 약초가 필요하기 마련이었으니까.

"그건 그렇고……."

꽃잎을 완전히 땅속에 파묻고 나자 마음이 편해진 연이 의자에 앉았다. 그가 미간을 찌푸리며 생각에 잠겼다. 대체 모란에게 자신의 이야기를 한 사람이 누구일까? 한 달 전 이어진 내기는 아직까지도 종결이 나지 않고 있었다.

연은 나름대로 열심히 생각했다. 모란에게 자신의 이름에 대한 이야기를 들려줄 사람이 과연 누구인가? 마을 사람은 아니다. 그 사람들 중 반은 자신의 이름도 몰랐다. 연은 대개 마을 사람들의 대화에서 '그 싸가지 없다는 남궁세가 둘째 도련님' 정도로 언급되곤 했다. 이름을 모르는데 이름의 의미까지 알 리가 있나.

그렇다면 세가에서 일하는 시비나 하인, 혹은 무사란 이야기인데……. 그렇다고 해도 범위가 너무 넓었다. 어리다는 건 모란의 나이가 열여덟 살이니까 열여덟 살보다 어리단 의미인가? 아니면 내 나이보다 어리다는 걸까?

하지만 모란의 나이를 기준으로 잡으면 열여덟보다 아래인지조차 모호했다. 모란이 말하는 말투는 전혀 어린 사람의 것이 아니었다. 몸은 어리지만 그 안에 깃든 정신은……. 미간을 접은 연이 중얼거렸다.

"대체 그놈은 나이가 몇이지."

"이백하고 오십육."

뒤에서 들리는 소리에 연이 퍼득 굳었다. 빌어먹을 순간이동, 하고 속으로 욕지거리를 중얼거리며 고개를 돌리니 모란이 정자 지붕 위에 앉아 있다가 가볍게 뛰어내렸다. 잠시 후에 연이 자신이 들은 소리를 의심했다. 이백오십육? 스물다섯이라는 걸 잘못 들었나 싶었다.

"……스물다섯 살이라고?"

"아니, 이백하고도 반백 년을 더 살았다고."

연은 믿을 수가 없었다. 아무리 생각해도 거짓말이라는 생각 밖엔 들지 않았다. 반로환동(返老還童)[11]한 고수들이 백 살을 훌쩍 넘어 살았다는 이야기는 들어 본 적이 있었다. 하지만 이백이라니. 어떻게 사람이 이백 년을 넘게 살 수가 있나?

"아니지, 이백사십인가? 용의 둥지에서 한잠 잔 게 이십이던가, 삼십이던가…… 영 헷갈려서 말이야. 뭐 십 단위 숫자가 중요한 건 아니니까."

적어도 저 소리가 사실이라면—사실이라고 믿는 건 아니지만— 모란이 던져 준 단서는 '모란보다 어린'은 아닐 것이다. 이백오십 살보다 오래 산 사람을 찾는 게 더 쉬울 테니까 말이다……. 그렇게 오래 사는 건 신선이 아니고서야 불가능하겠지만.

연이 팔짱을 끼고 못마땅한 얼굴로 모란을 보았다.

"왜 벌써 왔어? 올 시간도 아닌데."

"심심해서 놀러 와 봤어."

"그럼 꺼져."

험한 소리를 해도 모란은 들은 척도 하지 않았다. 그가 옆에 앉기에 연이 노골적으로 싫은 낯으로 자리에서 벌떡 일어났다. 아직도 자신의 손에서는 오늘 따다 버린 꽃향기가 풀풀 났다. 오늘따라 향기가 지독스러운 꽃이었다.

"요즘 이 근처에 떠도는 소문이 하나 있거든. 들어 볼래?"

---

11) 높은 성취를 이룬 노인이 깨달음을 얻어 젊은 몸으로 회춘하는 것

한위가 오는 것만 아니었다면 진작 방 안에 들어가 버리는 건데. 연으로부터 돌아오는 대꾸가 없어도 모란은 아무렇지 않게 말을 이어 나갔다.

"밤마다 백면공자(白面公子)가 아픈 사람들을 치유해 준다는데 실은 화타(華佗)가 환생한 거라고 하더라고. 혹은 편작(扁鵲)의 후계자라는 말도 있고."

연의 얼굴이 벌겋게 달아올랐다. 백면공자가 누구를 지칭하는 것인지 모르려야 모를 수가 없었다. 화타의 환생이나 편작의 후계자라니? 가당치도 않은 소문이었다. 게다가 연의 실력은 아직 은록을 따라가지 못했다. 소문은 항상 과장된다지만 이건 좀 심했다.

"그런 소문은 곧 사라지기 마련이야."

"과연 그럴까……."

모란이 기분 나쁘게 히죽히죽 웃었다. 연이 이를 악물었다. 종종 얼마나 약을 올리는지 백모란을 두들겨 패고 싶었던 적이 한두 번이 아니었다. 그러나 그럴 수 없는 건 후회스러웠던 과거를 조금이라도 되풀이하고 싶지 않기 때문이었다.

한숨만 푹 쉬자 모란이 더 놀리는 건 그만두고 잔재주를 부리기 시작했다. 그의 손가락 끝에서 빛으로 이루어진 작은 나비가 팔랑거렸다.

"그 마법이란 거……."

모란의 손바닥 위에서 이상한 빛 무리가 춤을 추는 걸 보면서 연이 머뭇 말을 꺼냈다.

"혹시 나도 배울 수 있나?"

말을 꺼내면서도 연은 그다지 대답을 기대하지는 않았다. 보통 이런 특별한 기술들은 일인전승(一人傳承) 혹은 혈육에게만 허락되는 형태가 많았다. 오대세가가 그들의 중요한 내공심법

151

이나 무술을 직계와 방계에게만 허락하는 것처럼.

모란은 가볍게 주먹을 쥐어 빛 무리를 흩어 버리며 연의 얼굴을 물끄러미 바라보았다. 연은 시선을 피하지 않았다. 그가 돈을 요구한다면 줄 의향도 있었다.

"가르쳐 줄 수야 있지. 하지만 안 그럴 거야."

"왜? 돈이 많이 들어서?"

백모란이 눈썹을 까닥거렸다. 그가 기지개하듯 몸을 이리저리 돌리고는 의자에 길게 드러누웠다. 그 태도를 바라보는 연의 시선이 떫었다.

무림에서는 이따금 사람의 행동거지를 구대문파 오대세가에 비교하곤 했다. 가령 화산파(華山派)처럼 정의롭다거나 아미파(峨嵋派)처럼 엄격하다거나. 모란은 그런 식으로 비교하자면…… 개방(丐幇)에 가깝다고 연은 생각했다. 왜냐하면 개방의 거지들도 아무데나 드러눕고 앉거든.

"돈은 이제 필요 없어. 지난번에 빌렸던 돈도 갚은 지 오래고."

금 열 냥을 벌써 갚았다고? 연이 자신의 귀를 의심했다. 의자 아래로 팔을 편하게 늘어트리며 모란이 입을 열었다. 그러더니 또 짜증 나게 모를 소리만 했다.

"내가 있었던 세계면 모를까 여기서 마법은 안 돼. 재능은 둘째 치고 연료가 없어. 그럼 마법을 사용하기 위해서 시전자의 근원을 연료로 끌어다 써야 하거든. 결과적으로 쓸 때마다 스스로를 갉아먹는 꼴이 되지. 특히나 너는 그런 몸이라 더더욱 배워서는 안 돼."

……생각해 보니 모란에게 배우는 과정은 별로 즐거운 과정은 아닐 것이 분명했다. 지금도 이렇게 성미를 긁어 대는데 가르치는 입장이 되면 얼마나 더 사람을 미치게 하겠는가? 게다

가 모란에게서 무언가를 배우게 되는 순간 그와 자신은 사제 관계가 된다. 연이 치를 떨었다. 모란을 스승으로 모시느니 안 배우고 만다. 저 사내를 사부라고 부르는 건 상상만 해도 끔찍했다.

"갉아먹는다면서 당신은 왜 매일 마법을 쓰는데?"

"아, 꽃 피우는 거 말이야? 그건 마법 아냐."

대체 꽃을 피우는 것과 마법으로 만들어 내는 기이한 현상 사이에 무슨 차이점이 있나 싶었지만 연은 입을 꾹 다물었다. 또 알아듣지 못할 설명이나 할 것 같았다.

백모란이 돌아온 지 벌써 두 달째. 전처럼 이유 없이 증오스럽고 죽이고 싶지는 않았지만 대신에 연은 매우 짜증이 났다. 거슬리고, 성가시고, 종종 저 입 좀 다물게 하고 싶고…….

그렇다고 못 오게 막을 수도 없었다. 망할 순간이동은 연이 사용할 때는 편하고 좋았지만 모란이 자신에게 찾아오기 위해 사용할 때는 도무지 막을 방법이 없는 기술이었다.

"그건 그렇고 곧 네 형님 생일이라면서."

모란이 손을 휘휘 젓자 흙이 마치 물이라도 되는 양 부드럽게 팔목까지 감겼다. 원치는 않았지만 한 달 정도를 매일 얼굴을 보며 지내다 보니 연은 알 수 있었다. 모란은 잠시라도 가만히 있지 못하는 성미였다.

"그건 어떻게 알았……. 아니다."

모르는 게 더 이상하지. 안휘성은 마을이며 시장, 상회 등 거의 모든 것이 남궁세가를 중심으로 돌아갔다. 안휘성에 살고 있는 사람이라면 모를 수가 없었다. 세가에서 일어나는 사건이 안휘성에 바로 영향을 미치기 때문이었다.

더군다나 세가의 소가주나 되는 사람의 탄생일에는 항상 화려한 연회가 열린다. 그렇게 되면 세가에서 구매하는 엄청난 양의 식재료나 물품들 덕에 근처 상회나 소상인들의 매상은 부쩍 오르곤 했다. 안휘성에 사는 사람들에게도 세가에서 벌어지는 연회의 즐거운 분위기가 퍼지는 것이다.

연오의 생일은 지금으로부터 팔 일 뒤에 있었다. 연으로서는 나름 이 몸으로 돌아온 뒤 첫 번째로 있는 즐거운 일이니 각별한 선물을 하고 싶었다. 그러나 연오가 누구인가. 그 남궁세가의 소가주로서 부족한 것 없이 자라난 사람이었다. 게다가 가지고 싶은 것도 손쉽게 가질 수 있는 위치였다. 때문에 연은 한참을 연오의 생일 선물로 고민을 해 왔고 아직까지도 정하지 못했다.

"선물로 뭘 할지 고민 중이지? 아직 못 정했지?"

그런 연의 고민을 읽어 내기라도 한 것처럼 모란이 은근한 어조로 쿡 찔러 왔다.

"내가 추천해 줄까?"

미간을 찡그리고 있던 연이 모란을 째려보았다. 뭘 안다고 형님의 선물을 추천해 주네 마네 하는지 알 수가 없었다. 그는 이제 돌아온 지 고작 두 달밖에 되지 않았다. 아무렴 모란보다는 자신이 연오에 대해 더 잘 알고 있었다. 연이 째려보거나 말거나 모란이 은근한 어조로 입을 열었다.

"아는 사람에게 들은 바로는 남궁가의 소가주는 거북이를 그렇게 좋아한다네."

"거…북이?"

귀가 솔깃해 물어봤다가 연은 곧 자존심이 상했다. 안 듣고 신경 쓰지 않겠다고 다짐하는데 왜 매번 저놈의 말에 대꾸하고 마는지 모를 일이었다.

"그래, 거북이. 거북이 모양으로 된 물건은 죄다 수집해 왔다던데. 언제 본 적 없어?"

그러고 보니……. 연오가 대(帶)에 옥으로 만든 작은 거북이를 자주 달고 다녔던 것 같기도 하고. 아니, 잠시만. 그런데 대체 모란은 그런 정보를 어떻게 아는 거지? 연도 매일 보면서 몰랐던 걸 모란은 알고 있었다. 연만 모를 것이냐, 아마 다른 사람들도 모르는 게 확실했다. 그간 연오의 연회 때마다 거북이 모양의 선물이 들어온 적은 없었던 것이다.

하지만 솔깃하긴 했다. 거북이, 거북이라…….

예로부터 거북이는 십장생(十長生)중 하나로 장수를 상징했다. 연이 바라는 바와도 일치하는 상징이다. 그는 빨리 연오가 남궁세가의 가주가 되어 가능한 오래오래 다스리기를 바랐다. 게다가 모란의 말대로 거북이를 수집하는 것이 취미라면 연오도 마음에 들어 할 것이 분명했다.

'그럼 조만간에 나가 보기는 해야 할 것인데.'

한위가 도착한 건 바로 그때였다. 오늘도 여지없이 수풀을 바스락거리며 나타난 한위는 한 달 전과 달리 통통하니 살이 잘 올라 있었다. 키도 부쩍 컸고 무엇보다 건강해졌다는 게 한눈에 보여서 연은 퍽 흐뭇했다. 그가 자리에서 일어날 때였다.

"형님!"

반갑게 부르던 한위의 목소리가 돌연 급해졌다. 왜 그러지? 하던 연은 곧장 까마득해지는 시야에 비틀거렸다. 갑자기 등에 식은땀이 와르르 쏟아지며 심하게 어지러워 제대로 서 있을 수가 없었다. 마치 온몸이 어그러지는 것만 같았다. 그는 곧 바닥으로 무너지고 말았다.

연이 아, 하는 소리를 냈다. 그의 발이 시커먼 것에 잠겨 들고 있었다. 어둠, 그리고 또 어둠……. 공허…….

그렇게 까무룩 어둠에 잠겼다가 소스라치게 놀라듯 다시 정신을 차렸을 때, 연은 자신을 물끄러미 들여다보는 모란의 눈을 볼 수 있었다. 그의 눈에서 아름다운 금빛 고리가 반짝거렸다. 좀 더 시간이 지난 뒤 연은 모란의 뜨끈한 손이며 단단한 팔이 제 덜미와 몸을 꽉 잡아 받치고 있다는 걸 깨달았다.

그런데 아직도 정신이 혼미하여 그런지 무언가 이상하였다. 모란이 길게 숨을 뱉는데 시야 한쪽에서 어떤 반짝거리는 고리가 얼핏 보인 것 같았다. 잠시 후 모란이 연을 놔 주었다. 그러더니 또 알 수 없는 소리를 했다.

"아무래도 오늘은 밖에 나가지 말고 쉬는 게 좋겠어. 해도 달도 구름에 가리는 날이니."

좀 나아졌지만 아직도 어지러워 연이 고개를 저었다. 한위가 울상으로 연의 팔을 잡아 부축해 주었다.

"형님, 괜찮으신가요?"

"그래, 잠시 어지러웠을 뿐이야."

심한 현기증이나 기절은 전에도 종종 있던 일이었다. 그런데 이번에는 무언가가 몸속에서 부서지고 으스러져 조각나는 것만 같은 느낌이었다. 속이 메슥거리고 등은 벌써 식은땀으로 흥건히 젖었다. 아무래도 오늘은 선물을 사러 나가지 못할 것 같았다. 한위에게 부축을 받으며 의자에 앉은 뒤 연이 고개를 돌려 보니 모란은 어느새인가 사라지고 없었다.

"얼굴이 너무 창백하세요."

"걱정 마렴. 전에도 종종 이랬으니까."

안심하라는 의미로 연이 얼굴이 희게 질린 한위의 머리카락을 쓰다듬어 주었다. 시간이 좀 더 지나 살 만해지자 그는 뒤늦게 의문이 들었다. 오늘 밖에 나가지 말고 쉬라는 것과 해와 달이 구름에 가리는 게 대체 무슨 상관인가?

그러나 어디 모란이 이상한 말을 한두 번 했었나. 기력이 쭉 빠져 연은 더는 깊게 생각하지 못하고 방으로 돌아갔다.

다행히도 그날 푹 자고 나자 상태는 훨씬 좋아졌다. 혹시나 몰라 연은 이틀을 좀 더 느긋하게 쉬었다. 그날 까무러치는 듯한 느낌은 두려움마저 느껴지는 종류의 것이었다. 괜히 무리했다가 또 그러고 싶지는 않았다. 그런 연을 알기라도 하듯 모란도 찾아오지 않았다. 그러나 여전히 정원에는 꽃이 피어 있었다. 연은 부득불 추위에 떨면서 나가 이를 갈며 꽃을 꺾어 내야만 했다.

한위가 울상으로 찾아온 건 따뜻한 방에서 쉰 지 나흘째 되는 날이었다. 그날따라 식사에 맛있는 간식이 나와 연이 바리바리 싸 들고 연못으로 나갔다. 그런데 한위는 어째서인지 맛있는 간식을 먹고도 별로 기운이 나지 않는 얼굴이었다.

"한위야, 무슨 걱정이라도 있는 것이냐?"

연이 부드럽게 묻자 한위는 우물쭈물하더니만 조심스럽게 입을 열었다.

"형님 생일 선물이요……. 저는 선물해 드릴 것이 없어요."

그 말을 들은 연은 아차 싶었다. 그러고 보면 한위도 연회에 참석을 하기는 했다. 매번 참석했다가 금방 돌아가서 그렇지, 어쨌든 한위에게 연오도 형님인 것이다.

물론 연오의 생일 연회에서 한위가 선물을 한 적은 없었다. 하고 싶어도 물건도 돈도 없었을 것이다. 허나 이번에는 연이 있었으니 한위에게는 상황이 달라진 셈이었다. 몸도 꽤 좋아졌고 하니 한위와 함께 형님의 선물을 사러 나가면 딱 좋겠는데.

연이 잠시 제 몸 상태를 가늠해 보았다. 외출해도 괜찮을 듯했다.

"그럼 나와 같이 시장에 가 보겠니?"

"네! 형님과 같이 사러 가고 싶어요!"

한위의 얼굴이 환해졌다. 그러고는 품을 뒤적뒤적하더니 낡은 전낭을 하나 꺼내 보이는 것이었다. 무언가 하여 보니 안에 동전들이 한 줌 들어 있었다.

"그동안 모은 돈인데, 이걸로 큰형님의 선물을 살 수 있을까요?"

연은 잠시 말문이 막히고 말았다. 갑자기 그의 것이 아닌 참담함이 밀려왔다. 한위도 영명의 자식이었고 그의 형제였다. 한 푼 두 푼 모은 동전은 객잔에서 한 끼 식사로 소면이나 먹으면 그만일 액수였다. 연은 속으로 분노하였고 영명을 한층 더 혐오하게 되었으나 내색하지 않으며 전낭을 받아 들었다.

"그래. 내게 맡겨 두면 알아서 계산하고 돌려주마."

아마 전 재산임이 틀림없는 전낭을 한위가 아무런 의심 없이 내밀었다. 연은 조심스럽게 그것을 품에 밀어 넣었다. 신이 난 모습으로 한위가 얼른 수풀 속으로 기어 들어갔다.

언이 들어가 외출할 채비를 마치고 나오니 한위는 시치미 뚝 떼고 정문으로 들어와 구박받는 동생의 모습을 충실히 연기하고 있었다. 처음에는 어색하더니 요즘에는 나날이 일취월장하다 못해 즐기기까지 하는 중이었다. 연은 이따금 한위를 가엾게 여긴 시비나 하인이 무언가를 몰래 쥐여 주는 것도 볼 수 있었다.

"이리 와라. 하는 일 없이 빈둥거리고나 있으니 짐꾼이라도 해야지."

"네!"

오늘은 신난 탓인지 한위가 구박받는 동생 역치고는 지나치게 씩씩하게 대답하며 졸졸 따라왔다. 그런 씩씩한 모습에 오히려 시비나 하인들이 더 동정하는 것임을 알고 있기에 연은 굳이 지적하지 않았다.

연이 흘깃 주강을 보았다. 주강도 근래에는 한위에게 보이던 쌀쌀한 태도가 많이 가셨다. 아직도 가끔 서늘한 눈빛으로 보곤 했지만 이따금 한위와 조용히 담소를 나누기도 했다. 담소를 나눈다니, 어지간히 친하지 않고는 말 한마디 먼저 건네는 적이 없는 주강으로서는 드문 일이었다. 연은 드물게 평화롭고 즐거운 기분이었다.

그러나 그 기분은 오래가지 않았다. 세가를 나오자마자 백모란의 모습이 보였던 것이다. 연의 얼굴이 떫어졌다. 게다가 지난번 심하게 현기증을 앓았던 날 모란이 자신을 부축해 주었던 게 떠오르자 기분이 애매모호해졌다.

"여기서 다 보네. 시장 가는 길이야?"

당연하다는 듯이 모란이 스윽 연의 곁에 붙어 왔다. 연이 다시 주강을 쳐다보았다. 오늘도 그는 모란의 접근에 제지를 하지 않았다. 모란이 들러붙을 때마다 제지하지 않을 것을 미리 알았다면 저 몸에 있을 적 결코 주강과 친분은 쌓지는 않았을 것이다…….

"볼일이나 보러 가시지."

"뭐어, 내 볼일이 시장에 있어서 말이야."

지나치게 능글맞은 태도에 주강이 약간 의심스럽다는 표정을 지었다. 그렇기도 하겠지. 이전의 모란이었다면 어디 남궁연에게 이런 식으로 굴기나 했겠나?

연은 답답했다. 정말이지 저 백모란은 당신들이 아는 그 백모란이 아니라고 외치고 싶을 때가 한두 번이 아니었다.

"알고 있어? 근래에 청진상회에 새 물품들이 많이 들어왔다는데."

오늘따라 이상하게 추근거리는 느낌으로 붙어 오며 모란이 권유했다. 연은 그의 권유를 못 들은 척 흘려보냈다.

그러나 흘려보낸 걸 곧 다시 주워 담아야만 했다. 꽤 많은 곳을 돌아다녔는데도 가는 곳마다 그가 원하는 거북이를 팔지 않았다. 전부 살아 있는 거북이거나 지나치게 싸구려거나 아예 없거나 했던 것이다. 결국 마지막에 그의 발걸음이 향한 곳은 청진상회였다. 연이 짜증스러운 한숨을 쉬었다.

상회에 들어가기 전에 한위를 바라보았다. 청진상회에서는 싸구려는 다루지 않는다. 아무리 못해도 물품의 질이 중상은 갔다. 그는 한위의 선물을 청진상회에서 사도 괜찮을까 고민하는 중이었다. 한위가 지나치게 고급스러운 선물을 하게 되면 영명이 의심하고 또 무슨 트집을 잡을지 모르는 일이었다.

'선물은 두 가지 이상을 사야겠군.'

연회에서 보일 것 하나, 괜찮은 물건으로 하나. 괜찮은 물건은 상회에서 사면 되겠고 연회에서 보일 물건은 대충 제일 싼 것으로 하나 사면 될 것이다. 결정을 내린 연이 상회에 들어섰다.

"아니, 공자님, 모란 대협. 어서 오십시오."

이번에도 상주 양운이 뛰쳐나와 둘을 맞이했다. 연은 문득 궁금해졌다. 정말 모란이 금 열 냥을 갚았을까? 그렇게 짧은 시일 내로? 궁금했지만 주강이 있는 자리에서 물어볼 수는 없는 노릇이었다.

양운은 연은 알아보았으나 한위가 남궁가의 직계 중 한 명이라는 건 알아차리지 못했다. 연이 데리고 다니는 어린 하인이겠거니 여기는 모양이었다. 그럴 만도 했으나 어쩐지 입맛이 썼다. 언젠가는 한위도 남궁가의 일원으로 인정받을 수 있을까? 아니, 아니다. 어쩌면 연오의 말마따나 한위는 세가를 떠나 사는 게 더 행복할 수도 있다…….

"혹시 소가주의 생일 선물을 사러 오셨습니까?"

연을 객실로 안내한 양운이 싱글벙글한 얼굴로 물었다. 연이 앉자 모란도 바로 옆에 앉았다. 그리고 연이 조금 놀랐다. 모란의 앞에 내오는 술이 꽤 귀한 물건이었던 탓이다. 이런 술을 내온다는 건 모란이 꽤 귀한 손님이라는 의미인데. 금 열 냥을 갚았다는 게 정말일까?

'설마 진짜 도박장에서 돈을 불린 건…….'

모란이라면 정말 그럴 수도 있겠다. 술을 단숨에 마시는 그를 흘끔 보면서 연은 양운의 말에 고개를 끄덕였다.

"거북이와 관련된 물건을 사고 싶어서 왔습니다."

"아, 거북이 말씀이시군요. 잠시만 기다려 주십시오."

양운이 나간 사이 연이 한위를 돌아보았다. 한위는 아까부터 으리으리하고 화려한 객실에 입을 벌린 채 다물지를 못하고 있었다. 제 아우에게 당과를 하나 쥐여 주면서 연이 물었다.

"한위야, 선물로 무언가 염두에 둔 물건이라도 있니?"

"저어…… 그럼, 검 손질 도구요."

객실의 화려함에 약간 주눅이 든 한위가 조심스럽게 말했다. 검 손질 도구? 다시 묻자 한위가 고개를 끄덕거렸다. 알겠다고 하면서도 연의 속내는 좀 복잡했다.

보통 무가의 자식들은 열 살이 채 되기도 전에 자신의 검을 가지게 된다. 첫 번째는 목검으로 시작하여 열다섯이 되면 진검을 선물받았다. 그러나 한위에게는 진검은커녕 낡아 빠진 훈련용 목검 하나조차 없었다. 한위에게도 검을 하나 선물할 수 있게 되면 좋으련만.

곧 양운이 돌아와 연의 생각이 흩어졌다. 그의 뒤로 상회에서 일하는 사람들이 줄줄이 들어와 탁자 위에 온갖 물건들을 올려 두었다. 온통 거북이뿐이었다. 거북이가 조각된 벼루, 거북이가 그려진 그림, 거북이 찻잔, 거북이 손잡이 단검, 거북이, 거북이, 거북이…….

가장 진국인 것은 살아 있는 흰색의 거북이였다. 홍옥 같은 붉은 눈이, 모르긴 몰라도 부르는 게 값일 터였다.

물건들을 살펴보던 연의 눈에 들어온 건 한 작은 조각상이었다. 손바닥 위에 사뿐히 올라가고도 남을 정도로 아담한 녀석으로 금방이라도 기어갈 듯 생동감이 넘쳤다. 하지만 조각상치고는 너무 작아 보였다. 그다지 값어치가 없어 보이는 것과는 달리 검은 천 위에 애지중지 모셔져 있었다. 연의 시선이 가는 곳을 눈치챈 양운이 미소를 지었다.

"역시 공자님, 보는 눈이 있으시군요. 그 녀석은 야명주(夜明珠)입니다."

연이 눈을 휘둥그레 떴다. 야명주! 밤에도 스스로 빛을 내는 돌이 아닌가. 양운이 보란 듯이 방의 창문을 어두운 천으로 가리자 조각상이 은은한 빛을 발했다. 연도 야명주는 들어 보기만 했지 가격이 어느 정도인지는 알지 못했다.

하지만 야명주로 만든 거북이 조각상이라니, 형님도 이건 안 가지고 계실 것 같은데. 몹시도 탐이 났다. 양운은 연이 갈등하고 있는 걸 귀신같이 알아차렸다.

"옥을 깎아 만든 녀석들도 멋지지만 역시 야명주를 따라갈 만한 건 없지요. 돈을 쓰시는 보람을 느끼실 겁니다. 가격도 금 석 냥밖에 하지 않습니다. 원래는 가격을 더 불러야 하는데 연 공자님이라서 싸게 해 드리는 겁니다."

양운은 별거 아니라는 말투로 가격을 불렀으나 금 석 냥은…… 결코 만만한 가격이 아니었다. 무엇보다 지금 당장 연의 주머니에 금 석 냥이 없었다. 세가로 돌아가서 패물을 좀 처분하면 되긴 하겠지만 연오의 생일 선물로 턱 사 버리기에는 부담이었다. 보통은 연오의 선물로 금 한 냥이 좀 안 되게 썼기에……

"그걸로 줘."

술 한 병을 순식간에 비운 모란이 고개를 까닥거렸다. 연이 제 귀를 의심했다. 금 석 냥짜리를 저렇게 덜컥 산다고? 진짜로? 모란은 아무렇지 않게 품에서 비단 전낭을 꺼내 그 자리에서 금 석 냥을 건넸다. 연은 대체 그가 무슨 짓을 해서 한 달 만에 금 열 냥을 갚아 버리고도 남게 만들었는지 알 수가 없었다.

"아주 탁월한 선택이십니다."

양운은 연이 뭘 시도해 보기도 전에 잽싸게 야명주 거북이를 고급스러운 자개함에 넣어 동봉했다. 좀 아쉬운 마음이 들었다. 고민하던 물건은 모란이 사 버렸으니 연이 다른 물건으로 시선을 돌리려고 할 때였다. 모란이 연에게 야명주 거북이를 슥 내미는 게 아닌가.

"……이건 왜?"

"형님 선물로 하고 싶던 게 아니었어? 가지라고."

연은 받지 않았다. 어떻게 받겠는가? 금 석 냥짜리 물건은 모란이 아니라 다른 사람이 줘도 덜컥 가지지는 않을 것이었다. 게다가, 상대는 그 모란이었다. 이게 공짜로 주는 게 아니라는 생각부터 먼저 드는 것이다.

"……대가가 뭔데?"

"부탁 하나만 들어주면 되는데."

그럼 그렇지……. 또 무슨 부탁을 할지 짐작이 가질 않았다. 연은 일단 고개를 돌렸다. 그리고 양운에게 검 손질 도구 몇 개만 보여 달라고 부탁했다. 그러는 동안 모란이 다가와 추근거렸다. 슬그머니 어깨에 팔을 얹으며 친한 척 어깨동무를 하려 하기에 연이 질색하며 팍 쳐 냈다.

"무슨 부탁인지 들어 보지도 않고?"

"보나 마나 이상한 부탁일 게 뻔하지. 안 해."

마침 양운이 검 손질 도구를 가지고 나왔다. 연은 고심해서 손질 도구 세 가지를 골랐다. 그러는 동안 모란이 포기도 하지 않고 야명주 거북이를 들이밀었다. 양운이 검 손질 도구를 포장하면서 오묘한 시선으로 둘을 번갈아 보았다.

과묵해서 말로 하지는 않아서 그렇지 이상하게 보는 건 주강도 마찬가지였다. 주강이 알기로 연과 모란은 절대 이런 관계가 아니었던 탓이다. 연이 모란을 거의 죽일 뻔한 날 이후로 둘 사이에 많은 것이 바뀌었다. 주강은 근본적인 것이 달라졌다는 건 어렴풋이 느끼고 있었으나 그게 정확히 무엇인지는 알지 못했다.

양운과 주강이 이상하게 보건 말건 신경도 쓰지 않고 연과 모란은 실랑이를 벌였다.

"간단한 부탁이야. 일각 정도만 투자하면 되거든. 일단 들어보고 나서 결정해도 되잖아. 게다가 듣고 싫거든 나머지 돈은 내게 차차 갚으면 되지."

연이 이를 갈았다. 이 뱀같이 교활하고 간사한 혓바닥 같으니라고……. 그가 또다시 갈등에 빠졌다. 야명주 거북이가 무척이나 마음에 들었던 것이다. 지금이 아니면 또 언제 이런 걸 살 수 있겠냐 싶기도 했고.

일단은 양운이 있는 자리에서 왈가왈부하기는 싫었기 때문에 마지못해 야명주 거북이를 받아 들었다. 자리에서 일어나자 오늘 제법 물건을 판 양운의 얼굴에는 환한 미소가 걸렸다.

"좋은 거래였습니다. 다음에 또 뵙도록 하지요."

이번에도 양운은 상회 문밖까지 친절히 둘을 배웅하고 나섰다. 그를 뒤로 하며 연은 좀 한적하고 인적 드문 곳으로 향했다. 그리고 한위에게 아까 산 검 손질 도구를 내밀었다. 한위가 어리둥절해하면서도 일단 받았다. 연이 구매한 손질 도구는 모두 세 가지로 하나는 제일 싼 것이었다. 시장 어디 가나 파는 평범한 손질 도구다. 연이 먼저 그것을 가리켰다.

"연회에서는 형님께 이걸 드리렴. 나머지 두 개 중 하나는 네가 가지고, 다른 하나는 언젠가 때와 시간이 된다면 네가 직접 연오 형님께 드리면 된단다."

한위와 연오의 것은 손질 도구 중에서도 고급스럽고 좋은 물건이었다. 자신이 선물을 받게 될 줄은 꿈에도 상상 못 했던 한위가 손질 도구와 연을 번갈아 바라보았다.

"하지만 이건…… 제가 형님께 드린 돈보다 훨씬 비싸잖아요……."

"네가 어디 남이더냐? 다름 아닌 가족인데 이런 것쯤이야 얼마든지 해 줄 수 있단다. 내가 바로 네 형인데."

그렇게 말하면서 연은 이상하게 마음 한구석이 죄이고 아팠다. 올해 세가를 나갈 때 한위를 두고 나갈 수가 있을까? 한위도 같이 데려가야 하는 것이 아닐까? 자신이 떠나 버리면 한위가 크게 상심할 것이 눈에 보이는 듯했다. 연의 선물을 받은 한위는 벌써 코가 빨갛게 변했다. 아무 말도 못하고 고개를 끄덕이기만 하는데 안쓰러웠다.

그건 그렇고……. 연이 몸을 돌렸다가 뒤로 물러났다. 아까부터 모란이 왜 이리 지나치게 가까이 붙는지 도통 알 수가 없다. 연이 일단 주강에게 한위를 맡겨 두고 좀 떨어진 곳으로 향했다. 주강의 귀에도 대화 소리가 들리지 않을 정도로 멀찌감치 떨어진 곳에서 연이 멈췄다.

"그래서, 그 부탁이란 게 뭔데?"

오늘 세가에서 나오는데 모란이 우연을 가장해 기다리고 있던 것부터가 수상쩍었다. 그가 한위를 만나러 그러고 있었겠는가, 아니면 주강에게 말할 것이 있어서 그랬겠는가. 연에게 용건이 있으니 그러고 있었겠지.

"다른 건 아니고……. 몸을 좀 만지게 해 줘."

"뭐라고?"

오늘따라 연은 자신의 귀를 여러 번 의심했다. 몸을 만지게 해 달라니 이 무슨 개뼈다귀 같은 소리야. 혹시 다른 의미로 말한 게 아닌가 싶어서 연이 잠자코 더 기다렸다. 그러자 모란이 기분 나쁘게 아래로 몸을 살펴보더니 이렇게 말했다. 이 시점에서 연의 기분은 바닥으로 내려가기 시작했다.

"이왕이면 가슴이나 엉덩이면 좋겠는데. 둘 다 만지게 해 주면 더 좋고."

"……일각 동안 가슴과 엉덩이를 만지게 해 달라?"

"음, 상황에 따라 더 오랜 시간이 걸릴 수도 있고?"

연이 잠시 주강을 바라보았다. 그는 마침 한위에게 뭐라 말을 해 수고 있었다. 모양새가 검 손질 도구의 사용법에 대해 설명하는 중인 것 같았다. 잘됐군. 다시 모란에게 시선을 돌린 연이 망설임 없이 검을 뽑아 들었다.

"워, 잠시만!"

"닥쳐!"

모란이 잽싸게 피한 탓에 건물 벽을 공격하고 만 연이 분노로 몸을 떨면서 벽에 박힌 검을 다시 뽑았다. 얼마나 머리끝까지 화가 나는지 눈에 뵈는 게 없었다. 아무리 실력이 좋지 않아도 그는 무인이다. 연이 방금 받은 모욕은 이제까지 받은 것 중 최악의 것이었다. 남색을 하는 자들이 있다고는 들었으나 저놈이 그런 놈인 줄은 몰랐다.

모란이 바로 피한 바람에 안타깝게도 주강이 연의 칼부림을 눈치채고 말았다. 그가 바로 몸을 날려 연의 앞을 막아섰다. 주강의 어깨 너머에서 모란이 얄밉게도 지껄여 댔다.

"충분히 오해할 만도 한데, 일단 설명 좀 들어 보면……."

연은 짜증도 나고 화도 머리끝까지 솟아올랐다. 뭐, 일각이면 되는 간단한 부탁? 아무리 생각해도 자신을 희롱하려는 게 분명했다. 그간 모란이 자신을 약 올려 대고 정원에 꽃을 피운 것까지 합쳐 한꺼번에 분노가 폭발했다. 연이 목에 핏대를 세우며 소리 질렀다.

"그런 모욕을 당하고서도 내가 가만히 있을 것 같아?!"

"아니, 그러니까 오해라니까! 어디까지나, 그래, 의료적인 목적이라고."

모란의 변명에 연은 더 열 받았다. 그가 제일 싫어하는 부류 중의 하나가 무엇이냐 하면, 의술을 핑계로 환자를 희롱하는 파렴치한 작자들이었다. 진맥을 하기만 하면 되는데 병명을 알아야겠다면서 상관도 없는 부위를 만지는 작자들!

"노련님, 진정하십시오."

드물게도 주강이 난감한 얼굴로 연을 말렸다. 모란은 몇 번 더 변명을 하려고 하다가 바로 포기했다. 그러더니 뻔뻔하게도 뺨을 긁적거렸다.

"뭐, 지금은 말해도 안 들을 것 같으니까 이따가 보자구……."

"어디 가! 이리 안 와?!"

백모란이 슬금슬금 물러나더니 쌩하고 도망가 버렸다. 백모란! 연이 소리 질렀으나 모란은 돌아오지 않았다. 얼굴이 시뻘겋게 변한 연이 비틀거리며 섰다. 검 좀 휘두르고 화 좀 냈다고 숨이 찼다. 주강은 연이 검을 집어넣고 나서야 앞에서 물러났다.

연이 씩씩거렸다. 이러려고 야명주 거북이를 준 거였어? 몸을 만지겠다고 선물을 주는 게 화대와 다를 것이 무엇 있나? 연은 모란이 준 야명주 거북이를 집어 던지려다가 간신히 참았다.

아무리 화가 나도 금 석 냥짜리를 길거리에 그냥 던져 버릴 수는 없었다.

잠시 후 시간이 지나고 나자 연은 침착해졌다. 조금 부끄러운 마음도 들었다. 말없이 저만치서 눈을 휘둥그레 뜨고 있는 한위에게로 향했다. 왜 이렇게 화가 나고 흥분했지, 싶은데 이유를 알 수가 없었다. 검을 뽑을 정도는 아니었나? 뒤늦게 후회가 몰려왔으나 고개를 저어 쫓아 보냈다.

"미안하다, 한위야. 좋지 못한 모습을 보였어."

"아, 아니에요."

여전히 눈을 동그랗게 뜬 한위가 연의 검을 바라보았다. 한위도 있는데 그만 잊어버리고 경솔히 검을 휘두른 게 아닐까 연은 후회했다. 작은 모욕에도 얼마든지 검을 뽑을 수 있는 게 무인이란 사람들이지만, 적어도 한위 있는 곳에서는 피했어야 했는데……. 다행히도 한위는 아까 연이 칼부림을 한 모습을 크게 신경 쓰지 않았다.

세가로 돌아오기 전, 연은 한위를 위해 이것저것 사 주었다. 간식거리, 마른 반찬이나 물을 부어 끓여 먹을 수 있는 재료들, 옷, 신발 등등……. 물건들을 사다 보니 모란을 향한 분노도 어느 정도 해소가 되었다. 연은 세가로 돌아와 심부름을 핑계 삼아 한위에게 한 짐 들려 보냈다. 여전히 저조한 기분으로 침소 문을 열고 들어가던 연이 놀라 탁 세게 닫았다. 방 안에 모란이 있었다.

"……너!"

연이 발끈했다. 뻔뻔하기도 하지, 그런 식으로 튀어 놓고 이렇게 찾아와? 게다가 또 순간이동으로 무단 침입이었다. 뭐? 마법이 뭘 갉아먹으니 안 된다고? 본인은 물 쓰듯이 쓰면서! 연이 가지고 있던 야명주 거북이를 집어 던져…… 아니, 돌려주려고 품을 뒤적이는데 그걸 어떻게 오해했는지 모란이 양손을 들어 보였다. 그리고 진정하라는 듯 양손을 위아래로 가볍게 흔들었다.

"일단 한번 이유라도 들어만 봐. 그래도 납득이 안 가면, 그때는 다시는 이런 식으로 나타나는 일 없을 거야. 내가 언제 약속 안 지킨 적 있나?"

그건, 그건…… 연은 정말 인정하기 싫었지만, 그랬다. 약 올리는 일이 매번 있기는 했어도 모란은 약속한 것은 지켰다. 나름대로 은록에게 예의를 갖춰 하대를 하지는 않았으며, 금 열 냥에 대한 신원 보증을 한 이후로는 꼬박꼬박 연을 세가 밖으로 데리고 나갔다 돌아왔던 것이다.

그러나 아까 밖에서 느낀 수치심이 아직 가시지 않았기에 연은 그런 사실들을 순순히 인정하기가 싫었다. 마지못해 그가 모란에게 기회를 줬다.

"일단, 듣기는 해 보지. 그 이유라는 게 뭔데?"

"좋아. 설명이 길어질 것 같으니 좀 앉아 봐."

모란이 씩 웃는데 기분 나쁘게도 연은 그가 자신을 매우 귀엽게 여기는 듯한 기분이 들었다……. 허튼소리 하기만 해 보라는 마음으로 연이 자리에 앉았다. 어쩐지 이번에도 모란이 말하는 대로 넘어갈 것 같아서 불안했다. 잠시 뜸을 들이던 그가 입을 열었다.

"처음에 널 봤을 때 내가 이 몸에 완전히 적응하지 못해서 착각을 했어. 게다가 평범한 인간을 본 것도 너무 오랜만이었고."

평범한 인간? 연이 눈썹을 찌푸렸다. 백모란은 가끔 이해할 수 없는 소리를 해 대곤 했는데 이번에도 그런 소리가 반일 것 같단 예감이 들었다.

"무슨 착각?"

"오래 살다 보니 내가 보는 눈이 좋아졌거든. 시력이 좋아졌다는 이야기가 아니야."

벌써부터 연은 모란의 말을 이해할 수가 없었다. 대체 무슨 말을 꺼내려고 서론이 이렇게 긴지.

"그러니까 말이지, 나에게는 생명체가 가지고 있는 근원이 보여. 이 근원이란 건…… 흠, 뭐라고 해야 이해가 빠를까."

모란이 생각에 잠겨 바닥을 톡톡 두드렸다. 그가 이렇게 진지한 얼굴을 하고 있는 건 처음이라, 연은 묘한 느낌이 들었다. 원래 주인에게 혼이 돌아가서 그런지, 백모란이 이런 얼굴이었나 싶던 것이다.

지난 한 달 사이 모란은 부쩍부쩍 커져서 이제는 정말 막 성인이 되었다고는 믿기지 않을 정도였다. 아무렇게나 풀어 헤친 머리카락이나 잘 그을린 피부, 강건한 근육과 더불어 여전히 막 걸쳐 입는 망나니 같은 옷차림 등이 낯설었다.

"근원이란 건 혼을 말해. 내공이나 기(氣)와는 다르지. 아마 넌 무인이니 본원지기라는 것을 알고 있겠지?"

연이 고개를 끄덕였다. 본원지기(本元之氣)란 태어나서부터 가지고 있는 어떠한 기운이었다. 평상시에는 쓸 일이 없고 써서도 안 되는 것이다. 보통 목숨이 왔다 갔다 하는 위급한 상황에서나 쓰는 것이다.

의원으로 활동할 때 연은 중병에 걸린 환자들이 병과 맞서 싸우느라 본원지기가 점차 소모되는 걸 관찰할 수 있었다.

본원지기를 사용할 수 있는 건 병에 걸렸을 때뿐만이 아니었다. 무림에서 이따금 전해지는 소문 중에는 본원지기를 끌어 올려 평소의 배나 되는 가공할 무력을 펼쳐 적에게 승리한 사람들에 대한 이야기가 있다. 보통 그들은 폐인이 되거나 이긴 지 얼마 안 되어 죽어 버렸다고 했다. 그만큼 함부로 사용해서는 안 되는 것이었다.

"그 본원지기는 과연 어디로부터 왔을까? 어머니로부터? 아니면 아버지로부터?"

"그건……."

연은 그런 건 생각해 본 적이 없었다. 그러나 모란의 말을 들으니 의문이 떠올랐다. 본원지기는 어디서부터 생겨나는가? 부모로부터 물려받는 게 아니란 건 확실했다. 아이를 가질 때마다 본원지기가 소모된다면 많은 사람들이 아이를 가지는 걸 꺼려할 것이었다. 모란이 손을 들어 자신의 가슴을 가리켜 보였다.

"본원지기란 것은 바로 여기서 생겨나는 거야. 심장이나 단전 따위가 아니라 더 귀하고 중요하고 깊숙한 곳, 바로 '근원'에서 맺어지지. 육체는 이 근원을 담아 놓는 그릇에 불과해."

어느새 연은 분노나 짜증도 잊고 조용히 모란의 이야기를 듣고 있는 중이었다. 어느 누구도 들려준 적이 없는 이야기다. 책에서도 찾아보기 힘들리란 걸 그는 직감적으로 느끼고 있었다. 모란의 눈을 보고 있으려니 불현듯 한번 느낀 적 있던 감정이 연을 엄습했다. 이자는 누구인가? 사람이 맞기는 하나? 분명 사람은 사람인데…….

"이 근원이란 것은 보통 여러 가지 이름으로 불려. 정신, 혼, 아르바시, 쿰바, 라이모……. 명칭은 달라도 사람이라면 이 '근원'이 존재한다는 걸 반드시 느끼고 있지."

거기까지 말하고는 모란이 곤란하다는 얼굴을 했다.

"근원은 어지간해서는 손상되지 않아. 손상되면 큰일 나니까, 아무렴, 그래서는 안 되지. 그런데 말이다, 언아."

갑자기 연의 가슴이 덜컥 내려앉더니 심장이 빠르게 뛰었다. 당혹스러워 그가 몸을 휙 뒤로 뺐다. 모란이 그를 이름으로 부른 것은 처음이었다. 모란이 그를 말끄러미 바라보았다. 연은 마치 그 시선에 제 몸이 꿰뚫리는 것 같다고 생각했다.

"네 근원에는 문제가 있어."

연의 가슴이 또 덜컥 내려앉았다. 그가 눈을 깜박였다. 내 근원에 문제가 있다고? 그러니까…… 내 혼에 문제가 있단 말이야?

"몸이 아픈데 몸에는 이상이 없지? 아무도 네가 왜 그렇게 앓아눕는지 알아내지를 못했지?"

그는 아무런 말을 하지 못했다. 이제껏 내내 궁금해 왔던 대답을 뜻밖의 인물로부터 들은 탓이었다.

어렸을 적부터 연은 수백 수천 번을 스스로에게 물어보았다. 내 몸은 왜 이렇게 아프지? 열에 들떠서 헛소리를 하면서, 기절해 까무러치면서, 좀 힘들게 움직였다고 자리에 주저앉고 구토하면서……. 뭐가 문제일까, 내가 뭘 잘못했나 몇 번이나 곱씹어 보았다. 백모란이 되었을 때는 의원이 뇌면 알 수 있을까 기대를 걸기도 했다. 그런데 몸이 잘못된 게 아니라니, 그래서 원인을 찾을 수 없었다니.

"내 혼의 어디가 문제지? 어떻게 해야 나아질 수 있어?"

원래도 허약했던 몸이란 건 알지만 모란의 몸을 경험해 보니 더욱 극적으로 느껴지기만 했다. 모란의 몸에 있으면서 행복했던 이유 중 하나는 더는 숨이 차지 않고 아프지도 않다는 점이었다. 이 몸으로도 그럴 수 있다면 연은 무엇이든지 할 수 있었다. 무엇이든지.

연은 저도 모르게 간절한 얼굴을 보였다. 모란이 그런 연의 얼굴을 보고는 뺨을 긁었다.

"그게 잘 모르겠단 말이지."

"잘 모르겠다니?"

"말했지, 처음에 널 봤을 때 이 몸에 적응을 못 해서 착각했다고. 이 눈으로 보는 건 결코 쉬운 일이 아니야."

모란이 금색 고리가 영근 눈으로 바라보았다. 금색으로 빛나는 고리는 처음에는 하나더니 곧 두 개, 세 개로 늘어났다. 어째서인지 등골이 선득해 똑바로 보고 있기가 힘들었다. 연이 눈을 질끈 감았다가 떴다. 모란은 그렇게 한참을 연을 살펴보다가 고개를 저으며 툴툴거렸다.

"지금 이 몸으로는 아무리 집중해서 봐도 문제가 있다 없다 정도만 알 수 있단 말이야. 뭘 고치려거든 문제가 무엇인지 알아야 하잖아."

처음으로 희망에 차서 연이 주먹을 꽉 쥐었다. 모란이 해결만 해 준다면 아까 전에 있었던 그 무례하고 치욕스러웠던 일 정도는 그냥 넘어가 줄 수도 있었다.

"그러면 어떻게 해야 하는데?"

"만져 보면 돼. 직접 만져 보는 것만큼 정확하게 볼 수 있는 방법이 따로 없거든. 특히 가슴은 근원이 잘 보이는 곳들 중 하나야. 인체의 치명적인 급소일수록 그래. 믿을 만한 사람 외에는 너를 똑바로 바라보게 하면 안 된다는 말이 여기서 비롯된 거야."

그런 말은 난생처음 들어 본다. 연의 얼굴을 보고는 모란이 아, 하고 뭔가 깨달은 듯한 소리를 냈다. 아마 그쪽 세계에서 유명했던 말인 듯했다. 아무튼 연은 이제야 아까 모란의 언사가 이해가 갔다. 그러면 일단 먼저 설명부터 제대로 했어야지, 대뜸 몸을 만지게 해 달라 하면 그 누가 오해하지 않겠냔 말이다.

그런데 아직도 이해가 가지 않는 부분이 하나 있었다. 가슴은 그렇다 쳐도 엉덩이는 왜? 의아해진 연이 물었다.

"엉덩이는 인체 급소가 아닌데?"

"엉덩이는 뭐랄까……. 근원을 볼 때 보조적인 도움을 주지……."

드물게도 모란이 말꼬리를 오묘하게 흐렸다. 보조적인 도움이 뭔지는 몰라도 그다지 유쾌할 것 같지는 않았다. 연이 얼굴을 찡그렸다.

"아무튼 앞으로는 제대로 말해. 아까는 영락없이 남색가인 줄로만 알았잖아."

그러자 돌연 모란이 느리게 미소를 지었다. 뭐지? 저 미소는……. 어쩐지 이제까지 봐 온 표정과는 종류가 다른 것 같은데……. 모란이 눈을 가늘게 뜨고 연을 바라보더니 물었다.

"남색가가 무어가 어때서?"

"뭐?"

"정말 궁금해서 그래. 내가 남색가면 뭐가 어때서? 그러면 문제가 되나?"

연은 턱 말문이 막혔다. 너무 당연한 걸 물으니 할 말이 없었던 것이다.

"당연히 문제가 되지! 남자가 남자를 좋아한다니 어찌……."

"그것 참 내가 들어 본 중에 가장 이상한 말이로군. 남자가 남자를 좋아하는 게 문제라니! 그런 해괴한 소리는 처음 들어 봐."

모란이 쯧쯧 혀를 찼다. 그러더니 남색가의 문제점이 대체 뭐냐는 얼굴로 연을 빤히 바라보았다. 연이 당황했다. 뭐가 문제인지 말해 보라고?

"남자와 남자는 대를 잇지 못하잖아."

"……."

'아니, 그런데 대체 이자는 아까부터 왜 이렇게 귀엽다는 표정으로 보는 거야? 진심으로 나를 귀엽다고 생각하는 건가?'

연은 다시 좀 짜증이 나기 시작했다. 모란이 마치 어린아이에게 설명하듯 사근사근하게 말을 해서 더욱 그랬다.

"그 말대로라면 여색가도 대를 잇지 못하니까 안 되겠지?"

"……그렇지."

일단 맞는 말이니 연이 고개를 끄덕였다. 언제나 대를 잇는 것은 가문의 큰 중대사 중 하나였다. 후사가 없으면 핏줄이 끊기게 되는 것이다.

"그러면 다른 남자에게 씨를 받아 자식을 낳기만 하면 되겠군. 대만 이으면 되니까 그 후에는 마음껏 여색을 해도 되고 말이야. 남색가도 밖에서 자신의 핏줄을 이은 자식만 데려오면 그 후부터는 마음껏 남색을 해도 되는 건가?"

"그건……."

연은 그만 말문이 막히고 말았다. 옳지 않게 느껴지는데, 반박할 말을 찾지를 못하겠는 것이다. 아이를 낳는 것이 의무라고 하려니 차마 말이 나오지 않았다. 자신처럼 의무에서 태어나는 사람이 있긴 하나 그렇다고 모든 사람이 의무에서 태어나는 것은 아니었다.

연이 고민하자 모란이 태연한 얼굴로 다른 예시를 꺼냈다.

"아니면 반대로 생각해 보도록 하지. 씨 없는 남자나 여자도 다른 사람과 맺어져서는 안 되는 거 아닌가? 대를 이을 후손을 생산할 능력이 없으니 연애하거나 결혼할 권리도 없는 것이지."

"그 무슨 말도 안 되는!"

"하지만 방금 네 논리가 그것인데?"

연이 입술을 깨물었다. 모란을 노려보았다가, 한숨을 쉬었다가 이내 마지못해 고개를 끄덕였다. 자신의 말에 허점이 있다는 걸 깨달았기 때문이었다. 그러자 모란이 또 연에게 있어서는 그 빌어먹을 귀엽다는 식의 표정으로 보면서 턱을 괴었다.

"그리고 또?"

"······또 뭐?"

"다른 이유는 없어?"

모란이 자신을 놀린다고 생각한 연이 인상을 썼다. 그리고 모란은 또, 그 젠장맞을 표정을 지었다. 이상한 표정 지었다고 뭐라 할 수는 없으니 연은 속만 부글부글 끓을 뿐이었다.

"그래서 네가 남색가라고?"

"무슨 소리를, 난 남색가가 아니야."

아니라니 모란에게 몸을 맡겨야 하는 입장인 연으로서는 그나마 다행이다 싶었는데 그가 지껄여 댔다.

"여자와 남자 모두 좋거든. 나는 만인을 사랑하지······. 각각 매력이 각별해. 만져 보면 알겠지만 둘 다 가슴도 엉덩이도 쥐는 맛이 달라."

몇 번이나 생각하는 것이지만 모란은 상종 못 할 인간이었다. 진짜 저질스럽고 야만하기 짝이 없어서······. 가슴이나 엉덩이를 쥐는 맛이 어쩌고 어째? 연이 노골적으로 경멸하는 표정을 지어도 모란은 빙글빙글 웃을 따름이었다. 정말 이자에게 맡겨도 되는 건가 연은 의심이 갔다.

"그럼 슬슬 한번 제대로 볼까."

모란이 여기 앉으라는 의미로 바닥을 툭툭 쳤다. 확신이 들지 않아 머뭇거리던 연이 주먹을 꽉 쥐었다. 하기 전에 반드시 해야 할 말이 있었다.

"야명주 거북이 값은 내가 갚을 거야, 알겠어?"

"그래그래, 알겠으니 얼른 이리로 와서 앉아 봐."

연이 머뭇거리며 자리에서 일어나 모란의 앞으로 다가갔다. 풀썩 앉으려는데 모란이 허리를 팔로 감아 잡아당겼다. 졸지에 모란의 허벅지 위에 앉게 된 연이 소스라치게 놀라 벌떡 일어났다. 아니, 일어나려고 했다. 그러나 허리에 감긴 팔이 얼마나 군건한지 꿈쩍도 할 수가 없었다.

"이게 뭐 하는 짓이야!"

"최대한 접촉하는 게 좋거든. 보기 힘드니까 이제 얌전히 좀 있어 보렴."

모란의 표정이 매우 진지하여 연도 입을 꾹 다물었다. 여전히 허리에 감긴 팔이나 깔고 앉은 단단한 허벅지가 너무 신경 쓰여서 귀가 벌겋게 달아올랐다. 모란은 먼저 연의 목 바로 아래에 검지와 중지를 얹었다. 그렇게 한참을 살피더니 천천히 손가락을 내렸다.

연은 저도 모르게 목울대를 울렸다. 그는 누군가와 한 번도 이런 친밀한 접촉을 해 본 적이 없었다. 기분 탓인지 손가락이 쓸고 내려간 자리가 화끈거리는 것처럼 느껴졌다. 이내 모란이 손을 펴 손바닥을 가슴 정중앙에 댔다. 그의 눈에서 금색 고리의 개수가 시시각각 달라지며 아롱졌다.

이 자세가 민망하고 불편하여 연이 천장만 바라봤다. 그가 이상한 걸 느낀 건 차츰 이 상황에 익숙해질 때였다. 허리에 감겨 있던 손이 슬금슬금 점점 아래로 내려오는 게 아닌가. 처음에는 느낌 탓이겠지 싶었는데 손이 엉덩이 위에 올라오자 모른 척할 수가 없었다.

'보조적인…… 도움을 준다고 했지.'

좀 더 얼굴을 벌겋게 붉힌 채 입술 꾹 깨물고 있던 연이 소스라쳤다. 모란의 손이 꽉 엉덩이를 움켜쥔 탓이었다.

"이봐!"

발버둥을 쳤더니 모란이 쉬쉬 달래는 소리를 내며 어린아이에게 하듯 엉덩이를 툭툭 두드렸다. 연의 얼굴이 시뻘겋게 달아올랐다. 모란은 그래그래, 하면서 말로만 달랬다. 눈에 금빛 고리가 걸려 있지 않았다면 연은 벌써 그를 걷어차고 품에서 벗어났을 것이다. 급기야 연의 입에서 험한 소리가 나왔다.

"이 개자식, 이거 안 놔?!"

"글쎄, 안 그래도 보기 힘들다니까. 가만히 좀 있어 봐."

이렇게 큰 소리를 내는데도 사람이 보러 오지 않는 게 이상했다. 아마도 모란이 또 그 마법인가 뭔가로 조치를 해 놓은 게 분명했다. 연은 몸을 들썩여도 봤지만 벗어나기란 요원한 일이었다.

한편 연과는 달리 모란은, '옳지, 이거군' 하고 생각하고 있었다. 하도 연이 심하게 발버둥치기에 팔에 꽉 힘을 주었다. 간신히 보일락 말락 하고 있었다. 골똘히 들여다보던 모란이 무심코 물었다.

"엉덩이 좀 때려도 될까?"

너무나 기가 막힌 나머지 연이 제 귀를 의심했다. 워낙 혼을 들여다보는 것에 집중하느라 정신이 팔려 있던 모란은 뒤늦게 아차 했다. 벌겋게 달아오른 연의 표정이 심상치가 않았다. 팔을 놔주자마자 또 아까처럼 검을 뽑아 들 것 같았다. 그러고 보니……. 전에 그 수인족도 꼬리를 틀어쥐었다고 죽이니 마니 했었지. 일단 설명을 해야겠다 싶어 모란이 살살 잘 달랬다.

"내가 엉덩이는 보조적인 수단이라고 했잖아."

연은 대꾸조차 하지 않고 노려보기만 할 따름이었다. 모란은 엉덩이를 쥐고 있던 손을 슬그머니 놓았다. 그리고 그 와중에도 생각했다. ……왜 이렇게 손에 착착 감기지? 살 좀 잘 찌워 놓으면, 더……. 상대가 성인인데도 하는 모양이 어린애 같아서 이상하게 양심에 찔리기는 하는데. 하긴 언제는 내게 양심 같은 게 있었던가. 모란이 속으로 히죽 웃었다.

"감정적으로 격발을 해야 근원이 더 잘 보여."

"……."

"정말이라니까? 어떤 감정이든지 극할수록 요동을 치고 난리를 부리거든."

연은 불신 어린 표정을 짓고 있었으나 모란의 말은 사실이었다.

연의 혼은 처음에는 허벅지 위에 앉혀진 것만으로도 잘만 부풀어 오르더니, 차츰 진정이 되자 다시 사그라들기 시작했다. 아직 제대로 살펴보지도 못한 모란으로서는 난감한 일이었다. 그래서 전에 하던 대로 좀 더 건드려 보는 것이다.

그에게 있어 엉덩이 좀 움켜쥔 건 건드렸다고 할 수조차 없었다. 사실 그는 지금 쉬운 방법을 놔두고 어려운 방법으로 돌아돌아 가는 중이었다. 연의 혼에 문제가 생긴 게 아무래도 자신과 관련된 것 같으니 나름대로의 배려였다.

혼을 살펴볼 수 있는 가장 쉬운 방법은 무엇인가. 이 방법을 알자면 먼저 가장 사람의 혼이 요동치는 때가 언제인가를 알아야 한다. 사람의 혼은 격렬한 감정적 변화를 느낄 때 거세게 움직인다. 극한 슬픔이나, 기쁨이나, 분노 따위의 감정이 바로 혼이 발하는 빛이었다.

이런 감정이 극에 달할 때에는 여러 가지가 있었다. 소중한 사람을 잃었을 때, 죽어 가고 있을 때, 누군가를 죽이고 싶은 증오에 들끓고 있을 때, 그리고 바로 성적인 관계를 맺을 때다.

게다가 육체가 왜 혼의 그릇이겠는가. 주둥이가 긴 병 안의 내용물을 만져 보려면 무엇이든 넣어 봐야 한다. 다른 말로는 성기든 손가락이든 혀든 간에 몸속으로 밀어 넣어 봐야 한다는 의미다.

원래의 몸이라면 슬쩍 피부를 만져 보는 것만으로 상태를 알 수 있겠지만 지금 몸은 그러지를 못했다. 완성이 되지 않은 몸이라 단순히 보고 있는 것도 좀 무리였다.

하지만 연의 성격상 뭐라도 밀어 넣었다가는 자신을 진심으로 죽이려고 덤비거나 혀를 깨물어 버릴 게 분명했다. 유혹한다고 하여 넘어올 상대도 아니었다.

그러나 보기 힘들어도 뭐가 문제인지 한 번쯤 제대로 보긴 봐야 했다. 모란의 눈에는 연이 본원지기를 줄줄 흘리고 다니는 게 보였던 탓이다. 본원지기를 흘리고 다닌다는 말은 무슨 뜻이냐 하면 생명력이 급속도로 새어 나간다는 의미였다. 몸속에서 소진되는 것도 아니고, 밖으로 새어 나간다니…….

수십, 수백 가지의 혼을 들여다본 적이 있는 모란에게도 이런 상태는 난생처음이었다. 혼이 손상된 게 분명했다. 조금 찢긴 정도라면 괜찮겠으나, 만약 최악의 상태라면……. 그렇기에 최근 열심히 몸을 완성시키면서 모란은 틈틈이 연의 상태가 어떤지 살피려고 애를 썼다. 그러나 여간해서는 알아보기가 힘들었다.

본인은 모르고 있지만 지난번 정원에서 연은 거의 죽을 위기에 처했었다. 그렇게 되기까지 아무런 징조도 없었다. 그런데도 돌연, 온갖 일을 다 겪은 모란도 놀랄 정도로 연의 본원지기가 한꺼번에 새어 나가는 게 아닌. 임의로 최대한 주워 담아 밀어 넣고 제 기운으로 봉하기는 하였으나 임시방편이었다. 금이 간 벽 겉면에 회반죽만 발라 멀쩡한 것처럼 보이게 하는 셈이었다.

이렇게 좋지 않은 상황이긴 하나 아무리 그래도 모란은 강제적인 방법은 쓰고 싶지 않았다. 제대로 보긴 봐야 하니 나름대로 그는 신사다운 방법을 사용하는 것이다. 하지만 역시 협조가 필요했기에, 모란은 결국 좀 비겁한 방법까지 써 가며 파르르 분노에 떨고 있는 연을 살살 구슬렸다.

"이것 봐. 보여?"

연이 움찔했다. 옷을 젖혀 드러난 모란의 가슴에 사나운 흉터
가 있었다. 연은 저 흉터가 왜 생겼는지 잘 알고 있었다. 모란
의 몸에 있는 흉터가 저것뿐만이 아니라는 것도 안다.

언제였나, 모란이 막 열 살이 되던 해였다. 겨울이었고 날이
꽤 찼다. 그날도 연은 모란을 쥐 잡듯이 잡고 있었다. 그러나
전과는 달리 아무리 괴롭혀도 눈 하나 깜짝 안 하기에 연은 분
이 올랐다. 그래서 밀어 버린다는 게 뒤에 무엇이 있는지는 미
처 인지하지 못한 것이다.

때가 겨울이니만큼 날씨는 끔찍하게 추웠다. 손이 곱아 일하
기가 힘들었기에 시비나 하인들은 뜰에 화로를 놓고 손을 쬐곤
했다. 모란은 바로 그 화로 위로 넘어졌다. 반사적으로 몸을 옆
으로 굴리기는 하였으나 화로가 엎어지면서 튀어나온 숯 하나
가 가슴 위로 떨어졌다. 꽤 심한 화상이었기에 상처가 아물어도
흉터는 사라지지 않았다.

"나는 너한테 그동안 엄청 맞았잖아. 이거에 비하면 엉덩이
맞는 것 정도는 참을 만한 수준이지 않나?"

그건…… 그건 그렇지만. 연은 다소 억울했다. 아니, 말마따
나 백모란이 맞긴 했으나 그게 어디 백모란이었던가? 그간의
고통은 전부 다 자신이 느낀 것이었다. 화상을 입을 당시의 끔
찍한 고통도, 겨울이라 화상이 덧나 진물이 났을 때의 고생도
전부 연이 직접 감당한 것이었다. 하지만 그렇다고 흉터가 없어
지는 것도 아니었기에 연은 주먹을 꽉 쥐었다.

"좋아, 때려. 하지만 때리려거든 다른 곳을 때려."

아무리 제 몸을 고치기 위해서는 뭐든 하겠다고 다짐했다지
만 엉덩이만큼은 모란이 때리게 둘 수가 없었다.

"다른 곳 어디?"

"……얼굴?"

모란일 적 꽤 얻어맞아 본 경험상, 얼굴을 맞으면 머리로는 이해해도 감정적으로 분하고 억울할 것 같았다. 어차피 방에 틀어박혀 있으면 그만이니까 괜찮을 터다. 그런데 그 말에 모란이 드물게도 인상을 쓰며 연을 빤히 바라보았다.

"이제 곧 생일 연회인데 쥐어 터진 몰골로 나가겠다고?"

이 믿기지 않는 상황에 연오의 생일 연회를 깜박하고 있던 연이 아차 했다. 그렇다. 연오의 연회에 맞은 얼굴로 나갈 수는 없었다. 누가 그랬냐며 당장 연오가 들고일어나 연회가 뒤집어질 게 분명했다.

"그리고 잘생기고 예쁜 얼굴 뭐 하러 그런 식으로 엉망으로 만들어?"

"뭐, 뭐?"

잘생겼다는 수식어와 예쁘다는 수식어가 동시에 들리자 연은 잠시 당황했다. 모란의 말이 저를 놀리는 것 같은데 이상하게도 진심처럼 들렸다. 얼굴이 조금 더 벌겋게 달아올랐다. 애써 침착한 척하고는 있는데 연은 정말이지 한 번도 겪어 본 적 없는 상황에 환장할 것 같았다. 모란을 두들겨 패고 싶은 마음 반, 밖으로 뛰쳐나가고 싶은 마음이 반이었다.

"그럼 다리라든가."

"다리 절고 다닐 일 있어? 그냥 제일 후유증 없는 엉덩이로 하지."

"이……."

연은 욕이 나올 뻔한 걸 가까스로 삼켰다. 이 작자는 대체…….

"그럼 배나, 등이라든가…….."

"거기 치면 넌 죽는단다."

죽는다는 말을 하는데 얼굴이 얼마나 솔직하던지 연은 조금 소름이 돋았다. 그러면 대체 어쩌라는 건지 싶었다. 여기도 안 되고 저기도 안 되고……. 그러나 엉덩이 때리라고 하긴 너무 싫고. 그런데 모란이 또 그 간교한 혀를 놀려 댔다.

"엉덩이가 뭐가 어때서 그래?"

말하는 투가 남색가가 뭐가 어때서? 하고 물어볼 때와 똑같아서 연이 흠칫했다.

"아니, 때리기에 가장 안전하고 좋은 곳이 엉덩이잖아. 왜 굳이 다른 데를 고집하는 건데? 안 그래도 안 좋은 몸, 다른 데 때리면 진짜 안 좋아진다."

왜 그러냐니, 엉덩이니까 그러지……! 정말 그 선택지밖에 없는가 연이 부들부들 떨고 있는 동안 모란이 솔직하게 말했다.

"게다가 엉덩이가 제일 효과적이야."

"뭐가, 뭐가 효과적인데?"

"다른 곳은 맞아도 딱히 부끄럽거나 수치스럽지는 않잖아."

모란이 다른 솔직한 마음 반은 조용히 삼켰다. 딱히 내가 엉덩이를 때리는 걸 좋아해서는 아니고…….

그런데 정말이긴 했다. 감정 중에 가장 원색적인 것 중 하나가 수치심이다. 다른 감정들과 달리 가장 여운이 오래가는 종류의 것이 아니던가.

수치심은 몇 년 이상이나 가는 것들도 있었다. 기쁜 감정이 지속 시간이 제일 짧으며 그 다음으로는 분노, 슬픔, 그리고 마지막으로는 수치심이 제일 오래갔다.

정말 이 길밖에 없는가 싶어 연은 주먹만 꽉 쥐었다가 한숨을 쉬었다가를 반복했다. 그리고 마침내 물었다.

"얼마나 맞아야 하는데?"

"당연히 충분히 보일 때까지지."

한참을 갈등하다가 연이 결국 결심했다. 그래, 엉덩이 좀 맞는 것쯤이야……. 건강해질 수만 있다면 얼마든지 감내할 것이었다. 이내 연이 이를 갈았다. 하지만 만약 이 방법이 안 통한다면 모란을 기필코 죽여 버리고 말리라……. 허락하려는 말을 뱉으려고 입술을 달싹이던 연의 얼굴이 벌겋게 달아올랐다.

모란은 바로 그때를 놓치지 않고 가슴팍을 유심히 바라보았다. 연은 큰 결심을 내리느라 그의 눈동자 속에서 금빛 고리가 복잡하게 엉키다가 순식간에 여덟 개로 늘어나 마치 만개한 꽃처럼 변하는 건 미처 보지 못하고 놓치고 말았다.

"좋아. 원, 원하는 만큼 때려."

그렇게 말하고는 몹시 부끄러웠던 연은 모란이 손을 움직이는 걸 보고는 눈을 질끈 감았다. 이제 엉덩이에 올 타격감을 기다리고 있는데 뜻밖에도 모란은 연의 어깨를 잡아 부드럽게 밀어 냈다. 무슨 일인가 어리둥절하여 연이 다시 눈을 뜨자 모란이 눈을 찡그리고 있었다.

"그건 다음에 하자. 오늘은 힘들어서 더는 못 보겠으니까."

이 짓을 다음에 또 하라고? 그렇게는 못 한다며 연이 소리치려던 찰나 모란이 벌렁 뒤로 누웠다. 진짜 힘들었는지 관자놀이에 식은땀이 맺혀 있었다. 연은 내심 놀랐다. 보는 게 힘들다더니 정말이긴 한 모양이었다. 한참을 그렇게 누워서 미간을 꾹꾹 누르다가 모란이 입을 열었다.

"더 자세히 봐야 할 것 같긴 한데……. 아무래도 네 근원이 좀 찢겨진 것 같다."

"찢…겨졌다고?"

"그래. 네가 내 몸에 들어갔다 나왔잖아. 맞지 않는 몸에다가 맞지 않는 시간대에 있었으니 생채기가 날 수밖에 없어. 당연히 몸에 안 좋지."

이쪽으로는 아는 바가 없었기에 연은 그러려니 하고 들었다. 맞지 않는 시간대란 건 자신이 과거로 돌아간 걸 말하는 건가?

안 그런 척하려고는 했으나 저도 모르게 목소리에 두려운 기색이 서리는 건 어쩔 수가 없었다.

"그건…… 많이 안 좋다는 의미인가?"

하도 혼을 오래 들여다봤더니 기력이 쭉 빠져 누워 있던 모란이 반쯤 몸을 일으켰다. 위험한 상태라고 솔직히 말을 해야 하는데 연의 표정을 보자 망설여졌다. 감정들 중 수치심만큼이나 강렬하고 오래가는 것이 두려움이라…….

옷자락을 쥔 손이 떨리고 있는 것까지 본 그가 잠시 눈을 굴렸다. 어차피 자신이 고쳐 줄 건데 뭐, 그럼 딱히 위험하고 자시고도 없지 않나? 그렇게 생각한 모란이 자신의 몸에 돌아오고 난 뒤 처음으로 거짓말을 했다.

"별거 아냐. 좀 조심하고 치료받으면 낫는 거지."

"그……래?"

안도한 연이 긴장을 풀었다. 무엇보다도 치료라는 말이 나온 것이 마음을 놓게 만들었다. 치료 방법이 있다니 다행이었다. 그다음으로 떠오르는 건 의원으로서의 호기심이었다.

"어떻게 하면 치료할 수 있지?"

"두 가지 방법이 있지. 내가 직접 찢어진 곳을 이어 붙이든가 아니면 신령한 것의 정수(精髓)를 구해 먹든가. 여기서는 영물이나 내단이라고 하지, 아마?"

연이 미간을 접었다. 후자는 거의 불가능한 치료 방법이라고 해도 과언이 아니었다. 영물이 어떤 존재던가? 짧게는 몇십 년부터 길게는 천 년을 넘게 사는 생물들이었다. 그 유명한 인형삼(人形蔘)이나 만년하수오(萬年何首烏)을 비롯하여 뿔이 달렸다는 구렁이 독각화망(獨脚火網), 아주 오래 산 잉어 만년화리(萬年火鯉) 등이 바로 그것이다. 그중 상당수는 목격자조차 없이 구전으로만 전해져 내려오고 있었다.

일생 동안 한 번 보는 것도 힘들뿐더러 어지간한 고수가 아니면 상대하는 것조차 쉽지가 않았다. 내공 증진을 위해 그 자리에서 먹어 버리는 사람이 부지기수였고 십 년에 한 번 시중에 나올까 말까 하는 것들은 부르는 것이 값이었다.

"후자는 그다지 추천하지 않아. 짐승의 것이라 내단을 받아들이고 자신의 것으로 만드는 과정이 목숨을 걸어야 할 정도로 위험한 데다가 부작용이 심하거든. 자칫 잘못했다간 인간도 뭣도 아니게 되어 버리지."

마치 언제라도 영물의 내단을 구할 수 있을 것처럼 모란이 태연하게 말했다. ……아니, 어쩌면 모란이라면 정말 그럴 수 있을지도 몰랐다. 그럼 전자밖에 방법이 없다는 건데, 정말이지 내키지가…… 않았다……. 입술만 깨물다가 연이 물었다.

"치료도 설마 오늘과 비슷해?"

"뭐어, 어느 면에서는 그렇다고 할 수도 있고 아니라고 할 수도 있고."

모란이 애매모호하게 대답했다. 어쩐지 불안했다. 연이 주먹을 꽉 쥐었다. 세상에 엉덩이를 때려야 진찰이 가능하다는 해괴한 진찰법은 처음 본다. 연이 아는 중에 엉덩이를 때리는 게 치료법인 건 딱 하나다. 갓 태어난 아기가 울음을 터트리도록 가볍게 엉덩이를 때리는 것. 그 외에는 듣도 보도 못 했다. 진찰법이 이토록 해괴한데 치료법은 얼마나 더 이상하겠는가?

"치료할 때도 설마 그 망할 보조적인 수단이 필요한 건 아니겠지?"

모란은 갑자기 말이 없어졌다. 그가 딴청을 피우자 주먹을 꽉 쥔 연의 손등에 힘줄이 올랐다. 아까 그가 설명을 해 주었는데도 아직도 어린애처럼 엉덩이를 맞아야 한다는 게 납득이 가지 않았다.

"얼마나 오래 걸려?"

"얼마나 많이 찢어졌느냐에 따라 다르지. 다음에 다시 한번 보면 알 수 있을 걸. 모르긴 몰라도 꽤 오래 걸릴 거야."

그렇겠지. 다른 것도 아니고 근원, 그러니까 혼이라는 게 찢어졌다는데. 아마 모르긴 몰라도 이 세상에서 모란 외에는 치료법을 알고 있는 사람이 없을 것이다. 연은 체념하기 시작했다. 그래도 나을 수 있다는 게 어디냐고 그가 스스로를 위로했다.

"치료 안 하면 계속 이런 몸으로 살아야 하는 거지?"

"그렇지."

"……그래, 알았어. 그럼 대가는?"

응? 모란이 의아하다는 듯 되물었다. 연은 오히려 그 반응이 더 뜻밖이었다. 당연히 지금까지 그래 왔듯 대가를 받을 것이라고 생각했던 탓이다. 자신을 치료해 준다는데 대가를 주는 게 당연한 일이기도 했다.

모란은 턱을 문지르며 곰곰이 생각했다. 그가 연을 치료하려는 건 딱히 대가를 바라서가 아니었다. 딱히 할 일이 없기도 했고, 연에게 일말의 책임감을 느끼기도 했으니.

"아직 딱히 필요한 게 없는데. 대가는 차차 생각해 보도록 하지."

"돈이라든가 그런 건?"

"돈? 가질 만큼 가졌어."

충분히 쉬었는지 모란이 자리에서 벌떡 일어나다가 조금 비틀거리며 발을 헛디뎠다. 연이 멈칫했다. 부축해야 하나 말아야 하나 고민하고 있자 모란이 잠시 후에는 똑바로 섰다.

"그럼 며칠 뒤에 다시 보도록 하지."

마지막으로 다시 한번 비틀하더니 다음 순간 모란이 순식간에 눈앞에서 사라졌다. 연이 미간을 찌푸렸다. 보는 것만으로도 저런데 치료는 더 힘든 게 아닌가? 아니면 보는 것과 치료는 완전히 다른 성질인가? 연이 무심코 제 손을 들어 보았다. 희고 창백하고 차가운 손이다.

"정말로 고칠 수 있게 된다면 좋겠는데."

이제 와서 무공의 성취 같은 건 바라지도 않았다. 그저 오래 걷거나 움직여도 숨차지 않고 갑자기 기절하지 않을 정도만 되기를 바라는 것이다. 특히나 더운 한여름에도 종종 엄습하는 한기는 정말이지 견디기 힘들었다.

그래도 오늘 낮에 있었던 일이 몸을 낫게 할 수 있는 방법으로 이어졌기에 연의 기분은 퍽 좋아졌다. 그 덕인지 입맛이 돌아 그는 드물게 저녁도 남기지 않고 다 먹었다.

밤이 되어 이불을 덮고 누운 연은 이런저런 생각에 잠이 오지 않아 뒤척거렸다. 몸이 낫게 된다면 다른 곳에 여행도 갈 수 있게 될 테지. 제 나이대의 무인들이 못해도 한 번씩은 강호 유람을 다녀왔다는 이야기를 들을 때마다 연은 내심 부러웠다.

'모란은 정말 특이한 자다.'

오늘 있었던 일에 대해 생각하다 보니 자연스럽게 모란이 떠올랐다. 오늘 일로 모란에 대한 연의 시각은 다소 바뀌었다. 모란이란 자는 평소에는 경망스러워 보인다. 그러나 어느 때는 감당할 수 없을 정도로 무거워 보였다. 한량 같았지만 어느 순간에 보면 그는 마치…… 그래, 마치 태양을 머리에 이고 있는 자처럼 보였다.

'어쩌면…….'

사기꾼이나 협잡꾼 따위가 아니라, 괜찮은 자라면……. 그렇다면 어쩌면…….

오늘 외출했던 일로 피곤했던 연의 눈꺼풀이 가물가물 감겼다. 밤이 깊어지고 달이 이지러졌다. 동이 서서히 빛을 발할 때쯤이었다. 연은 무의식중에 어느 꿈에 잠겨 들었다.

꿈속에서 그는 숨을 헐떡이고 있는 중이었다. 침상에 엎드려 있어 흐트러진 이불 말고는 아무것도 보이지 않았다. 등이 무겁고 뜨겁게 느껴졌다. 허벅지 안쪽을 꽉 잡는 뜨끈한 손아귀에, 그는 뒤늦게 제 뒤에 사람이 있다는 걸 깨달았다. 그러나 전혀 이상하게 여겨지지 않았다.

잡힌 허벅지가 아파 신음하며 웅크리자 커다란 마찰음과 함께 엉덩이 한쪽이 얼얼해져 왔다. 몇 번이나 얻어맞은 연이 이불자락을 움켜쥐었다. 아프다. 아픈데 기분이 좋았다. 이 또한 전혀 이상하게 여겨지지 않았다.

연의 정신이 번쩍 든 것은 뒤에서 저를 끌어안고 있던 사람이 귀에 속삭였던 탓이다. 벌겋게 달아오른 귓불에 서늘한 입술이 바짝 달라붙어 움직였다.

'연아, 이렇게 하니 좋으냐?'

'우리 연이는 음란하고 예쁘기도 하지.'

'이렇게 하면 더 예쁘게 울어 본다 하였지?'

그리고 이어지는, 익숙한 사내의 낮은 웃음소리.

다음 순간, 연이 이불을 제치며 벌떡 자리에서 일어났다.

목덜미며 등이 식은땀으로 축축했다. 멍하니 앉아 있다 파르르 몸을 떨었다. 도무지 믿을 수가 없었다. 백모란이라니! 백모란이 자신을 희롱하는 꿈이라니! 한참을 그렇게 앉아 있던 연이 조심스럽게 이불을 들추었다. 다리 사이를 확인하고는, 좌절하여 머리를 감싸 쥐었다.

어느덧 아침 해가 뜨며 새로운 날이 밝아 오고 있었다.

"도련님, 이 옷은 어떠신가요?"

"괜찮아 보이는구나."

연이 의욕 없이 고개를 끄덕였다. 평소에도 연회에 그다지 적극적이지 않은 주인임을 알기에 시비들은 알아서 옷이며 장신구 등을 골라 놓고 물러났다. 그러나 연은 연회에 참가하기 싫어서 이러는 게 아니었다. 사흘 전 꾼 모란의 꿈이 도무지 잊히지를 않았다.

"도대체 왜 그 따위 걸 꿈으로 꿔서는."

그냥 모란이 나오는 꿈이어도 신경 쓰일 텐데 심지어 꿈에서 모란은 연의 그, 그……. 엉덩, 아니, 둔부를 가격하고 있었다. 더더욱 믿기지 않는 건 꿈속의 연은 그걸 기분 좋아했다는 것이었다. 그 어느 사람이 엉덩이 맞는 걸 좋아하겠냔 말이다. 꿈이라서 그런 거겠지, 애써 생각해도 충격은 가시질 않았다.

또다시 떠오른 꿈에, 연은 이를 갈며 옷을 갈아입었다. 시비에게는 아무 생각 없이 괜찮아 보인다고 했는데 입고 나니 실제로도 퍽 잘 어울리는 것 같기에 만족스러웠다. 털이 북슬북슬한 외투를 하나 더 걸치고 난 뒤 별생각 없이 야명주 거북이를 챙기던 그가 미간을 찡그렸다. 야명주 거북이를 보니 또 모란의 생각이 난 탓이다.

고개를 휘휘 저어 털어 버리며 화정당을 나섰다. 주강은 오늘 연회의 경비를 맡느라 자리에 없었다.

보통 연회는 모든 사람의 일과가 끝난 밤에 이루어지기에 벌써 사방이 어둑어둑했다. 다만 연회 분위기가 막 무르익기 시작한 창일당(昌日堂)만큼은 마치 대낮처럼 환하였다. 연은 걸음을 옮기며 한위 생각을 했다.

'오늘도 구석에 앉아 있다가 가려나.'

일단은 한위도 자식이긴 하니 가족 행사에는 구색을 맞추어 참석하기는 하나, 연은 행사 초반부 외에는 한위를 본 기억이 없었다. 한위가 원해서 돌아간 건지, 아니면 영명이 돌려보낸 것인지……. 연이라도 옆에 있어 주고는 싶은데 보이는 시선이 있으니 그럴 수가 없었다. 다소 무거운 마음으로 연회장에 들어섰다.

안휘성을 호령하는 남궁세가 소가주의 탄생일이니만큼 연회는 화려하고 규모가 컸다. 연회장 여기저기를 붉은 등이 환하게 비추었고, 한쪽에서는 비파며 금 소리가 은은하게 들려왔다. 자리마다 놓인 붉은 탁자 위에는 오리구이며 돼지구이며 온갖 구이와 찜과 면 요리가 올라와 있었다.

제일 중앙 상석의 자리는 비어 있었다. 영명의 자리다. 영명은 언제나 행사 중반부에 이목을 받으며 들이닥치기를 좋아했다.

연이 마지못해 시끌시끌한 사람들 사이를 헤치고 지나갔다. 지나갈 적마다 익숙한 얼굴들이 스쳤다. 구대문파와 오대세가, 그리고 안휘성에서 꽤나 잘나간다 하는 상회와 중소 문파에서 각기 온 이들이었다.

연오는 그들 중 제갈우와 황보영신과 이야기를 나누는 중이었다. 둘 모두 중원의 잠룡으로 손꼽히는 후기지수들이었다. 황보영신은 연오와 절친한 친우이자 동시에 사촌 사이이기도 했다. 그들에게서 시선을 돌린 연은 한위가 어디 있나 두리번거리며 남궁가 직계 가족들의 자리로 향했다.

직계들이 앉는 자리는 벌써 꽤 사람이 모여 있었다. 둘째 누이는 임신을 하여 오지 못했으나 첫째 누이인 남궁린은 가족들과 함께 대화를 나누는 중이었다. 그 외에 영명의 형제자매들…… 마지막으로 황보세희가 있었다.

연을 발견한 여인이 빙그레 웃었다. 그녀는 옷태나 행동이 우아하고 활기가 넘치는 미인이었다.

"연아, 오랜만에 보는구나."

"그간 강녕하셨습니까?"

연이 정중하게 인사를 올렸다. 황보세희, 그녀는 영명의 정실이자 연오의 친모 되는 사람이다. 이따금 연은 연오가 영명이 아닌 황보세희의 성격을 닮아 다행이라고 생각했다. 그만큼 그녀는 좋은 사람이었다. 허나 좋은 사람이었어도 연의 입장에서 가까이할 수는 없었다.

황보세희는 연에게 무언가 더 말을 건네고 싶은 눈치였으나 다른 가족들이 말을 거는 바람에 때를 놓치고 말았다. 연에게는 잘된 일이었다. 그는 가능한 조용히 연회를 마치고 얼른 방으로 돌아가고 싶었다. 이렇게 사람이 많은 곳은 딱 질색이다.

대신 연은 차를 마시며 주위를 둘러보았다. 한위, 한위가 대체 어디에 있으려나……. 직계면서도 한위는 한 번도 이 자리에 앉은 적이 없었다.

한참을 찾다 연은 초대된 객들이나 사용하는 탁자에 앉아 있는 한위를 발견했다. 그의 동생은 오도카니 의자에 앉아 탁자만 쳐다보고 있었다. 눈앞에 맛있는 음식이 식어 가는데도 손 하나 댈 엄두를 못 내는 듯했다.

연이 한위와 시선이라도 마주치려고 애를 쓸 때였다. 뒤에서 팔이 뻗어 나오더니 비어 있는 찻잔에 차를 따랐다. 익숙한 목소리가 귓전을 울렸다.

"뭐 더 필요한 건 없나, 도련님?"

뻣뻣하게 굳은 연이 고개를 돌리자 모란이 바로 뒤에서 히죽 웃고 있었다. 그는 놀라 크게 달그락 소리를 내려는 연의 찻잔을 잡아 주었다. 불현듯 며칠 전 꾸었던 꿈이 반사적으로 떠올랐지만 애써 눌러 두며 연이 인상을 써 보였다.

"여기서 대체 뭐 하는 중이야?"

"보다시피 시종으로 일하는 중이지. 왜 아무것도 안 먹고 있어? 면 요리라도 좀 먹지 그래."

모란이 연의 앞으로 소면 요리를 슥 내려놓았다. 도대체 그가 무슨 꿍꿍이로 여기에 있단 말인가? 그것도 하인 노릇씩이나 하면서? 심지어 모란은 근처의 사람이 자신도 소면을 달라 하자 심드렁하게 '소면 다 떨어졌습니다.' 하고 대꾸했다. 정말로 불량한 하인이었다.

"정말 왜 나왔어?"

"오늘은 달이 다 가려서 혹시나 하고 나와 봤지."

모란이 눈을 가늘게 뜨고 하늘을 올려다보았다. 초승달이 구름에 가려져 거의 보이지 않았다. 연은 전에도 이런 이야기를 모란에게 들은 적이 있었다. 지난번 심하게 어지러웠을 때지, 아마. 해도 달도 구름에 가리니 오늘은 밖으로 나가지 말고……. 이건 어떤 나쁜 일이 일어나기 전 모란의 경고 같은 것일까?

"별일 없으면 밤에 다시 한번 제대로 살펴보자고."

오늘인가……. 결연한 얼굴로 끄덕인 연이 앗, 하고 고개를 들었다. 마침내 한위와 시선이 마주쳤다. 남몰래 손을 흔들어 주자 한위의 얼굴이 밝아졌다. 전에도 이렇게 해 주었다면 좋았을 텐데. 한위에게 뭔가 먹이고 싶어 안달을 내던 연이 문득 모란을 바라보았다. 모란이 눈썹을 들어 올렸다.

"왜?"

"……아냐."

모란이 딱히 마음에 안 든다고는 하지만, 그를 부려 먹는 것은 별개의 일이었다. 게다가 그는 몸을 낮게 해 준다고 하지 않았나. 아무리 나중에 대가를 받겠다고 해도 연에게는 엄연히 은인인 것이다.

연이 얌전히 입을 다물자 모란이 눈썹을 꿈틀거렸다. 궁금한 건 그냥 두고 못 보는 성미인 모양인지 그가 채근했다.

"······아니, 신경 쓰이게. 왜?"

"별거 아냐."

"별거 아니면 그냥 말하면 되잖아."

실랑이를 하자 옆에 있던 사람이 연을 힐끔 바라봤다. 그냥 원하는 대답을 내주고 평화를 얻자는 결론을 내린 연이 입을 열었다.

"괜찮다면 한위에게 소면 좀 가져다줄 수 있어?"

모란이 인상을 썼다. 역시 안 되겠구나 하는데 나오는 대답은 뜻밖이었다.

"난 또 뭐라고."

그러더니 모란이 휘적휘적 한위에게 걸어갔다. 완전히 잡심 부름이라 정말 들어주리라고는 상상도 못 했던 연이 눈을 휘둥 그레 떴다.

한참 떨어진 한위에게 걸어간 모란은 눈을 동그랗게 뜨고 있는 그의 앞에 소면과 음식이 담긴 작은 접시도 놔 주었다. 머뭇 거리던 한위가 젓가락을 들고 먹기 시작하자 그제야 다시 휘적 휘적 돌아왔다.

"됐지?"

"······고마워."

모란이 어깨를 으쓱했다. 연은 이상하게도 귀가 조금 달아올 랐다. 어쩌면 그가 생각한 것보다는 좋은 사람일지도 몰랐다. 그런데 왜 다시 사흘 전 꿨던 꿈이 다시 떠오르느냐 말이다.

연회가 본격적으로 시작된 건 바로 그때였다. 황보세희가 자 리에서 일어나 상단으로 향했다. 연오가 그의 어머니에게 손을 내밀었다. 연은 다정한 모자의 모습을 물끄러미 바라보았다. 연오는 상단에 선 채 미소를 지으며 객들에게 포권지례를 해 보였다.

"저의 탄생일을 축하하기 위해 귀한 걸음 해 주신 분들에게 먼저 감사인사를 드립니다."

사람들이 박수를 치는 걸 보자 연은 연오 같은 사람이 되면 어떤 느낌일까 문득 궁금해졌다. 연오는 마치 전설이나 어느 소설의 멋진 주인공처럼 보였다.

상냥한 어머니에 가문을 이을 후계자, 오성이 뛰어나면서도 잘생기고 인격도 제대로 된 사람. 아무리 역경이 닥쳐와도 굳건하게 딛고 이겨 낼 그런 존재. 못되고 되바라진 동생 챙기고 엄하게 훈계시키는 것도…….

남궁영명이 등장한 것은 연오가 막 연설을 마쳤을 때쯤이었다. 그는 장로 한 명과 낯선 사람 한 명을 동반하고 있었다. 옷차림새를 유심히 보다가 연이 눈살을 찌푸렸다.

'당가……인가?'

옷차림새는 다른 사람과 다를 바 없었지만, 팔목에 달린 방울은 당가의 표식이나 다름없었다. 암기가 주 특징인 그들은 어찌나 움직임이 유연하고 부드러운지 팔목에 방울을 달고서도 소리 한번 내지를 않았다.

하지만 영문을 알 수 없었다. 제갈세가라면 모를까 당문세가는 남궁세가와는 그다지 연이 깊지 않다. 왜 당가의 사람이 영명의 곁에 붙어 있는 것일까?

그런데 느낌 탓인지 어쩐지 영명의 안색이 그다지 좋아 보이지 않았다. 무인이라고 내내 건강하기만 한 것은 아니니 연은 그러려니 넘겼다. 하긴 남궁영명의 나이도 이제 그렇게 젊은 나이는 아니었다. 강호에서 물러난 사람을 포함해 세가에서 반로환동(返老還童)한 장로가 두 명이나 있는 데 비해 영명은 아직도 그 경지에 이르지를 못했다.

슬슬 무공이 나이를 이기지 못할 때도 되었지.

"늦어서 미안하구나, 연오야. 일이 있었다."

"아닙니다, 아버지. 여기 앉으시죠."

연은 자식 중에 영명을 좋아하는 사람이 거의 없다는 걸 잘 안다. 그가 오로지 연오만을 총애한 탓이었다. 그렇다면 연오는 어떨까? 그도 영명을 존경할까? 그러기에는 영명과 연오는 서로 너무나도 다른 사람이었다. 연오는 대체로 얼굴에 표정이 솔직하게 드러나는 편이었으나 영명과 함께 있을 때만은 무슨 생각을 하는지 알 수가 없었다…….

가주가 참석했으니 한마디 안 하고 넘어갈 수야 없었다. 연오의 자리에 선 영명이 긴 연설을 마친 끝에야 선물들을 주는 시간이 되었다.

직계부터 선물을 전달하면서 다들 연오에게 덕담을 한마디씩 하고 돌아갔다. 연오의 신분이 신분이니만큼 진귀하고 좋은 선물들이 많았다. 연도 곧 마지못해 자리에서 일어났다. 연오는 연을 보고는 미소 지었다.

"그래, 무슨 선물을 가져왔느냐?"

"한번 열어 보시죠."

한 손바닥에 올라가는 작은 자개함에 연오가 궁금한 얼굴로 상자를 열어 보았다. 그리고 이내 눈을 크게 떴다. 좋아하는 거북이를 선물 받을 줄은 차마 몰랐던 듯했다. 그리고 보니 오늘 입은 옷 허리띠에 매달린 장신구도 거북이였다. 연오의 입꼬리가 드물게도 높이 치솟았다.

"귀여운 녀석인걸."

정말 좋아하시긴 하는구나. 연은 연오의 입에서 귀엽다는 수식어가 나오는 건 처음 들었다. 거북이를 자세히 살펴보던 연오가 눈을 가늘게 떴다. 그리고 놀라워하며 감탄했다.

"야명주를 깎아 만들었구나."

연오가 야명주 거북이를 쌓인 선물들 옆에 조심스럽게 내려 놓았다. 연은 자신의 선택이 성공적이었음을 확신할 수 있었다. 모란에게 돈을 빌리는 등의 우여곡절이 있었지만 그래도 연오가 기뻐하는 모습을 보니 연의 기분도 좋았다. 그가 흡족한 마음으로 자리에 돌아왔다.

선물을 주는 시간은 끝없이 이어졌다. 연오가 덕담을 받고 감사인사를 하는 동안 남은 사람들은 화기애애하게 떠들며 음식을 먹었다.

연은 모란이 주었던 소면을 먹는 둥 마는 둥 하면서 한위를 바라보았다. 자신 때문인지, 아니면 선물을 주고 싶었는지 한위는 처음으로 연회에 오래도록 남아 있는 중이었다. 한위가 안절부절못하며 선물을 만지작거리다가 마침내 용기를 내 자리에서 일어났다.

연이 영명을 보았다. 그는 마침 다른 장로와 이야기를 나누는 중이었다. 한위도 그걸 보고 일어난 게 분명했다. 불현듯 드는 불안감에 연이 미간을 찡그렸다.

'그냥 내가 몰래 형님에게 전해 준다고 할걸 그랬나.'

그러나 남궁영명의 생일 연회라면 모를까, 연오의 생일 연회였다.

자신과 마찬가지로 한위도 그의 동생이고 형제였다. 한위는 연신 영명의 눈치를 보며 걸음을 빨리해 연오에게 다다랐다. 한위가 선물을 들고 오리라고는 상상도 하지 못했던 연오가 놀란 낯을 보였다. 낮은 목소리라 이 거리에서 뭐라 하는지는 알 수 없었지만, 연오가 반갑게 한위를 맞이하고 선물을 받아 드는 건 볼 수 있었다.

"빌어먹을."

하지만 다음 순간 연은 저도 모르게 욕설을 내뱉고 말았다. 전혀 눈치채지 못한 것처럼 군 게 언제냐는 듯이 영명이 자리에서 일어나더니 한위에게 다가오는 것이다. 연은 처음부터 영명이 한위를 눈여겨보고 있었음을 깨달았다. 그의 표정을 보면 모를 수가 없었다.

한위를 향한 영명의 시선은 연오나 자신에게 보내는 것과는 완전히 달랐다.

영명이 제게 대체로 무관심했다면, 한위에게는 경멸하는 시선을 보내고 있는 것이다. 친부에게서 받는 싸늘한 시선에 한위는 가엾게도 얼굴이 완전히 창백해지고 말았다. 영명이 한위에게 물었다.

"이게 무엇이냐?"

연이 자리에서 벌떡 일어나려는 걸 뒤에서 누군가 잡아 눌렀다. 모란이었다. 그는 그제야 모란이 아직도 뒤에 서 있다는 사실을 깨달았다. 연이 겨우 참아 내는 동안 한위가 바닥만 쳐다보며 겨우 입을 열었다.

"거, 검 손질 도구입니다."

"아버지."

연오가 무어라 말하려는 듯했으나 영명은 손을 들어 막아 버렸다. 그러더니 경멸 어린 시선으로 선물을 살펴보고는 크게 비웃었다.

상단에서 상대적으로 멀리 있는 객들에게는 안 들려도 가까이 있던 직계나 방계들이 듣기에는 충분한 말 소리였다.

"타고난 핏줄이 천하기 짝이 없어 선물도 마찬가지로 너저분하구나."

"아버지!"

198

연오가 처음으로 언성을 높였다. 그러나 영명은 이상하게도 한위에게 끈질기도록 악랄하게 굴었다. 한위가 얼굴이 빨갛게 물들어 제 선물을 도로 가지고 가려고 할 때 그가 빼앗아 든 것이다.

"감히 이따위 걸 내 아들에게 선물해 주려고 했단 말이냐?"

그 말에 한위는 더는 참지 못하고 그 자리에서 도망치고 말았다. 연은 방금 본 것을 믿을 수가 없었다. 어떻게 아버지란 자가 아들에게 저럴 수가 있는가? 영명은 인간의 기본적인 인성조차 되어 먹지 못한 자였다. 연은 자신이 영명의 아들이란 게 수치스러울 정도였다.

그런데 영명은 거기서 끝내지 않았다. 평소보다 더 성정이 거칠어진 듯한 그가 돌연 연을 바라보았다.

"연이 너도 잘 봐 두거라. 저 천한 녀석처럼 너도 네 어미를 닮아서는 안 될 것이야."

"……."

"내가 하는 말에 왜 대답이 없느냐?"

오늘 영명의 행동은 분명 평소와는 다르게 날이 선 것이었다. 연오는 이제 완전히 얼굴을 굳혔다. 황보세희 또한 마찬가지로, 더는 미소를 유지할 수 없던 모양이었다. 다른 사람들 또한 슬슬 경직된 분위기를 느끼고 수런거리기 시작했다. 연이 조용히 자리에서 일어났다. 모란이 뒤에서 어깨를 잡는 것도 그에게는 아무런 상관이 없었다.

"제 어머니를 닮을 일은 없을 겁니다. 하지만 당신 같은 자를 닮느니 차라리 어머니를 닮는 것이 백배 천배 낫겠군요."

노골적으로 경멸하는 연의 시선과 대답에 영명이 잠시 침묵했다. 얌전하고 조용하던 아들의 반항이 도무지 믿기지 않은 모양이었다.

분노가 일제히 밀려왔는지 영명은 그다음으로는 벼락과 같은 노호를 내질렀다.

"이 고얀 놈! 다시 한번 말해 보거라, 감히 아비를 향해 그 무슨 말버릇이야!"

반로환동의 경지에 이르지 못하였다고는 해도 영명은 대단한 고수였다. 그가 노려보는 것만으로 연은 숨이 턱 막히고 가슴이 뻐근할 정도였다. 등에서 식은땀이 흘러내렸으나 그를 노려보는 걸 그만두지 않았다. 결국 연오가 나서서 영명의 앞을 막아섰다.

"즐거운 연회 자리입니다. 이쯤 하시는 것이 좋겠습니다."

이미 그 즐거운 연회는 완전히 파투가 난 상태였다. 영명은 연오를 한번 보고, 다시 한번 연을 노려보더니 자리를 박차고 나갔다. 웅성거리기 시작하는 군중들에게 연오가 침착하게 입을 열었다. 그리고 다시 정중히 포권지례를 해 보였다.

"여러분, 아버지가 많이 취하셨던 모양입니다. 심려를 끼쳐 드려 죄송합니다. 별일 아니니 부디 계속 연회를 즐겨 주시기 바랍니다."

멈췄던 음률이 다시 흐르기 시작했으나 아까와 같은 분위기는 돌아오지 않았다. 연은 비틀거리며 그 자리에 앉았다. 머리가 핑핑 돌고 숨이 턱까지 차올랐다. 마치 지난번 심하게 현기증이 오르던 때 같았다. 어찌나 상태가 좋지 않던지 몸 안에서 바스락거리는 소리가 들리는 것 같았다. 먹은 것도 없는데 가슴이 답답했다.

"일어나 봐."

모란이 겨드랑이 밑에 손을 넣어 가볍게 연을 일으켰다. 무인도 아니면서 정말, 힘이 세기도 하지……. 연이 비틀거리며 모란의 부축을 받아 걸었다. 사실상 모란이 거의 들다시피 하는 것이었다. 연회에 왔던 객들도 하나둘 돌아가기 시작했다. 그때 돌연 모란이 쯧 혀를 찼다. 그러자마자 뒤에서 연오의 목소리가 들렸다.

"연아! 괜찮으냐?"

연이 겨우 몸을 제대로 세웠다. 분명 까맣기만 할 하늘이 희 끗해지기를 몇 번이나 반복했다. 식은땀이 뺨을 타고 흘렀다. 연오의 얼굴에 걱정이 가득한 걸 보자 연의 마음속에서 죄책감이 고개를 들었다.

"죄송……합니다, 형님……. 저 때문에 괜히, 연회가……."

"쓸데없는 소리 말아라. 그보다 네 안색이 너무 안 좋구나."

괜찮다고 말하려는 찰나였다. 목구멍으로부터 무언가 울컥 치밀어 올랐다. 연이 황급히 입을 막았다. 컥, 하고 기침을 하니 무언가 줄줄 흘러나왔다. 손을 내려다보니 붉은 선혈이 한가득이었다.

설마 아까 그걸로, 내상을 입는다고? 겨우 그것 때문에? 연이 이를 악물었다.

"연아!"

아연실색한 연오가 다가와 비틀거리는 연의 팔을 잡았다. 얼마나 주위가 핑핑 도는지 연은 이제 눈을 뜰 수조차 없었다. 모란이 입을 연 건 바로 그때였다.

"소가주님, 진은록 의원님을 불러 주십시오."

연은 혹시나 또 피를 토할까 입을 틀어막다 모란의 말에 눈을 가늘게 떴다. 이자가 지금…… 대체 무슨 말을 하려는 거야?

"저는 그분의 제자로, 부족하나마 의원이라는 직함을 가지고 있습니다. 도련님의 상태가 몹시 좋지 않으니 한시가 급합니다. 소가주님께서 직접 가셔야 빠른 인도가 가능할 겁니다. 저는 응급 처치를 해 두고 있겠습니다."

망설이다가 고개를 끄덕인 연오가 경공으로 몸을 날려 사라졌다.

단둘이 있게 되자 모란은 연을 아예 안아 올렸다. 숨을 헐떡이면서 연이 모란의 멱살을 쥐어 잡았다. 딱히 잡으려고 잡은건 아닌데 손이 닿는 곳이 그랬다.

"사부님은, 왜……."

"어쩔 수 없잖아. 시간을 좀 끌어야 하는데. 젠장, 몸 상태가이 모양이라 공간 마법도 못 쓰겠군."

주위를 두리번거린 모란이 힘껏 뛰어올랐다. 연은 처음에 그가 경공을 쓴다고 생각했으나 이내 그 생각을 고쳐야만 했다. 고개를 돌리자 그들의 발밑으로 남궁세가가 멀어지고 있었다. 허공답보(許空踏步)와는 전혀 거리가 멀었다. 놀랍게도 그들은…… 날고 있었다.

이것도 마법인가? 정말 별 이상한 기술을 다 쓰는군……. 연은 빠르게 스쳐 지나가는 까마득한 하늘을 올려다보았다. 달도별도 모두 짙은 구름에 가려져 있었다.

잠시 후 모란은 화정당 뒤뜰에 내려앉았다. 그가 문을 박차고들어와 연을 침상에 눕혔다. 거의 간당간당 의식을 잃어버릴 것같아 연이 혀를 깨물었다. 어쩐지 의식을 잃으면 큰일이 날 것이란 느낌이 들었다.

연의 가물가물한 시야에 모란의 눈이 금색으로 빛나는 게 보였다. 아니, 어째서일까? 모란의 눈에 꽃이, 꽃이 피는데……. 갑자기 피가 올라와 울컥울컥 토해 내면서 연은 두려움에 질렸다. 이러다가 죽는 게 아닐까, 하는 원초적인 두려움이었다. 연이 중얼거렸다.

"나…… 이러다가, 죽을 수도, 있겠네."

살피는 것을 끝내고 연을 반쯤 일으키면서 모란이 심드렁하게 말했다.

"괜찮다. 내가 말했지 않아."

그의 손이 연의 뒷덜미를 휘감았다.

"혼 좀 찢어지는 건 별거 아니라고."

말을 마치자마자 모란이 입을 맞추었다.

처음에 연은 정신이 몽롱하여 모란이 제게 무슨 짓을 하는지도 인지하지 못했다. 혀가 힘없이 벌어진 입술 사이를 가르고 들어올 때에야 그가 정신을 차렸다. 어찌나 놀랐는지 잠시나마 정신이 번쩍 돌아왔다.

그러나 온몸에 힘이 없어 모란이 뒷덜미를 움켜쥐고 입을 맞추는 건 막을 수가 없었다. 겨우 올린 손만이 모란의 옷깃을 쥐었을 뿐이었다. 모란이 사납게 입술을 깨물었다가 놓았을 때 연이 숨을 헐떡였다.

"뭐, 뭐 하는……."

고개를 틀었으나 모란이 턱을 잡아 다시 입을 맞추었다. 뜨끈한 혀가 밀려들어 와 안을 더듬었다. 구역질이 날 정도로 깊이 밀어 넣는가 하면 부드럽게 혀를 감아 잡아당기기도 했다.

연이 신음하며 버둥거렸다. 습한 소리를 내며 모란이 입을 탐할 때마다 등골이 오싹오싹했다. 연은 이 감각을 알고 있었다. 며칠 전 그가 꾸었던 꿈에서 느꼈던…….

그리고 바로 이어지는 것은 겪어 본 중 가장 최악의 고통이었다.

"으……! 읏, 으!"

마치 뜨겁게 달궈진 부지깽이가 배 속을 헤집는 것 같았다. 날카로운 고통에 연이 비명을 질렀다. 어찌나 고통스러운지 꼼짝도 할 수가 없었다. 온몸이 덜덜 떨리고 눈꼬리에서는 생리적인 눈물이 길게 이어져 흘러내렸다.

아프다. 아팠다. 지독하게 아팠다. 그는 한 번도 이런 고통을 느껴 본 적이 없었다. 정신을 잃고 싶어도 그럴 수가 없는 끔찍함이었다. 실제로는 얼마 안 되는 짧은 시간일 텐데도 영원처럼 길게 느껴졌다.

마침내 모란이 놓아 줬을 때, 연은 저도 모르게 고개를 흔들고 말았다. 눈물을 뚝뚝 떨구며 애원하는 중인데도 비참한 감정조차 들지 않았다. 너무 고통스러웠다. 더듬더듬 모란을 밀어 내려는 손이 경련했다.

"그, 그만, 제발 그만해……."

"그래, 알았어. 이제 끝났어."

모란이 사시나무 떨듯 몸을 떠는 연의 목덜미를 손바닥으로 감아 잡아당겼다. 완전히 지친 연은 힘없이 그의 품 안으로 무너지고 말았다.

그럴 만도 하지. 모란이 입술에 묻은 피를 핥으며 연을 내려다보았나. 이세는 그가 어떤 상태인지 선명하게 보였다. 그리고 자신이 완전히 잘못된 결론을 내렸음을 깨달았다.

연의 혼은 찢기기만 한 정도가 아니었다.

처음 이계에서 자신이 원래 있던 곳으로 돌아왔을 때 모란은 자신의 몸이 제대로 남아 있을 거라고는 기대하지 않았다. 시간의 흐름대로라면 십 년 동안이나 주인 없이 혼이 비어 있었던 것이다. 보통 주인이 없는 몸은 얼마 안 가 죽거나 삿된 것들의 차지가 되곤 했다. 물론 후자여도 금방 죽는 것은 마찬가지다.

그러나 모란이 막 돌아와 제 몸을 되찾았을 때, 놀랍게도 그의 몸은 매우 멀쩡한 상태였다. 뼈 두어 군데가 부러지고 금이 가기는 했으나 그걸 제외하면 건강하기까지 했다. 모란으로서는 이해할 수 없는 일이었다. 심지어 주인 없는 몸은 그가 없는 사이에 평범한 사람처럼 생활하기까지 한 게 아닌가. 이상하여 얼마간 육체를 살펴본 결과 모란은 자신의 것이 아닌 파편 한 조각을 발견해 낼 수 있었다.

그러나 주위를 살펴보아도 그 조각과 일치하는 혼을 지닌 사람은 없었다. 한참을 고민하다가, 모란은 제 몸을 이렇게 만들어 놓은 놈이 누구인지 보러 가기나 하자고 생각했다.

범인이 누구인지 알아내는 건 쉬웠다. 다들 남궁연, 남궁연 하고 떠들어 댔으니까. 남궁연이라. 어쩐지 익숙하게 들리는데. 모란은 무심하게 그 익숙함을 흘려보냈다.

소문으로 들어 본 남궁연은 형편없는 자였다. 남궁세가의 실력도 없는 도련님이며 아랫사람의 목숨을 벌레처럼 여겨 죽도록 두들겨 패는 자였다. 모란은 미소 지었다. 어딜 가나 그런 자가 있기 마련이지.

모란은 생각보다도 손쉽게 남궁연을 찾아볼 수 있었다. 남궁세가에 그렇게 센 놈들이 많다기에 침입할 때 나름 신경을 쓴 게 무색할 정도였다. 아직 지금의 육신에 제대로 적응을 하지 못한 상태에서도 무인이라 하는 대부분의 자들은 그의 눈에 어린아이처럼 보일 따름이었다.

그러다 마침내 남궁연을 만나게 되었을 때, 무언가 이상하여 상세히 살펴본 모란은 알 수 있었다. 자신의 몸에 들어와 있던 게 바로 저 녀석이구나.

아마도 열 살 쯤에 남궁연에게 사고가 있었을 테고, 그 사고로 연의 혼이 대신 세게 들어왔으리라. 그렇기에 자신의 몸이 그토록 멀쩡히 유지되었던 것이다.

그는 상대의 안색이 좋지 않고 퍽 마른 것을 근거로 결론을 내렸다.

자신의 영혼이 이계로 넘어갈 적에 남궁연의 영혼이 제 몸 안으로 빨려 들어 왔구나. 그리고 빈 몸은 그동안 삿된 것이 차지하고 있었구나.

그렇다면 이야기는 달랐다. 상대 덕에 제 몸이 멀쩡하다는 걸 알았으니 원래도 미약했던 화는 금방 가셨다.

그런데 집으로 돌아와 곰곰이 생각해 보니 정황상 맞지를 않는 것이다. 연은 자신의 몸에서 십 년 동안이나 지내고 있었다. 그래서 자신의 몸이 멀쩡하게 있던 것은 이해가 간다. 하지만 십 년 동안 혼이 비어 있던 연의 몸은?

보통 삿된 것에 씌면 그 빈 몸은 극단적인 공격성을 보인다. 절제가 없으며 오로지 욕망에만 따르는 것이다. 그러나 연은 모란을 증오하긴 했어도 주변 사람들은 괴롭히지 않았다. 오로지 모란만을 향한 증오며 괴롭힘이었다.

거기까지 추론하였을 때 모란의 머릿속에 떠오르는 최악의 가정이 하나 있었다. 그리고 그 최악의 가정이 지금 현실이 되어 모란의 눈앞에 나타나 있었다.

그는 식은땀으로 흠뻑 젖은 연의 머리카락을 뒤로 깨끗하게 넘겨 주었다. 앉아 있는 것도 벅차 하기에 눕혀 주었더니 연이 새파랗게 질린 얼굴로 모란을 바라보았다. 모란은 상대의 눈을 통해 그 혼을 볼 수 있었다.

각각 성질이 달라진 채 둘로 나뉘어 버린 혼이었다. 임시방편으로 얼기설기 꿰어 놓은 자국에서 본원지기가 흘러나오는 것 또한 보였다.

그가 속으로 쓰게 웃었다. 왜 그리 본원지기가 미친 듯이 줄줄 흘러나왔던가? 당연한 일이었다. 그릇이 쪼개진 채 너무 오랜 시간이 흐르는 바람에 다시 붙지를 못하니 죄다 흘러 나오는 것이다. 모란이 보기에 연은 이제 당장 죽어도 이상하지 않을 정도였다.

"아…까…… 대체 뭘, 한 거야?"

끔찍한 고통을 떠올리고는 연이 파르르 눈꺼풀을 떨었다. 아플 수밖에 없었다.

찢겨진 혼들이 무너지려 하기에 급하게 임시방편으로 작살로 꿰어 놓은 것이나 마찬가지인 모양새였다. 그러나 그렇게 하지 않았다면 연은 금방 죽어 버렸을 터였다.

"치료한 거지. 원래 처음이 항상 제일 아픈 법이니 다음엔 그렇게까진 안 아플 거야."

"그……래."

연이 한결 안도한 기색으로 색색 숨을 쉬었다. 모란은 가만히 시선으로 연의 혼이 보여 주는 궤적을 따랐다. 과거로부터 미래로 이어지는 궤적이다.

현재를 넘어서 미래로 이어지는 궤적은 흐릿하여 거의 보이지 않으나 현재부터 과거까지의 궤적은 선명하게 보였다. 그가 담담하게 혼이 그리는 역사를 읽어 냈다.

연, 열 살. '그날'을 계기로 혼이 둘로 나뉘어 찢어졌다. 모란은 이백오십여 년의 세월이 흐르는 동안 그만 저도 깜박 잊고 말았던 '그날'의 기억을 떠올렸다. 입맛이 썼다.

찢어진 것 중 열 살부터 스무 살까지 과거에 가까운 것은 연 본인이 가까스로 붙잡았고, 스무 살부터 미래에 가까운 것은 빈 모란의 몸이 가져갔다. 시간이란 원래 한 방향으로만 흐르는 녀석이 아니니 혼이 십 년 전으로 넘어간 것이야 이상할 것까진 없었다. 혼은 시간의 흐름에 따르지 않는다. 운명대로 흘러갈 따름이지.

과거와 현재, 그리고 미래가 모두 혼 하나에 담겨 있는 것들이다. 다른 말로는 운명이라고 불리기도 했다.

그러니 스무 살 연이 여덟 살 모란의 몸으로 들어갔다 한들 미래나 과거가 변했겠는가? 만약 연이 모란의 몸으로 미래를— 혹은 과거를— 바꿔 보려고 애를 썼어도, 모든 일이 이미 일어

났으면서도 일어나지 않은, 정해진 흐름이라 결코 조금의 변화
도 없었을 것이다.

그렇게 연, 스무 살. 시간이 흘러 원래의 모란이 돌아오자 마
침내 연은 자신의 찢긴 반쪽의 혼을 돌려받을 수 있었다. 그러
나 혼이 다시 하나가 되기에는 너무나 시간이 오래 흐른 상태였
다⋯⋯.

둘로 나뉘고 오랜 시간이 지난 탓에 혼들은 맞지 않는 조각으
로 마찰을 일으켰다. 차라리 한쪽만 남아 있으면 괜찮았을 것을
반쪽을 돌려받고 만 탓이었다.

혼이 서로를 밀어 내며 마찰을 일으키고 균형을 잃으니 육체
도 무너지는 게 당연한 이치였다.

"⋯⋯그럴 만도 하지."

모란이 중얼거렸다. 그는 연이 십 년 동안 내내 '백모란'을 증
오했던 걸 이해했다. 쳐다보는 것조차 끔찍하고 싫었겠지. 정말
죽이고 싶었을 것이다. 당연한 일이었다. 모란의 몸을 죽여야
빼앗긴 반쪽짜리 혼을 돌려받을 것이 아닌가? 가장 중요한 스
무 살 이후의 미래를 모란이 가지고 있었으니 필사적으로 돌려
받고 싶었을 터다. 미래가 없는 혼이 든 몸을 기다리고 있는 건
죽음뿐이었으니.

연의 무의식은 알고 있었던 것이다. 백모란이 가장 소중한 것
을 강탈해 간 강도라는 걸. 결국엔 돌려받긴 하였으나 그 대가
로 빠르게 목숨을 잃어 가는 중이었다.

일 년? 아니, 일 년은 지나치게 희망적인 관점이었다. 이대로
내버려 두면 한 달, 혹은 당장 내일이라도 그대로 죽어 버릴 수
도 있었다.

그러나 지금은 그런 사실을 밝힐 수가 없었다. 부친과의 갈등
에—아, 물론 그냥 평범한 고성이 아니긴 했으나—이 상태가 될

정도였다. 다른 정신적인 충격을 가했다가는 겨우 수습해 놓은 게 수포로 돌아갈 것이다. 치료가 끝나고 난 뒤 말해도 늦지 않았다.

모란의 마음속에서 양심이 움틀거리며 오래간만에 무언가 뱉어 놓았다. 미약한 죄책감과 동정심, 그리고 무언지 모를 감정이 뒤섞인 덩어리였다.

이상하고도 묘한 감정을 곱씹어 보며 그가 손을 들어 천천히 연의 이마를 짚었다.

"자, 천천히 숨 좀 쉬어 봐."

콜록거리고 몇 번 기침을 하면서 연이 가랑가랑 숨을 쉬었다. 여전히 몸 안쪽 여기저기가 욱신거리기는 했어도 이제 피를 토하지는 않았다. 호흡도 훨씬 편해졌고 정신도 다시 명료해졌다. 모란은 무심하게 제 소매로 연의 입가에 흐른 피를 슥슥 닦아 냈다.

모란은 흔 좀 찢어진 것쯤이야 별거 아니라고는 했으나 연은 정말이지 죽을 고비를 넘긴 기분이었다.—본인은 몰라서 그렇지 사실이기도 했다—

너무 끔찍하게 아파서 그런 감정이 들었나? 겨우 숨을 고른 그가 입 안에 고인 피를 삼키며 눈을 떴다. 그러자마자 모란의 입술에 묻은 피가 먼저 보였다. 창백하게 질린 연의 얼굴에 미미하게 혈기가 감돌았다.

'이건, 이, 인공호흡 같은 거지.'

연이 애써 생각했다. 물에 빠진 사람이 호흡하지 못할 때 다른 사람이 호흡을 불어 넣는 것처럼……. 그런데 아까 혀의 움직임이, 너무, 좀……. 꼭 그런 식으로 움직여야 하는 건가?

오한이 들어 연이 몸을 떨자 모란이 이불을 끌어와 덮어 주었다. 그러고는 가슴을 살살 어루만졌다. 그런 사소한 행동에도 연은 심장이 다 덜컥거렸다. 오늘 너무 정신적으로 충격을 이래 저래 받았나 보다.

'그런데 이건 인공호흡 같은 게 아닌데.'

연의 시선이 아래로 향했다.

처음에는 그 근원을 들여다본다는 행동을 위해 가슴을 어루만지는 줄 알았다. 그런데 어째, 가만히 내버려 두니까 모란의 손이 점차 아래로, 아래로 파고드는 것이다. 눈동자도 치료할 때와는 달리 그저 평범하기만 했다. 연이 눈을 부릅뜨고 쳐다보자 모란이 히죽 웃었다.

"지금 이거……. 설마……."

"오해야."

"오해라고?"

"딱히 만지고 싶어서 만지는 건 아니고……. 아니, 물론 그런 마음이 아예 없는 건 아니지만."

진짜, 좀 좋은 사람처럼 보이나 싶으면 또……. 연이 이를 갈았다.

"당장, 손…… 안 떼?!"

실은 연의 혼을 고정시켜 놓으려고 들이붓다시피 한 제 기운이 삐질삐질 흘러나오기에 잘 다독여 넣고 있던 중이었다. 하지만 연이 이렇게 발끈할 때마다 퍽 귀여워서 자꾸 일부러 약을 올리게 되는 것이었다. 차마 뭘 할 기운은 없고 옆에 뭐라도 던질 게 없나 연이 주위를 손으로 더듬거릴 때였다. 문이 벌컥 열렸다.

"연아!"

연오가 은록을 데리고 들이닥쳤다.

모란은 언제 음흉하게 연의 가슴팍을 더듬었냐는 듯이 근엄한 자세로 앉았다. 은록이 들어서다 말고 백모란과 연을 번갈아

보았다. 그럴 만도 했다. 모란과 연은 당사자들을 제외한 사람들이 보기에는 여지없는 악연이며 가해자와 피해자일 뿐이었던 것이다.

그러는 동안 연오는 이불의 핏자국과 제 동생의 파리한 안색에 놀라 얼굴이 어두워졌다.

은록이 언제 멈칫했냐는 듯 침착하면서도 신속하게 다가와 맥을 짚었다. 그의 미간에 곧장 주름이 잡혔다. 한참을 은록이 맥만 짚고 있자 연오가 안달복달했다.

"어찌 된 일인가? 이유가 대체 무엇인가?"

연오만 안달복달인가, 연도 내심 초조하여 시선이 이리저리 방황했다. 아무리 지금은 모란의 몸이 아니라지만 감히 사부의 앞에서 이리 누워 있는 것이 민망도 하였고, 또……. 아까 모란이 무언가 수습하긴 하였으니 과연 어떤 식으로 결과가 나올지도 도무지 짐작이 가지 않는 탓이었다.

"내상을 입을 만한 원인이 있었습니까?"

마침내 은록이 연의 손목을 놓으며 물었다. 연오가 아연한 얼굴로 대답을 망설였다. 짚이는 이유가 있긴 하였으나 믿기지가 않은 탓이다.

연오의 반응이 무슨 의미인지 알고 있는 연은 그만 부끄러워 눈을 질끈 감고 말았다. 하도 핏기가 없어 여전히 얼굴은 창백했지만 평소 같았다면 벌겋게 달아올랐을 것이다.

"방금 전 아버지께서 꾸짖기는 하셨는데……."

연오가 말꼬리를 흐렸다. 영명이 화를 낼 당시, 그 목소리에는 미약하게 내공이 실려 있었다. 본래 고수들의 대갈일성(大喝一聲)[12]이란 그런 법이었다. 어린아이라면 경기를 일으켰을 터다. 일반인이라면 뒤로 자빠졌을 터였고.

---

12) 크게 소리쳐 꾸짖음

그러나 사자후(獅子吼)[13]도 아니었고, 무인이라면 그저 눈썹을 조금 찌푸리고 말 정도였다. 내상을 입을 수준이 아니란 건 연오도 연도 잘 알고 있었다. 은록도 마찬가지였다.

"둘 중 한 가지의 경우입니다. 본래 내상을 가진 상태에서 치료를 하지 않으셨거나, 혹은 그 정도조차 타격이 될 정도로 공자의 몸이 좋지 않다는 의미입니다. 어찌 되었건 두 경우 모두 오랜 정양이 필요할 겁니다."

"……그 정도까지는 아닙니다."

오랜 정양이라니! 연이 겨우 말을 꺼내어 보았으나 심각한 얼굴을 한 연오가 딱 자르며 꾸짖었다.

"연이 너는 조용히 하거라. 매번 괜찮다 하더니 이 지경이 되지 않았느냐. 피까지 토하다니, 얼마나 몸이 안 좋았으면!"

"하지만 형님……."

모란이 조치를 취한 뒤라 훨씬 살 것 같았기에 연이 저항했으나 연오에게는 조금도 먹히지 않았다. 안 그래도 평소에 유독 연을 과보호하던 연오였다.

연이 처음으로 쓰러진 날 이후로 그는 즉각 주강을 붙였다. 언제 어디서 자신의 동생이 쓰러져 방치될지 모른다는 염려 때문이었다. 이뿐만이 아니었다. 그는 여름이 되면 더위를 먹을까 염려해 그 귀하다는 얼음을 보내왔다. 겨울에 추위로 앓을 적에는 열기를 더하는 보약과 솜이 두툼하게 든 비단 이불을 보내왔다.

안 그래도 연을 허약해 쓰러지고 말 동생으로 보는 그인데, 피를 토하는 것까지 보았다면?

연이 저도 모르게 뭐라도 해 보라는 얼굴로 모란을 바라보고 말았다. 모란이 슬그머니 씨익 웃더니 진중한 얼굴로 입을 열었다.

---

13) 진기를 음성에 실어 보내는 위력적인 무공

"사부님, 소가주님."

어쩔 수 없다는 건 알지만 제 앞에서 모란이 은록을 사부라고 부르는 모습을 보고 있으려니 연은 기분이 별로 좋지 않았다. 아니, 많이 안 좋았다.

"허락만 해 주신다면 제가 매일 도련님의 곁에 머무르며 살피도록 하겠습니다."

"뭐?!"

연이 벌떡 일어나려다가 당황해서 다시 누웠다. 힘이 없어서 그런 게 아니라 그러자마자 연오와 은록이 동시에 손을 뻗어 가슴을 짚어 눌렀던 탓이다.

그가 입을 뻐끔거렸다. 매일 제 곁에 머무른다고? 다른 사람도 아니고 모란이! 심지어 연오는 모란이 그렇게 말하자 감탄하기까지 했다.

"내가 알기론 아우가 자네를 많이 괴롭혔던 것으로 아는데. 괜찮겠나?"

그러자 모란은 뻔뻔하게 이렇게 말했다.

"의원 된 자로서 환자를 대하는 데 어찌 사사로운 감정을 가지겠습니까?"

너무 어처구니가 없어서 연은 속이 다 답답했다. 모란이…… 모란이 어떻게 의원 된 자란 말인가. 의술도 모르는 데다가 치료를 빙자해 환자 몸이나 희롱하는데……! 종종 그 순간이동으로 사람들 눈을 피해 치료나 해 주고 다시 돌아가면 될 것을 굳이 곁에 머무른다고? 앞으로의 일이 불 보듯 훤했다. 연이 연오에게 항의했다.

"형님, 말도 안 되는 일입니다. 제가 저자를 어떻게 믿습니까?"

"연아."

그러나 연오는 꾸짖는 시선을 보내고는 모란에게 대신 사과까지 했다.

아우를 대신해 사과하겠네. 그럴 이유가 없는데도 연오가 저 사내에게 무려 사과씩이나 하는 걸 보자 모란을 향한 원망이 껑충 자라났다.

"제자의 의견을 어떻게 생각하십니까?"

연오가 은록에게 묻는 동안 모란은 얄밉게도 연에게 히죽 웃어 보이기까지 했다.

이제 남은 보루는 은록뿐이었다. 아무리 연오가 허락한다 해도 은록이 허락하지 않으면 못 할 일이었다. 연은 은록이 모란의 말을 거절하리라고 믿어 의심치 않았다. 그러나 은록은 놀랍게도 모란을 빤히 바라보면서 이렇게 말했다.

"제 제자의 실력은 좋은 편입니다."

사부님? 연이 망연자실했다.

'물론 제가 실력이 좋기는 하지만…… 제 실력이 좋은 것이지 결코 지금의 모란의 실력이 좋은 게 아니란 말입니다!'

물론 이런 속마음이 은록에게 들릴 리는 만무했다. 들리도록 말할 수조차 없었다.

은록이 저렇게 말해도 허락한 것은 아님을 알기 때문에 연이 마지막 희망을 걸었다. 그러나 그리 말하고는 은록은 입을 다물어 버리고 말았다. 은록을 잘 모르는 연오나 모란은 그 말을 허락하는 말로 알아들었다. 연의 마지막 희망은 부질없이 무너졌다.

"화정당에는 빈 방이 제법 있으니 그곳에서 지내면 되겠군."

"형님!"

모란이 매일 곁에서 머무르다 못해 아예 화정당에서 지낸다니 연이 아연실색했다. 모란이 자신을 치료해 준다는 걸 받아

주는 것과 그와 같이 사는 것 사이에는 아주, 엄청나게 큰 거리가 있었다.

억울하게도, 연은 항의하자마자 연오에게 혼나고 말았다. 연오가 연의 얼굴에 묻은 피를 문질러 닦아 주면서 엄격한 얼굴로 나무랐다.

"최근 들어 좀 나아지나 했더니 여전히 철없이 구는구나. 지금 네 몸 상태가 단순히 상대가 싫다고 하여 내칠 만한 수준이더냐?"

괜히 연오에게 꾸지람만 들은 연은 그저 억울할 따름이라 끙, 하는 소리를 냈다. 진짜 환장하겠군……. 그가 모란을 휙 노려보았다.

대체 무슨 꿍꿍이로 이런 일을 자처하는 거지? 이제까지 한 일이 있었기에 의심스러울 따름이었다.

연오가 그 시선을 눈치채고는 다시 연아, 하고 불렀다. 좀 더 나무라려고 하려다가 연의 상태를 다시 상기했는지 한숨을 쉬며 마지못해 입을 다물었다. 대신 모란에게 당부했다.

"그럼 잘 부탁하겠네."

"최선을 다해 돌보도록 하겠습니다."

연이 보기에는 정말이지 가증스러운 모습이었다. 은록은 무슨 생각을 하는지 도통 알 수가 없는 얼굴이었다. 그는 그저 모란을 다시 한번 바라보고는 자리에서 일어났다. 동생의 상태에 대해 좀 더 나눌 말이 있었는지 연오가 은록을 따라 나가자 방에는 모란과 연 단둘만이 남았다. 형님도 없겠다 연이 이제 대놓고 모란을 노려보았다.

"대체 무슨 수작이야? 당장 가서 못 하겠다고 해!"

"무슨 수작이기는. 당연히 치료하기 위해서지. 어디 이 치료가 쉬운 일인 줄 알아?"

모란이 찌푸려진 미간을 손가락으로 쿡 눌렀다. 심지어 머리까지 쓰다듬듯이 도닥도닥하는 걸 연이 짜증스럽게 탁 손으로 쳐 냈다. 치료하는 건 다 좋은데 이런 식으로 어린애 취급하는 건 참을 수 없었다.

"게다가 순간이동도 매일같이 하기에는 힘들다고."

"……그래?"

모란의 말에 연이 가볍게 눈썹을 찡그렸다. 순간이동이라는 술법이 대단하다는 건 얼핏 느끼고는 있었다. 힘들 만도 하긴 하겠지. 아무리 봐도 힘들어 보이지는 않지만.

"내가 화정당에서 지내며 돌보면 좋은 것 아니야? 대체 무어가 문제야?"

"네놈이…… 네놈이 시시 때때로 희롱을 하잖아!"

연이 흥분하려다 말고 기침을 하자 모란이 흥분하지 마렴, 하면서 가슴 위를 도닥거렸다. 연은 또 짜증스럽게 탁 쳐 냈다. 그의 어머니에게서도, 아니 그 누구에게도 감히 받아 본 적 없는 취급이었다. 좋을 리가 없었다. 모란은 태연한 얼굴로 말했다.

"오해야."

"오해는 무슨!"

하는 태도와 말투가 있는데 연이 모를 수가 없었다. 그럼에도 모란은 뻔뻔하게 굴었다.

"너는 모르겠지만 내가 보기에 넌 솜이 다 터진 곰 인형 같아 보이거든. 몸을 만지는 건 그런 거야. 내가 넣어 준 솜을 좀 더 잘 넣어 주기 위해서지."

모란은 말을 끝낸 뒤 내심 훌륭한 비유라고 생각했다. 그러나 연은 불퉁한 얼굴로 눈썹을 찡그릴 뿐이었다.

"곰 인형?"

"그래, 곰 인형."

"뭐 하러 쓸데없이 인형에 비싼 솜을 넣지? 그리고 곰 인형은 뭐야? 곰 가죽으로 만든 인형인가? 그런 비싼 인형이 있다는 말은 처음 들어 보는데."

"아니……."

비유가 먹히기에는 이 세상은 모란이 머무르던 곳과는 너무나 다른 세상이었다.

결국 그저 뺨을 긁적이고 말았다. 아무튼 화정당에서 머무르려는 건 정말 치료에 필요해서 그런 것이다. 연이 얼마나 어떻게 짜증을 내고 성질을 부리든 그가 보기에는 그저 퍽 귀엽고 하찮아 보일 따름이었다.

그는 인간 같지 않은 자들을, 혹은 인간이 아닌 자들을 너무나도 많이 겪었다.

"의심하지 말거라, 정말이니까."

모란이 웃었다. 그는 선과 악을 따로 가르지 않는다. 그저 자신이 행한 일을 책임지고 그가 만든 업을 풀어낼 따름이었다.

인연은 확실히 인연이로군, 하고 그는 생각했다. 연(緣)이란 언제나 예상할 수도 없고 마음대로 흘러가지도 않는 녀석이었다. 스쳐 지나갈 뿐이라고 생각한 사람이 인생에 지대한 영향을 끼치는가 하면, 중요하다고 생각한 사람이 아무것도 아닌 것이 되어 버릴 때도 있지 않은가.

"반드시 원래대로 회복될 테니 걱정은 말아."

그리 말한 모란이 톡톡 침상을 두드리자 기둥에서 연한 보라색의 꽃이 주렁주렁 자라났다. 늘어진 꽃잎이 제 이마를 간질이는 탓에 기겁한 연이 벌떡 일어나자 그가 크게 웃으며 방을 나갔다.

"저런 자와 같이 지내야 한다니!"

기둥에서 꽃을 떼어 내며, 연이 치를 떨었다. 대체 어떻게 죽은 나무에서 꽃이 자라날 수 있는 거지……? 인상을 쓰며 포도송이처럼 달린 꽃송이들을 한참 노려보았다. 그리고 문밖으로 내던지려다 간신히 참았다. 문을 열면 불어 닥칠 차가운 바람이 싫었다.

결국 그는 방 한구석에 꽃송이를 집어 던지고 자리에 누웠다. 참으로 피곤한 하루였다. 정신적으로나 육체적으로나 피곤했던 연은 기절하듯이 잠에 빠지느라 그만 한 사람을 깜빡 잊고 말았다.

연이 그날 연회에서 그대로 달아나 버린 한위를 다시 보게 되는 건 그로부터 며칠이나 지난 후의 일이었다.

四章 : 소룡대회

"그런 짓은 안 해!"

오늘도 모란과 함께 밤에 나가 환자들을 치료하고 돌아와 피곤한 몸을 뉘일 때였다. 연이 자리에서 벌떡 일어났다. 그는 막 모란에게서 말도 안 되는 해괴한 소리를 들은 참이었다. 하지만 그의 반응에도 모란은 뻔뻔한 표정을 유지했다.

화정당에서 지내게 된 이래로 모란은 하루 종일 연의 곁에 붙어 다녔다. 질색을 하거나 짜증을 내도 떨어지는 법이 없었다. 주치의라는 이름으로 탕약을 가져오는 것도 모란이었고 심지어는 식사할 때도 옆에 있었다. 식사할 때뿐이랴, 산책을 할 때나 책을 읽을 때조차 옆에 붙어 다니는 게 아닌가.

게다가 잊을 만하면 예상치 못한 곳에 꽃을 피워 연의 속을 박박 긁곤 했다. 덕분에 하루 종일 사방에서 꽃향기가 풀풀 날렸다.

그럼에도 모란과 함께 있는 것은 의외로 아주 나쁘지는 않았다. 모란은 능글거리기는 했으나 의외로 수다를 즐기는 편은 아니었다. 귀찮거나 성가시게 굴지도 않았다. 연이 서책을 읽다가 보면 그는 눈을 감고 오수를 즐기거나 손 위에서 무언지 모를 빛 몽우리를 튀기고는 했다. 마법이란 거겠지, 아마. 게다가 이상하게도 모란이 곁에 있으면 어쩐지 답답하던 가슴이 좀 풀리는 기분이었다.

어쨌든 그리 사흘 정도 함께 지내며 언제쯤 치료해 주려나 이제나저제나 기다리던 차였다. 마침내 모란이 오늘 치료를 하지 않겠느냐고 물어 왔다. 그런데 그 치료 방법이라는 것이 참으로 기가 막혔다. 성적인 교합을 해야만 제대로 치료가 된다는 것이다. 의원인 연으로서는 도무지 납득할 수가 없었다.

"어떻게 그게 치료 방법이 될 수가 있단 말이야!"

"글쎄, 그러니까 정확히 말하자면 치료 방법이라기보다는 일종의 도구일 뿐이라니까."

모란이 슬그머니 설득하기 시작했다. 연은 어떻게든 저 말을 귀에 담지 않으려고 안간힘을 썼다. 저 사내에게는 사람을 어느 순간 홀딱 넘겨 버리는 간사한 말재간이 있었다.

"네가 환자들을 치료할 때 뜸이나 침을 사용하는 것과 마찬가지야. 다만 성적 교합은 그중에서도 대침 같은 것이지. 제일 깊이 들어간다는 의미에서."

그 말에 연이 질색했다.

"그런 저질스러운 비유 쓰지 마!"

지난번부터 번번이 적절한 비유를 드는 데 실패한 모란이 뺨을 긁적거렸다. 그러다 연이 슬그머니 제 허리춤을 더듬어 검 손잡이를 찾으려는 걸 눈치챈 그는, 돌연 태도를 바르게 하여 앉았다. 연이 경계심 어린 눈으로 바라보았다.

"연리지(連理枝)라고 알아?"

연리지는 다른 뿌리에서 자란 나무가 점차 엉키기 시작하여 나중에는 한 몸처럼 자라는 두 나무를 말했다. 흔히들 사랑이 지극한 연인들 사이를 이르는 말이기도 했다. 모란은 처음에는 강호인이라면 누구나 다 아는 상식도 모를 때가 많더니만 이제는 그 어느 것도 모르는 일이 없었다.

"본디 태어날 때 성질이 다른 것들이 잔뿌리부터 시작해 나중에는 몸통까지 엉키게 되지. 풀려 해도 풀리지 않고. 나무뿐만이 아니야. 무릇 살아 있는 생물들은 서로 마음이 가면 육체도 닿으려는 법이지. 왜 그렇게 된다고 생각해? 이상하다고 생각해 본 적은 없어?"

연이 인상을 썼다. 또 시작이었다. 모란이 말을 꺼내면 홀리게 되는 것의 시작. 이번에는 절대로 넘어가지 않으리라, 그가 단단히 다짐했다.

"사랑하는 연인들이 육체적인 교합을 이루려는 게 단순히 후손을 가지기 위해서일까?"

그러나 결국 연은, 그러면 안 된다는 걸 알면서도 입을 열어 대꾸하고 말았다.

"뭔가 다른 이유가 있다는 것처럼 들리는데."

모란은 씨익 웃더니 돌연 화제를 바꾸었다.

"근원이란 무엇일까? 도대체 이 근원이란 것의 정체는 구체적으로 무엇인가? 무언지는 정확히 알 수 없어도 아무튼 근원은 사람으로 하여금 감정을 느끼게 만들지. 희노애락(喜怒哀樂)이나 오욕칠정(五慾七情), 이 모든 것이 근원에서 흘러나오는 것들이거든."

그럼 근원이 없다면 사람은 아무런 감정도 가질 수 없게 된다는 의미겠군. 그 생각을 하자 연은 불현듯 갑자기 지난 십 년간의 자신이 떠올랐다. 그저 분노하거나 우울하기만 했던 자신이,

혹은 의술을 배우는 동안 그저 기쁘고 즐겁기만 했던 자신이. 마치 다른 감정은 없었던 것처럼…….

"그중에서도 특별한 것이 있다면 바로 애욕(愛慾)이야. 감정들 중 유일하게 다른 이유 없이 순수하게 상대만을 향하는 것이지. 애욕은 상대와 닿고 엮이고 싶게 만들어."

그 말에 연은 과거의 생각에 잠기려다 벗어났다. 빙그레 웃고 있긴 하였어도 모란의 눈은 순간 번들거리는 빛으로 빛나는 듯했다.

"마음이 통한다는 것은 서로의 근원이 근접하고 닿는다는 의미야. 이렇게 통하는 이들끼리 육체를 맞부딪치면 이 근원이 조금씩 섞이기 시작하지."

완전히 처음 들어 보는 이야기에 연은 어느 순간 또 집중하고 말았다. 모란의 말은 생경했으나 거짓이라고는 여겨지지 않았다. 그는 연으로서는 경험한 적 없는 것을 알고 있는 자였다. 그리고 분명 연이 감히 다다르지 못한 경지를 본 사람이었다.

"섞인다고는 해도 각각의 근원이 푸른색이나 붉은색이 섞여 자색이 되듯 하지는 않아. 아무리 섞여도 그저 청색과 홍색일 뿐이지. 정확히 말하자면 연리지처럼 얽히는 거야."

"얽힌다고?"

"그래. 이렇게 얽히다 보면 어느 순간 인연이 되지. 더 시간이 오래 지나고 관계가 공고해지면 이 인연이란 것은 각각 상대의 운명이 되어 버려. 결코 끊을 수가 없어. 이번 생애에서도, 그다음 생애에서도 만나게 되거든."

홀린 듯 새로운 지식을 주워 담던 연이 퍼득 정신을 차렸다. 그가 허리를 꼿꼿이 세웠다.

"그래서 그게 그 말도 안 되는 치료법과 무슨 상관인데?"

모란은 아랑곳하지 않고 줄줄 말을 이어 나갔다.

"성적인 교합은 말이지……. 크게 두 가지 장점이 있어. 애욕에서 비롯된 것이라 마치 윤활액처럼 근원이 마찰 없이 잘 섞이게 도와줘."

느낌 탓인가, 연은 어째서인지 모란의 말이 자꾸 저질스럽게만 들렸다. 저도 모르게 목울대를 울리려는 것을 간신히 참아냈다. 첫 번째 말을 들으니 치료 방법이 그럴듯하게 느껴졌던 것이다.

"그럼 두 번째 장점은?"

"간단해. 성적인 교합을 하면 혀든 손가락이든 무엇이든 몸속으로 쑤셔 넣게 되어 있으니까, 육체 속에 있는 혼을 건드리기에는 최적의 방법이지. 게다가 감정이 격렬해지면 혼도 요동을 쳐서 작업하기 쉬워지니."

연에게 깨달음이 찾아왔다. 그래서 지난번에 입을 맞춘 것이었나? 무엇이든 몸속에 쑤셔 넣는다는 말에 그의 귀가 잠시간 발갛게 달아올랐다. 그는 그 잠시간 떠올렸다. 며칠 전 모란과 입을 맞추던 때를, 거칠게 입 안을 탐하던 그……. 그가 고개를 퍼득 저었다. 정신을 바짝 차린 연의 눈매가 날카로워졌다. 그는 전혀 호락호락 넘어갈 생각이 없었다.

"입을 맞추는 정도로도 충분한 거 아냐?"

"되기는 하는데 충분하지는 않지. 교합이 백 중 백의 효과를 낼 수 있다면 입맞춤은 백 중 십 정도밖에는 안 돼."

연이 방어적으로 고개를 들어 올렸다.

"백 중 십 정도로만 해, 그럼."

그렇게 말하면서도 그는 주먹을 꽉 쥐고 대비하였다. 모란이 끈질기게 자신을 설득하려 들거나 혹여나 힘으로 어찌할 경우를 막기 위해서였다. 그러나 뜻밖에도 모란은 더는 연을 설득하려 들지 않았다. 그저 어깨를 한번 으쓱하고는 순순하게 물러날 따름이었다. 그 모습을 보자 연은 어깨 힘이 빠졌다.

"……그걸로 끝이야?"

"그러면 어찌하게? 네가 싫다면 방법은 없어. 말했듯이 근원이 통해야 하지, 그렇지 않다면 더 해를 입힐 뿐이라서."

연은 모란의 말의 의미를 알 것 같았다. 그러니까 상대의 동의가 없다면 효과 없는 치료법이란 이야기였다. 무언가 찜찜하였으나 일단 고개를 끄덕이던 그가 문득 얼어붙었다. 지난번의 입맞춤은 효과가 있었다. 그러면 연도 내심으로 동의를 했단 말이 아닌가?

연은 혼자서 미미하게 희게 질렸다가 붉게 질렸다가를 반복했다. 그러느라 그를 지켜보는 모란의 눈에 잠시 금빛 이채가 감돌며 희미한 미소가 걸리는 걸 눈치채지 못했다.

"도련님."

밖에서 하인이 저를 부르는 소리에 연이 정신을 차렸다. 확실히 모란이 공식적으로 화정당에 머물러도 된다는 허가를 받고 난 뒤라 편하기는 하였다. 모란이 방에 들어와 앉아 있어도 아무도 의아하게 여기지 않는 것이다.

"들어오거라."

연이 허락을 내어 주자 하인이 들어와 방에 고급스러운 자개함을 내려놓았다. 연은 그가 아뢰기도 전에 저 자개함에 든 것이 무엇인지 알 수 있었다.

"소가주님께서 보내오신 것들입니다."

정중하게 말하고는 하인이 다시 문을 닫고 물러났다. 연이 한숨을 쉬며 자개함을 열어 보았다. 자개함 안에는 말린 과일이며 육포, 혹은 몸에 좋다는 음식들이 죄다 들어 있었다. 연이 쓰러진 이후부터 연오는 꾸준히 연에게 이렇게 보양식들을 보내오곤 했는데 그게 벌써 구석에 쌓여 갈 지경이었다.

다시 자개함을 닫던 연의 얼굴이 근심으로 어두워졌다. 연오가 과하게 보양식을 보내서가 아니었다. 그가 중얼거렸다.

"아무래도 한위에게 찾아가 봐야겠어."

연은 보양식을 보자 나눠 줄 사람이 바로 생각났다. 바로 한위였다.

그날, 생일 연회 이후로 연은 단 한 번도 한위를 보지 못했다. 화정당 뒤뜰 정원으로 몰래 찾아오는 일도 없었고 형에게 괴롭힘을 받는 척 찾아오지도 않았던 것이다. 생일 연회 날 끝이 너무 안 좋았기에 연은 한위가 걱정이 되었다. 나가서 찾아보고는 싶었으나 연회가 끝난 뒤 며칠 동안 꼼짝없이 드러누워 앓느라 어쩔 수가 없었다.

"어련히 알아서 잘 지내려고."

바닥에 편히 드러누운 모란이 시큰둥하게 말했다. 그러거나 말거나 연이 외투를 걸치자 그가 한숨을 쉬고는 마지못해 일어나 따랐다.

밖으로 나가자 여느 때와 마찬가지로 문을 지키고 서 있던 주강이 뒤를 돌아보았다. 그의 시선은 모란에게 좀 더 오래 머물렀다. 연은 제 사부인 은록에게서도 비슷한 시선을 본 적이 있었다. 아마 전과 달리 모란이 남처럼 느껴지기 때문이겠지.

'하지만 남에게 무관심한 주강이라면 몰라도, 사부님이라면 그냥 넘어가시지는 않을 텐데.'

하지만 모란은 사부님과 사이가 어떠냐고 물어보면 능청스럽게 별 이상 없다고 대답하기만 하니. 정말로 별 이상이 없는 게 맞나? 그럴 수가 없을 텐데. 미간을 접으며 생각에 잠기는데 주강이 무례하지는 않지만 단호하게 앞을 가로막았다.

"도련님, 어딜 가십니까? 날이 추우니 밖에 있지 말라는 소가주님의 당부가 있었습니다."

말이 당부지, 아마 명령이나 다름없었을 것이다. 연오의 과보호는 말 그대로 과보호였으니까.

연은 몇 년 전—혹은 더해서 십 년— 여름철 더위에 쓰러졌던 때를 아직도 잊을 수가 없었다. 정신을 잃었다 깨어나 보니 셋이나 되는 사람들이 교대까지 해 가며 제게 부채질을 하고 있었던 것이다. 연오의 명령이라서 물러가라 해도 물러가지도 않았다. 얼마나 민망한 경험이었던지 그는 그 후부터는 어지간해서는 더위에는 쓰러지지 않도록 안간힘을 썼다.

"한위를 만나러 갈 것이다."

연은 주강이 그래도 자신을 막을 거라고 생각했다. 그러나 그는 잠시간 연의 얼굴을 물끄러미 바라보더니 옆으로 비켜 주기까지 했다. 그간 주강이 한위와 제법 말을 나누곤 했던 걸 떠올린 연이 납득했다. 좀 친해질 법도 하지. 영명 때문에 주눅이 들어 있어서 그렇지, 본디 한위는 제법 사교성이 좋은 편이었다.

연은 처음에 한위의 늙은 유모가 있는 곳으로 향했다. 그러나 유모는 일을 하러 나갔는지 자리에 없었다. 한위도 마찬가지였다. 연은 그제야 자신이 한위가 정말로 머무는 곳이 어딘지는 모른다는 걸 깨달았다. 늙은 유모가 있는 곳은 말 그대로 하인들이 지내는 숙소였다. 한위가 자주 놀러 오기에 착각을 했을 뿐이다. 연이 주강에게 물었다.

"주강, 한위가 지내는 곳이 혹시 어디인지 아나?"

"폐월당(閉月堂)인 줄로 압니다."

남궁세가는 넓었다. 그냥 넓은 정도가 아니라 어마어마하게 넓었다. 일단 직계들이 각각 지내는 곳의 수부터가 꽤 된다. 연이 머무는 화정당, 연오의 화월당, 영명이 지내는 창일당처럼 수도 없이 많은 전각과 누각들이 있었다.

뿐이랴, 세가의 열두 장로들과 그 식솔들 또한 세가 내에서 살았다. 거기에 방계에 무사들과 시비, 하인들까지 지내려면 많은 부지와 건물이 필요했다. 그렇기에 이곳에서 오래도록 살았어도 연이 모르는 장소도 아직까지 많았다. 폐월당도 마찬가지로 처음 들어 본다.

"폐월당은 어디에 있지?"

"안내해 드리도록 하겠습니다."

어쩐지 주강은 평소보다 좀 적극적인 것도 같았다. 연을 대하는 태도도 좀 더 유연해진 것도 같고……. 연이 잠시 고민하다가 처음으로 주강에게 사적인 대화를 걸어 보았다.

"한위와는 요즘 친해 보이던데."

주강이 말없이 연을 바라보았다. 빈말이 아니었다. 한위가 화정당에 놀러 올 때면 주강은 이따금 한위만 쳐다볼 때가 있었다. 여기저기서 구박받느라 눈치 빠른 한위도 그 시선을 알아차렸는지, 언제부터인가는 화정당에 놀러 오는 날이면 주강 옆에 붙어 있는 일이 잦아졌다.

놀라운 건 주강도 한위가 달라붙는 걸 그저 받아 준다는 것이다. 초반에 한위를 하도 차게 바라보기에 싫어하는 줄만 알았는데 어느새 정이 든 모양인지. 주강이 한위의 편이 되어 준다면 괜찮겠지.

딱히 대답을 바라지는 않았으나 주강은 드물게도 연의 말에 대꾸를 해 주었다.

"제 조카아이를 닮았습니다."

외동이 아니었단 말인가? 연은 그게 더 놀라웠다. 주강은 한시도 세가를 떠나는 일이 없었던 것이다. 그러니 가족이 없겠거니 생각했는데……. 그렇군, 하고 대답한 연이 멈춰 섰다. 폐월당에 당도한 탓이었다. 충격을 받은 연은 그만 그 자리에서 굳었다. 모란이 휘파람을 불었다.

"멋진데."

건물 자체는 화정당과 큰 차이가 없었으나 분위기가 스산하여 한기가 돌았다. 정원은 정원이라고 할 수 없을 잡초 밭이었다. 한 번도 치우는 이가 없었는지 나뭇잎 무더기가 한구석에 아무렇게나 쌓여 있었다. 외관이 이러니 안이라고 좋은 꼴일 것 같지는 않았다. 연은 잠깐 이를 악물었다가 걸음을 옮겼다.

"한위야."

이름을 불러도 돌아오는 응답은 없었다. 문을 열고 들어가니 안은 더했다. 바닥이 완전히 얼음장 같았다. 게다가 변변찮은 가구조차 없어서 옷이 구석에 구겨져 널려 있었다. 옷뿐이랴, 이런저런 잡동사니 또한 마찬가지였다.

그중에는 연이 한위에게 선물했던 것들도 있었다. 개중 겸 손질 도구 정도만 소중하게 구석에 놓여 있었다. 그 정도니 청소 상태는 말할 것도 없었다. 이불을 들춰 보았다가 먼지가 풀풀 날려 연이 기침을 하자 모란이 강아지 덜미 채듯 뒷덜미를 잡아 끌었다.

"이거 놔!"

짜증을 내도 히죽 웃은 모란은 아랑곳하지 않고 그대로 방 밖으로 끌어냈다. 밖으로 나와 보니 햇빛에 먼지가 뿌옇게 날리는 것이 한눈에 보였다. 모란이 연을 완전히 먼지의 영향권에서 빼내며 지껄였다.

"이래 봬도 내가 도련님 주치의라서 말이야."

연은 정말이지…… 의원인 자신 앞에서 주치의 행세를 하는 사내를 만나게 되리라곤 꿈에서도 상상해 본 적이 없었다. 딱히 모란에게 좋은 대접을 기대한 것은 아니지만 남 있는 자리에서 이래도 되나 싶어 연이 흘깃 주강을 보았다. 다행히 주강은 말

228

없이 방 안을 살피고 있느라 둘의 대화를 듣지 못한 듯했다.

연은 폐월당 다른 곳도 두루 찾아보았으나 어디에도 한위는 없었다. 아니, 마치 아예 사람이 살지 않는 곳 같았다. 그나마 생활감이 남아 있는 방 하나를 제외하면 죄다 낡고 허름해 창고나 마찬가지였다.

어떻게 제 자식에게 이럴 수가 있을까? 영명은 왜 이리 한위를 싫어하는 것일까?

겨우 방 좀 뒤지고 다녔다고 체력이 떨어진 연이 마루 끝에 걸터앉았다. 주강이 집을 한 바퀴 둘러보는 동안 연이 모란을 슬그머니 건드렸다.

"누구 찾아낼 수 있는 마법은 없어?"

팔짱을 끼고 기대서 나뭇잎이 굴러다니는 걸 지켜보다 모란이 심드렁하게 대꾸했다.

"아무리 신기해 보여도 마법은 만능이 아니야."

"그런가……."

연이 중얼거렸다. 하긴 무술을 펼치는 데 있어서 내공이 필요한 것처럼, 마법도 무한정 펼칠 수 있는 건 아닐 터였다. 당연히 그 기술에도 한계가 있겠지. 납득하고는 고개를 끄덕거렸다. 그런데 모란이 이렇게 말하는 게 아닌가.

"물론 그렇다고 내가 못 한다는 건 아니고."

연이 휙 고개를 돌렸다. 모란이 빙글빙글 웃었다. 연은 그를 차갑게 노려보았다. 아무리 생각해도 최근 자신을 놀려 먹는 일에 재미를 붙인 것 같았다.

"마력 탐지라는 게 있거든."

"당신 이야기는 안 들을 거야."

모란이 저쪽 세계 이야기를 할 때마다 연은 짜증이 났다. 듣고 싶지 않은데 이야기가 흥미로워서 듣다 보면 어느새 홀딱 넘어가 있기 때문이었다. 모란은 들은 척 만 척 말을 이었다.

"마력 탐지란 게 뭐냐 하면 자신의 기운을 사방에 넓게 펼쳐서 주위에 뭐가 있나 알아보는 거야. 남궁세가 정도의 넓이라면 사람 하나 찾아내는 건 빠르지. 해 줄까?"

"꺼져!"

"귀엽기는."

"꺼지라니까!"

연이 딱딱거려도 모란은 들은 척도 하지 않았다. 마치 먼 산을 살펴보듯 주위를 휘휘 보더니만 그가 어느 지점을 손가락으로 가리켰다. 담장 너머 어느 부분이었다.

"저기 있네."

저기 있다고는 해도 연의 눈에는 담장만 보일 뿐이었다. 약을 올리는 건가 싶어서 다시 모란에게 차가운 시선을 보낼 때였다. 다박거리는 작은 발걸음이 들리더니 익숙한 인형이 모습을 드러냈다. 한위였다. 그런데 완전히 기가 죽어서 터덜터덜 돌아오는 모습이 평소와는 달랐다.

인기척에 고개를 든 한위는 폐월당에 와 있던 세 사람을 발견했다. 그런데 뜻밖에도 반가워하기는커녕 송골매를 본 새끼 짐승처럼 놀라 펄쩍 뛰었다. 그러더니 냅다 도망치려고 하는 게 아닌가.

연이 쫓아 달려가려고 하는 걸 모란이 탁 막았다. 연은 그 이유를 곧 알 수 있었다. 주강이 기다렸다는 듯이 매처럼 몸을 날린 것이다. 한위는 얼마 안 가 표정이 딱딱하게 굳은 주강의 손아귀에 덜미를 채여 돌아왔다. 금방이라도 울 듯한 얼굴이었다. 그러나 연은 한위의 표정보다도 다른 것에 더 놀라고 말았다.

"이게 어떻게 된 일이냐?"

"……."

드물게도 한위는 대꾸하지 않고 도로 얼굴을 가렸다. 그러나 멍 자국은 이미 모두에게 보인 뒤였다. 얼굴뿐만이 아니었다. 몸 여기저기에 쓸린 흔적이 남아 있었다. 이 자리에 있던 셋 모두 바로 이것이 폭행의 흔적이라는 걸 깨달았다. 그들 모두 때리거나 맞는 것에 익히 경험이 있는 사람들이었던 것이다.

연은 정확히 무언지는 몰라도 이 일이 영명과 관계있는 일이 아닌가 하는 직감이 들었다. 지난번 연오의 생일 연회 때 영명의 분노를 생각한다면 그럴 법도 했다. 연에게는 아무런 조치가 없어서 그러려니 했는데 한위에게 화풀이를 하고 있었을 줄이야.

그들은 일단 한위를 폐월당 안으로 데리고 들어갔다. 최대한 먼지가 없는 방에 한위를 앉혀 두고 연이 상태를 살폈다. 멍이 들고 조금 쓸리고 까지기는 하였으나 심각한 상처는 없었다. 내버려 두면 자연히 나을 만한 상처였다.

하지만 옷 위에 남은 선명한 발자국을 보니 연의 마음속이 부글부글 끓었다. 누가 때렸을까? 짐작 가는 대상이 너무 많았다. 한위는 죄를 짓기라도 한 얼굴로 머리를 수그렸다. 귀가 새빨갛게 달아올라 있었다.

"……한위야."

부르고는 연이 잠시 입을 다물었다. 그는 이런 상처를 입었을 때의 기분을 안다. 그렇게 아프지는 않다. 아니, 아플 때도 있지만 처음으로 맞았을 때에는 수치심이 가장 먼저 들기 마련이었다. 아픈 것은 문제가 아니다. 다친 자존심이 가장 큰 문제였다. 자존심은 으레, 형편없이 굴복하고 돌아오는 모습을 주위 사람에게 보여 줄 때 가장 크게 다쳤다.

연은 모란일 적 두들겨 맞고 돌아오면 모란의 모친이 슬퍼하던 모습을 떠올렸다. 은록이 가끔 말없이 상처를 치료하곤 하던 것도 떠올랐다. 그건……. 저도 모르게 모란을 바라보았다가 고개를 돌렸다. 자업자득이었지.

할 말을 찾지 못한 연이 어색하게 한위의 등을 도닥였다. 그러고 있는데 모란과 주강이 빤히 연을 바라보는 것이다. 뭐냐는 의미로 인상을 써 보이자 주강이 바로 시선을 돌렸다.

하지만 모란은 흐음, 하고 턱을 괴고 더 물끄러미 바라보았다. 지지 않으려고 연도 눈 한번 깜박이지 않고 노려보았다. 어쩐지 눈으로 빙그레 웃는 듯하더니 모란이 시선을 마주한 채 입을 열었다.

"척 봐도 누구에게 맞고 돌아온 거네. 누가 때리던?"

지나치게 직설적으로 던지는 질문에 연이 뜨악했다. 저렇게 대놓고 맞고 돌아왔다고 말할 줄이야! 뜨악한 질문은 거기서 끝나는 게 아니었다.

"한동안은 건드리지도 못하게 가서 팔다리 좀 분질러 주고 올 수 있는데."

우울한 건 어디 갔냐는 듯 한위도 놀라서 고개를 들었다. 연은 갑자기 모란이 손쉽게 제 팔을 분지르던 날이 떠올라 움찔했다가 자존심이 상해 얼른 마음을 가라앉혔다. 놀라운 건 주강도 모란의 말에 수긍하는 기색을 보이고 있는 것이다. 연이 이를 꽉 악물었다. 이 생각도 없는 자들…….

"그러고 나서 뒷감당은 어쩌려고? 당장 누구에게 보복이 갈지 생각은 해 봤어? 하려거든 그 싹을 뿌리부터 제대로 치워 버려야……."

말하던 중 자신을 바라보는 한위의 표정이 어떠한가를 깨달은 연이 입을 다물었다. 그러나 생각이 바뀌지는 않았다. 무릇 무림인이라면 은원을 확실히 해야 하는 법이었다. 그러나 한위는 여려 마음이 거기까지는 미치지 못하는 듯했다. 하긴 성장

환경을 생각해 보면 그럴 법도 하다.

말할까 말까 망설이는 얼굴로 한참을 꿈지럭거리더니 한위가 입을 열었다. 표정이 매우 어두웠다.

"제가 잘하지 못해서…… 이래요."

"무얼 잘하지 못했는데?"

다시 한참을 꾸물꾸물하더니 한위가 기어들어 가는 목소리로 입을 열었다.

"검술 훈련이요."

연이 제 귀를 의심했다. 검술? 대체 무슨 검술? 한위에게 글이나 말조차 제대로 가르쳐 주는 사람이 없었던 걸 연은 잘 안다. 그나마 연이 만날 때마다 가르쳐서 겨우 또래처럼 말이 제대로 트이고 글도 깨우치고 있는 한위였다. 재능이 뛰어날 게 분명한데도 검술을 가르치지 못해서 안타까워했던 게 바로 엊그제였다.

"검술이라니, 대체 누가 네게 검술을 가르쳤단 말이야?"

"그게…… 연오 형님 생일 연회 날, 가주님이……."

반쯤 울먹이며 이어지는 한위의 말은 놀라운 것이었다.

생일 연회, 연이 돌연 피를 토하는 바람에 연오나 연이나 정신이 없던 때였다. 뜻밖에도 남궁영명이 폐월당을 찾아왔다. 그날 연회의 일 때문에 가뜩이나 정황이 없던 한위는 당황하여 어찌할 바를 몰랐다. 그런 그에게 영명은 말했다.

─너에게는 내 아들 자격이 없다.

울먹이며 발치에 엎드린 한위를 싸늘한 시선으로 본 영명은 계속해서 말을 이었다.

─네 몸에 더러운 피가 흐르는구나. 하지만 동시에 남궁세가의 자랑스러운 피도 흐르지. 내게는 통탄스러운 일이다.

한위는 그저 조용히 흐느껴 울 따름이었다. 그는 한 번도 영명을 원망한 적은 없었으나, 그 순간만큼은 도무지 이해할 수가 없었다.

태어나서부터 지금까지 한위에게 있어 가족은 흔히 말하는 가족 같은 존재가 아니었다. 영명이나, 혹은 그 외의 형제자매들은 멀게만 느껴지는 이들이었다. 연오는 어릴 적 이후로는 한 번도 본 적이 없었다. 지금이야 다르지만 연은 크게 아프고 난 뒤부터는 차갑고 쌀쌀맞은 형이라 말 한번 제대로 붙여 보질 못했다. 누님들은 일찍이 출가하여 가까이에서 본 적도 없었다.

그 먼 가족들 중에서도 영명은 까마득하면서도 두려운 존재였다.

제가 무엇을 그리 잘못하였냐고, 말해 주면 기꺼이 고치겠다고 말을 하고 싶었다. 그러나 한위는 영명이 흘리는 기운에 눌려 아무 말도 하지 못하고 벌벌 떨기만 하였다.

-하지만 딱 한 번 내 아들이 될 수 있는 기회를 주마.

영명이 그리 말했을 때 한위는 눈물에 젖은 얼굴을 들어 올려 다보았다. 마음속에서 희망이란 것이 반짝거리며 자랐다.

-얼마 후에 안휘성에서 무술 대회가 열린다. 네 또래 녀석들이 참가하는 소규모의 대회지. 그 대회에서 세 번의 승리를 거두면 앞으로는 내 아들로 인정하겠다.

한위는 영명이 하는 말을 믿을 수가 없었다. 무술 대회란 것이 정확히 어떤 것인지는 모르지만 이 기회에 아들로 인정받을 수 있다면 무엇이든 할 수 있었다. 인정받은 후에는 영명을 가주님 대신 아버지라고 부를 수 있게 된다. 몰래 숨어서 연을 만나러 가지 않아도 되었다. 그러나 영명의 말은 거기서 끝난 게 아니었다.

-하지만 만약 세 번의 승리를 거두지 못한다면…….

영명의 말이 칼날처럼 서늘하게 한위의 명치에 박혀 들어왔다.

—네 이름에서 남궁이라는 성씨를 빼앗을 것이다. 너는 더는 남궁가의 혈통도 아니게 되는 것이다. 형을 형이라고 부르지도 못할 것이고, 그 벙어리 늙은이도 더는 곁에 있을 수 없게 되겠지.

한위에게는 날벼락 같은 통보였다.

그 후 영명이 뒤도 돌아보지 않고 돌아가 버렸다는 말까지 마치고 나서 한위는 울음 섞인 목소리로 털어놓았다.

"가주님께서는, 검술 훈련을 해 줄 스승을 차, 찾아가라 하셨는데……. 제가 모자라서 가르침을 도무지 이해를 못 하겠습니다……."

연은 머리가 다 아찔해져 왔다. 이번에 안휘성에서 열리는 무술 대회라 하면 하나밖에 없었다. 소룡대회. 말 그대로 작은 용들, 열여섯이 되지 않은 나이의 어린 무인들이 실력을 겨루는 대회였다.

말이 소룡대회지, 결코 만만치 않았다. 전국 각지의 후기지수나 고명한 고수들의 어린 제자들이 어른 못지않은 결투를 벌이는 것이다.

보통 이 대회에서 무림의 차기 봉황이니 용이니 정해지곤 했다. 연오가 바로 이 대회에서 무려 세 번이나 제일소룡이 된 적이 있었다.

이제 겨우 세가의 내공심법을 아는 수준인 한위가 세 번이나 승리할 만한 대회가 절대 아니다. 영명은 불가능한 일을 요구하고 있었다. 다른 말로 하자면 한위를 남궁세가의 족보에서 지워 버리겠다는 의미이기도 했다. 한위만 순진하여 모를 뿐이지.

그러나 이 잔인함이 그리 이상한 일은 아니었다. 연은 영명이 자신의 모친에게도 그리 잔인하게 구는 것을 본 적이 있었다. 끝끝내 제 모친을 죽음에 이르게 만들었었지. 연의 얼굴이 싸늘하게 굳었다. 그렇다면 한위의 몸에 남은 흔적은 그 검술 스승이란 자가 해 놓은 것임이 틀림없었다.

"네게 검술을 가르치는 자의 이름이 무엇이지?"

한위는 겨우 울음을 그치고 훌쩍거리면서 말했다.

"나, 남궁…사영이라 하셨습니다. 세, 세가의 열두 장로 중한 분이시라고…….'"

연도 익히 아는 자였다. 남궁영명의 최측근이자 세가의 귀한 비급이 보관되어 있는 창연각(敞延閣)의 경비를 맡고 있는 호법 장로였다. 그만큼 무공이 대단한 자다. 그러나 인성이 대단하지는 못했다. 타고나기를 졸렬하며 비겁한 작자였다.

연은 재빨리 한위의 모습을 위아래로 살폈다. 검술 훈련을 한다고 하기에는 목검 하나 허리춤에 매달려 있지 않았다. 무인이라면 가장 처음으로 배우는 것이 한시도 몸에서 병장기를 떨어트리지 않는 것이다. 하지만 연이 알기로 한위에게는 목검조차 없었다.

"설마 오늘 그리 맞은 이유가 검을 소지하지 않았다는 이유더냐?"

어지간히 서러웠는지 한위가 말없이 울음을 삼키며 고개를 끄덕거렸다. 설마 하여 물었던 연이 침음을 흘렸다. 애초에 한위에게 아무것도 가르쳐 줄 생각이 없었던 것이 분명했다. 한때 모란 괴롭힐 적에 잘하던 게 트집 잡아 괴롭히기라 혹시나 하여 물었더니 역시나였다.

하지만 아무리 그렇다 해도 준 적도 없는 검을 핑계로 어린 아이를 저렇게 괴롭히다니 어디 나이깨나 먹은 무인이 할 짓인가?

연의 마음은 복잡했다. 화가 나기도 하고 한편으로는 미안하기도 했다. 다시 남궁연이 된 후로부터는 나름 한위를 신경 쓰고 있기는 하였으나, 그렇다고 하여 어린 형제에게 무관심하게

군 지난 십 년이 사라지는 것은 아니었다.

그러나 미안한 것은 둘째 치고 일단은 소룡대회 문제가 시급했다. 남궁이라는 성씨를 쓰지 못하게 한다는 건 앞으로 한위가 남궁가의 비호를 받지 못한다는 뜻이었다. 지금까지의 대우를 어찌 감히 비호라고 하겠냐마는, 아무리 그래도 명목상의 보호가 있는 것과 없는 것은 하늘과 땅 차이였다.

"마음 같아서는 나라도 검술을 가르쳐 주고 싶다만…….."

연이 말꼬리를 흐렸다. 그는 이런 쪽에서는 한위에게 조금도 도움이 되지 않았다. 한위보다도 체력이 떨어지는 데다가 무공의 성취도 높지 않았다. 뜻밖에도 주강이 나선 것은 바로 그때였다.

"제가 한위 도련님의 검술 훈련을 돕도록 하겠습니다."

연이 놀라 주강을 바라보았다. 그가 먼저 나서서 가르치겠다 하는 게 놀라웠다. 실력이야 의심할 부분이 없었다. 주강은 고수 중의 고수였다. 이따금 주강의 검술을 볼 수 있을 때가 있었는데 실로 대단하다고 밖에는 할 수 없었다.

"……고마워, 주강."

"딱히 고마움을 바라고 하는 일은 아닙니다."

제법 싸늘한 얼굴로 주강이 딱 잘라 말했다. 한위는 제대로 검술을 배울 수 있다는 사실이 좋았던지 얼굴에 화색이 돌았다. 그러나 연은 그렇게 기뻐할 수가 없었다. 주강이 도와준다니 훨씬 나아지기야 하겠지만……. 그가 알기로 대회까지는 고작 삼주 정도 남아 있었다.

삼 주라니! 대회 참가자들은 아장아장 걸어 다닐 때부터 손에 검을 쥐고 다니던 무가의 자식들이다. 그에 비해 한위에게는 변변찮은 검조차 없었다.

"일단은…… 검부터 사러 가야겠다."

"정…말이요?"

검까지 얻게 된다는 말에 이제는 한위의 얼굴이 맑게 개었다. 맑게 개다 못해 신나서 그 자리에서 팔짝거리며 뛰었다. 연이 보기에 한위는 주강이 검술을 가르쳐 주고 그가 검을 사 준다고 하니 이제 문제없다고 생각하는 것 같았다. 그러나 사정을 아는 연은 한위처럼 기뻐할 수 없었다. 실제로는 아닌 것을…….

한위가 앞서서 시장으로 향하는 걸 뒤따르며 연이 한숨을 쉬자 모란이 눈썹을 들어 올렸다.

"그 대회란 것이 뭔데?"

"소룡대회라고 있어. 구대문파 오대세가의 유망한 어린 후기지수들과 제자들이 참가하지. 종종 사파에서도 참가하기도 하고."

"전혀 가망이 없다고 생각하는 거군?"

모란이 아무렇지 않게 지적했다. 연은 잠깐 침묵하다 마지못해 인정했다. 무공의 성취가 높지 않다 하여 보는 눈이 없는 건 아니다. 그의 주변 사람들이 죄다 고수들이었던 탓에 보는 눈은 제법 있었다.

"어쨌든 노력도 하지 않는 것보다는 나으니까."

그리 말하면서도 연은 벌써부터 한위가 남궁한위가 아니게 되었을 때를 가정해 보고 있었다. 세가에서 쫓아내지는 않을 것 같았다. 쫓아내고 싶었다면 처음부터 아예 들이지를 않았겠지. 남궁영명의 자식이 어디 다섯뿐이던가? 연이 얼핏 들어 아는 자식들만 세 명이 더 있었다. 연을 포함하여 연오와 두 누이는 모두 모친의 신분이 확실하였기에 정식으로 인정한 것이다.

그런데 그렇게 생각하니 의문이 들었다. 하지만 한위는 왜? 모친의 출신이 좋은 것도 아니고, 그렇다고 한위를 아끼는 것도 아니고. 이번 일도 그렇다. 마치 순전히 한위가 괴롭히는 걸 보고 싶어 이런 제안을 한 것 같았다. 왜 그리 한위를 싫어하면서 세가에 두는지 이해할 수가 없다. 하기야 영명 그자가 어떤 비열한 생각을 가지고 있는지 어떻게 알겠는가. 모란이 말을 건 것은 바로 그때였다.

"대회 참가자들 수준이 어떠한데?"

"글쎄……. 꽤 대단한 편이지. 보통 참가자들은 열두 살 미만과 열두 살 이상으로 갈려. 열두 살 미만은 고만고만하지만, 그 이상으로 가면 말이 달라지지. 형님 같은 경우에는 열다섯에 이미 세가의 무사들 여럿을 상대로 손쉽게 이길 수 있는 실력을 갖추셨으니."

"흐음. 세가의 무사들 수준이라……."

모란이 턱을 문지르며 중얼거렸다. 무언가 묘안이 있나 하여 바라보았다가 연이 도로 고개를 돌렸다. 그렇다 한들 뭘 어찌한단 말인가. 모란의 묘안이 연의 묘안이 되는 게 아닌데.

사실 연은 최근 들어 모란이 퍽 신경 쓰이는 중이었다. 물론 자신처럼 특별한 경우를 겪은 사람이고, 하루 종일 곁에 있으니 신경이 쓰일 수밖에 없다고 생각한다. 하지만 왜 종종…… 모란을 보면서 가슴이 들찌근해지는 이상한 느낌이 드는지. 왜 자꾸 모란에게 곤란한 상황에 대한 답을 구하고 의지하게 되는지.

'모란이 내 몸을 치료할 수 있는 유일한 사람이라서다.'

연이 속으로 중얼거렸다. 환자가 의원을 지나치게 의지하게 되는 경우를 그는 왕왕 봐 왔다. 그럴 수밖에 없는 것이다. 자신의 목숨을 구해 주고, 상한 몸을 치료하여 고통을 없애 주니 호감과 신뢰가 가는 게 당연한 일이 아니던가?

마침 그가 가고자 하는 점포에 당도하여 연은 얼른 번잡한 생각을 털어 버리며 한위와 함께 들어섰다. 온갖 무기들을 총망라하여 팔고 수리하는 곳이기에 점포 안에는 무인들이 몇 있었다.

한위는 진검을 보며 기대감에 눈을 빛냈다. 그러나 한위에게 진검은 일러도 아주 한참 일렀다. 연은 목검이 진열된 자리에 이르렀다.

목검은 나무로 만들어졌다 하여 결코 하찮은 것이 아니다. 무가의 자식들도 처음부터 진검을 잡지는 않는다. 보통 가벼운 목검에서 시작하여 검과 비슷할 정도로 무거운 목검으로 차츰 옮겨 간다. 그런 식으로 검을 잡는 방식, 대하는 태도를 오랜 시간에 거쳐 깨우치게 되어 진검을 잡게 될 때는 더더욱 신중하고 조심스러운 자세를 갖추게 된다. 그렇기에 남궁세가같이 잘나가는 무가의 자식들은 목검조차 결코 허투루 고르지 않았다.

'기본적인 체력은 있으니 어느 정도 무게감이 있어야겠는데.'

손에 쥐이는 감촉과 무게감, 그리고 한위의 신장 등을 고려하여 연은 목검 하나를 신중하게 골랐다. 미끄러지지 않도록 손잡이에 붉은 가죽 끈이 감긴 녀석이었다. 그리고 그는 목검 하나를 더 골랐는데, 장난감처럼 보일 정도로 형편없는 물건이었다. 그는 둘 모두를 사서, 왜 두 개를 주는지 이해하지 못하는 한위에게 건네며 설명했다.

"주강에게 배울 때나 대회에 나갈 때는 이 좋은 목검을 쓰고, 남궁사영 앞에서는 이걸 쓰거라. 좋은 목검을 썼다가는 또 무슨 트집을 잡을지 모르니까."

열렬히 고개를 끄덕이며 한위가 소중하게 목검을 받아 들었다. 좋아하는 모습을 보고 있으니 연은 좋지 않았던 심기가 누그러졌다. 그제야 한위가 배가 고프겠지 싶은 생각이 들어 객잔에 가자 할 때였다. 돌연 한위가 연의 앞에 크게 절하며 엎드렸다.

"한위야!"

놀라서 얼른 일으키자 한위는 굳건한 얼굴로 연을 응시했다.

이제 그는 처음 만나던 날의 어눌했던 발음은 찾아볼 길 없는 또랑또랑한 목소리로 말했다.

"도와주셔서 감사합니다, 형님. 저 정말 열심히 할 거예요. 비록 가주님이 말씀하신 것을 지키지 못해 더는 남궁한위가 되지 못하여도, 형님의 아우가 되지 못하여도…… 이 은혜는 결코 잊지 않을 것입니다."

연은 한동안 할 말을 찾지 못했다. 받은 충격이 크기 때문이었다. 잠시 눈을 감았다가 뜬 그가 일단 자리를 옮겼다. 한위는 객잔으로 향하는 동안 내내 연의 얼굴을 살폈다. 객잔에 가 앉은 뒤에도 연은 부끄럽고 얼굴이 화끈거려 잠시간은 한위를 보지 못했다. 음식이 나온 뒤에도 한참 동안 입을 열지 않았다.

"형님, 제가…… 주제넘은 말을 하였나요? 화가 나셨나요?"

불안해하며 한위가 그렇게 말했을 때에야 연은 고개를 저었다. 그는 작은 탄식 뒤에 입을 열었다.

"한위야. 오히려 나는 네게 사과를 해야 한다."

한위가 놀란 얼굴로 퍼득거리며 고개를 저었다. 그러나 연은 말을 이었다. 비겁한 사람이 되고 싶지는 않았다.

"그전에 나는 네게 관심이 없었단다. 네가 궁핍하게 지내는 것을 은연중에 알면서도 모른 척을 하였지. 형이란 자가 아우가 당하는 부당함과 불의를 방치하였으니 나는 비겁한 사람이다."

연은 모란의 몸에 들어가기 전을 떠올렸다. 그때라고 한위가 그렇게 지내는지 아예 몰랐을까? 아니다, 알고 있었다. 한위가 하고 있는 초라한 행색과, 가족들이 함께하는 자리에 항상 없던 그의 빈자리의 의미를 그리고 몰랐겠는가. 몸이 너무 힘들고 지쳐 신경 쓸 기력이 없다는 이유로 줄곧 외면하고 있었다.

"아니에요! 그렇지 않습니다! 형님은 그런 사람 아니에요."

한위는 저가 다 억울한 표정으로 큰 소리를 냈다. 어찌나 그 기세가 강력하던지 상대가 연이라도 봐주지 않을 것 같았다. 주먹을 꽉 쥐고는 한위가 항변했다.

"아주 어릴 적이라 기억은 잘 안 나지만, 종종 저와 함께 놀아 주셨지요. ……그때 모란 형님도 연오 형님도 같이 즐겁게 놀아 주셨어요. 아프신 후로는 밖에 잘 나올 수 없으셨던 것뿐임을 알아요."

연이 눈을 깜박였다. 한위가 아주 어릴 적에…… 모란과 연오 형님, 그리고 그가 함께 놀아 주었다고? 대체 언제? 연오 형님이 함께 놀아 주었다는 것까지는 이해가 간다. 그저 자신이 기억 못 하는 것일 수도 있겠지. 하지만 모란과 자신이 함께 놀아 주었다는 건 도무지…….

한위가 너무 어렸던 탓에 잘못 기억하는 것이 아닐까 하여 연은 모란을 바라보았다. 모란은 별생각 없이 소면을 후루룩 먹는 중이었다. 꿀꺽 소면을 삼킨 뒤에 눈을 굴리던 그가 무언가 깨달은 얼굴로 물었다.

"아, 그 코흘리개가 네 녀석이었구나."

"코, 코흘리개 아니었어요."

"맞다니까."

"아닌데……."

모란이 한위를 놀리고 있는 모습을 보며 연이 미간을 찡그렸다. 아무리 생각해도 그런 기억이 없다. 그저 모란이 한위에게 맞장구를 쳐 주는 것일 뿐이라고 여겼으나 이상하게 마음 한구석이 찜찜했다. 그가 저도 모르게 품 안을 더듬으며 전낭이며 중요한 물건들을 확인했다. 아무것도 잃어버린 것이 없다. 그런데도 꼭 어딘가 중요한 물건을 두고 온 것 같았다.

모란이 그런 연에게 씨익 웃어 보였다. 그 웃음에 또다시 기분이 이상해졌다. 연이 모란을 한번 째릿 보고는 대수롭지 않게 선언했다.

"아무튼 대회에서 세 번 승리하지 못한다 해도 걱정하지 마렴. 네가 남궁한위가 아니게 되면, 나 역시 남궁이라는 성씨를 버릴 테니까."

"네?!"

한위가 놀라 눈을 휘둥그레 떴다. 놀란 건 한위뿐만이 아니었다. 근처에 서서 호위를 하고 있던 주강도 빤히 쳐다보았고 모란 역시 눈썹을 들어 올렸다. 항상 계획하고 있던 걸 말로 꺼내니 연은 오히려 마음이 약간 후련했다. 한위가 크게 당황했다.

"저, 저 때문에 그러실 것까진 없어요!"

"딱히 너 때문이 아니다. 원래부터 세가를 떠나 살기로 했던 것. 그 일을 좀 더 빨리 한다 해도 상관은 없겠지."

연은 한위가 남궁한위가 아니게 될 때 그 자신도 남궁이라는 성씨를 버릴 작정을 했다. 그저 계획하고 있던 가출…… 아니, 독립을 몇 달 더 일찍 당기는 것뿐이다.

그는 남궁세가에 거의 미련이 없었다. 그나마 있는 미련은 연오와 한위 정도였다. 연오야 세가에서 잘 지낼 테니, 한위를 데리고 가면 딱 맞을 것이라 연은 생각했다.

작은 의원을 차려 한위와 함께 사는 삶이라……. 너무 좋을 것 같았다. 그런데 연의 행복한 상상을 모란이 젓가락을 내려 두면서 시큰둥하게 툭 건드려 깨트렸다.

"치료는 어쩌고?"

아차, 그렇지. 치료가 있었군. 그럼 좀 더 나중에 나가야 하나 고민하는데 모란이 툭 던졌다.

"성씨를 버리기까지 한다는 건 세가 근처에서 살겠다는 이야기는 아니겠지? 먼 곳으로 갈 거 아냐?"

잠시 생각해 보다가 연이 수긍했다. 일단 남궁이라는 성씨를 버리기로 결정한 이상 이 근처에서 살 생각은 없었다.

"그건…… 그렇네. 굳이 댁과 같이 가서 살 수도 없으니 그럼 좀 나중에 떠나야겠군."

연의 말에 모란이 눈을 가늘게 떴다. 그러고는 다소 음험한 빛으로 중얼거리는 게 아닌가.

"그렇지. 굳이…… 나와 같이 가서 살 수는 없을 테니까."

왜 저런 오묘한 말투로 말하는지 연은 알 도리가 없었다. 그저 이상하게만 여겼다. 모란은 먹던 소면을 마저 국물까지 마신 뒤에 그릇을 탁 소리가 나게 내려 두면서 상쾌하게 말했다.

"그러려거든 내후년 봄이나 돼야겠는걸! 완치하려면 못해도 두 해는 잡아야 하니 말이야."

모란의 말에 연이 놀랐다. 두 해? 이 년이란 말인가? 이 년이면 내년 봄에 세가를 나가고자 한 계획은 불가능했다. 설마 이 년이나 걸리는 게 그 망측한 치료법을 하지 않겠다고 해서인가?

연이 미간을 찌푸리고 있는 동안 모란이 그의 앞으로 따끈따끈하게 김이 오르는 만두를 밀어 주었다. 의아하게 바라보자 이번엔 매콤하게 양념을 한 두부조림도 앞에 놓았다.

"좀 먹어. 아까부터 한 입도 먹지 않았잖아."

"입맛이 없어."

모란은 아랑곳하지 않고 아예 연의 개인 접시 위에 만두와 두부를 얹어 주었다. 제멋대로인 행동에 연이 인상을 쓰자 만두를 하나 더 얹었다.

"무릇 환자는 많이 먹어서 체력을 길러 두는 거야. 특히, 힘든 치료를 앞두고는 더욱 그래야지……."

연이 움찔했다. 저건…… 앞으로 치료가 힘들 거라는 예고 같은 건가? 그러나 모란의 말이 틀릴 것은 없었다. 아프면 입맛이 없기 마련이지만 그래도 먹어야 한다. 의원이라 더욱 잘 알고 있는 사실이었다. 그가 마지못해 만두를 한 입 베어 물었다. 모란이 묘하게 흡족한 표정을 지었다.

그때, 뒤에서 큰 소리가 났다.

"그래, 그렇다니까! 그래서 지금 주장(珠江 : 주강) 동부 지역이 완전히 난리가 났다고. 남궁세가에서 토벌하려다가 실패까지 했다지 않아."

남궁세가라는 단어에 연의 관심은 자연히 뒤로 쏠렸다. 흘긋 보니 다쳤는지 팔에 붕대를 감고 있는 무인이 보였다. 팔뚝에 묶은 청색 고리 매듭을 보아하니 남궁세가에서 지원을 받는 상회의 표국 무사인 듯하였다.

"동부 지역 근처에 얼마나 녹림과 수적(水賊)들이 기승을 부렸어? 소문으로는 남궁영명이 직접 나서서 소탕하려고 나섰다가 실패하고 돌아왔다던데."

실패하고 돌아왔다니, 그래서 영명의 안색이 그리도 안 좋았나? 어쩌면 부상을 입었을 수도 있겠다. 그 높은 자존심에 남 앞에서는 보이기 싫었겠지. 그나저나 안휘성 근처에서 대놓고 남궁영명의 실패를 떠들어 대다니 배짱 한번 두둑했다.

"그런데 말이야, 최근에 그 지역에 고수가 한 명 나타났다더군. 어찌나 기술이 신묘한지 동에 번쩍 서에 번쩍 하는데, 현상금이 걸린 도적 녀석들만 잡아 족친다는 거야."

"그렇다면 현상금을 노리는 고수인가?"

"아마도 그렇겠지. 관아에서도 애 좀 먹고 있다고 하니까 현상금이 어마어마하거든. 덕분에 주강(珠江) 녹림십오채(綠林十五寨) 두목 왕장호가 벌에 쏘인 황소처럼 날뛰고 있다고. 이 팔도 지난번 수송 때 왕장호에게 당한 거야. 간신히 살아 나왔다구!"

"이 사람, 허풍은. 그 태산일도양단(太山一刀兩斷) 왕장호 아닌가? 자네가 그 작자에게 당했다면 팔만 부러졌겠어? 몸이 두 동강이 났겠지."

동행인이 핀잔을 주자 허풍은 허풍이었는지 무사가 헛기침을 했다.

하지만 왕장호가 날뛴다는 이야기는 허풍이 아닐 것이다. 대개 세가의 일에는 관심을 두지 않는 연이었지만 주강 동부지역 소탕 이야기는 얼핏 들은 적이 있다. 한동안 세가의 무사나 장로들의 얼굴에 근심이 서렸었지.

'상회에서 어지간히 받았나 보지? 영명 그 작자가 직접 나서다니.'

그럼에도 실패했으니 어지간히 속이 쓰렸을 것이다. 하기야 왕장호는 결코 우습게 볼 인간이 아니었다. 소문으로는 사파 중에서도 마교 소속의 잘나가던 고수라고 들었다. 그러나 힘을 추구하여 어지간한 수단은 허용하는 마교에서조차 내칠 정도로 그 손속이 비열하고 잔인하다고 하였다. 민간인은 물론이고 상회의 피해도 극심하다더니 결국 남궁세가에서도 나선 모양이다.

"태산일도양단? 산을 한 번에 가를 수 있을 만한 실력자라는 건가?"

무림에서 별칭은 보통 과장된 바가 많았다. 그것을 모르는지 모란이 의아해하기에 연이 가르쳐 주었다. 그는 다른 세계에서 살다 와 이따금 상식을 모르는 티를 낼 때가 있었다.

"진짜 태산을 쪼갤 수 있다는 게 아니라 과장한 거야. 별칭이니까. 전뇌검(電雷劍)이니 일보만리(一步萬里)니 하는 사람들이 진짜 번개처럼 빠르고 한 걸음에 만리를 가서 그런 이름이 붙은 거겠어?"

"아, 그런 건가. 난 또. 하긴 정말 한 번에 산을 쪼갤 수 있었다면 도적 떼 두목이나 하진 않았겠지. 한 번에 산 쪼개는 게 쉬운 일은 아니니까."

모란이 고개를 주억거리며 연의 개인 접시에 만두를 하나 더 얹었다. 연이 접시 위의 만두를 노려보다가 젓가락으로 깨작거렸다. 말투가 어째, 한 번에 쪼개는 건 어려워도 여러 번이면 산 같은 건 충분히 쪼갤 수 있다는 것처럼 들리는데. ……착각일까?

"그만 얹어!"

연이 살짝 짜증을 내고 나서야 모란은 음식 얹어 주기를 그만두었다. 평소보다 과식을 한 상태라서 그런지, 한위에 대한 걱정 때문인지 연은 심기가 다소 언짢았다. 그러나 세가로 돌아오고 나자 알 수 있었다. 이건 과식 때문이라기보다는 한위에 대한 걱정과 영명을 향한 증오 때문임이 확실했다.

"형님, 전 이만 가 볼게요!"

세가로 돌아오자 한위가 꾸벅 다시 인사를 했다. 주강은 연을 한번 보고는 모란이 곁에 있으니 괜찮다고 판단했는지 한위와 함께 걸음을 옮겼다. 마냥 해맑기만 한 한위를 보니 연은 근심 걱정부터 들었다.

'어떻게 해야 한위가 대회에서 세 번의 승리를 거둘 수 있을까?'

어차하면 한위와 함께 세가에서 나가야겠다는 생각까지 들었다. 그럼에도 가장 좋은 방안은 한위가 대회에서 우승하는 것이다. 세가에서 쫓겨나듯 나가는 것과 당당하게 인정을 받고 나가는 것은 천지 차이였다.

주강과 한위를 보낸 뒤 고민에 빠져 화정당에 들어서다 말고 연이 휘청거렸다. 현기증이 심해 이마를 짚자 어느새 다가온 모란이 가볍게 한 팔로 몸을 감아 부축해 주었다. 그러더니 돌아가지 않고 연과 함께 침실까지 들어오는 것이다.

그가 몸을 앞으로 숙이자 연의 얼굴 위로 어두운 그림자가 졌다. 연은 순간 놀랐다. 언제 모란이 이렇게나 컸지? 거의 주강과 비슷한 것 같았고, 체격도 훨씬 탄탄해졌다. 모란의 시선이 날카롭게 연의 몸을 살폈다.

"지금 몸 별로 안 좋지?"

"……왜, 치료하려고?"

몸 상태가 별로라는 걸 간접적으로 인정하며 연이 침상에 앉았다. 몸에 한기가 돌고 머리가 어질어질했다. 따스한 온기가 필요했으나 시비가 두고 간 탕파를 끌어안아도 그다지 따뜻하게 느껴지지는 않았다.

"치료해야지. 그러기로 했으니까."

모란이 옆에 앉자 연이 당황해서 뒤로 주춤 물러났다. 왜 또 자신을 저런 그윽한 시선으로 보는지……. 성적 교합이 어쩌고 했던 게 떠올라 조금 더 뒤로 몸을 물렸다.

"좀 아프기는 하지만 한번 치료하고 나면 훨씬 몸이 낫게 될 거야. 더 건강하고, 더 기분도 좋아지겠지. 더 보기 좋아질 테고."

"꼭 내가…… 순수하게 건강해지기만을 바라는 것처럼 말하네."

모란이 어깨를 으쓱했다. 아픈 사람 보기 좋아하는 사람도 있나?

"당연한 거 아닌가? 난 네가 몸이 안 좋아서 끙끙 앓는 모습은 보기 싫다. 신경 쓰이거든."

더는 뒤로 물러나지 않으려고 애를 쓰면서 연이 이리저리 시선을 피했다. 그간 간신히 잊으려고 애를 썼는데, 또다시 모란과 입을 맞추던 순간이 떠오른 탓이다.

"연이 넌 그냥도 보기 좋지만 건강해지면 더욱 그럴 거야."

이상하게 다정하게 들리는 투로 말하며 모란이 손을 내밀었다. 모란이 이렇게 제 이름을 부를 때마다 연은 당혹스러웠다.

"어서. 식사 잘해서 기운 있을 때 해치워 버려야지."

그제야 연은 덜컥 겁이 들었다. 지난번 입맞춤이 잊히지 않은 건 예상치 못한 상황 때문만이 아니다. 그 뒤에 이어진 고통이 소름 끼치도록 끔찍한 것이었기 때문이었다. 한참을 머뭇거리는데도 모란은 잠자코 기다려 주기만 했다.

"지…난번처럼…… 그렇게 아플까?"

가능한 한 겁을 내지 않으려고 애썼으나 목소리가 조금 떨리고 말았다. 모란은 난감한 얼굴로 뺨을 슬쩍 긁적였다.

"조금쯤은 덜 아플 거야."

그만한 고통에 조금 덜 아프다고 해서 그다지 위안은 되지 않았다. 마침내 연이 용기를 내어 모란의 손을 잡았다. 자신의 차가운 손과는 달리 뜨끈하고 단단한 손바닥이 잡혔다. 씩 웃으며 손을 마주잡은 모란이 슬그머니 검지와 중지로 손바닥 안을 긁자 연이 숨을 집어삼켰다. 손을 빼내려 했으나 단단히 잡혀 그럴 수가 없었다.

"내게 더 허용해 주면 그만큼 덜 아프고 기분도 좋을 수 있어."

"뭘, 허용해 달라는 건데?"

"더 만지게 해 달라는 거야. 입이나 손 따위 말고, 이 안쪽 말이지."

금방이라도 만질 듯 모란의 손끝이 연의 옷자락을 들쳤다가 물러났다. 연이 마른침을 삼켰다. 또 모란이 간교하게 그를 뒤흔들기 시작했다.

"고민할 것도 없어. 사실 난 모르겠네. 왜 고민하는 거지? 내가 만져서 네가 기분이 좋고 덜 아프게 되면 좋은 거 아닌가?

어차피 우리끼리만 아는 일일 텐데."

말도 안 되는 이유였으나 놀랍게도 연은 그 말에 흔들리고 있었다. 모란의 말마따나 지금 이곳에서 일어나는 일은 아무도 모를 텐데 뭐 어쩌랴 싶었다. 그만큼 연은 고통을 겪는 것이 싫고 넌더리가 났다.

"그냥 마사지를 받는 것이라고 생각해. 기분 좋은 마사지지. 지난번 혀를 섞었을 때 기분이 그렇게 나쁘지는 않았잖아."

노골적인 말투에 정신이 든 연이 펄쩍 뛰었다.

"혀를 섞다니!"

"그럼 침을 나누었다고 할까."

모란이 심드렁하게 말했다. 연은 속으로 모란의 직설적인 화법이 야만적이라고 생각했다가도…… 결국에는 부정을 하지 못했다.

고통은 둘째 치고서도 지난번 입맞춤은 기분 나쁘진 않았던 것이다. 피 비린내가 가득해서 그렇지.

그래도 한참을 고민하다 고개를 저었다. 모란에게 이 이상을 허용해 주는 건 선을 넘는 기분이 들었다.

넘어 버리면 연의 인생을 바꾸어 버릴 만한 그런 선…….

"입맞춤이나 손으로 만지는 이상은 안 돼."

또 그 끔찍한 고통을 참을 각오를 하고 연이 단호하게 말했다. 모란은 더는 설득하거나 하지 않고 순순히 고개를 끄덕였다.

"그래, 알았어. 시작하기 전에 동의를 받을 것이 있는데."

"동의?"

"치료를 하는 동안에는 가능한 가만히 있는 게 좋아. 혹시나 심하게 날뛸 경우에는 묶어도 되겠지?"

고개를 끄덕이면서도 연은 다시 용기가 수그러들고 말았다.

묶을 정도로 아프단 말이야……? 빌어먹을, 그냥, 그냥 조금쯤
은 더 허용해 준다고 할걸 그랬나? 닥쳐올 고통을 상상한 연이
주먹을 꽉 쥐었다. 조용히 심호흡도 했다.

가까이 다가온 모란이 연을 밀어 눕혔다. 영락없이 아래에 깔
린 모양으로 침상에 누운 연의 심장이 쾅쾅 뛰었다. 이상하고
낯선 구도였다. 모란이 평소처럼 능청맞게 히죽거리기나 하면
좀 낫겠는데, 지금은 무표정하게 내려다보고 있어 더욱 그랬다.
모란이 움직이자 옷자락이 스치며 사박거리는 소리가 크게 울
렸다.

모란은 지난번처럼 연의 얼굴을 만지는 것으로 시작했다. 긴
장으로 차게 식은 뺨을 감싸 오자 연은 귀밑 아래 목덜미에 닿
은 손가락이 신경 쓰였다.

'거긴…… 급소인데……. 내가 정말 이래도 되는 걸까?'

모란의 무얼 믿고 이런 걸 하게 내버려 두는 건지 다시 한번
의구심이 들었으나 일단은 인내하기로 했다.

모란의 손은 목덜미를 느리게 쓸고 내려와 가슴 위에 올라왔
다. 쾅쾅 뛰는 심장이 느껴졌는지 모란이 손끝으로 다독였다.
그러고는 입고 있던 옷자락을 헤치며 그 속으로 손을 밀어 넣었
다. 연이 짧게 숨을 쉬었다.

"긴장했어? 오늘은 지난번보다 더 길 테니 각오해 두는 게 좋
을걸."

그렇게 말하고는 모란이 옷자락 속에 손을 더욱 깊이 밀어 넣
었다. 살살 어루만지다가 중지와 검지가 가슴 정 가운데를 꾹
눌렀다.

"아까보다 맥이 더 빨리 뛰는데."

그렇게 말하는데 어쩐지 말투가 묘한 것이다.

뭐지, 이거……? 형용할 수 없는 이상한 기분에, 연이 이불자

락을 꽉 그러쥐었다. 조롱당하는 것도 같고 불쾌한 것도 같은데 어쩐지 야릇한 기분도 들었다.

한편으로는 이건 뭔가 하는 생각도 들었다. 의원이라면 응당 환자의 불안감을 최대한 해소해 주려 하기 마련이다. 그러나 모란은 어쩐지 연의 불안감을 더 부추기려고 하는 것만 같았다.

"쉬이……."

긴장을 숨기지 못하고 가늘게 떨리는 연의 팔목을 잡아 누르다시피 하며 모란이 입술을 내리눌렀다. 지난번에는 피를 토해 정신이라도 없었지, 멀쩡한 정신에 이 짓을 하려니 연의 얼굴이 시뻘겋게 달아올랐다. 모란은 굳게 다물린 입술 위를 혀로 느리게 핥고는 속삭였다.

"연아, 입 벌려야지. 입맞춤 이상은 하지 않겠다 하지 않았어."

숨이 턱 막혀서 연이 조금 헐떡였다. 돌연 지난번 꿈이 떠올랐다. 모란이 턱을 잡아 누르자 엉겁결에 그가 입술을 열었다. 또 지난번처럼 혀부터 들어오려나 긴장하는데 아니었다. 모란이 벌려진 입술을 가볍게 깨물며 가슴 위를 느리게 손으로 문질렀다. 어느 순간 그의 눈에 익숙한 금빛 광채가 감돌고 있었다. 그 눈에 홀린 사이 모란이 깊게 입을 맞추었다.

뜨끈한 열기를 담은 혀가 입술을 문지르며 쑥 밀려올 적에 연은 잠시 호흡을 멈추었다. 모란은 처음에는 혀끝과 혀끝을 문질러 대더니 입천장을 느리게 건드렸다. 그러고는 혀 아래 연한 살을 파고들다가 입 안이 가득 차는 게 아닌가 싶을 정도로 깊이 밀어 넣었다.

혀가 들락거리자 음습하고 질척한 소리가 울렸다. 연은 가쁘게 숨을 쉬었다. 그저 입맞춤일 뿐인데도 참으로 음탕하고 야했다.

그래, 그랬다. 정말이지 음탕하고 야한 입맞춤이다. 입을 맞추는 것만으로도 이러니 그 이상의 것은 얼마나 더할까 하는 생각이 떠오르는 건 어쩔 수가 없었다. 오싹오싹 등골에 소름이 돋았다.

'기분 좋게 만들어 준다고 했지. 얼마나 기분이 좋기에?'

가슴 위를 헤매이던 모란의 손가락이 교묘하게 유두를 슥 건드렸다. 실수인가 하였는데 손가락 사이로 집어 문지르는 게 아닌가.

연이 손을 들었다가 밀어 내지는 않고 옷자락을 붙들었다. 손톱 끝으로 살살 긁히자 등골에 오싹하는 느낌이 번졌다.

다음 순간 연이 헉, 하는 소리를 냈다. 닥쳐 오는 격통에 저도 모르게 퍼득이는 것을 모란이 찍어 눌렀다.

지난번보다 덜 아플 거라고 했는데 연은 전혀 그 차이를 느낄 수가 없었다. 거의 똑같이, 끔찍하게 아팠다. 누군가 제 몸 안에 벌겋게 타오르는 숯을 하나 던져 넣은 뒤 여기저기 굴려 대는 것 같았다.

"으, 흐으……. 으읍!"

연의 비명은 모란의 입에 막혀 신음 소리로 흘러나왔다. 연은 처음에는 참으려고 무던히 노력했으나 그럴 수 없었다. 참을 만한 고통이 아니었다. 고개를 저으며 밀어 내려고 했으나 상대는 꿈쩍도 하지 않았다.

잠시만 쉬었다가 하면 안 되겠냐는 소리 역시 모란의 입과 혀에 막혀서 나오질 않았다. 어느 순간 옷이 식은땀으로 흠뻑 젖었고 눈가에서는 눈물이 툭툭 떨어졌다.

"이런."

연이 하도 심하게 버둥거리니 혀를 짤막하게 찬 모란이 한쪽 손을 뻗었다. 침대 한쪽 구석에 널브러져 있던 허리끈이 날아와 연의 손목에 뱀처럼 휘감겼다.

"아, 흑……. 잠, 잠시, 그만……. 그만해……."

모란은 급히 오르내리는 연의 가슴 위에 손을 얹은 채 그가 우는 모습을 내려다보았다. 그래도 모란이 보기에 그는 제법 잘 참는 편이었다.

모란이 손을 움직이자 더한 고통이 찾아왔는지 창백하게 질린 채 연이 이를 악문 채 고개를 젖혔다. 이왕 이렇게 된 것 빨리 끝내 버리는 게 낫기 때문에 모란은 가타부타 말없이 연의 혼을 꽉 잡아 쥐었다.

지난번 제 기운을 이용해 작살처럼 꿰어 둔 혼은 아직도 그 상태로 머물러 있었다. 모란은 비슷한 것을 하나 더 박아 넣었다. 그게 연에게 가해진 첫 번째 고통이었다. 그러나 그것으로 다가 아니었다. 혼을 꿰어 두는 건, 집을 건축하는 것에 비유하자면 대들보를 세우는 것이나 마찬가지였다.

그는 일부러 연을 달래지 않았다. 극한 감정을 느껴야 작업이 더 수월해지는 탓이다. 연이 불안감과 고통에 몸부림치게 내버려 둔 뒤 그는 자세히 혼을 살폈다. 이제 다시는 둘로 나눠지는 일은 없을 것이었다.

그는 다음 과정으로 나아갔다. 갈라진 부분들을 꿰매어 더는 안에서 본원지기가 새어 나오는 일이 없도록 하는 일이다.

모란이 제 근원과 본원지기를 조금 뽑아내었다. 사실 조금이라기에는 양이 많았는데, 잘 뽑아지지가 않아 우악스럽게 뜯어내는 것이나 다름없었다. 그걸 잘 가다듬고 녹여 갈라진 틈새 사이로 밀어 넣으니 아래에서 악 하는 비명소리가 터져 나왔다. 연이 다시 심하게 발버둥을 쳤다.

사실 근원은 아무리 나뉘어졌다고는 해도 동일한 것들이니 한 그릇에 두면 언젠가는 원래대로 돌아오긴 한다. 연의 혼도 마찬가지로 십여 년을 그리 내버려 두면 언젠가는 원래대로 다시 섞여 붙을 터다. 현재 워낙 상태가 심각해 자연스럽게 붙기도 전에 죽어 버리는 것이 먼저라서 그렇지.

그러니 남은 방법은 연의 본원지기가 모두 새어 나가기 전에 다른 재료로 메꾸고 꿰매어 내는 것뿐이었다. 이 경우에 다른 재료란 모란의 근원이요, 생명이었다.

모란의 근원은 하도 거대하고 튼튼하여 조금쯤 뜯어낸다고 큰일 나는 수준은 아니었다. 커다란 이불 끄트머리에서 실오라기 좀 잘라 내는 수준이라 솜이 새어 나갈 일도 없다. 같이 딸려 가는 기억 역시 쓸모없는 것이다. 연의 혼을 수복하기 위해 필요한 양은 그에게 있어서는 수명 십몇 년 정도를 나눠 주는 것에 불과했다. 이제껏 이백오십여 년을 살아왔고, 앞으로는 그 이상을 살 것이기 때문에 십몇 년 정도는 우습다. 다만 좀 신경 쓰이는 게 있기는 했다.

'이렇게 내 근원을 섞어 버리면 인연도 완전히 엮여 버리는 것인데.'

그러나 파리하게 질려서 입술을 깨물고 울고 있는 연을 내려다보자 이 역시 대수롭지 않게 여겨졌다. 인연이 엮인들 무슨 문제겠는가. 그저 앞으로 일평생 보는 일이 남들보다 더 잦아지는 것일 텐데.

게다가 모란은 드물게도 연이 퍽 마음에 들었다. 혼이 그 지경이 되어 성격이 날카롭고 예민하긴 하였어도 기본적으로 연은 선한 사람이었다. 그리고 모란은 선한 사람을 좋아하는 편이었다. 그 자신이 선한 존재가 아니기 때문이다.

다시 한 땀을 뜯어내는 모란의 목덜미로 식은땀이 흘러내렸다. 연보다는 덜하겠지만 그도 만만찮은 고통을 느끼는 중이었다. 보통 인간이었다면 바닥을 기고 난리를 쳤을 만한 고통이었으나 모란은 심드렁하게 생각했다.

'이런 작업이라 나웨가 그리 난리를 쳤었군.'

나웨는 그가 전에 머무르던 세계에서 알고 지내던 반인반룡으로, 다 죽어 가는 연인을 위해 수명을 나누어 준 적이 있었다. 한 달분 나눠 주고 아프다고 질질 짜고, 또 한 달분 나눠 주고 질질 짜곤 했었지. 그 고통이 이해는 간다. 물론 모란이 질질 짜는 일은 없을 테지만.

'어지간히 좋아했나 보군. 이런 짓을 일 년이나 했던 걸 보니.'

다시 제 근원 한 뼘을 박박 뜯어내 밀어 넣어 주며 모란이 생각했다. 나웨는 수명을 나눠 주고 나면 밤에 벌벌 떨며 잠도 제대로 못 자고 울었지만 모란은 그럭저럭 참을 만한 고통이라 여겼다. 정작 연이 비명도 지르지 못하고 얼굴만 하얗게 질린 채 숨만 헐떡이는 중이었다. 그는 마지막으로 항상 넘쳐 나는 제 본원지기를 콸콸 쏟아 부었다.

이 이상은 무리일 듯하여 잡고 있던 혼을 놔 주었더니 고통 때문에 잔뜩 힘이 들어가 긴장하고 있던 몸이 축 처졌다. 아파서 그런지 성질나고 서러운 기색이 땀과 눈물로 젖은 얼굴에 노골적으로 드러나 있었다.

"다…… 했어?"

"그래. 오늘분은 다 했어."

가만가만 눈물로 젖은 뺨을 소매로 닦아 주려 하자 연이 고개를 돌려 피했다. 티는 안 내려고 하지만 모란의 눈에는 그가 울먹울먹 울음을 참고 있는 게 다 보였다.

이런, 느릿느릿 결박을 풀어 주면서 모란이 생각했다. 우는 모습이 퍽 귀엽지 않은가. 더 울리고 싶은 욕망이 슬그머니 모란의 마음속에서 고개를 들었다. 아파서 우는 것도 괜찮았지만 다르게 우는 것도 볼만하겠다. 제 근원을 뜯어낼 만한 가치가 있었다.

모란이 손목을 묶었던 걸 풀어 줬다. 어찌나 몸부림을 쳤던지 자국이 붉게 남아 있었다. 자연히 떠오르는 것이 있었다. 그러고 보니 마지막으로 교합한 게 언제였더라. 자리에서 일어나 연이 갈아입을 만한 옷을 찾으며 그가 생각했다. 마지막으로 만족할 만한 정사는 자그마치 두 달 전의 일이었다.

아무리 모란이 깨우침을 얻은 존재라 해도 성욕에서 자유로울 수는 없었다. 지고한 경지에 오른 신들 또한 오욕칠정에서 벗어날 수가 없는데 아직 육신에 매여 있는 그라고 별수 있겠는가. 그가 마지막으로 가졌던 정사를 떠올리면서 슬쩍 입맛을 다셨다. 매질을 당하면서도 신음 소리를 퍽 음탕하게 낼 줄 아는 자였다.

하지만 채찍질이나 매질 따위도 상대의 맷집이 있어야 흥이 나는 법이다. 더군다나 연에게는 그런 것이 어울리지 않았다. 대신 다른 것이 좋겠지. 모란은 상대를 괴롭히는 것도 좋아했으나 그 외에도 여러 가지로 즐기는 방법들을 알고 있었다. 다정하고 부드러운 것도, 사납고 거칠게 몰아붙이는 것도 모두 좋았다.

'귀여운데.'

침상 위 기진맥진한 연을 보며 모란이 슬며시 입술을 핥았다.

모란의 입장에서 겨우 스무 살—에 모란으로 살았던 십 년을 더하자면 서른이지만 스물이나 서른이나 큰 차이는 없었다—된 상대는 마냥 귀여워 보이기만 했다. 고통에 지친 나머지, 누워서 꼼짝도 하지 못하는 연에게 일단 물을 좀 먹이며 모란이 생각했다.

'키운 적은 없지만, 이런 게 애완동물을 키우는 느낌일지도.'

그리고 제가 하겠다고 연이 바르작거리는 걸 잘 달래서 땀에 젖은 옷을 벗겨 주고 입혀 주었다. 손이 많이 가기는 하지만 괜찮다. 하지만 모란은 이내 고개를 저었다. 분명 애완이라는 느낌과는 완전히 다르다. 더군다나 애완(愛玩)하던 마족 하나는 손이 가게 만들 때면 꽤 짜증이 났었단 말이지. 딱히 그렇게 귀엽지도 않았단 말이야. 툭하면 손톱을 세우기나 하고 주제도 모르고 기어오르곤 했다.

'책임감이 들어서 그런가. 양심이 찔려서 그런가. 아니면……역시 귀여워서 그런 거겠지.'

모란은 연을 잘 구슬려서 물을 더 마시게 한 다음, 침대 위에 널어 뉘여 주고 이불을 덮어 주었다.

연은 머리부터 발끝까지 모란과는 다른 존재였다. 그러면서도 모란과 같은 몸을 썼던 자였다. 그랬기에 생소하고 관심이 갔다. 심지어 이제는 완전히 인연이 엮이지 않았는가.

연의 몸에서 삐질거리며 다시 나오려는 기운들을 잘 도닥이며, 모란이 슬며시 먼 과거의 일을 떠올렸다.

자신의 몸에서 튕겨져 나왔을 때, 모란이 떨어진 세계 '안제테다'는 그야말로 혼돈과 혼란의 세계였다. 그 세계에서 육체를 얻느라 모란은 십 년이나 혼으로만 떠돌며 아등바등했다.

그렇게 지내다 겨우 들어간 곳은 그나마 상성이 좋던 노예의 몸이었다. 그것도 다 죽어 가는 어린아이. 사방이 인간뿐인 이 세계와는 달리 안제테다에서 인간은 좀 괜찮게 생긴 벌레와도 같은 존재였다. 수도 적고 힘도 약해 언제 짓밟아도 되는 것이다.

겨우 혼이 비어 있는 육체를 얻어 들어간 뒤 모란은 초반에 한참을 고생했다. 그가 얻은 육체의 주인은 마족이었다. 끔찍하게 힘든 노역과 어린아이라고 봐주지 않는 구타나 채찍질 따위는 모란을 제법 성가시게 만들었다.

그 주인 마족은 모란의 맷집이 제법 좋다고 기뻐하였다. 좀

258

더 컸을 때는 쳐다보는 시선이 마음에 안 든다고 한쪽 눈을 도려내기도 했다. 사실 원래의 몸으로 돌아왔을 때 제일 적응이 안 된 건 멀쩡한 양쪽 눈이었다. 시야가 넓어진 게 어찌나 낯설던지.

그렇게 초반 십몇 년을 모란은 주인에게 학대당하며 살았다. 죽을 뻔한 위기도 수없이 많았다. 얼마나 비참하면서도 짜증이 나고 성가셨던지.

덕분에 복수의 열매는 매우 다디달았다.

마침내 깨우친 것이 있어 완전히 차원이 다른 힘의 소유자가 되었을 때 그가 가장 먼저 한 건 자신의 주인이 다스리던 성을 빼앗는 것이었다. 그는 그 마족에게 똑같이…… 아니, 조금 더 과하게 갚아 주었다. 마족이 살려 달라거나 죽여 달라고 애걸복걸해도 아랑곳하지 않고 목줄을 채워 질질 끌고 다녔다. 딱 자신을 괴롭힌 만큼만. 그리고 그가 지은 업보만큼만.

그 후에는 자유롭게 풀어 주었다. 쇠약해진 몸이라 얼마 안 가 동족에게 잡아먹혔다고 했던가?

안제테다는 한마디로 약육강식의 세계였다. 힘이 질서인 곳이라 힘 있는 자가 약자를 어찌해도 비난을 받지 않았다. 아니, 비난을 하더라도 힘이 없으면 어찌하지를 못했다.

모란은 그곳에서 이백오십여 년을 온갖 일을 겪으며 살아왔다. 덕분에 얻은 것도 많으나 잃은 것도 많았다. 때로는 영웅이라 불리었고 때로는 두려움의 대명사로 불리기도 했다. 그 호칭들을 얻는 과정이 얼마나 거칠던지 모란은 이제는 어떤 일에도 큰 감흥을 느끼지를 못했다.

아니, 아니다. 그 과정이 거칠어서가 아니다. 원래부터 그는 어느 일에도 감흥을 느낄 수가 없었다.

지내던 곳이 원래의 세계가 아니라서 그랬을지도 몰랐다. 이백오십 년이 지나 모란은 영웅으로 불리고 아무도 쉬이 덤비지 못할 힘을 가지게 되었다. 그럼에도 그는 백 년이 지나고 이백 년이 지나도 언제나 원래의 세계로 돌아가기를 원했다. 그곳에 속한 자가 아닌 탓이었다. 그리하여 마침내 가지 말라고 저를 붙잡는 이들 다 뿌리치고 원래 세계로 돌아온 것이다.

'그럴 만한 가치가 있었나?'

아직은 잘 모르겠으나 그래도 이 세계에 돌아와 얻게 된 연(緣)중 연이 가장 마음에 들었다. 다 죽어 가면서도 모순적으로 생동감이 넘치는 그 자체라서, 저가 잃어버렸던 것을 가지고 있어서, 볼수록 기분이 즐겁고 어여뻐서. 그것만으로도 충분했다.

모란이 중얼거렸다.

"이유보다는 결과가 더 중할 때도 있는 것이지."

어느새 연은 기절하듯 푹 잠들어 있었다. 깊은 고통을 이기는 것이 힘들었을 터였다. 모란은 무심코 연의 머리카락을 살살 어루만졌다. 고개를 숙여 상대를 보는 얼굴에 짙은 음영이 졌다. 모란의 입꼬리가 슬며시 올라갔다.

"지난번 치료한 건 어땠어? 좀 덜 아팠지?"

침상에 기대어 서책을 읽던 연이 자리에서 벌떡 일어나 앉았다. 그가 저도 모르게 이를 갈았다. 좀 덜 아팠냐고? 그게 어떻게 좀 '덜' 아픈 게 될 수가 있는 거지?

확실히 모란에게 치료를 받고 난 뒤에는 몸이 좋아지는 게 확연하게 느껴질 정도였다. 하지만 몸이 좋아지는 것과는 별개로, 치료는 전혀 긍정적으로 여겨지지 않았다.

정말, 정말, 정말 끔찍하게 고통스러웠기 때문에 연은 그날 이후로 심각하게 고민해야만 했다. 그냥 아픈 몸으로 살 것인가? 아니면 순간의 고통을 인내하면서 살 것인가? 아니면⋯⋯ 모란이 말했던 그 방법을 선택해야 하는가? 조금 더 허용해 주는 바로 그것 말이다.

"그⋯거 말이야."

"흠?"

모란은 요즘은 해가 뜰 때부터 질 때까지 옆에 붙어 있다시피 했다. 연은 내쫓을까 하다가 그냥 내버려 두기로 했다. 자신의 몸을 치료해 주는데 뭔들 못 해 주겠느냐 싶기도 했고⋯⋯. 두 번째로는 모란이 곁에 머물러 있는 게 생각보다 괜찮았던 것이다.

삐딱하게 누워 귤껍질을 착착 깐 모란이 반은 제 입에 넣고 반은 연에게 건네주었다. 연은 미간을 찡그린 채 손바닥 위에 오도카니 올라와 있는 귤을 노려보았다.

"맛있는 귤이야. 신 거 아냐."

모란의 말에, 마지못해 연이 하나 떼어 입에 밀어 넣었다. 달긴 달았다. 그런데 기분이 오묘했다.

"아무튼 그거가 뭔데?"

"입⋯⋯ 맞추는 이상으로 하면, 덜 아프다면서? 얼마나 덜 아프지?"

이번에는 모란이 벌떡 일어나 바르게 앉았다. 그 음흉한 표정을 보자 연은 괜히 말했다 싶었다.

"질척거리는 정도에 따라 다르지."

"질, 질척?"

단어 선정을 해도 꼭 그따위로⋯⋯. 연이 주먹을 꽉 쥐는데 모란이 가까이 다가와 앉았다. 저도 모르게 뒤로 물러나고 싶은 걸 꾹 참았다. 게다가 모란이 쓸데없이 반짝거리는 눈으로 바라보는 게 아닌가.

"한번 해 볼래? 어디까지 해도 되는지. 만져 보면서 내가 얼마나 덜 아파질 수 있는지 알려 줄게. 연이 너도 어느 정도까지 허용해도 괜찮을지 알 수 있을 거고."

이래도…… 되는 걸까……. 가만히 대답을 기다리는 모란의 뒤로 햇빛이 역광처럼 비쳤다. 연은 잠시 홀린 듯 모란의 얼굴을 바라보았다. 오늘은 머리를 제멋대로 풀어 헤치는 일 없이 하나로 묶었는데, 햇빛이 비치자 검은 머리카락이 연한 갈색으로 빛났다. 다갈색 눈동자에는 투명하게 햇빛이 고였고…….

'치료가 진짜 고통스러워서 그래. 단지 그 이유 때문이야.'

마른침을 삼킨 연이 고개를 끄덕였다. 모란이 눈을 휘며 웃었다.

"좋아. 이리로 와 봐."

침상에 앉은 모란이 툭툭 자신의 앞을 손으로 건드려 보였다. 긴장한 연이 손바닥의 땀을 이불에 닦아 냈다.

연애를 해 본 적이 없는 것은 아니다. 남궁연일 적에 한 번, 그리고 모란일 적에 한 번. 그러나 두 경우 모두 입을 가볍게 맞추고 포옹하는 정도로 끝났다. 한 번도 이런…… 그래, '질척'이는 분위기는 된 적이 없었던 것이다. 심지어 지금은 연애하는 중도 아니었다.

"편하게 앉아 있으면 돼. 이번에는 조금도 안 아프니까."

모란의 팔이 허리를 감을 적에 연이 움찔했다. 전에 치료를 받을 때는 항상 밤이었는데 이리 환한 낮에 침상에 앉아 있으니…… 오히려 아픔에 대한 두려움은 덜했다. 나른하여 적당히 기분이 좋았다. 얌전히 앉아 있으니 모란이 턱을 잡았다. 망설이다가 입술을 조금 벌리자 착하네, 하고 칭찬이 돌아왔다.

"음⋯⋯."

입술과 입술이 맞부딪치는 느낌은 몇 번을 겪어도 이상야릇했다. 모란은 처음부터 깊게 혀를 섞었다. 짓누르고 휘감고 슬쩍 깨물기도 하였다. 입 안을 헤집는 움직임이 어찌나 야하고 능숙하던지. 눈을 감았다가 뜨자 모란이 씩 웃으며 입을 떼어 냈다.

"다른 걸 좀 더 해 볼까."

싫으면 얼마든지 밀어 내라는 말과 함께 모란이 다시 가까이 다가왔다. 또 입을 맞추려나 하고 있는데 입술이 향한 곳은 귀였다.

다소 거칠고 말캉한 입술이 귓불을 더듬는 통에 연이 몸을 움츠렸다. 곡선을 따라 문지르다가 이로 잘근거렸다. 약간 아팠는데, 놀랍게도 그 아픔조차 기분 좋게 느껴졌다.

귀를 깨물리는 동안 모란의 한쪽 손은 연의 목덜미를 쓰다듬었다. 목덜미가 시작되는 부분을 손가락 끝으로 문지르다가 슬그머니 아래로 내려와 옷자락 사이로 파고드는 것이다. 연이 조금씩 숨을 헐떡거렸다. 츕, 하는 소리를 내며 모란이 세게 귓불을 빨고 혀로 핥았을 때는 몸을 떨고 말았다. 몸이 오싹하고 다리 사이가 근질거렸다.

"기분 좋지?"

부정할 수도 긍정할 수도 없어 연은 입술만 깨물고 말았다. 다 안다는 듯 웃으며 모란이 손을 움직였다. 교묘하게 옷자락을 들추고 들어온 다음, 당장 무엇이라도 할 것처럼 옷을 잡아당기다가 이내 빼내는 것이다. 그러더니 이번엔 무릎 위를 어루만졌다.

마치 나쁜 짓을 하고 있는 어린아이의 기분으로, 연은 제 목덜미를 핥으며 동시에 몸을 어루만지는 모란의 손을 바라보았

다. 톡톡 두드리던 손이 점차 위로, 또 위로 올라왔다. 그러고
는 옷자락 아래 보이지 않는 곳으로 향한다. 연이 가늘게 숨을
쉬었다. 마침내 모란의 손이 다리 사이에 와 닿았다.

"거절 안 하는 걸 보니 기분 좋은가 보네. 착해……."

모란이 낮게 중얼거렸다. 손바닥으로 옷감 위를 뭉근하게 누
르자 연이 웃, 하고 작은 신음을 뱉었다. 더, 직접적으로 만져
주었으면 했다. 더, 지금보다 더…….

손바닥으로 살금살금 눌러 대던 모란이 손가락을 굽혔다. 손
바닥과 손가락이 느리게 움직여 윤곽을 더듬었다. 그러다 보란
듯 옷자락을 걷어 다리 사이를 주무르고 있는 것이다. 모란은
이제 노골적으로 얼굴을 빤히 바라보며 더 세게 손바닥을 눌러
문질렀다. 저도 모르게 아, 하는 소리를 내는 연의 심장이 쾅쾅
터질 듯 뛰었다.

도련님, 하고 부르는 소리가 난 것은 바로 그때였다.

"억!"

시비가 부르는 소리에 소스라치게 놀란 연이 걷어차는 바람
에 모란이 그대로 침상 아래로 굴러 떨어졌다. 연이 헛기침을
하며 사과했다.

"미안해."

"괜찮아……."

아래에서는 마치 바닥에 짓눌린 듯한 목소리가 돌아왔다. 괜
찮은 것 같지 않은 목소리라 다소 찜찜했지만 그보다는 밖의 시
비가 더 신경 쓰였다. 연이 옷차림을 가지런히 하며 침착하게
대답했다.

"무슨 일이냐?"

"주강 님이 뵙기를 청하십니다. 들이도록 할까요?"

"그래."

주강이 들어올 때까지도 모란은 바닥에 누워 있다가 김샌 얼굴로 느릿느릿 몸을 일으켰다. 주강이 모란에게 아주 이상하다는 시선을 보냈다. 사실 주강뿐만이 아니었다. 모란이 연의 곁에 붙어 능글맞게 굴거나 깔짝거리는 걸 보는 사람들은 다들 해괴한 것을 보는 듯 바라보곤 했다.

"한위 도련님에 대해 드릴 말이 있습니다."

역시나 한위에 대한 말일 줄 알았다. 며칠 전부터 주강은 매우 성실하게 한위에게 검술을 가르쳐 주었다. 한위는 아침이 되면 강아지처럼 뛰어왔다가 저녁이 되면 발을 질질 끌며 돌아가곤 했다. 그만큼 훈련이 힘들었던 탓이다.

"아무래도 대회 출전이 어렵겠습니다."

예상했던 말에 연이 침음했다. 그래, 아무래도 삼 주간의 훈련만으로 몇 년을 단련해 온 애들을 이기기란 힘들 것이었다.

"역시 시간이 문제지?"

"아니요. 아예 대회 출전이 불가하다는 의미입니다."

연이 미간을 찌푸렸다. 대회 출전이 불가능하다니?

"자세하게 말해 봐. 그게 무슨 소리야?"

소룡대회는 참가 자격이 결코 까다롭지 않았다. 대회가 열리는 전날까지 보호자와 함께 찾아가 신청만 하면 되는 일이었다. 나이 또한 열 살부터 열여섯 살까지니 열다섯 살인 한위는 충분히 자격이 되었다. 주강이 무덤덤하게 말했다.

"한위 도련님의 말로는 자격이 되지 않아 세가의 수치가 될 뿐이라며 남궁사영 장로가 신청을 해 주지 않겠다고 했다는군요."

처음에는 제 귀를 의심했다가 다음으로는 화가 나 연이 자리에서 벌떡 일어나고 말았다.

"그 비열한 영감이 감히 그런 말을!"

265

용건은 그것뿐이었는지 할 말을 모두 마친 주강이 고개를 숙이고 난 뒤 물러났다. 다시 모란과 단둘이 남게 되었는데도 연은 조금 전 있었던 일은 까마득하게 잊어버린 채 화가 나 방 안을 서성거렸다.

남궁영명은 정말, 한위에게 조금의 여지도 주고 싶지 않았던 것이다. 아니, 영명뿐만이 아니라 남궁사영도 마찬가지였다. 세가의 수치라고? 정말 세가의 수치가 되는 작자들이 누구인데!

남궁사영이 안 된다고 하여 대수인가? 보호자라면 연도 될 수 있었다. 당장 한위를 데리고 가 신청하려고 문을 박차고 나가려고 하자 모란이 앞을 가로막았다.

"잠깐만 진정하고 앉아 봐."

"뭐야?"

"일부러 숨어서 한위를 도와주는 이유가 있는 것 아니었어? 아직은 이렇게 대놓고 도와주는 걸 보이면 난감하지 않겠나?"

"어차피 나중에 세가를 나가 버리면 될 일이야!"

그렇게 말하면서도 연은 마지못해 모란의 말을 인정하고 돌아와 침상에 도로 앉았다. 연오가 왜 자신 대신에 몰래 한위를 도와달라고 했겠는가? 연이 도와주는 걸 알면 영명은 그조차 못 참고 훼방을 놓을 것이 분명했다. 하지만 침착해지려고 해도 화가 도무지 식질 않았다.

"게다가 그런 식으로 하면 무슨 재미가 있겠어? 그 남궁사영인가 하는 작자가 마음에 안 드는 거잖아? 그렇지?"

입술을 깨물던 연이 고개를 끄덕였다. 현재 세가의 장로들은 크게 두 가지 파로 나뉘어져 있다. 영명의 측근들과, 앞으로 새로이 가주가 될 연오의 편을 드는 이들이다. 남궁사영은 그 측근 중에서도 영명의 오른팔이나 다름없는 자였다.

"그리고 내가 돌아가는 꼴을 지켜보니 말이야, 믿기지가 않아서 그래. 그 세 번의 승리인가를 거둔다고 해서 과연 정말 인정을 받을 수 있을까?"

모란의 말에 연이 입을 다물었다. 사실 연도 영명의 말을 곧이곧대로 믿지는 않았다. 한위에게 이토록 잔인하게 구는 걸 보니 약속을 지킬 것 같지는 않았다. 아들로 인정하니 어쩌니 한 것도 한위 앞에서만 한 약조가 아니던가. 자신이 언제 그런 약속을 했냐고 잡아떼면 방법이 없었다.

그런데 모란이 의기양양하게 씩 웃으며 말하는 게 아닌가.

"일단은 그 장로를 치워 버리자. 그리고 이왕 참가하는 거 대회에서 우승하게 만드는 거지."

"그 대회에서…… 우승하게 만든다고?"

그렇게 된다면 더할 나위 없이 좋을 것이다. 소룡대회는 어린 무인들은 한 명도 빼놓지 않고 참가한다고 할 정도로 유명한 대회였다.

제일소룡(第一小龍)부터 제이, 제삼까지 우승자를 가리는데 각 우승자는 강호에 이름을 날리게 된다. 그 우승자들이 별 탈 없이 자라게 되면 성인이 되고 나서는 중원의 무림 오봉이니 칠룡이니 불리게 되는 것이다.

그리 된다면 영명도 한위에게 마음대로 굴지는 못할 터였다. 체면을 가장 중요하게 여기는 작자였으니까. 문제는 정상적인 방법으로는 한위가 대회에서 우승할 방도가 없다는 것이었다.

"하지만 무슨 수로 칠 일 만에?"

"당연히 칠 일 만에는 안 되지. 하지만 일 년이라면 어떨까? 아니면 좀 넉넉하게 일 년 반? 좀 굴려야 하긴 하겠지만."

칠 일밖에 시간이 남지 않았는데 무슨 연유로 일 년이니 일 년 반이니 말하는 건지, 연은 알 수가 없었다. 모란은 히죽 웃더니 손가락을 하나 세워 보였다.

"일단 그 늙은이부터 치워 버리자고."

꼴도 보기 싫은 남궁사영을 치워 버린다니 연의 입장에서는 더할 나위 없이 좋았다. 그러나 아까부터 모란이 말하는 것들은 죄다 불가능에 가까웠다. 남궁사영을 치워 버린다는 것부터가 그랬다.

"어려울걸. 남궁사영은 오십 년도 전부터 세가를 지켜 온 호법장로야. 어지간한 일로는 경질당하지도 않지. 아니, 잘못을 저질러도 영명이 덮어 버릴 텐데."

"그럼 쥐도 새도 모르게 죽여 버리면……."

"당연히 안 되지!"

무슨 난리가 나게 만들려고 남궁사영을 죽이나? 연은 모란이 저런 소리를 아무렇지 않게 내뱉을 때마다 가슴 어딘가가 선득해졌다. 괜찮은 사람이라고 생각했다가도 도로 의구심을 가지게 되는 것이다. 모란이 불퉁한 얼굴로 팔짱을 끼고 앉았다.

"호법장로라는 게 대체 뭔데?"

어쩐지. 호법장로인 걸 알고서도 그리 치워 버린다고 하는 것 같지는 않았다. 얕게 한숨을 쉰 연이 입을 열었다.

"세가의 규율과 규칙을 수호하는 장로야. 규율, 규칙뿐만 아니라 세가의 큰일이 있다면 가장 먼저 달려오는 자들이기도 해. 남궁사영은 그중에서도 가장 높은 위치지. 창연각(敞延閣)을 지키는 자니까."

"창연각?"

"창연각은……."

무가나 문파에 있어서 가장 중요한 것은 후손이나 직계 제자들에게만 전해져 내려오는 고유한 무공과 내공심법 등이다. 가령 남궁세가를 대표하는 검법인 창궁무애검법(蒼穹無涯劍法)은 세가의 친족이 아니면 배울 수가 없는 검법이었다. 소림사의 소림곤법천종(少林棍法闡宗)이나 무당파의 그 유명한 태극신공(太極神功) 또한 마찬가지로 직계 제자들에게나 허용되는 무공들이다.

이러한 무공들은 각별히 중요하게 여겨져 구전에서 구전으로, 혹은 스승에게서 제자에게로 이어지곤 했다. 물론 세상일이란 알 수 없는 것이기 때문에 실전(失傳)을 대비하여 무공들을 비급으로 적어 두기도 했다. 이 경우에는 다른 곳으로 새어 나가거나 하면 안 되기 때문에 각 문파와 가문에서는 철두철미하게 무공 비급을 보호하곤 했다. 남궁세가의 창연각이 바로 그 경우이다.

창연각은 장로조차 쉬이 들어갈 수 없는 곳이다. 진입하려거든 기관진식은 물론이거니와 삼재(三才), 오행(五行), 육합(六合)에 팔괘(八卦)와 구궁(九宮) 중 하나도 빼놓지 않고 통달해야 한다. 그러니 기관진식에 능하기로 이름을 떨친 제갈세가의 장로 수준이나 되면 모를까, 평범한 무인들은 진법의 술식을 알고 있는 사람이 동행하지 않으면 접근이 불가능했다. 그만큼 억지로 뚫고 들어가려 하면 목숨까지 위험한 곳이었다.

그럼에도 두세 달에 한 번 정도는 겁 없이 비급을 얻고자 들어가려는 정신 나간 놈들이 있으니 항상 호법장로들이 낮밤을 가리지 않고 지키는 것이다. 남궁사영은 그런 창연각의 경비를 책임지는 위치였다. 모란이 연의 설명을 듣고는 고개를 끄덕거렸다.

"그럼 누군가 창연각에 침입하면?"

"가능하지는 않겠지만…… 만약 그런 일이 생긴다면 더는 호법장로의 직위를 유지할 수는 없겠지."

별생각 없이 대답해 주던 연이 고개를 번쩍 들었다. 설마? 설마 아니겠지? 연의 의심스러운 눈길을 받은 모란이 씨익 웃었다.

"창연각이 어디에 있는데?"

"네가 뭘 생각하든 그건 불가능해. 아무리 순간이동이라도 무리야. 어디에 무슨 기관진식이 있는 줄 알고?"

"불가능한지 아닌지는 두고 보면 알겠지."

모란이 자신만만하게 웃는데, 이상하게도 신뢰가 갔다. 그간 그가 보여 준 마법이라는 기술 때문일까? 그러나 신뢰는 갔으나 걸리는 것이 있어 머뭇거리다가 입을 열었다.

"그럼…… 대가는?"

"대가?"

모란이 잠시 입을 벌렸다가 닫더니 뺨을 긁적거렸다. 그가 금방이라도 창연각으로 달려갈 것 같았던 태도를 바꾸어 그 자리에 앉았다.

"딱히 대가를 바라고 하는 일은 아냐. 그냥…… 심심해서 그래."

"심심하다고?"

"그래. 이 세계가 얼마나 평화로운지 마치 휴가를 나와 있는 기분이라서."

연은 또다시 모란이 있던 세계가 궁금해졌다. 하지만 납득은 가지 않아서 의심스럽게 다시 물었다.

"이유가 그냥 그뿐이야?"

"또 하나 있기는 하지. 난 권선징악(勸善懲惡)을 좋아하거든. 보통 세상은 그렇게 돌아가질 않으니까. 내가 말하지 않았나? 난 전의 세계에서 영웅이었어."

"영웅이라고……."

연은 믿을 수가 없었다. 이런 좀 변태 같고 능글맞은 남자가? 툭하면 죽이니 팔을 부러트리니 하는 사람이? 모란은 턱을 괴고 불신으로 가득 찬 연의 얼굴을 빤히 바라보다가 빙그레 웃었다.

"한 백 년도 전의 이야기지, 아마. 내가 처음으로 영웅이라고 불리게 된 사건이 하나 있었거든. 마을 이름이 무엇이었던가, 에미스? 아미스? 뭐 대충 그런 이름이었을 거야. 아무튼 그 마을 영주가 나에게 도움을 청했어. 친분이 있던 녀석이라 무언가 하고 달려가 보았더니 매일매일 산에 오르는 사람들이 실종된다는데……."

듣지 말아야지 하면서도 연은 어느새 홀린 듯이 모란의 말을 듣는 중이었다. 참으로 교묘한 재주를 가진 혓바닥이다.

"사실 산이라고 하기에도 민망할 지경이었거든. 산책하러 갔다 오면 정상까지 고작 길어 봤자 한 시진 정도? 그런 곳에서 사람들이 벌써 열 명이나 사라졌다니 난리였지. 아무리 산을 수색해도 옷자락 혹은 신발 한 짝 나오지를 않았어. 약초를 캐어 먹고 사는 마을이니 난감한 일이지. 산에 올라야 먹고 사는데 목숨을 걸고 올라가야 하니. 그런데 알다시피 내가 마력 탐지를 좀 하지 않아?"

"그럼 마력 탐지로 사람들을 찾아낸 건가?"

"물론, 찾아냈지. 놀랍게도 사라진 사람들은 저기 지하 까마득한 곳에 파묻혀 있었어. 산 높이의 몇 배나 되는 깊은 곳이었지. 절벽도 동굴도 없는 그저 산일 뿐인데 말이야. 그것도 사라진 지 며칠씩이나 되었는데 아직도 살아 있는 채였지. 결단을 내려야 했어. 사라진 사람들을 포기하고 산을 내버려 두느냐, 아니면 생계 수단을 포기하고 산을 갈라 사람들을 꺼내느냐."

연이 눈을 휘둥그레 떴다.

'대체 어떤 일이 있었기에 산에서 사라진 사람들이 지하 깊숙한 곳에 산 채로 파묻혀 있었던 걸까? 아니, 그보다 산을 뭐 어떻게 한다고? 가른다고? 진짜 가능한 일이어서 지난번에 태산 일도양단이니 뭐니 한 거야?'

"영주는 내게 산을 갈라 달라고 했지. 파내기에는 너무 힘들었거든. 산이 바위투성이라서 삽을 꽂을 만한 곳도 적당치 않았고. 그래서 꼭대기에 서서 내가 산을 가르려고 할 때였어. 갑자기 놀라운 일이 일어났지……."

모란이 말꼬리를 흐리며 말을 멈추었을 때에서야 연은 자신이 몸을 다소 앞으로 기울이고 있었다는 걸 깨달았다. 부끄러운 마음에 얼굴이 붉어졌다. 언제 그랬냐는 듯 똑바로 세우는데 그가 히죽 웃었다.

"뒷이야기 궁금해? 왜 사람들이 실종되었는지, 그 아래 파묻혔는지 알고 싶지 않아? 계속 이야기해 줄까?"

"아, 아니……. 전혀, 하나도 안 궁금한데."

사실은 궁금했으나, 연은 자존심 때문에 애써 아닌 척 주먹을 꽉 쥐며 말했다. 모란은 다 안다는 듯이 히죽거리더니 자리에서 일어났다. 그러더니 이리저리 몸을 뒤틀었다.

"그래? 그럼 난 창연각이나 다녀와야겠다."

"뭐? 이봐!"

연이 무어라 말리기도 전에 순식간에 모란은 순간이동으로 그 자리에서 모습을 감추었다. 또 제멋대로! 짜증이 난 연이 소리 질렀다.

"백모란! 돌아와!"

물론 백모란에게 들릴 리가 없었다.

'정말 미친 것이 아닌가? 창연각이 대체 어느 곳인 줄 알고 간단 말이야?'

창연각에 함부로 들어가려 했다가 죽은 사람만 기십이었다. 연은 초조하게 방 안을 서성이다가 참지 못하고 밖으로 나왔다. 지나가던 시비가 공손하게 고개를 숙여 보였다.

"도련님, 뭔가 필요하신 것이라도 있으신지요?"

"아니, 아니다."

연은 애써 태연한 척하며 흘끔 창연각이 있는 곳을 바라보았다. 멀찍이 창연각의 푸른 전각 지붕이 보였다. 정말 지금 저곳에 침입하고 있는 중인가 싶어 연이 유심히 볼 때였다. 돌연 창연각 지붕에서 흰 연기가 새어 나오기 시작했다. 동시에 세가가 소란스러워지는 게 아닌가.

연은 제 눈을 의심했다. 종 울리는 소리와 함께 화정당 담장 너머에서 아스라하게 무사들이 소리 지르는 것이 들려왔다.

"침입자다! 창연각에 침입자가 들어왔다!"

정말로? 정말 창연각에 침입했단 말이야? 그게 사실이라면 백모란은 정말 미친 자임에 틀림없었다. 움직일 생각도 못 하고 우뚝 서서 지켜보는 동안 저만치서 희미하게 병장기 부딪치는 소리가 들렸다.

문득 인기척이 느껴져서 뒤를 돌아보니 주강이 서 있었다. 연은 뒤늦게 그가 제 호위무사라는 걸 떠올렸다. 요즘 워낙 한위와 붙어 있는 일이 잦아서 잊고 있었다.

"도련님, 혹시 모르니 들어가 계시는 것이 좋겠습니다."

"……그래."

만약 연이 평범하게 무가의 자식으로, 제대로 자라난 상황이었다면 그도 창연각에 달려가 손을 보태고 있었겠지. 그러나 이런 일이 일어났을 때 그는 항상 보호받는 입장이었다. 다소 자존심이 상하기도 하여 돌아서는데 주강이 주위를 살피고는 물었다.

"모란은 어디에 있습니까?"

"모란은 잠깐 어딜 좀……."

연이 얼버무리며 화정당 안쪽으로 향할 때였다. 안채 문이 벌컥 열리며 모란이 나타났다. 연은 그를 무시무시하게 째려보며 다가갔다. 어째 그의 품이 좀 불룩했다. 평소답지 않게 단정하게 옷도 제대로 입고 있고. 왜 그런지 알 것 같아 연이 얼어붙은 사이 주강이 눈살을 찌푸렸다.

"모란, 네게서 탄 냄새가 나는데 무슨 일이 있었나?"

"탕약을 끓이다가 좀 태워서 그만."

모란이 태연하게 대꾸했다. 연은 의심스러운 눈빛으로 바라보는 주강을 뒤로한 채 서둘러 문을 닫고 들어왔다. 그러고는 휙 고개를 돌렸다.

"진짜 창연각에 다녀왔어?"

"그럼. 이걸 보라고."

연의 눈이 휘둥그레졌다. 모란이 품 안에서 꺼낸 것은 다름 아닌 무공 비급이었다. 그냥 비급서도 아니다. 천뢰지동검법(天雷地動劍法)이었다. 위력이 고강한 검법으로, 그냥 혈육도 아니고 가주나 그 직계만 배울 수 있는 검법이다. 연도 배울 자격은 되지만 신체 조건이 되지 않아 배우지 못하는 무공이 아니던가.

연이 저도 모르게 주위를 살피고는 소리를 낮추어 소리를 질렀다.

"이걸 들고 오면 어떻게 해?!"

"반응을 보니까 대단한 건가 보네. 이런 걸 들고 와야 그 장로인가 뭔가가 제대로 잘리지. 안 그래?"

"그건 그렇지만, 아무리 그래도……."

"다른 사람 손에 들어가지 않게만 하면 되는 거 아냐. 어차피 익히고 있는 사람이 있으니까 실전은 안 될 텐데."

뚫어져라 비급서를 바라보던 연이 한숨을 쉬었다. 그래, 이왕 저지른 일……. 창연각의 침입자를 제대로 막아 내지 못해 세가의 명예가 좀 실추되긴 하겠지만 큰 해는 없을 것이다.

모란은 씩 웃으며 비급서를 품 안에 집어넣었다. 창연각에 침입까지 했는데도 옷자락 끄트머리만 좀 그슬리긴 했을 뿐 아주 멀쩡한 모습이었다.

'어쩌면 내 생각 이상으로 고수일지도 몰라. 형님이나, 혹은 반로환동한 장로들보다…….'

밖은 계속 소란이 이어지고 있었다. 그럴 만도 했다. 웬 침입자가 들이닥쳐서 무공 비급서를 훔쳐 갔으니 큰일이 난 것이다.

세가의 소란은 그날 새벽까지 죽 이어졌으나 범인은 끝내 잡히지 않았다. 범인이 순간이동을 했으니 잡을 방도가 없었을 터.

연은 그날 늦게까지 꺼지지 않는 세가의 횃불을 보며 어쩐지 기쁘기도 하고 한편으로는 걱정되기도 하여 매우 찜찜한 마음으로 잠들었다.

그리고 다음 날 이른 아침, 노발대발 분노한 남궁영명이 세가의 장로며 무사들을 죄다 소집했다. 어찌나 쩌렁쩌렁 온 세가에 울리도록 소리를 질러 대는지 깨어나지 않을 수가 없었다. 연이 일어나 옷을 걸치고 창밖을 내다보고 있자 어느새 들어온 모란이 씩 웃었다.

"구경 가지 않을래? 아주 볼만할 텐데."

연은…… 모란의 제안을 차마 거절할 수가 없었다. 솔직히 보고 싶었다. 아니, 보지 않으면 후회할 것 같았다. 주강도 소집당했는지 자리에 없어서 연은 모란을 곁에 붙이고 조용히 걸어갔다.

담 너머로 흘깃 보니 다들 연무장에 모여 있었는데 무사나 호법 장로들의 얼굴이 하나같이 벌레 씹은 듯한 표정이었다. 밤새도록 세가와 그 주변을 뒤지느라 얼굴이 퀭하기도 하였다. 그중에서도 영명과 사영의 표정이 제일 볼만했다.

"사영 자네는 대체 무얼 한 건가! 어떻게 침입자가 들어간 걸 보지도 못해!"

"죄송합니다, 가주님. 대체 이게 어떻게 된 일인지⋯⋯."

당연히 보지도 못했겠지. 순간이동으로 들어갔을 텐데 어떻게 보겠어? 조용히 들어갔다 나와도 되었을 것을 굳이 나갈 때 모두 보라고 난리 친 모란의 심보도 참 고약했다.

그러나 정말⋯⋯ 연은 이 상황이 몹시도 통쾌했다. 영명이 펄펄 날뛰는 것이나, 남궁사영이 죽상을 하는 것이나.

결국 남궁사영은 창연각을 제대로 지키지 못한 죄로 장로의 자리에서 강등을 당했다. 대신 그 자리에는 다음으로 실력자인 남궁인이 앉았다. 그는 영명보다는 연오를 지지하는 장로들 중 한 명이었다. 모든 일을 인수인계받았으니 아마 한위에 대한 일도 인계를 받았겠지. 영명은 창연각 침입사건으로 한위의 일까지는 신경이 미치지 못한 듯했다.

세상에 둘도 없을 즐거운 구경을 하고 나니 연은 기분이 좋았다. 그런 연의 상태를 단박에 눈치챈 모란이 히죽 웃었다.

"권선징악, 좋지?"

"응. 권선징악⋯⋯ 좋네."

연이 순순히 고개를 끄덕였다. 연만큼이나 기분이 좋은 것 같은 모란이 휘파람을 불며 앞서 걸어갔다. 그 뒷모습을 보며 연은 인정해야만 했다. 이제는 처음 봤을 때처럼 모란이 얄밉거나 싫지는 않았다.

주강이 딱 잘라서 냉정한 평가를 내렸다.

"한위 도련님은 재능이 뛰어나십니다. 예선전에서라면 한 번쯤은 이길 수도 있겠습니다. 요행을 바란다면 간신히 두 번까지도 이길 수 있겠고, 천운이 따른다면 세 번의 승리를 거둘 겁니다."

한위의 어깨가 시무룩하니 축 처졌다. 주강의 결론은 사실상 세 번의 승리가 불가능하다는 이야기나 마찬가지였던 것이다. 그러나 연이 봤을 때도 틀린 말은 아니었다.

호법장로의 직위를 박탈당한 남궁사영 대신 그 자리에 앉은 남궁인은 공정한 사람이었다. 그는 제대로 한위를 가르쳐 주었으며 대회 출전 신청까지도 흔쾌히 해 주었다. 그러나 남궁사영에서 남궁인으로 사람이 바뀌었다고 하여 한위의 승률이 크게 오르는 것은 아니었다. 연이 한숨을 쉬며 손짓했다.

"그간 수고 많았어. 이만 나가 보도록 해."

주강은 고개를 숙여 보이고는 미련 없이 방을 나갔다. 그간 열심히 한위를 가르쳐 놓은 것치고는 조금의 아쉬움도 보이지 않는 모습이었다. 한위는 완전히 풀이 죽은 채 의자 위에 오도카니 걸터앉아 있었다.

그 모습을 보는 연은 마음이 안 좋았다. 자신이야 자발적으로 남궁이란 성씨를 버리겠다고 했지만 한위의 경우에는 그게 아니었다. 남궁세가에 남아 있고 싶어 하는 것이다. 연은 그간 한위가 정말 열심히 했다는 걸 알지만 세상에는 불가능한 일도 있는 법이었다.

다만…… 이 방에는 불가능을 가능으로 만드는 사내가 한 명 있었다. 팔짱을 낀 채 비스듬히 선 모란이 고개를 까닥거렸다.

"전에 말한 대로 할까?"

대답하기 전, 잠시 생각에 잠겼다가 연이 손짓을 했다.

"한위야, 나가서 시비에게 세 명분의 차와 다과를 내오라고 하거라."

277

한위는 눈치 빠르게도 둘이 나눌 말이 있다는 걸 알아차렸다. 네, 하고 얌전히 한위가 나가자마자 모란이 눈썹을 들어 올렸다. 연은 마음이 좀 복잡했다. 대체 언제 어느 순간부터 모란과 이렇게 가까워졌을까? 단순히 그가 자신을 치료해 주었기 때문에?

"이래도 될까 하는 생각이 들어."

망설이다가 연이 솔직하게 털어놓았다.

"무슨 생각?"

"이런 상황이 계속되다가는 언젠가는 당신에게만 의지하게 되어 버릴 거야. 곤란한 일이 생기면 모란 당신부터 찾게 되겠지."

"그러면 안 되나?"

연이 고개를 들어 바라보자 모란이 팔짱을 풀며 어깨를 으쓱했다. 표정이 잠시 희미하게 변한 것 같았지만, 그는 이내 언제 그랬냐는 듯 씩 웃었다.

"인생에 한 명쯤 의지할 사람이 있는 것도 나쁘지는 않아."

"하지만 이해가 안 되어서 그래. 왜 이렇게 나에게 잘해 줘? 왜 이유 없는 호의를 베풀어?"

연은 도무지 이해할 수가 없었다. 만약에 자신이 모란이었다면 남궁연이라는 사람을 좋아할 이유가 없었던 것이다. 주인 없는 몸에 들어와 앉아 인생을 마음대로 만들었다. 그걸로도 모자라 몸을 학대하여 지워지지 않을 흉터까지 만들지 않았나? 싫어할 만한 이유가 넘친다. 그런데 아무리 생각해도 모란의 행동은 자신에게 호감이 있는 사람의 것이었다.

"그러면 너는 왜 밤마다 나가서 사람들을 치료해 주는데? 그것 또한 이유 없는 호의지."

"그건 이유 없는 호의가 아냐. 그냥…… 자기만족이지. 나는 의원이고, 의술은 지속적으로 단련해야 해. 게다가 사람들이 완치된 모습이 좋으니까."

여전히 납득이 가지 않았던 연이 고개를 저었다. 모란은 그저 웃어 보일 따름이었다.

"자신을 너무 과소평가하는데. 그렇게 따지면 나도 자기만족이야. 네가 그 꼬마가 기뻐하는 모습을 보기 좋아하는 것처럼, 나도 그런 거지."

뭐야, 그 말은. 그럼 내가 기뻐하는 모습을 보기 좋아한다는 건가? 연은 입술을 깨물었다. 여전히 그는 모란이 자신에게 호감을 가지고 있다는 사실을 인정하기 힘들었다. 그는 매번 모란에게 짜증만 냈던 것이다. 자신에게 좋아할 만한 구석이 어디가 있다고? 명치 어딘가가 참기 힘들게 간질거렸다. 연은 헛기침을 하며 화제를 돌렸다.

"그래서, 한위를 어떻게 하려는 건데? 겨울에 꽃을 피울 수 있는 것처럼 한위에게도 뭔가 할 수 있는 거야?"

모란이 빤히 바라보다가 입매를 느슨하게 만들었다.

"연아."

연은 소름이 오소소 돋았다. 모란이 자신을 이름으로 부르는 건 금지해야 되는 게 아닐까 싶었다.

"꽃이 화사하게 피어나니 겉으로 보기에는 좋은 것 같지만, 절대 그렇지 않아."

그 빌어먹을 꽃이 필 때마다 한 번도 좋은 적이 없었는데. 연이 속으로 생각했다.

"꽃이 필 때가 아닌데 피면 꽃나무 수명도 깎이지. 아, 물론 그 꼬마가 일찍 죽어도 상관없다면 당장 강하게 만들 수도 있긴 해."

상상만으로도 싫었던 연이 인상을 쓰자 모란이 히죽 웃었다.

"물론 그렇게 할 리는 없지만."

그건 그렇고 연은 왜 굳이 꽃나무 수명을 깎아 가면서까지 모란이 꽃을 피우는지 이해할 수가 없었다. 요즘엔 정원의 꽃을 치우다 치우다 하루 이틀 정도는 체념하고 내버려 둘 때도 있었다.

"하지만 내게는 마법이라는 훌륭한 수단이 있거든. 저녁에 한시진씩만 그 꼬마를 빌려주면 그 소룡대회인가 뭔가에서 우승하게 만들어 줄 수 있지."

"……한위에게 뭔가 이상이 생기지는 않는 거지?"

연이 캐묻자 모란이 걱정일랑 하지 말라며 장담했다. 이제까지 한 말은 죄다 지키긴 했지만 연은 이상하게도 영 불안한 느낌이 들었다.

일단 연이 다시 한위를 불러왔다. 어쨌든 둘보다는 한위의 의견이 제일 중요했다.

문을 열자 쪼그리고 있던 한위가 시킨 대로 차와 다과를 가지고 들어왔다. 연은 일단 한위를 앉힌 뒤 차와 다과를 쥐여 주고 어떻게 말을 꺼내야 하나 고민했다. 먼저 마법이 무엇인가부터 설명해야 하지 않을까?

"꼬마야. 너 그 대회에서 우승할 수 있는 방법이 있는데 한번 해 볼래?"

그런데 연이 채 말을 꺼내기도 전에 모란이 먼저 말을 가로채는 게 아닌가. 한위가 고개를 번쩍 들었다.

"네! 뭐든지 할 수 있어요!"

"잠시만, 아직 무슨 방법인지도 말하지 않았잖아."

연이 미간을 찌푸렸다. 그러나 모란이나 한위에게 연의 말은 들리지도 않는 듯했다. 모란이 생글거리며 한위의 어깨를 툭툭 두드렸다.

"일단 한번 체험해 보고 싫으면 그만두면 되지. 안 그래?"

우승할 수 있다는 말만으로 홀딱 넘어간 한위가 열성적으로 고개를 끄덕였다. 무슨 말을 해도 한위가 기어코 하겠다는 의지를 보이니, 결국 연이 한숨을 쉬었다.

"좋아, 대체 뭘 어떻게 하는 건데?"

모란이 대충 허공 어딘가를 가리켜 보였다. 당연하지만 아무것도 없었다.

"아공간이라고 있거든. 일종의 작은 주머니 차원 같은 곳인데……. 대충 차원과 차원 사이 틈바귀 어딘가를 찢어서 만든 공간이라 완전히 내 통제하에 있지. 거기서 수련할 거야."

아공간? 주머니 차원? 차원과 차원 사이? 듣긴 들었으나 항상 그렇듯이 모란의 마법에 대한 설명은 이해가 잘 가지 않았다. 연이 떨떠름한 얼굴로 마지못해 고개를 끄덕였다.

"그래, 그럼……. 잘 다녀와. 한 시진이라고?"

"조금 덜 걸릴 수도 있고 더 걸릴 수도 있고. 평범한 인간이 버틸 수 있을 만한 시간이 그 정도라서."

마법이고 뭐고 아무것도 모르는 한위만 그저 어리둥절한 얼굴을 한 채 둘의 대화를 듣고만 있었다. 연이 간략하게라도 설명을 하려던 찰나, 모란이 손가락을 딱 튕겼다. 그러자 돌연 스산한 기분이 들었다. 분명 변한 것은 없는데 무언가가……. 한위도 연과 같은 기분을 느꼈는지 주위를 두리번거렸다.

"어쩐지 기분이 이상해요……."

"익숙해져야 할 거야. 자, 이리로 오렴."

어리둥절해하며 한위가 모란이 손짓하는 곳으로 가 섰다. 그러자 스산한 분위기가 사라지며 둘의 모습도 사라지고 말았다. 연이 조심스럽게 둘이 사라진 자리에 다가갔다. 순간이동과는 또 달랐다. 이거 정말 괜찮은 건가?

모란과 한위가 돌아온 건 한 시진이 좀 못 되는 시간이 지난 후였다. 서책을 읽으며 기다리고 있던 연이 또다시 드는 스산한 분위기에 고개를 들었다. 마치 연기처럼 방 한구석이 일렁이더니 모란과 한위가 나타났다. 한위는 다소 어안이 벙벙한 표정으로 주위를 두리번거리더니 연을 보고는 단번에 달려들었다.

　"형님!"

　와락 저를 끌어안기에 얼떨결에 마주 안아 주기는 하였는데 반응이 이상하게 격렬했다. 어쩐지 어딘가 좀 달라진 것 같기도 하고……? 모란이 설렁설렁 다가오더니 한위의 덜미를 잡아 끌었다. 한위가 아차 싶은 얼굴로 뒤로 물러났다. 뭐지?

　"안에서 무슨 일이 있었어?"

　의심스러운 얼굴로 물어보자 모란이 태연하게 입을 열었다. 이상하게 모란도 달라진 것 같았다. 옷이 원래 저랬던가……. 워낙 망나니처럼 헐렁하게 입고 다니는 인간이라서 좀 꼬질꼬질해진 걸로는 구별이 안 갔다.

　"뭔 일이 있었겠어? 열심히 검술 훈련이나 했지. 내가 상대도 좀 해 주고."

　한위가 고개를 끄덕거리는데 연은 이상하게 느낌이 찜찜했다. 뭘 놓치고 있는 기분이었다. 그 아공간이란 곳이 어떤 영향을 미쳤나? 아무래도 한위가 염려되었다. 이리저리 살펴보던 연이 모란에게 고개를 돌렸다.

　"그 아공간이란 곳, 나도 들어가 봐도 되나?"

　"지금 상태로는 안 돼. 아주 큰 문제가 생길 거야. 치료가 더 길고 고통스러워질 거고."

　연은 깔끔하게 아공간에 들어가려는 생각을 접었다. 지금 치료도 못 견디게 고통스러운데 그보다 더 고통스러워진다면 치료를 아예 포기하게 될지도 몰랐다.

"한위야, 별문제 없는 것이지?"

모란을 아주 못 믿는 것은 아니지만 그렇다고 완전히 믿는 것도 아니라서 연이 물었다. 그러자 한위가 어른스럽고도 의젓하게 대답했다. 오늘따라 얼굴이 똘망똘망해 보였다.

"걱정 마세요. 형님. 걱정하실 만한 일은 없었어요."

"그래, 그렇다면 다행이고……. 피곤할 텐데 가서 쉬거라."

한위가 모란과 연에게 꾸벅 고개를 숙여 보이고는 화정당을 나갔다. 모란을 바라보니 그가 드물게도 퍽 피곤한 얼굴로 길게 하품을 하고 있는 중이었다.

"나도 이만 가서 좀 쉬어야겠다. 아공간 열어 두는 게 이만저만 힘이 들어가는 게 아니라 피곤하네. 당분간 밤 나들이는 좀 쉴게."

"그……래. 푹 쉬어."

연이 떨떠름하게 대답하자 모란도 어슬렁거리며 침소를 나갔다. 연도 여전히 무언가 놓친 듯한 찜찜한 기분으로 침상에 가누웠다.

그가 왜 자꾸 그런 느낌이 드는지 깨달은 건 사흘 뒤의 일이었다. 모란이 네 번째로 한위를 데리고 아공간에 들어갔다 나온 날, 벼락같이 찾아온 깨달음에 연이 모란의 멱살을 쥐었다.

"안에서 대체 뭘 하는 거야? 한위가 나이 들어 버렸잖아!"

하루나 이틀 정도는 긴가민가하였는데 사흘이 지나고 나흘이 되자 모르려야 모를 수가 없었다. 키도 크고 머리카락도 길어지고 점차 앳된 기미가 사라졌던 것이다. 연의 머릿속에 떠오르는 것은 사파나 마교에서나 쓰는 그런 금단의 무공들이었다. 사악하고 괴이한 무공들 중에는 고강한 무공을 펼칠 수 있는 대신 급속도로 나이가 드는 식으로 사용자의 생명을 앗아 가는 것들도 있었다.

"진정해, 진정."

"한위에게는 아무런 이상도 없을 거라며!"

연이 화를 내자 키가 제법 자란 한위가 당황하여 주위를 서성거렸으나 그는 신경도 쓰지 않았다. 모란이 뻔뻔하고 태연한 얼굴로 손을 들어 보였다.

"이건 부작용 같은 게 아냐. 그러니까…… 그저 나이가 들었을 뿐이지."

약을 올리는가 싶어 연이 발끈하였다.

"지금 나랑 장난하자는 거야?!"

"그러니까, 자연스럽게 나이가 든 거라고. 무얼 상상하는지는 몰라도 생각하는 것과는 달라. 아공간 안에서는 시간이 빠르게 흘러가거든. 이곳에서의 한 시진이 그곳에서는 두 달이라서."

모란이 씩 웃으며 멱살을 쥔 연의 손등을 살금살금 도닥였다. 연은 어이가 없어서 손을 탁 놨다. 일 년이나 일 년 반 정도가 필요할 거라더니, 진짜 일 년 동안의 시간을 보내게 만들 줄은 몰랐다. 한위가 난감한 얼굴로 모란의 편을 들었다.

"형님, 저는 괜찮습니다. 알고서도 제가 선택한 것이에요."

이제야 알겠다. 한위는 의젓하거나 어른스러운 게 아니라 정말 그만큼의 성장을 한 것이다. 처음 아공간에 들어갔다 나온 한위가 매우 반가워하며 달려든 것도 이해가 갔다. 연이야 한 시진밖에 안 되었지만 한위는 두 달이나 자신을 못 본 것이었을 테니까. 하지만 본인이 괜찮다는데 뭘 어쩌겠는가? 납득은 해도 기운이 빠져 연이 그래, 하고 대답했다.

"그래서, 어떻게 대회에서 우승할 수는 있는 거야?"

"이틀 정도만 더 이렇게 하면, 아마도? 이 꼬마가 꽤 열심히 하더라고. 네 형처럼 세가의 무사를 여럿 상대할 정도는 아니어도 서너 명 정도는 가능할 거야."

연이 다시 한위를 위아래로 살피며 미간을 찌푸렸다.

"다른 사람들이 이상한 점을 눈치채지 않을까? 너무 빨리 자랐다든가……."

"아마 아닐걸. 너 말고는 아무도 이 녀석에게 관심이 없는 것 같던데. 성장기라서 좀 빨리 자랐구나 싶겠지."

모란이 가리지도 않고 대놓고 말했지만 사실이라서 뭐라 할 말이 없었다. 한위를 바라보자 씩 웃는 게 아닌가. 전에는, 전에는 저런 식으로 웃는 애가 아니었는데……. 실력이 늘어난 건 괜찮았지만 한위가 모란에게 배우지 말아야 할 것까지 배운 것 같았다.

"며칠 연속으로 아공간을 열었더니 정말 피곤하네. 난 먼저 가 볼게. 꼬마야, 내일 또 보자."

아직 따질 것이 남아 있는데 모란은 설렁설렁 손을 흔들고는 연이 붙잡기도 전에 사라져 버렸다. 아무리 봐도 제멋대로에 예측 불가한 사내였다. 처음 만났을 때는 말도 어눌하고 울던 한위가 그사이 많이 의젓해진 얼굴로 연을 바라보았다. 그 모습이 좀 낯설기도 하여 연이 머뭇거리다가 제안했다.

"폐월당으로 가는 길까지 산책 좀 할까? 네 할미 진찰도 할 겸."

"네, 형님."

나가기 전 한위가 외투부터 먼저 챙겨 주었다. 연이 어색하게 받아 들었다. 문을 열고 나오자 여느 때와 마찬가지로 화정당을 지키고 있던 주강이 빤히 한위를 바라보았다. 거짓말 잘 못하는 한위가 어색하게 이리저리 시선을 회피하는 동안 연이 선수를 쳤다.

"어린애들은 성장이 빠르지."

"……그렇습니까?"

'그렇습니까.'도 아니고 의문문이었다. 그러고는 아무 말도 없이 뚫어져라 쳐다보는 것이다. 연은 제가 다 식은땀이 나서 한위와 산책 다녀오겠다고 말한 뒤 서둘러 화정당을 나갔다. 다행히도 주강은 따라나서지는 않았다. 둘은 안도의 한숨을 쉬었다.

연이 속으로 이를 갈았다. 뭐, 나 말고는 관심 있는 사람이 없어서 모를 거라고? 다른 사람은 몰라도 연오와 주강은 아닐 것이다.

그렇게 천천히 폐월당으로 걸어가는 길, 한위가 모란에 대해서 말을 꺼냈다.

"마법이란 건 정말 신기한 것 같아요."

"음, 확실히 많이 신기하지. ……혹시 모란이 네게 마법이란 것에 대해서 알려 주었어?"

한위가 고개를 끄덕였다. 확실히 아공간이라던가 순간이동을 대놓고 하려면 설명을 하긴 해야 했을 것이다. 그러고는 의아한 얼굴로 고개를 갸웃거렸다.

"사실 마법도 신기하지만, 전 모란 형님이 제일 신기해요. 가끔 그분은 꼭 사람이 아닌 것 같아요. 남궁인 장로님 같기도 하고, 또…… 산이나 바다 같기도 하고."

연은 한위가 받은 느낌이 무엇인지 이해했다. 이따금 모란은 형용할 수 없이 거대한 무엇으로 느껴지곤 했던 것이다. 그렇게 아공간에서 있었던 일에 대해 대화를 나누며 가던 길, 돌연 한위가 걸음을 멈추더니 어느 한곳을 바라보았다.

연은 조금 놀랐다. 얼마쯤 떨어진 곳에 남궁사영이 있었다. 장로 직위에서 파면되어서인지 어두운 얼굴로 걸음을 옮기던 그 역시 둘을 발견했다. 한위는 피하지 않고 사영의 시선을 마주했다. 그는 이해할 수 없다는 얼굴로 한위와 연을 바라보더니 이내 가던 길을 갔다. 연이 가볍게 한위의 어깨를 두드렸다.

"가자, 한위야."

한참을 사영이 있던 자리를 바라보던 한위가 고개를 끄덕였다. 그리고는 입을 열었다.

"얼른 대회 날이 왔으면 좋겠어요. 꼭 보란 듯이 우승할 거예요."

그런 말을 하는 한위의 눈이 전에 없이 단호했다. 전에는 남궁세가의 소속에서 쫓겨나고 싶지 않아 절박하던 눈이었다면, 지금은 달랐다. 그리고 연도 한위와 마음이 같았다.

그렇게 어느새 대회가 훌쩍 코앞으로 다가왔다.

"정말 사람이 많은데."

마차에서 내린 모란이 휘파람을 불었다. 그는 주치의라는 명목으로 연과 함께 마차를 탄 터였다. 마차에서 내린 연이 주위를 둘러보고는 인파에 눈썹을 찡그렸다.

소룡대회가 열리는 곳은 안휘성 회남(淮南) 지방의 제법 규모가 큰 연회장으로, 평소에는 지역 주지의 혼인이나 생신연 같은 행사에 사용되곤 했다. 그러다 대회가 열리는 한 달 전부터 준비를 시작해 성대하게 꾸미는 것이다. 안휘성에서 열리는 대회이니만큼 매번 상당한 자금을 지원하는 남궁세가는 귀빈 중의 귀빈이었다.

"참가자 수도 꽤 되는 데다가 볼만한 구경거리니까 여기저기서 몰려오지."

연이 뒤를 돌아보았다. 남궁세가의 마차가 줄지어 멈춰 서고,

대회에 참가하는 어린아이들 몇몇이 내렸다. 연오 이후로 참가할 만한 직계는 한위뿐이라 나머지는 모두 장로의 자식이거나 혹은 방계 쪽의 먼 친척이었다.

유일하게 혼자서 내린 한위는 보호자들과 재잘거리는 아이들을 말끄러미 바라보다가 연과 시선이 마주쳤다. 연이 눈짓으로 알은체를 하자 긴장했던 한위의 얼굴이 조금 밝아졌다.

한위가 진정하려는 듯이 허리춤에 매단 목검을 꼭 쥐었다. 연이 사 준 빨간 손잡이의 목검이었다. 연이 중얼거렸다.

"대회에는 목검 소지가 필수라서 다행이야."

"다행이지. 보통 이런 대회는 죽이는 건 실격이니까 좀 위험하잖아."

미간을 찌푸린 연이 고개를 돌려 모란을 바라보았다. 지금 이자가 무슨 소리를 하고 있는 거야?

"죽이다니, 이건 애들 싸움이야. 대회 역사상 한 번도 사망자가 나온 적이 없어. 팔다리가 부러지는 정도가 고작인걸."

"아니, 내 말은 저 꼬마가 위험하다는 게 아니라 상대가 위험하다고."

"뭐?"

이해할 수 없었던 연이 되물었으나 모란은 보면 알 거라며 웃기만 했다. 연은 어쩐지 불안해지기만 했다. 그러고 보니 모란이 한위를 대체 어떻게 가르쳤을까? 이 야만적인 사내가?

"참가자들은 이쪽으로 오길 바랍니다."

대회 진행자가 출입문 근처에서 금빛 자수가 놓인 깃발을 흔들었다. 한위가 마지막으로 다시 한번 연과 모란을 쳐다보고는 굳은 얼굴로 걸음을 옮겼다. 그 뒷모습을 보자 연이 다 긴장이 되었다.

한편으로는 기대도 됐다. 한위가 이 대회에서 우승하는 모습은 상상만 해도 통쾌해지는 것이었다.

가장 먼저 도착한 마차에서 내린 영명은 연오와 함께 이야기를 나누며 대회장으로 들어갔다. 연은 저 무리에 끼고 싶지 않아 조금 걸음을 늦췄다. 모란과 함께 걸어가며 대회에 참가하는 듯한 어린애들을 보니 대충 실력이 어떨지 짐작이 갔다. 척 봐도 똘망똘망해 보이는 녀석이 있는가 하면, 벌써부터 울먹거리며 들어가는 녀석도 있었다.

대회는 각각 총 서른두 명의 아이들을 뽑는 것으로 시작되었다. 참가자가 워낙 많다 보니 가능한 한 쓸데없는 부상을 줄이기 위해 예선전에서 서른둘을 제외한 나머지를 걸러 내는 것이다.

공정한 진행과 판결을 위해 각 문파에서 자원한 고수들이 셋씩 짝지어 참가자들에게 점수를 매겼다. 열두 살 미만과 열두 살 이상으로 따로 진행되는 대회이기에 연령대에 따라 치르는 시험도 달랐다. 연이 알기로 열두 살 이상의 시험은 팔굽혀펴기나 연속으로 던지는 작은 공 베어 맞추기 따위였다. 시험 내용을 들은 모란이 눈썹을 들어 올렸다.

"뭐야, 애들 장난이네."

"당연히 애들이 참가하니까 그렇지. 큰 부상이라도 입으면 난리가 나니까."

물건 베기 따위는 쉬운 것 같으나 고수가 지켜보고 있다는 점에서 달랐다. 대개 열 명 중 여섯 정도는 너끈히 시험에 성공했지만 그들에게 각각 매겨지는 점수는 천차만별이었다. 시험을 주관하는 고수들은 검을 잡는 자세만 보아도 상대가 어느 정도의 실력인지 아는 사람들이었다. 하물며 아이들이니 어떠한지 훤히 보일 것이다.

연이 대회장에 도착했을 때 귀빈석에는 이미 영명과 연오를 비롯하여 장로 몇이 자리를 잡고 있었다. 모란은 앉을 수 없는 자리기에 근처 아무 곳에나 앉았다. 연도 모란 근처에 앉고 싶었으나 마지못해 발을 질질 끌며 다가갔다. 연오의 자리 옆이 비어 있었다.

영명은 연을 무심하게 보고는 그저 고개를 돌렸다. 보통의 그는 연에게 이런 태도였다. 지난 연오의 생일 연회처럼 모친 어쩌고 하며 운운하는 일 자체가 드물었다. 반면 연오는 반가이 연을 맞이했다.

"여기 앉거라. 네가 어쩐 일로 이런 대회를 다 보겠다고 하는 구나."

"세가에만 있으려니 무료해서요."

"옷은 좀 따뜻하게 입었느냐? 탕약은 가져왔고? 식사는 어찌 했어?"

"형님……. 그래서 모란이, 아니 제 주치의가 따라오지 않았습니까."

연오가 유별나게 굴자 얼굴이 화끈거려 연이 한숨을 쉬었다. 누가 이 대화를 들었을까 싶어 주위를 살펴보던 연의 시선이 어느 한곳에 가 멈추었다. 남궁사영이 어두운 표정으로 앉아 있었다. 장로직에서 파면당했기 때문인지 평소와 달리 영명에게서 다소 떨어진 자리였다. 그때, 그가 시선을 느꼈는지 기민하게 고개를 돌려 바라보는 바람에 연은 아무렇지 않은 척 다시 시선을 돌렸다.

예선전이 진행되는 동안 귀빈석에서는 이런저런 대화가 오갔다. 남궁세가를 비롯하여 구대문파 오대세가의 사람들이 있는 자리였다. 은근한 정보가 오고 가기도 했고, 제 자식이나 제자의 우승을 호언장담하는 사람도 있었다.

연은 잠자코 차나 마시며 본선이 시작되기를 기다렸다. 연은 연오와 대화를 나눈 결과 그가 영명과 한위 사이에 오간 내기에 대해서는 모른다는 것을 확신했다. 하긴 알고 있었다면 가만있지 않았을 터다.

'하지만 주강은 왜 이 일에 대해서는 연오에게 보고를 하지 않았을까?'

연의 의문은 본선이 시작되면서 흩어지고 말았다. 대회장 위로 서른두 명의 아이들이 올라온 것이었다. 그들 중에는 한위도 끼어 있었다. 마찬가지로 한위의 얼굴을 확인한 연오가 감탄하는 소리를 냈다.

"아니, 한위의 실력이 제법인가 보구나. 남궁인 장로님이 잘 가르치신 모양이야."

사실 남궁인 장로는 하루마다 한위의 실력이 부쩍부쩍 자라는 걸 보고는 놀람을 금하지 못했다. 한위가 연을 찾아와 남궁인 장로님이 자신을 천재라고 생각하시는 것 같다며 곤란을 토로한 적이 있었던 것이다. 연이 어색하게 웃었다. 슬쩍 뒤를 보니 영명의 얼굴이 굳어 있었다. 그는 아마 한위가 예선전도 통과하지 못할 거라 생각한 게 틀림없었다.

대회 진행자가 본선이 시작하기에 앞서 참가하는 아이들을 먼저 소개했다. 연은 성씨와 옷차림으로 각 아이들의 출신을 확인할 수 있었다. 대부분이 구대문파 오대세가에 속한 아이들이었다. 그러다 남궁한위라는 이름이 불렸을 때 귀빈석에서는 수런거리는 소리가 들렸다.

"남궁한위?"

"아마도 남궁가 가주의 아들일 거야."

"남궁세가에 한위라는 직계 자식도 있었나?"

벌써부터 주위에서 한위의 이름을 수런거리는 걸 듣자 영명의 안색은 더욱 안 좋아졌다. 하긴 애초에 한위에게 대회 참가를 제안한 건 어디까지나 빈말일 뿐, 진짜 출전은 막으려고 했으니 지금 기분이 별로겠지. 그러나 연은 알고 있었다. 이제부터 그의 안색은 더욱 안 좋아질 것이었다.

"그럼 이제부터 본선을 시작하도록 하겠습니다."

대회 진행자가 본선의 시작을 알리자 첫 번째로 겨루는 아이 둘을 제외한 나머지가 아래로 내려갔다. 무대 위에는 고수 둘이 자리했다. 미숙한 실력으로 다투다가 혹여나 큰 부상을 입을 수 있으니 이를 방지하기 위해서였다.

사실상 일부 선수를 제외하면 서른두 명의 싸움은 고만고만했다. 서로 각 문파나 세가의 초식을 외우며 목검을 이리저리 맞대는 것이다.

그러면 어른들은 진지하거나 혹은 흐뭇한 표정으로 아이들의 대련을 지켜보았다. 규칙은 간단했다. 몸에 타격을 세 번 이상 허용하거나 검을 놓치면 지게 되어 있었다.

연이 흘깃 보니 일반 관람석에 앉아 있는 모란이 지루한 얼굴로 턱을 괴고 있었다. 귀빈석도 마찬가지라, 자신의 문파나 세가 소속이 아니라면 대화를 나누기에 바빴다. 남궁세가 사람들을 보니 설마 하는 얼굴로 한위를 보며 뭐라 수군거리고 있었다. 한위의 차례는 세 번째였다. 시간은 느리게만 흘러갔다.

"다음은 남궁세가의 남궁한위, 그리고 화산파의 공소진입니다!"

마침내 한위가 나올 때가 되자 사회자가 쩌렁쩌렁하게 외쳤다. 연이 바짝 긴장한 얼굴로 한위가 대련장 위에 올라가는 걸 주시하였다.

한위의 상대는 화산파의 직계 제자로 열여섯 살쯤 되어 보이는 아이였다. 둘은 서로에게 정중하게 포권지례를 한 다음 바로 허리춤에서 목검을 빼 들며 자세를 잡았다. 한위가 싸우는 것은 처음 보는 연의 가슴이 빠르게 뛰었다. 너무 티를 내지 않기 위해 차를 두어 번이나 더 마셔야 했다.

화산파의 직계 제자, 공소진이 먼저 앞으로 몸을 날려 덤볐다. 실제 싸움이 아닌 대회였기에 크게 기합을 내지르며 초식을 외쳤다. 아직 미숙하여 매화꽃 향기가 나거나 하지는 않았지만 그 나이를 고려하면 검술은 정석적으로 나무랄 곳이 없었다.

"매화십이검(梅花十二劍), 매화지란(梅花枝欄)!"

모두의 눈을 의심하게 만드는 놀라운 일은 다음으로 이어졌다.

한위는 상대가 바로 지척에 이르기까지 몸을 낮춘 채 가만히 있다가 검을 횡으로 휘둘렀다. 우웅, 하고 바람을 가르는 소리가 압도적이었다.

공소진은 처음 한 번은 어찌 겨우겨우 막았다. 그러나 두 번째는 아니었다. 한위가 검을 두 번 간단히 휘둘렀을 뿐인데 딱 하는 소리가 나며 상대의 목검이 허공으로 날아갔다. 순식간에 빈손이 되어 버리고 만 공소진의 눈이 휘둥그레졌다.

놀란 건 공소진뿐만이 아니었다. 정작 공격을 한 한위조차도 상대가 그리 쉽게 당할 거라 생각하지 못했는지 얼떨떨한 표정을 하고 있었다. 연이 주먹을 꽉 쥐었다. 귀빈석이 순식간에 조용해졌다.

"이름이 남궁한위라고?"

누군가가 다시 되묻는 소리가 들렸다. 연이 세가의 사람들을 바라보니 두셋은 자리에서 벌떡 일어난 상태였다. 놀랄 만도 했다. 그 누가 세가의 찬밥 신세였던 한위가 이런 실력을 가졌을 거라 생각했겠는가? 연오는 자리에서 일어나지는 않았지만 얼굴에는 놀란 빛이 가득했다. 그러더니 턱을 문지르며 중얼거렸다.

"이거, 남궁인 장로께 큰 감사 인사를 드려야겠구나."

그 후로 대회는 파죽지세(破竹之勢)였다.

처음 대결한 상대가 유별나게 실력 차이가 났었는지 그 후로 한위는 한 번에 상대를 승복시키지는 못했으나 어렵지 않게 곧잘 이겨 내고는 했다. 두 번째 상대는 두세 번 검을 맞부딪치다가 견디지 못하고 검을 떨어트리고 말았다. 한위가 몰아붙이는 힘이 강하고 무거운 탓이었다. 다음 상대는 좀 더 오래 버티기는 하였으나 마찬가지로 한위와 검을 맞대는 것을 힘들어하는 게 눈에 보였다.

연은 한위가 완전히 자랐을 때 어떤 방식의 검을 쓰는 무인이 될 것인지를 상상해 보며, 그만 가슴이 다 뛰고 말았다. 한위에게는 놀라울 정도로 뛰어난 재능이 있었다. 그 재능과 남궁세가 검법 중 중검의 묘리, 모란이 가르쳐 준 거친 싸움 방식이 섞이니 상대하기 어려운 검법이 되는 것이다.

'검을 부딪치기조차 싫은 상대가 되는 것이다.'

연은 모란이 했던 말의 의미를 이해했다. 목검이라서 다행이었다. 한위의 기세는 사나웠고 또한 어딘가 야만적으로 느껴지는 구석이 있었다. 아마도, 모란에게서 배운 것이겠지…….

검술 실력뿐만이 아니었다. 대회를 지켜본 결과 연은 알 수 있었다.

모란은 단순히 한위의 검 실력을 키워 준 것만이 아니다. 창연각에서 대체 또 무슨 비급서들을 들고 나왔는지 한위는 남궁가의 무공을 알뜰히 펼치고 있었다.

창궁대연신공(蒼穹大衍神功)은 물론이고 천풍검법(天風劍法)에 천리호정신법(千里戶庭身法)까지 펼치는 걸 보며 연이 미약하게 신음했다. 연오를 보니 얼굴이 완전히 굳어 있었다. 그럴 수밖에……. 한위가 펼치는 무공들은 영명이나 그 직계에만 허용되는 것들이었다.

'훔친 비급서들의 무공을 죄다 한위에게 가르쳐 놓으면 대체 어쩌자는 거야!'

아니, 연은 애초에 모란이 어떻게 한위에게 저 무공들을 가르 쳤는지조차 알 수가 없었다. 그만큼 모란의 실력이 대단한 거겠 지, 어렴풋이 가늠할 뿐이었다.

마침내 본선은 모용세가의 여식 모용령과 겨루는 최종 결승 까지 다다랐다. 전혀 예상치 못한 상대의 실력에 모용령의 얼굴 은 단단히 굳어 있었다. 얼굴이 굳은 건 모용령뿐만이 아니었 다. 모용이라는 성씨를 듣는 순간 연의 얼굴도 굳었다. 잠시 눈 을 감았다가 뜬 연이 다른 생각은 잊었다. 지금은 한위에게 집 중할 때였다.

"잘 부탁드립니다."

한위가 포권지례를 했다. 상대도 말없이 포권지례를 했으나 얼굴은 영 호의적이지 않았다. 그러나 모란과의 대련에 비하면 그런 태도는 위협적이지도 않았다. 한위가 목검 손잡이를 꽉 쥐 었다.

연에게는 말하지 않았으나 한위에게 있어서 모란과의 대련은 꽤 가혹한 시간이었다.

아공간은 황량한 사막 같은 곳이었다. 그저 끝없이 펼쳐진 땅 이 있을 뿐. 하늘은 밤도 아니고 낮도 아니었다. 공기가 무겁고 낯설어 현실이란 느낌이 들지 않았으며, 그를 가르치는 상대는 그리 너그럽지가 않았다.

처음 몇 번은 견딜 수 없어서 훌쩍거리며 울었다. 그런 그에 게 모란은 견딜 수 없다면 얼마든지 말을 하라고 했으나 그게 오히려 한위의 오기를 자극하는 것이었다.

그는 단순히 남궁이라는 성씨를 빼앗기기 싫어서 이러는 것이 아니었다. 영명의 아들로 인정받고 싶어서도 아니었다. 한위는 순수하게 승리하고 싶기도 했고, 우승하여 연과 연오가 기뻐하는 모습을 보고 싶기도 했다. 또한 스승을 두고 배워 나가며 —물론 모란은 스승이라 부르지 말라 하였으나— 무술이란 것이 어떠한 재미가 있는지 깨달은 탓도 있었다. 무술은 단순히 싸워 이기는 것 이상의 의미를 가지고 있었다.

상대와 맞서면서 한위는 직감적으로 모용령이 결코 만만한 상대가 아님을 깨달았다. 그건 모용령도 마찬가지였다. 둘은 거의 동시에 몸을 날렸다.

"비려십오검(飛欄十五劍) 섬광지천(閃光支天)!"

모용령의 목검이 날카롭고 빠르게 허공을 갈랐다. 한위는 뒤로 물러나는 대신 보법을 밟아 도리어 빠르게 앞으로 움직였다. 모용세가의 쾌검도 쾌검이었으나, 남궁세가의 쾌검 또한 무시할 수 없었다.

"창궁비연검(蒼穹飛燕劍)!"

한위의 검술은 하늘을 나는 듯이 가볍고 빨랐다가도 상대의 검에 맞부딪칠 때면 묵직하게 떨어져 내렸다. 서툰 감이 있어도 쾌검과 중검(重劍)의 사이를 제법 자유롭게 오가는 실력에 세가의 장로 둘이 저도 모르게 탄식하는 소리를 냈다.

둘은 잠깐 뒤로 물러났다가 다시 맞부딪쳤다. 모용가의 빛처럼 빠른 검술과 남궁세가의 번개와도 같은 검술로 인해 목검이 부딪치는 것이라고는 믿기지 않는 경쾌하고 맑은 소리가 났다. 둘의 검이 연신 쩡쩡 울리는 소리를 내며 맞부딪쳤다.

한참을 검을 맞대다 공격이 먹히지 않아 답답했는지 미간을 찌푸린 한위가 한 걸음 뒤로 물러났다가 세 걸음 앞으로 쏘아져 나갔다. 모용령의 검술이 화살이라면 한위의 검술은 제왕검형(帝王劍形)의 오의를 담아 마치 창과 같았다. 화살과 창, 결과는 정해진 것이었다.

무겁게 떨어지는 목검을 막으려다가 모용령은 그만 저만큼 뒤로 나자빠지고 말았다. 목검을 놓치고 만 걸 확인하자 매섭게 모용령을 몰아붙이던 한위가 그제야 검을 내렸다.

모용령은 어지러운지 고개를 흔들다가 자리에서 일어났다. 검을 다시 쥐는 손이 떨렸다. 분한지 입술을 깨물면서도 잘 교육받은 무가의 자식답게 모용령은 패배를 인정했다.

"좋은 승부였습니다."

"좋은…… 승부였습니다."

이겨 놓고도 믿기지가 않아 한위가 잠깐 주위를 돌아보았다. 정말로 소룡대회에서 우승한 것이다. 어안이 벙벙하여 멍하니 서 있는 한위에게 다가와 진행자가 팔을 들어 보이자 관중석에서 함성 소리가 쏟아져 나왔다. 대회 진행자가 내공을 실어 큰 소리로 쩌렁하게 외쳤다.

"이번 소룡대회의 제일소룡은 바로…… 남궁세가의 남궁한위 공자입니다!"

대회 진행자가 한위의 우승을 외쳤을 때 연은 하마터면 자리에서 벌떡 일어날 뻔했다. 귀빈석에서 역시 남궁세가라고 떠들어 대는 동안 정작 남궁세가가 앉은 자리에는 침묵이 깔렸다. 장로들 몇이 어리둥절한 얼굴로 대화를 나누었다.

"대체 남궁한위의 스승이 누구인가?"

"내가 알기로 남궁한위는…… 가주님이…….."

말꼬리를 흐리며 한 장로가 남궁영명을 바라보았다. 따라서 고개를 돌린 연이 조금 놀랐다. 영명이 분노할 거라 생각했는데 뜻밖에도 그의 얼굴은 새파랗게 질려 있었다. 마치 귀신을 보는 것처럼 한위를 바라보는데, 그 모습이 한위가 아닌 다른 사람을 보는 것 같기도 했다.

영명은 잠시 후에야 주변 시선을 의식하고는 애써 표정을 고쳤다. 사방에서 그에게 축하 인사를 하니 그럴 수밖에 없었을 것이다.

"축하드립니다, 남궁 가주. 저런 아들을 두고 계시다니 세가에 큰 복이겠군요."

지인의 축하에 억지로 웃어 보이기는 했으나 영명은 축하 인사에 수긍까지는 하지 못했다. 연은 영명의 처음 반응이 조금은 의아했으나 다른 한편으로는 기뻤다. 이제 한위가 남궁세가에서 전처럼 그리 찬밥 취급을 받지만은 않을 것이다. 강호란 그런 곳이었다. 철저하게 실력과 힘으로 평가받는 냉정한 세계다. 연은 그 누구보다 그 순리를 잘 알았다.

전혀 예상치 못한 승리에 남궁세가의 일원들이 기뻐하지도 못하고 혼란스러워하는 동안 소룡대회의 시상식이 진행되었다. 제일소룡은 한위였고, 제이소룡은 모용령이었다. 제삼소룡은 소림사의 직계 제자였다.

연은 한위가 상을 받고 어쩔 줄 몰라 하는 모습을 흐뭇하게 지켜보았다. 소룡대회의 인기가 높은 데에는 주어지는 상품이 대단한 까닭도 있었다. 각 소룡은 명인(名人)이 제작한 진검과 황금 한 냥씩을 받았다.

사람들이 박수를 치는 가운데 한위는 떨리는 손으로 소룡대회의 주최자에게서 상품을 건네받았다.

진검과 황금 한 냥은 그 나이 대에게는 퍽 진귀할 것이나, 한위는 그보다도 이날의 승리 자체가 더 값지고 좋다고 느껴졌다.

그의 인생에서 가장 반짝이는 좋은 날이었다. 사람들이 한위의 이름을 외치며 작은 영웅이며 인재고 용이라고 외치고 있었다. 문득 콧날이 시큰해져 한위는 울지 않으려고 애를 써야만 했다.

'이제는 가주님이 인정해 주실까?'

당연하다면 당연한 의문을 가지면서도 한위의 시선은 먼저 연과 연오에게로 향했다. 두 형들이 짓고 있는 표정을 보니, 놀랍게도 영명이 어떤 반응을 보이든 상관없다는 마음이 들었다. 그에게 있어 영명의 영향력이 줄어든 것이다.

시상식이 끝나자마자 영명은 자리에서 벌떡 일어났다. 제가 받은 번쩍이는 진검을 홀린 듯이 바라보던 한위가 고개를 들었다. 부친과 시선이 마주한 뒤 그가 조금 겁먹은 얼굴로 걸음을 옮겼다.

마침내 한위가 앞자리에 이르렀을 때 영명의 눈은 거의 불을 뿜어 내는 듯 형형했다.

"대체, 그 무공들은 어디서 배웠느냐?"

연이 고개를 휙 돌려 모란을 노려보았다. 그는 이런 상황을 정말 예상하지 못했던 걸까? 그것도 하필이면 창연각을 그렇게 뒤집어 놓은 시점에서! 모란은 연이 노려보자 히죽거리며 웃을 따름이었다.

"저, 그게……."

"어서 대답하지 못할까!"

영명은 약속한 대로 아들로 인정해 주기는커녕 크게 호통을 쳤다. 사람들이 수런거리자 연이 주먹을 꽉 쥐었다. 한위가 어쩔 줄 몰라 하며 상품으로 받은 검만 꽉 쥐었을 때였다. 가만히 상황을 지켜보고 있던 연오가 앞으로 나섰다.

"제가 가르쳐 주었습니다."

영명도 연도 놀라 연오를 바라보았다. 연오는 침착한 태도로 눈을 휘둥그레 뜨고 있는 한위의 곁에 다가가 섰다. 가장 믿었던 첫째 아들의 행동에 영명이 눈을 부릅떴다.

"지금 뭐라 했느냐?"

"아버지께서 바쁘시어 미처 막내아들에게 가르침을 줄 시간이 없으셨기에, 제가 직접 가르쳐 주었습니다. 한위 또한 응당 남궁가의 무공을 배울 만한 자격이 있지 않습니까."

"……."

"만약 제가 잘못한 점이 있다면 알려 주십시오. 가르쳐 주시는 대로 고치도록 하겠습니다."

매섭게 노려보는 시선에 연오는 침묵을 지키며 고개를 숙여 보였다. 영명은 아무런 말도 하지 않았다. 아니, 할 말이 없었다. 사방에 그를 바라보는 눈과 귀가 많았다. 여기서 연오를 나무라게 되면 한위에게 일부러 무공을 가르쳐 주지 않았다는 걸 인정하게 되는 셈이었다. 그렇게 되면 사람들이 호기심을 가지게 된다.

왜 남궁가의 가주는 재능이 뛰어난 아들을 유달리 차별하였는가? 사람들이 이런 의문을 품는 것이 영명이 가장 피하고 싶은 상황이었다.

"그래, 아주 잘했다."

아들에 대한 배신감과 분노로 영명이 이를 악물었다. 말 잘 듣고 고분고분하던 아들들이 어째서인지 최근 들어서는 유독 그를 따르지 않고 있었다.

"아주 잘하였어!"

노한 영명이 휙 옷자락을 휘날리며 뒤돌았다. 그가 성큼성큼 걸음을 옮기자 장로들이 서둘러 따랐다. 그런데 이상도 하지. 그중 유독 남궁사영만이 연을 뚫어져라 바라보는 것이 아닌가. 그는 곧 고개를 돌렸으나 연의 마음에는 이상하게 찜찜한 마음이 남았다. 그러나 남궁사영에 신경을 쓸 겨를이 되지 못했다.

"한위야."

셋만 남게 되자 드물게도 피곤한 얼굴로 연오가 불렀다. 영명

앞에 섰을 때와는 달리 한위가 어쩔 줄 몰라 하며 안절부절못했다. 연오는 연에게도 넌지시 시선을 주었다. 할 말이 많은 표정이었으나 질문이나 추궁은 없었다.

"네 스승이 잘 가르쳤나 보구나. 보아하니 남궁인 장로님은 아니실 테고."

연의 등에서 식은땀이 다 났다. 영명이라는 위기를 넘겼더니 이번에는 연오다. 연은 잠시 모란을 향해 폭력적인 충동이 일었다……. 한위는 이런 상황에서 둘러댈 만한 주변머리가 되지 않아 우물쭈물하다가 겨우 입을 열었다.

"제게 검술을 가르쳐 주신, 은…인이 계셨습니다."

"그래? 잘된 일이구나."

그렇게 말하고는 연오는 침묵했다. 연이나 한위나 그 침묵이 무겁게만 느껴졌다. 하지만 연오는 뜬금없는 말을 꺼냈다.

"나는 너희들이 남궁세가보다는 스스로를 위하기를 바란다."

"형님?"

예상 밖의 말에 연이 의아한 표정으로 그를 보았다. 연오는 손을 뻗어 한위가 품에 꼭 안고 있던 진검을 잡았다.

한위가 스르륵 놔 주자 그가 진검을 이리저리 살폈다. 좋은 검이로구나. 중얼거린 뒤에 그는 한위의 허리춤에 직접 그 진검을 매달아 주었다. 불안해하던 한위는 그 행동에 안도한 기색이 역력했다.

"나무랄 생각은 없지만, 그래도 조심하거라. 세상 인연이란 것이 모두 좋게 끝나는 것은 아니니."

그리 말하며 연오는 며칠 전의 일을 떠올렸다.

창연각에 침입자가 발생했을 당시 연오도 세가 내에 있었다. 그가 머무는 화월당은 창연각 바로 근처였던지라 빠르게 장소에 당도할 수 있었다.

그가 도착하자마자 본 것은 복면을 쓴 괴한과 그 앞에 정신을 잃고 쓰러져 있는 남궁사영이었다. 연오는 바로 검을 빼 들었다. 천풍신법(天風身法)으로 마치 폭풍같이 들이닥쳤고, 어찌나 그 기세가 맹렬했던지 처음 내디딘 발자국이 움푹 패일 정도였다.

그러나 그런 위력에도 맞붙은 상대는 조금도 밀려나지 않았다. 처음에는 금강불괴(金剛不壞)일 거라고 생각했는데 아니었다. 상대는 믿을 수 없을 만큼 강력한 아귀힘으로 검신을 쥐고 있었다. 연오가 이를 악물었다. 괴한이 지껄였다.

"그쪽과는 싸울 생각이 없는데."

"먼저 침입해 놓고 잘도 그런 소리를 하는구나!"

일단 뒤로 물러나자 상대는 순순히 검신을 쥐었던 손을 놔 주었다.

연오의 등줄기를 타고 식은땀이 흘렀다. 제가 상대할 만한 자가 아니었다. 그러나 창연각에 들어온 이상 그대로 놔줄 수도 없는 노릇이었다. 이런 고수가 대체 왜 창연각에 침입하여 무공비급을 가져가는가? 이해할 수는 없었으나 그래도 다시 검을 쥐고 달려들었다.

그가 섬전십삼검뢰(閃電十三劍雷)를 펼치려는 순간이었다. 괴한이 입을 열었다.

"동생을 위해 빌려준다고 생각해."

예상치 못한 말에 연오가 잠시 몸을 멈추었다. 동생? 연과 한위, 둘 중 누구를 말하는 것인지 알 수 없었다. 복면 아래로 괴한이 히죽 웃었다. 어쩐지 익숙한 자였다. 그러나 누구인지는 알아볼 수가 없었다.

서서히 뒤로 물러나던 괴한의 인영이 부서진 건물 벽 그림자에 잠겼다. 깜깜한 그림자 속에서 눈만이 기묘한 빛으로 빛났다. 마치 짐승 같은 눈이었다. 온몸에서 위압감이 넘쳤다.

"이런 어두침침한 건물에서 아무도 보지 못하게 장식되어 있느니, 네 동생을 위해 쓰이는 게 백번 낫지 않겠느냐? 눈과 귀가 있으면 너도 네 동생이 어떤 고초를 받고 있는지 모를 수가 없을 터. 고맙게 생각하거라. 네가 못 하는 일, 내가 대신 해 주는 것이니."

그 말만 남겨 놓고, 괴한은 무려 오 층 높이의 창밖으로 몸을 던졌다. 연오가 서둘러 달려가 보았으나 밖에는 아무도 없었다. 마치 공중에서 증발한 것만 같았다. 그는 무사들이 달려올 때까지 그 자리에 서서 괴한이 한 말을 곱씹었다.

그날부터 연오는 내밀하게 연과 한위 주변의 인물들을 조사했다. 그러나 아무리 조사해도 둘의 주변에는 창연각에 침입할 만한 수준의 고수가 없었다. 주강은 연오보다 좀 더 실력이 뛰어나기는 했으나 창연각에 침입할 이유가 없었다. 또한 그가 범인이었다면 검을 맞부딪친 순간 연오가 바로 정체를 깨달았을 것이다.

실마리가 없으니 괴한이 헛소리를 지껄인 게 아닐까 싶기도 했다. 그러나 소룡대회 날이 되자 연오는 알 수 있었다. 한위가 펼치는 무공들을 보면 모를 수가 없었다. 분명 그 괴한과 관련이 있는 것이다.

하지만 영명이나 장로들에게 말하지 않았다. 말할 수 있을 리가 없었다. 세가에서 한위가 어떤 위치에 있는지 잘 아는 까닭이다. 그러니 어떻게 말하겠는가? 그 고수가 훔친 비급서를 한위에게 가르쳐 준 것 같다고. 의구심을 가지면서도 연오는 입을 다무는 방법밖에는 없었다.

그렇다고 세가 내에 정체불명의 고수가 있다는 것을 마냥 좋게만 받아들일 수도 없었다. 한위의 편을 들어 주는 것 같긴 했으나……. 혹시 한위를 가엾게 여긴 장로들 중 하나가 아닌가, 하는 생각도 들었지만 장로였다면 이 역시 연오가 모를 리 없었다.

창연각에서 아주 잠시 마주했을 뿐이나 연오는 그 눈을 잊을 수가 없었다. 짐승 같으나 짐승만은 아닌 그 눈빛……. 그자는 과연 무슨 목적으로 한위의 곁에 머물러 있는 것인가? 그날 그자의 까마득한 실력을 체감한 연오로서는 함부로 행동할 수도 없었다.

그러니 아직은 한위에게 이런 말밖에는 할 수 없는 것이다.

"무슨 일이 있거든 꼭 내게 말해야 한다. 알겠느냐?"

"꼭 그리하겠습니다, 형님."

영문을 몰라 하면서도 한위가 굳게 대답했다. 그럼에도 연오는 근심 어린 표정으로 한위를 보았다. 다음으로는 연이었다. 연을 향하는 걱정의 시선은 또 종류가 달랐다.

"연이 너도 마찬가지다. 이런 일이 있었으면 내게 말을 했었어야지."

"하지만 그리하면 형님의 입장이 난처해지지 않습니까?"

그가 빙그레 웃었다. 그러고는 잠시 영명이 향한 곳을 바라보았다. 그 얼굴은 무표정하였다.

"내가 난처한들 너희들이 난처한 것보다 더할까?"

연은 잠시지만 연오가 무슨 생각을 하는지 알 것도 같았다. 연오는 언제 그랬냐는 듯 도로 피곤한 얼굴로 돌아왔다. 소룡대회가 끝난 후에는 항상 축제와 연회가 열렸다. 그걸 잘 아는 연오가 품을 뒤적이더니 전낭을 하나 내놓았다. 그러고는 한위의 머리를 쓰다듬고는 자리를 떠났다.

연이 한숨을 쉬며 전낭을 바라보았다. 한위야 그렇다 쳐도 나까지 아주 어린아이 취급을 하시는군.

"……왜 더 추궁을 하지 않으셨을까?"

"형님?"

"아니다, 한위야."

아무것도 모르는 한위가 의아한 얼굴로 연을 바라보았다. 연오가 나서 주기는 하였으나 그도 알았을 것이다. 자신 외에는 딱히 한위에게 무공을 가르쳐 줄 사람이 없다는 것을 말이다. 그럼에도 왜 더 추궁하지 않는지 연은 알 수가 없었다. 그냥 넘어가 주려는 걸까? 이런 심각하다면 심각한 사안을?

그건 그렇고…….

"대체 어디에 간 거야?"

연이 짜증스럽게 주위를 두리번거렸다. 대체 무슨 생각으로 한위에게 훔친 비급서의 무공을 가르쳐 놓았냐고 따지고 싶었다. 그런데 분명 아까까지는 관중석에 있었는데 연오와 대화하는 그사이 모란이 사라지고 없었다. 나중에 어련히 나타나겠거니 싶었던 연이 한위의 어깨를 다독였다.

"오늘 훌륭한 경기였다. 정말 열심히 잘했구나."

"아, 아닙니다. 이게 다 형님과 그분 덕분이에요."

그리 말하면서도 한위의 얼굴은 이제껏 본 중에 가장 밝았다. 연은 이것이 한위의 인생 중 가장 처음으로 쟁취해 낸 승리라는 것을 알았다. 응당 축하할 만한 가치가 있었다.

연회장을 나서자 밖은 온통 축제 분위기였다. 소룡대회를 보기 위해 인파가 몰려드니 그만큼 가게의 매상도 오르고 객잔의 숙소도 가득 차는 까닭이다. 연이 힘 있게 한위의 어깨를 다독였다.

"오늘은 너의 날이니 먹고 싶은 것이나 가지고 싶은 것은 모두 마음대로 누려도 된단다."

대회가 진행되는 사이 어느덧 날은 저물어 별이 반짝이며 뜨기 시작했다. 별들 아래로는 한몫 잡으려는 상인들이 등을 켜 불을 밝혔다. 이런 때가 아니면 보기 드문 야시장이었다. 야시 장을 난생처음 보는 게 분명한 한위의 눈도 별처럼 빛났다.

그들은 시장을 거닐었다. 한위는 모든 것을 다 한 번씩 보고 경험하려고 했다. 소룡대회의 우승자를 알아본 상인들이 공짜 로 꼬치나 빵 따위의 음식을 쥐여 주기도 했다. 연은 그 모습을 흐뭇하게 바라보았다.

활짝 웃는 얼굴로 그 모든 것들을 조금씩 맛본 한위가 형님, 하고 조용히 연을 불렀다.

"저는 형님이 처음 정원에서 당과를 주셨던 때가 가장 행복했 어요. 그런데 그 다음은, 형님과 함께 처음 시장에 나갔을 때가 더 행복했고, 지금은…… 지금이 제일 행복해요. 가주님께서 저 를 아들로 인정하지 않으셨는데도 그래요. 이상해요."

연이 쓰게 웃었다. 영명은 주변인에게 행복을 주는 사람과는 거리가 멀었다. 그의 근처에 있는 거의 모든 사람들이 불행해지 기 마련이었다. 그는 불행을 몰고 다니는 자였다. 속으로 그렇 게 생각하는 것과는 달리 연이 돌려 말했다.

"행복은 그자가 주는 게 아니니까. 절대 그럴 수가 없지."

연의 말에 한위가 우물쭈물했다. 이전의 한위에게 영명은 감 히 쳐다볼 수도 없는 까마득한 위치의 존재였다. 영명에 의해 제 삶이 좌지우지되었던 탓이다.

여전히 영명은 어려운 사람이었으나 대회에서 우승을 한 오 늘은 달랐다. 더는 영명은 한위에게 절대적인 존재가 아니었다. 도리어 절대적인 존재는 따로 있었다. 그렇다면, 하고 한위가 막 입을 열려던 찰나였다.

"행복은 바로 술에서 오지!"

뒤에서 누군가 덥석 묵직하게 어깨동무를 해 왔다. 그 바람에 화들짝 놀란 연이나 한위가 바로 허리춤의 검에 손을 뻗으려다 말고 목소리의 주인을 인지했다. 연이 눈을 감으며 이를 꽉 악물었다. 백…모란 진짜……. 뒤에서는 술 냄새가 지독하게 풀풀 풍겨 왔다.

"으흠. 여기 술 정말 끝내주는데그래. 꼬마도 한번 마셔 볼래?"

한위가 솔깃하여 모란이 흔드는 술병을 향해 슬그머니 손을 뻗는 걸 연이 탁 중간에서 낚아챘다. 화홍주? 비싼 것도 사 드셨군그래. 안 그래도 따질 것이 있던 연이 따졌다.

"도대체 무슨 생각으로 훔친 비급서의 무공을 한위에게 가르쳐 주었어?"

"이왕 손에 들어온 건 사용해 줘야지, 안 그래? 게다가 어차피 뭐 그 형님이란 자가 잘 수습했을 거고."

"아니! 대체 창연각을 그렇게 뒤집어 놓고 아무것도 모르는 애에게 훔친 무공 뻔뻔히 가르쳐 주는 심보가…….."

무책임한 행동에 하도 어이가 없어 연이 따지고 들었다. 물론 그러거나 말거나 모란은 한 귀로 듣고 한 귀로 흘렸다. 그러더니 둘을 덥석 잡고 질질 끌고 갔다. 한위는 끌려가며 휘둥그레진 눈으로 모란을 바라보았다. 모란이 과장된 목소리로 떠들었다.

"또 행복을 줄 수 있는 게 뭔지 알아?"

"이거 좀, 놓고 걸어!"

"쉬쉬, 가만있어 봐. 좋은 거 보여 줄게. 내가 돌아다니다가 오늘 뭐가 있다는 이야기를 들었거든."

연이 체념하여 한숨을 쉬었다. 항상 그렇듯이 팔 힘이 굳세어 빠져나갈 수가 없었다.

모란이 향한 곳은 야시장에서 좀 떨어진 언덕이었다. 다소 경사가 있어 연은 올라가면서 헐떡거렸다. 사실 이미 대회를 구경하고 야시장을 돌아다닌 것만으로 오늘분 체력을 다 소진한 차였다.

"도대체, 뭔데…… 여기까지……."

야시장에서 멀리 떨어지지도 않았는데 주위가 깜깜하여 아무것도 보이지 않았다. 유일하게 보이는 빛은 달빛 정도뿐이었다.

밤눈이 어두운 연이 주위를 두리번거릴 때였다. 핑 하고 허공을 가르는 소리가 울리더니 이내 거대한 폭죽이 터졌다. 연이 눈을 동그랗게 떴다. 그러고 보니 소룡대회는 당일 밤에는 항상 폭죽을 터트리는 것으로 마무리를 짓곤 했다.

환하게 터지는 빛으로 보니 한위는 완전히 넋을 놓은 상태였다. 연달아 터지는 폭죽은 마치 만개하는 꽃을 닮은 듯도 했다. 아니, 꽃 따위를 닮았다기보다는……. 아무튼 흔한 구경거리는 아니니 연도 가만히 지켜보았다. 한위가 마침내 중얼거렸다.

"행복은 이런 것에서 오나 봐요."

그 말을 들으니 귀엽기도 하고 어쩐지 이유 모를 안쓰러운 감정이 들기도 하였다. 한동안 한위를 바라보던 연은 고개를 돌렸다가 모란과 시선이 마주쳤다. 언제부터인가 모란은 연을 물끄러미 바라보고 있었다.

어쩐지 어색하여 다시 고개를 돌리려던 연의 시선을 붙들어맨 건 모란의 입가에 걸린 미소였다. 그 미소를 보자 가슴이 덜컥 내려앉는 듯해 연이 휙 고개를 돌렸다.

돌연 예전에 모란과 나누었던 대화가 떠올랐다. 그는 짧막하나마 남녀 간 정교(情交)를 나누어 본 적은 있었으나, 아직까지 한 번도 누군가를 마음 깊이 은애해 본 적은 없다. 여자는 물론이거니와 남자라면 더더욱 그렇다. 그러나 지금이라면 어쩐지 그런 감정을 가지는 것이 이해가 갈 것 같았다. 심지어 그 대상이 모란인데도.

또다시 폭죽이 크게 터졌다. 만발하는 빛 무리가 쏟아져 내려와 연의 가슴을 두들겼다.

五章 : 의원

'내가 이렇게 착한 인간이었던가.'

삐딱하게 앉아 술을 마시며 모란이 고뇌했다. 그는 최근 자신이 부린 오지랖에 대해 고민하는 중이었다. 오지랖도 그런 오지랖이 없었다. 새삼 성격이 좋아진 것은 아니었다. 그게 죄다 한 인물을 향한 것이었으니 말이다.

'환자 돌본답시고 밤마다 마실 나가는 것 도와줘, 동생 집에서 내쫓긴다고 하여 도서관 같은 것도 하나 뒤집어엎었지. 그것도 모자라 유지하기 꽤나 성가신 아공간까지 열어 가면서 가르쳤단 말이야. 가르치는 재미가 있긴 했다만.'

안제테다에서 알고 지내던 녀석들이 알면 기겁했을 것이다. 그 백모란이 언제부터 이렇게 잘도 상대를 도와줬느냐 이 말이다. 망가진 혼을 수복하는 건 그렇다 치자. 상당 부분이 그의 책임이었으니.

모란이 다시 술을 벌컥벌컥 마셨다. 보통 사람이라면 한 병

마시고 기절할 만한 독한 도수의 술을 물처럼 마시는 중이었다. 그렇게 한 독을 마셔도 취기가 살짝 오를까 말까 했다. 요즘 하도 돌아다녀 햇빛에 잘 그을린 피부 위로 술병에서 넘친 술 한 방울이 느리게 흘러내렸다.

'인연이 얽혀 버려서 그런가. 정말 잘 엉키기는 했어.'

근원과 근원이 가닥가닥 엮이는 게 인연이라고는 하지만 아무 근원이나 다 잘 얽히는 것은 아니었다. 정말 맞지 않아서 죽어라 시도해도 엮이지 않는 경우도 왕왕 있었다. 그러나 연과 모란의 근원은 정말이지…… 환상적으로 잘…… 엮였다. 이제 와서는 풀기조차 힘들다. 그러나 인연이 얽혀서 이렇게 구는 건 아니었다. 모란이 미간을 접었다.

'어쩔 수 없어. 그 예쁜 얼굴로 파르르 떨며 입술을 조금만 깨물기만 하면 그냥 홀랑 넘어가고 마는걸. 대체 알면서 그러는 건지 모르면서 그러는 건지.'

물론 연의 성격상 모르면서 그럴 가능성이 컸다. 그렇기에 더욱 문제인 것이다. 왜냐면 연이 알면서 그러면 더 쉽게 넘어갈 것 같았던 것이다.

'아이낙스의 심정이 다 이해가 가는군.'

아이낙스는 육십여 년 전 안제테다 중부 지역을 호령하던 여왕의 이름이다. 철혈 군주, 실리낙스의 대마녀, 우타마의 영원불멸(永遠不滅)한 왕 등등 여러 가지 칭호로 불리던 여자. 힘도 어찌나 세던지 모란은 그 여자와 싸우던 때를 떠올리면 새 육신에 들어와 있는 지금까지도 등이 다 쑤셨다. 그 여자에게 등짝만 여섯 번을 베이고 찔렸던 탓이다. 상처 중 하나는 저주 때문에 일 년이 지나도록 아물지를 않고 피가 흘러 옷을 몇십 벌이나 버렸었다.

아무튼 그런 독한 여자가 하루는 노리개로 수인 아이를 주워

왔다가 사랑에 빠져 버리고 말았다. 모란이 보기에는 사랑이라기보다는 집착에 가까웠지만, 아무튼 그랬다. 그 수인 때문에 아이낙스는 딱 한 방울뿐이지만 눈물을 흘리기까지 했다. 진귀한 구경거리였다. 그 구경거리를 보다가 까딱 죽을 뻔하긴 했지만.

'좋은 추억이군. 한 번쯤은 더 붙어 보고 와도 됐을 텐데.'

모란이 고개를 주억거렸다. 물론 그는 아이낙스와 달리 연 때문에 영토의 반을 말아먹을 정도까지는 아니었다. 그렇게 정신이 나가지는 않았다고 모란이 생각했다. 사실 사랑이니 뭐니, 그에게는 다 웃기는 수작으로밖에 보이지 않았다. 좋아하면 좋아하는 것이고 싫어하면 싫어하는 것이지. 뭘 애증이며 뭐며 울고불고…….

"모란 님, 술을 더 가지고 올까요?"

조용히 들어온 기녀가 정중하게 물었다. 모란이 빈 술병을 내려놓으며 잠시 고민하다가 손을 내저었다.

"음, 아니야. 됐다."

그가 자리에서 일어나자 옷자락이 흘러내리며 상체가 근사하게 드러났다. 여력이 될 때마다 아공간에서 단련에 단련을 거듭한 몸은 군더더기 없이 근육이 붙어 있었다. 모란은 잠시 가슴팍에 난 화상 자국을 손으로 문질러 보다가 피식 웃으며 옷자락을 대충 간추렸다. 기녀는 모란의 맨몸에도 전혀 동요 없이 말을 이었다.

"보고를 올리도록 할까요?"

"전에도 말했지만 굳이 꼬박꼬박 보고할 것 없어. 알아서 하라고 해라."

귀찮았던 모란이 손을 내젓자 기녀가 정중하게 고개를 숙이고 물러났다. 자리에서 일어나 창을 열자 따가운 아침 햇볕이 쏟아져 내렸다. 어느덧 동이 터 오고 있었다. 모란은 자신 소유의 주루에서 아침을 맞이했다.

그랬다. '그의 주루'이다.

원래 세계로 돌아오자마자 모란은 바로 돈을 모으기 시작했다. 그는 그다지 돈에 집착하는 편은 아니었으나, 그래도 돈이 있어야 필요할 때 골치가 좀 덜 아프다는 것 정도는 잘 알고 있었다. 정확히는 돈이 아니라 돈이 있음으로 인해 모여드는 정보가 중요한 것이다.

앞서 연이 모란의 몸을 쓰면서 모아 둔 돈이 있기는 하였으나 자금으로 운용하기에는 부족하였다. 그래서 연과 거래를 하여 자금을 빌렸다.

첫날은 연에게 말한 대로 금 열 냥을 들고 도박장으로 향했다. 도박장이란, 그 얼마나 돈을 모으기 쉬운 장소인지. 모란은 아무런 양심의 가책 없이 근방의 도박장을 돌며 돈이란 돈은 싹싹 긁어모았다. 시비를 걸어오는 놈들이 있다면 더욱이 좋았다. 그가 원하는 자들이 바로 그런 자들이었다.

모란은 금 열 냥을 스무 냥으로 불린 뒤 사람들에게 돈을 나눠 주었다. 공짜로 돈을 나눠 주는 사람이 있다는 소문이 돌고 난 뒤에는 정보를 가지고 오면 돈을 주는 것으로 바꾸었다.

그렇게 정보를 모으다 보니 들려오는 유익한 소문이 몇 가지 있었다. 이를테면 어디의 호화로운 주루가 왈짜패의 행패로 장사가 되지 않아 주인이 눈물과 탄식으로 밤을 지새운다거나, 어느 지역에 거대하고 사나운 짐승이 나타나 밭이며 논을 다 망친다거나, 혹은 주강 동부 지역이 녹림과 수림들로 인해 몸살을 앓고 있다거나.

그다음은 쉬웠다. 안제테다에서 이백오십여 년 동안 하던 게 바로 그런 일이었다. 모란은 왈짜패로부터 주루를 구해 소유권을 양도받았고, 인간의 피 맛을 알게 된 사나운 짐승을 잡아 족쳐 비싼 값에 팔아넘겼다. 주강 동부지역에서 날뛰던 산적과 도적들은 그 수가 제법 되어 현상금이 걸린 녀석들을 하나하나 잡아가는 재미가 쏠쏠했다. 금 열 냥을 갖는 것은 금방이었다.

돈이 모이자 사람이 모였고, 사람이 모이자 정보도 모였다. 정보가 모이니 또 돈이 모인다. 모란은 하오문이라는 문파와도 곧 연이 닿았다. 그들은 일종의 정보 연합이었다. 모란은 몇 번의 거래를 하며 돈독한 관계를 맺을 수 있었다.

여기까지 만들어 놓으면 그다음은 쉬웠다. 며칠에 한 번 들러왔다 갔다 하며 자신이 만들어 둔 것들이 잘 돌아가나 확인 좀 하고 문제가 있으면 해결이나 해 주면 되는 것이다. 어제처럼 귀엽고 썩 괜찮은 상대가 있다면 슬며시 꼬셔서 만족스러운 밤을 보내고.

해가 뜬 위치를 본 모란은 슬슬 연이 일어날 시간이 다가오고 있다는 걸 깨달았다. 기지개를 쭉 펴며 그가 창밖으로 가볍게 뛰어내렸다. 쓸데없이 정문으로 나갔다가 주루의 사람들이 문 앞까지 나와서 자신을 배웅하는 성가신 상황은 그다지 원하지 않았다.

주루를 나선 그가 어슬렁거리며 세가를 향해 걸어갔다. 안휘성 근처에는 커다란 시장이 있는데 모란의 취미는 이 시장을 가로지르며 이것저것 사는 것이다. 지나가다가 그의 시선이 과일 가게 앞에서 멈추었다. 노란 귤이 한 바구니 쌓여 있었다.

'귤을 꽤 좋아하는 것 같던데.'

연은 지금도 꽤 괜찮았지만 모란의 기준에서는 지나치게 말랐다. 좀 더 찌워 두면 좋겠네. 그리 생각하며 모란이 귤을 샀다. 소쿠리에 담아 들고 설렁설렁 걸어가면서 그가 눈썹을 들어 올렸다.

'아침부터 웬 날파리들이지.'

그냥 무시하고 갈 수도 있겠지만 귀찮음보다는 호기심이 더 강했다. 모란은 바로 세가에 들르지 않고 발걸음을 옮겼다. 어제부터 뒤를 졸졸 따르기에 얼굴이라도 한번 보고 싶었다. 좀 으슥한 곳에 다다르자 앞뒤에서 험상궂은 인상의 사내들이 튀어나왔다. 모란이 보기에는 시답잖은 것들이었다. 심지어 딱히 귀엽게 생기지도 않았다.

"네가 백모란이냐?"

얼굴에 길게 상흔이 남아 있는 사내가 단검을 위협적으로 흔들어 대며 물었다.

"그래, 내가 백모란이다."

이제 어쩔 것인가 궁금해하며 보고 있자 그들은 서로 눈빛을 교환하더니 달려들었다. 물론 모란은 눈 하나 깜박하지 않았다.

'여기 와서 딱히 원한을 산 적은 없는데. 특히 백모란의 이름으로는 말이야.'

의아해하면서 모란이 가볍게 손을 저었다. 그러자 달려들던 사내들이 컥, 하는 소리를 내더니 돌연 정신을 잃고 그 자리에서 픽픽 고꾸라졌다.

"마침 잘되었군. 재료를 또 구하러 갈 때였는데 알아서 굴러 들어 와 주니."

모란이 휘파람을 불었다. 네 명이라 수도 딱 맞았다. 대충 굴려다가 한군데 무더기로 쌓아 둔 뒤 그가 마력으로 공간을 접었다. 이 한산한 골목길에서 화정당까지의 공간을 접었다가 놓으니 어느덧 목적지가 코앞이었다. 그러나 화정당 안은 아니었다. 화정당 바깥 침엽수림에 아슬아슬하게 가리는 귀퉁이다.

모란은 한 명의 멱살을 잡아 질질 끌고 갔다. 도중에 정신을 차린 녀석이 희미한 신음 소리를 내며 움직였다. 그러나 모란에게는 벌레가 바르작거리는 것 정도로 느껴질 따름이다. 그가 손을 까닥거리자 땅 위에 놓여 있던 바위 하나가 움직이며 좁은 입구 하나가 드러났다. 실상 입구라기보다는 깊게 파 놓은 구덩이에 가까웠다.

몸을 숙인 모란이 팔을 뻗어 안에 있는 내용물을 집어 들어 꺼냈다. 주강 동부 지역에서 잡아 온 도적 중 하나였다. 처음 넣을 때는 팔팔하던 도적은 지금은 완전히 정신을 잃고 축 처져 있었다. 모란은 도적을 꺼내 아무렇게나 땅 위에 내려 두었다.

"으아…… 으으……."

자신의 운명을 예감한 남자가 버둥거렸으나 별 소용이 없었다. 모란은 아무렇게나 남자를 땅속에 욱여넣었다. 그리고 바위로 입구를 닫기 전, 그가 씩 웃었다.

"반성하고 있으면 꺼내 주도록 할게."

바위로 구멍을 막자 거짓말처럼 아무런 소리도 들리지 않았다. 모란은 허리를 펴고 일어나 나머지 의식을 잃은 사내 셋에게도 똑같은 일을 반복했다. 이렇게 화정당을 중심으로 네 귀퉁이에 묻어 놓은 사람들을 교체하는 것이다. 대마녀 아이낙스로부터 배운 술식이었다. 물론 전혀 연이 좋아할 만한 방식이 아니었기에 모란은 입을 딱 다물고 있었다.

연의 혼이 크게 손상된 걸 알게 된 날, 모란은 바로 이 술식을 만드는 데 착수했다. 자신의 근원을 찢어 연의 근원을 수복하는 일은, 생각보다 기운이 꽤 많이 소모되었다. 문제는 자신이 불어 넣어 주는 것보다 연의 몸에서 흘러 나가는 생기가 더 많다는 것이었다.

안제테다에서 사용하던 몸이라면 얼마든지 감당할 수 있겠지만 현재 그의 몸은 어렸다. 한마디로 말해 미완이라 감당이 되지를 않았다. 대신 그가 선택한 방법이 바로 이 술식이었다.

원리는 간단하다. 살아 있는 사람을 동서남북 네 방향에 각각 파묻는다. 그리고 네 사람으로부터 기운을 좀 뽑아낸다. 이 기운은 밤마다 연이 매일 잠드는 침소로 향하게 되어 있었다. 너무 오래 파묻어 두면 죽어 버리고 생기 대신 사기가 전해지니 모란은 좀 뽑아냈다 싶으면 녹림에서 대충 아무 도적이나 잡아와 갈아 끼우는 것을 반복하고 있었다.

다만 부작용이 없지는 않았다. 다른 사람의 생기를 억지로 뽑아내 넣어 두는 것이니 말이다……. 모든 마녀의 술식이 그렇듯이 중간에 거르거나 멈추게 되면 그만큼 술자와 생기를 받던 사람에게 반작용이 가해진다.

하지만 걱정할 필요는 없었다. 어차피 연은 화정당 외의 다른 곳에서 잘 일도 없는 데다가 만약 그렇다 해도 하룻밤 정도는 모란이 옆에서 잘 관리해 주면 그만인 것이다. 가장 심한 타격이 가해질 때는 술식이 깨질 때지만 이곳에는 안제테다와는 달리 술식을 깰 만한 요소는 존재하지 않았다.

"아침부터 운동을 하니 기분이 좋군."

술식의 재료로 썼던 녀석들은 관아에 넘겨주고 현상금까지 받아 온 모란이 기분 좋게 화정당으로 향했다. 주치의라는 아주 편한 구실로 제지 없이 문을 열고 들어간 그는 곧장 침소로 향했다. 침상 위에는 연이 죽은 듯이 잠들어 있었다. 모란은 그 옆에 자리 잡고 앉아 귤을 까먹었다.

"어떻게 잠꼬대 한 번을 안 한단 말이야."

연은 모란이 본 중에 가장 잠버릇이 얌전한 사람이었다. 거기다가 추위를 타는 탓에 눈 바로 밑까지 이불을 끌어다 덮고는 그대로 아침까지 조용히 숨만 쉬며 잤다. 몸 상태가 안 좋아서인지 아니면 원래 이렇게 자 버릇한 것인지는 모르겠지만…….

그대로 지켜보며 계속 귤을 까먹었다. 연은 다섯 번째 귤의

껍질을 깔 때쯤 잠에서 깨기 시작했다. 풀풀 귤 향기가 퍼진 탓이었다. 모란은 여섯 번째 귤을 먹으며 연의 미간이 찡그려지는 것을 지켜보았다. 조금 뒤척뒤척하던 연이 곧 눈을 떴다. 처음에는 모란이 있는지 모르는 듯하더니 인지를 하자마자 곧 짜증을 냈다.

"······내가 잠자는 동안에는, 들어오지 말라고 했지."

"그랬던가? 잘 모르겠는데."

시치미를 떼며 모란이 귤 하나를 까서 연의 새하얀 뺨 위에 올렸다. 최근 혈색이 차츰 돌기 시작해 전처럼 창백하지는 않았다. 연은 모란을 노려보며 가만히 있다가 자리에서 벌떡 일어났다. 굴러 떨어지는 귤 알맹이를 낚아챈 그가 불퉁한 얼굴로 귤을 먹기 시작했다. 모란이 흐뭇하게 바라보았다. 귀엽기도 하지.

"자, 더 먹어."

아직 잠이 덜 깬 상태에서 연은 모란이 주는 귤을 세 개째 받아 들었다가 멈칫했다. 무언가 깨달은 얼굴로 그가 모란을 바라보았다.

"······설마 오늘이 치료하는 날이야?"

"어떻게 알았어?"

"그날만 되면 많이 먹이잖아."

이런, 눈치채고 말았군. 그러나 이리 먹인 게 딱히 치료 때문만은 아니었다. 모란은 평상시에도 항상 연을 많이 먹이려고 노력하고 있었다. 언제나 체력이 가장 중요한 법이니까. 그리고 체력 증진은 원래 잘 먹는 것으로부터 시작했다.

모란이 네 번째 귤을 내밀었다. 치료를 받게 된다는 사실을 깨달은 연이 다소 시무룩한 얼굴로 귤을 받아 들었다.

"밤에 할 거니까 낮에 잘 먹어 둬."

연이 크게 한숨을 쉬었다. 그는 그다지 잘 먹는 편이 아니었다. 가끔 보면 아침이며 점심에 저녁까지도 죄다 한위에게 줘 버리는 것이다. 꼬맹이가 뭣도 모르고 눈치 없이 식사를 뺏어먹는 걸 볼 때면, 모란은 제가 없으면 연이 완전히 빼빼 말라 버리겠구나 싶었다.

그래도 치료를 한다 말한 덕에 연은 나름 열심히 식사를 했다. 평상시면 대충 숟가락 몇 번 깨작거리고 말 것을, 산적 하나에 소면 한 그릇, 그리고 당과까지 두 개나 먹었다. 저녁이 되어서는 후식으로 나온 밀떡도 하나 먹었다. 딱히 먹고 싶어서 먹는다기보다는 양을 채워 넣는다는 느낌이 강했지만 모란은 그걸로도 만족했다.

마침내 저녁이 되었을 때 연은 긴장한 얼굴로 침상에 앉았다. 이번으로 벌써 다섯 번째 치료였으나 매번 익숙하지 않은 모양이었다. 하긴 익숙해질 수가 없는 치료이긴 했다. 모란이 앞으로 다가와 앉자 고통을 예감한 연이 입술을 슬며시 깨물며 주먹을 꾹 쥐었다.

'또 귀엽게 구네.'

하지만 이번에는 귀여운 것만은 아니었다. 모란이 손을 뻗어 턱을 쥐자마자 고요한 연못에 돌을 던지기라도 하듯 혼이 크게 동요했다. 그저 간단한 접촉일 뿐인데도 감정적으로 크게 움직이는 것이다. 모란으로서는 잘된 일이었다.

그대로 입을 맞췄다. 쪽쪽 입술을 맞부딪친 뒤 타액으로 젖은 입술 위를 어루만졌다. 긴장한 연이 마른침을 삼켰다.

"좀 토할 것 같아도 참아, 알았지?"

다정하게 속삭이며 모란이 중지와 검지를 슬며시 입 안에 밀어 넣었다. 벌어진 입술 사이를 문지르면서 입술은 동시에 연의 귀를 탐했다. 붉게 달아오른 귀를 핥고 깨물고 빨아들일 때마다 연은 귀엽게도 움찔거리곤 했다. 모란은 그에게서 퍼져 나가는 성욕을 감지할 수 있었다. 마치 단것을 먹듯 귓불을 빨았다. 혀 끝으로 달아오르는 상대의 열기가 느껴졌다.

'아, 정말이지 한입에 먹어 치우고 싶군.'

연이 질색해서 도망칠 만한 생각을 하며 손가락을 좀 더 밀어 넣었다. 흰 이를 건드리고 발간 혓바닥을 짓눌렀다. 살금살금 손가락이 점차 깊은 곳으로 기어 들어갔다. 반사 작용으로 구역질이 올라와 괴로웠는지 연이 질끈 눈을 감았다. 입술이 달싹거릴 때마다 말랑하고 부드러운 감촉이 손가락 마디를 눌렀다.

'안 닿는데.'

모란이 미간을 찌푸렸다. 지난번에는 이 정도로도 충분하였으나 이번에는 그가 닿고자 하는 부분이 더 아래에 있었다. 목덜미를 잡고 최대한 손가락을 밀어 넣어 보자 아슬아슬하게 닿긴 닿았다. 고통으로 연의 몸이 퍼득 굳었다.

"흐으, 으……."

고통을 참느라 연이 숨을 헐떡거리자 더운 숨이 모란의 손등에 닿았다. 연이 괴로움에 저도 모르게 팔목을 잡아 밀려고 아등바등하는 걸 모란이 잡아 눌렀다. 순수하게 치료 중이었으나 어쩔 수 없이 어떤 행위가 떠오르는 건 어쩔 수 없었다.

그러건 말건 연의 눈에는 생리적인 구역감 때문에 눈물이 찔끔 고였다.

"욱, 흐으, 윽……."

"착하네, 조금만 더……."

살살 달래며 모란이 연의 입 안을 헤집었다. 그때마다 연의 몸이 움찔거리며 튀었다. 벌어진 입에서 말간 타액이 턱을 따라 흘렀다. 하지만 이번에도 제대로 잡히지 않았다. 모란은 미간을 찌푸렸다.

'역시 혼을 만지는 가장 쉬운 방법은 뱃가죽을 가르는 것이지.'

예전에 마족을 잡아다가 고통을 가하기 위해 결박하고 배를 갈랐던 걸 떠올렸다. 혼을 이리저리 헤집자 마족이 눈을 까뒤집고 고통스러워하며 마침내 모란이 원하던 정보를 내뱉던 것도. 그러나 연에게 그럴 수는 없는 일이었다. 게다가 그건 치료가 아니라 망가트리는 일이 아니던가.

마침내 포기하고 손을 빼내자 구역감이 올라왔던지 연이 입을 막으며 숨을 헐떡거렸다. 기침도 몇 번 이어졌다. 혼이 건드려질 때면 항상 그렇듯이 연의 눈빛이 아득하고 흐렸다.

"다…… 끝났어?"

이걸 어찌 말해야 하나 모란이 고민했다. 혼을 만지는 방법은 여러 가지가 있었지만 뱃가죽을 가르는 것 따위의 신체 손상을 제외한다면…… 역시 성적인 관계를 맺는 것이 가장 좋았다. 쾌감에 들떠 있는 동안 혼은 잘 구워진 떡처럼 말랑해지다 못해 뭉글뭉글 부풀어 올라 만지기 쉬워졌다.

"왜 그래? 무슨 문제라도 있어?"

평소와 달리 그렇게 아프지도 않았고—아예 아프지 않은 것은 아니었지만— 지나치게 빨리 끝났던 터라 연이 의아하게 물었다.

"연아, 아프지 않게 잘해 줄 테니 한번 나와 자 보지 않으련?"

한번 자 보자는 말이 성교를 하자는 말임을 알고 있는 연이 홱 몸을 뒤로 뺐다. 모란이 예상한 반응이었다. 지난 두 번의 제안마다 연은 이런 반응을 보여 왔던 것이다.

"지난번에도 말했지만, 안 돼. 분명 몸을 만지는 정도로도 충분하다고 했잖아."

"지금 정도로는 충분하지 않으니 하는 말이야."

모란은 삐딱하게 턱을 괴고 잠깐 뭔가를 생각하더니 불쑥 물었다.

"혹 거절하는 이유가 내가 싫어서이냐?"

"뭐? 아니, 아냐. 싫어서 그런 게 아니라……. 물론 좋아서 그런 것도 아니지만!"

모란의 질문에 연이 당황했다. 실은 당혹스러워서 그렇다는 게 제일 정확할 것이었다. 처음과 달리 이제는 모란이 만질 때마다 동요하는 자신의 마음을 아는 까닭이다. 소룡대회를 기점으로 더는 모란이 싫거나 꺼려지지도 않았다. 도리어 내심 그가 더 만져 주기를 바라는 것이었다. 연은 가까스로 변명을 하나 댔다.

"우린…… 아무 사이도 아니잖아."

연의 말에 모란이 눈썹을 들어 올렸다. 그리고 잠깐 침묵하더니 되물었다.

"아무 사이도 아니다?"

"그래. 난 아무 사이도 아닌 사람과 그다지 하고 싶지 않아."

"그럼 간단한 일이잖아. 치료할 동안만 나와 사귀면 되는 것이지. 치료가 끝나면 다시 아무것도 아닌 사이로 돌아가면 되고."

말문이 막혀서 연이 모란을 바라보았다. 평소처럼 어처구니없고 야만스러운 발언이라고 생각하면 되는데 어째서 은연중에 서운하게 느껴지는지 모르겠다. 서운하다니, 말도 안 되는 느낌이었다.

연은 자존심이 상해서 그런 것이라고 생각했다. 그러자 오기가 생겨났다. 모란이 별거 아닌 것처럼 말하는데 자신은 별거인 것처럼 굴기가 싫었다.

"아니다. 당신과 사귀느니 그냥 조금 더 허용해 주고 말래."

"나와 사귀는 것이 뭐 어때서?"

"몰라서 묻는 건 아니겠지?"

지금도 제멋대로 구는데 만에 하나라도 사귀게 되면 더 속을 끓일 것이 분명했다.

'아니, 아니다. 왜 그런 가정을 하는가? 어차피 사귀지도 않을 건데.'

연이 지레 놀라 다시 생각했다. 잠시라도 저런 사내와 사귄다는 가정을 하다니! 요즘 정신이 나가도 단단히 나간 게 틀림없었다. 모란이 눈썹을 들어 올렸다. 전혀 모르겠다는 얼굴이었다. 어쨌든 상대의 거절이 분명하니 그가 어깨를 으쓱했다.

"아무튼 그렇다면 삽입 외의 다른 건 해도 된다는 거지?"

"그……래."

허락하는 순간 얼굴에 그려지는 미소가 얼마나 선명한지 연은 가슴이 덜컥 내려앉고 말았다. 삽입 외의 다른 거……라면, 아무튼 입만 맞추는 것 이상의 일이라는 거겠지. 연이 바짝 긴장했다. 모란의 손이 가까이 다가왔다.

연은 그가 어딘가를 덥석 잡거나 만질 거라고 생각했지만 아니었다. 그가 먼저 만진 것은 옷자락이었다. 연의 침의 자락을 들치더니 멈칫하였다. 그러고는 묶인 자락을 풀어냈다.

연이 잠시 숨을 멈췄다. 스륵 부드럽게 비단 침의가 흘러 내렸다. 화로와 탕파 덕분에 공기가 따뜻한데도 피부에 소름이 돋았다.

"추워도 잠시 참아 봐."

피부를 스칠 듯 손을 훑어 내린 모란이 이번에는 바지로 손을 향했다. 이것도 벗겨 버리려나 하고 몸을 굳혔으나 벗기지는 않고 대신 손이 안으로 파고들었다. 사타구니로 향하는 것 같아 저도 모르게 몸을 움츠리자 아슬아슬하게 허벅지 안쪽을 건드리고는 뒤로 향했다.

속곳 위로 엉덩이를 움켜잡는 손길에 연이 헉 하는 소리를 냈다. 단단한 손가락이 살을 쥐고 있는 감촉이 너무 생경했다.

"긴장은 풀지 말고."

모란이 그리 말하며 입을 맞췄다. 긴장을 풀라는 것도 아니고 풀지 말라니……. 그러나 이어진 능숙한 혀 놀림에 연의 의문은 흩어지고 말았다. 모란은 혀를 물어뜯을 것처럼 구는가 하면 야하게 놀리며 숨 막히게 굴기도 했다. 한 손은 엉덩이에 가 주무르고 있고 다른 한 손은 가슴 위에 있으니 연의 얼굴이 순식간에 벌겋게 달아올랐다.

모란은 짓궂게도 연의 유두를 못살게 괴롭혔다. 세게 문지르고 꼬집듯이 비틀기도 했다. 그때마다 무슨 반응을 보여야 할지 알 수 없었던 연은 입을 맞추느라 말을 하지 못하는 게 다행이라고 생각했다. 손톱을 세워 유두를 살살 긁더니만 모란이 노골적으로 다른 한 손을 움직였다. 연이 당황했다.

"……!"

모란이 바지를 느릿느릿 벗겨 버리는 것이다. 침의라 헐렁한 바지가 허벅지에 가서 걸렸다. 몹시도 부끄러워서 연이 눈을 질끈 감는데 철썩, 하는 소리와 함께 엉덩이에 고통이 찾아들었다. 연은 깜짝 놀라 휙 고개를 틀었다.

"뭐, 뭐 하는……. 아!"

항의하려다가 연은 또 손바닥으로 엉덩이를 맞았다. 손으로 때리는 것이라고는 생각지 못할 정도로 아픈 매였다. 당황하여 버둥거리자 모란이 연의 얼굴을 빤히 들여다보면서 또 연달아 때리는 것이다. 이제 얼굴이 달아오르다 못해 화끈화끈했다.

다섯 번째로 얼얼한 매를 맞을 적에 연은 신음하며 그만 모란의 어깨에 얼굴을 묻고 말았다. 고통보다는 수치심이 앞서는 상황에 연이 모란의 팔을 꾹 잡았다.

'그만하라고 해야 하는데…….'

어렴풋이 지난번 모란이 엉덩이를 때려도 되느냐 물었던 것이 떠올랐다. 피를 토하기 전의 일이었다. 그때 무어라고 설명을 했더라, 감정, 감정적으로 동요해야…… 근원이…….

일곱 번째로 엉덩이를 맞고는 더 생각을 이어 갈 수가 없었다. 연은 모란의 옷자락을 꽉 쥐었다. 여덟 번째로 맞을 때는 몸이 들썩였다. 그런데 모란이 세게 때려서 그런 것인지 자신이 그런 것인지 구분이 가지 않는 것이다. 그만하라고 할까? 아니면 그냥 이대로…….

물론 아팠다. 아픈데, 연은 이상하게 이 상황이 좋았다. 아무도 모란과 연이 무엇을 하는지 모르는 이 상황, 어린아이처럼 엉덩이를 맞고 있으면서도 아무런 저항도 하지 않고 가만히 받아들이는 자신이……. 명치가 꽉 조이는 듯한 고통이 가해진 건 바로 그때였다.

"……!"

턱 숨이 막혀 몸을 떨자 모란이 언제 가차 없이 손찌검을 했냐는 듯 쉬쉬 하면서 달랬다. 등을 부드럽게 쓰다듬고 언제 모질게 때렸냐는 듯이 빨갛게 달아 오른 흰 엉덩이를 살살 주물렀다. 모란이 식은땀에 젖기 시작한 목덜미를 입술로 더듬거렸다.

"이번에는 참을 만하지?"

놀랍게도, 정말 그래서 연이 미약하게 고개를 끄덕끄덕했다. 그가 매달린 채 끙끙거리며 고통을 참는 동안 모란은 양손으로 엉덩이를 쥐었다. 그러고는 노골적으로 주물거렸다. 연의 얼굴이 고통에 질렸다가 발갛게 달아오르기를 반복했다. 그냥 주무르는 것이 아니라 은밀한 곳이 다 드러나도록 손가락 끝에 꽉 힘을 주고는 벌려 쥐는 것이다.

'이, 이 무슨 망측한······.'

실수였는지 주물거리던 모란의 손가락이 엉덩이 사이를 슬쩍 찌르자 연이 펄쩍 뛰었다. 하지만 그는 곧 그게 실수가 아니라는 걸 깨달았다. 손가락 하나가 슬그머니 굳게 다물린 입구를 문지르는 게 아닌가.

"거긴, 아! 으······."

명치가 찔리는 듯 아파서 연이 말을 잇지 못했다. 모란은 발갛게 열이 오른 뺨에 입을 맞추면서 손에 힘을 주었다. 그가 금방이라도 밀어 넣을 듯 손가락으로 뒤를 꾹꾹 눌러 댔다. 연이 수치심에 몸을 떨자 그는 엉덩이를 주무르던 손을 떼어 냈다. 그러고는 슬그머니 연의 다리 사이에 손을 가져다 댔다. 얄팍한 속곳이라 손바닥의 뜨뜻한 체온이 노골적으로 느껴졌다.

"여기······."

느슨한 미소를 걸친 모란이 제 손을 뒤집더니 손등으로 슬그머니 문질렀다. 구부러진 손마디가 스치는 것이 적나라하게 느껴졌다. 연은 제 것이 단단하게 발기하고 있다는 사실을 깨닫고 눈을 질끈 감았다. 죽고 싶을 정도로 부끄러웠다. 그러나 동시에 좋았다. 믿을 수 없을 만큼 좋았다. 이제 명치를 쥐어짜고 찌르는 듯한 고통은 서서히 가라앉는 중이었다.

"연아."

다정하게 부르면서 모란이 열이 오른 눈가며 입술 위로 야하게 쪽쪽거리는 소리를 내며 입을 맞췄다. 화끈하게 달아오른 귓바퀴를 깨물고는 더욱 노골적으로 연의 다리 사이를 지분거리며 지껄여 댔다.

"이렇게 귀엽게 굴면 무척 난감해. 내 인내심에도 한계가 있는데."

연은 모란이 하는 말뜻을 알아들었다. 몇 번이고 마른침을 삼

326

켰다. 마치 술이라도 마신 것처럼 머리가 핑핑 돌고 어지러웠다. 모란과 시선이 마주치자 온몸에 근지러운 감각이 번졌다. 그가 자신을 어찌하고 싶어 한다는 욕망을 읽어 낸 까닭이다. 부끄러움에 말은 없었으나 연의 시선도 모란처럼 상대를 더듬었다.

더 이상 고통이 없으니 치료가 끝났다는 걸 알면서도 연은 제 다리 사이에 가볍게 닿은 모란의 손 위에 저도 모르게 제 것을 살살 문지르고 말았다. 모란은 잠시간 말이 없었다.

연은 얼마 안 가 제가 무슨 짓을 했는지 깨달았다. 정신이 번쩍 들어 뒤로 물러나려 할 때였다. 시야가 한 바퀴 빙글 돌더니 어느새 침대 위에 엎드려 있었다. 모란이 가볍게 들어 올려 엎드려 눕힌 것이었다.

"일부러 그러는 것이지, 응?"

모란이 속곳 안으로 서슴지 않고 손을 밀어 넣었다. 그 손에 제 물건이 쥐인 순간 연은 마치 몸속에 벼락이라도 떨어진 기분이었다. 흰 쾌감이 솟구쳤다.

"아, 아……."

연이 저도 모르게 신음 소리를 내고는 입을 다물었다. 모란의 손이 움직이자 온몸이 떨렸다. 손이 움직이면서 나는 옷자락이 서걱거리는 소리까지도 오싹오싹했다. 이불을 쥐어 잡고 입을 꽉 다물고 있자 모란이 흐트러진 옷자락 위로 드러난 목에 입술을 문질렀다.

"어차피 밖에는 안 들려. 그 예쁜 소리 좀 내 보렴."

손가락이 입술을 누르고 입을 열고 들어왔다. 연은 반사적으로 다소 세게 깨물고 말았다. 그러나 아프지도 않은지 모란은 뒤에서 웃는 소리를 내더니 기어이 손가락으로 입 안을 휘저었다. 연은 소리를 내지 않으려고 했으나 모란이 물건을 쥔 손을 더 빨리 움직이자 어찌할 도리가 없었다. 빠르게 숨이 차올랐다.

"흐윽, 웃, 앗!"

모란은 교묘하게 손을 움직였다. 손으로 쥐고 빠르게 흔드는 것까지는 어찌어찌 견딜 만했다. 그러나 엄지손가락으로 선단을 문지르는 것에는 견디지 못하고 날카로운 신음 소리를 내고 말았다.

"……!"

이제까지 제 손을 이용한 자위 정도밖에 하지 않았던 연에게 모란이 주는 자극은 정말이지 강렬했다. 절로 허벅지며 허리에 바짝 힘이 들어가고 숨은 점차 가빠졌다. 자위 같은 것에 비교할 바가 되지 않았다. 크고 뜨끈한 손안에 죄다 쥐여 흔들리자 몸서리가 쳐졌다.

"앗, 아! 아!"

벌겋게 달아오른 목덜미며 귓바퀴를 잘근잘근 씹고 길게 핥다가 모란이 펄떡펄떡 맥이 뛰는 퍼런 핏줄에 대고 무어라 속삭였다. 입술이 움직이는 것이 선명하게 느껴졌다. 결국 흐느끼는 소리를 내며 모란의 손안에 파정한 뒤, 연은 힘이 탁 풀리고 말았다.

이불 위로 엎어진 그가 숨을 가쁘게 쉬었다. 머릿속이 희게 질릴 정도로 달콤한 쾌락이었다. 뒤에서 자신을 부담스럽지 않게 짓누르고 있는 모란의 체온과 무게가 퍽 좋을 정도였다. 그러나 그도 잠시였다.

'내가…… 내가, 미쳤지.'

시간이 지나자 연은 정신이 다 아득했다. 자신이 아까 무슨 짓을 하고 무슨 소리를 냈는지 떠올리자 부끄러움이 해일처럼 밀려들었다. 모란의 손안에 파정한 걸 처리하는 건 차마 보지 못하고 이불에 얼굴만 박았다. 아무렇지 않은 척하려고 애를 쓰며 자리에서 일어나는데 모란이 이렇게 말하는 게 아닌가.

"정말 나랑 한번 해 볼 생각 없어? 지금보다 몇 배는 더 기분 좋게 만들어 줄 수 있는데."

연은 모란의 말을 의심했다. 방금 그게 한 것이 아닌가? 아니, 어떻게 방금 것보다 더 기분이 좋을 수가 있지? 모란을 바라보던 연이 깜짝 놀라 휙 시선을 치웠다. 그리고 연신 눈을 깜박였다. 모란의 다리 사이가…… 그러니까, 그게…… 아니…….

'저게 정말 인간인가?'

전에 가진 것과 똑같지만 다른 질문을 다시 던져 보면서 연이 제 눈을 의심했다. 제가 뭘 잘못 봤나, 혹은 옷이 구겨진 걸 이상하게 본 것은 아닌가 하며 다시 쳐다보니…… 잘못 본 건 아닌 듯했다.

'저런 크기의 물건이, 아니었는데. 아니, 맞나?'

모란의 몸에 있으면서 연은 그 흔한 자위 한번 해 보지 않았다. 의원 일을 하느라 힘들어서 그런 욕구를 풀 여유가 없었을 뿐더러, 여유가 있어도 그러지 않았다. 남의 몸이라 거부감도 들었고 도덕적으로 그래서는 안 된다는 마음도 있었기 때문이다. 그러거나 말거나 연과 달리 도덕이라곤 죄다 내버린 것 같은 모란은 달콤한 말로 살살 구슬렸다.

"아주 안 아픈 건 아니지만 정말 좋을 거야."

연은 모르겠지만 모란은 지금 꽤, 아니 꽤도 아니고 많이 동해 있는 상태였다. 아파서 울먹거리는 것도 좋지만 쾌감에 흐트러져 흐느끼는 모습은 더 좋았던 탓이다. 열심히 자기주장을 하고 있는 제 물건을 힐끔 바라봤다. 연도 믿기지 않는다는 눈으로 다시 모란의 다리 사이를 바라봤다. 무의식중에 위험을 느낀 연은 서둘러 제 옷을 주섬주섬 갖추어 입었다. 모란은 굴하지 않고 다시 열심히 설득을 시도했다.

"그냥 입 맞추는 것보다도 방금 그게 좋지. 하지만 완전히 치료되려면 이 년은 더 넘게 시간이 걸릴걸."

"더 시간이 걸린다고……."

"그래. 하지만 조금 더 진도를 빼면…… 훨씬 덜 아프고, 시간도 덜 걸리고. 연이 너도 좋고 나도 좋고……. 그런 것이 아니겠느냐."

확실히 조금 전은 초반에 했던 것과는 달리 견딜 만한 고통이었다. 이보다 덜 아프고 기분이 더 좋으면 확실히 괜찮을지도 모른다는 생각이 들었다.

그렇게 잠깐 고민하던 연이 퍼뜩 고개를 저었다. 자꾸 이렇게 모란이 하는 대로 넘어가기만 하다가는 넘겨서는 안 될 것을 넘게 될 것 같았다. 그러나 모란은 포기하지 않고 끈덕지게 굴었다.

"물론 내 것이 좀 크기는 하고 넣을 때 아프기도 하겠지만 그런 아픔도 좋아질 정도로 잘해 줄 수 있거든. 찢어지거나 해서 네가 피 보는 일은 절대 없을 거라고 내 약조하지."

연은 잠시 이해가 되질 않아 멀뚱거리며 모란을 쳐다보았다. 모란의 물건 크기가 큰 것과 자신이 피를 보거나 아프게 되는 일과 무슨 상관인지 모르겠다. 그가 생각해 낼 수 있는 거라고는 겨우 이런 것이었다.

'어디에 넣는다는 건 아무래도 입에 넣는다는 거겠지. 그럼 성기를 입에 넣고 빨 때 입술이 찢어진다는 건가? 아니면 이로 깨물어서?'

깨물리는 상상을 하자 절로 인상이 써졌다. 하지만 아무리 물건이 크다 한들 입술이 찢어질 것 같지는 않았다. 아무리 생각해도 모르겠어서 연이 미간을 찌푸리며 물었다.

"왜 피를 보는데?"

"……응?"

"모란 당신…… 그것이 아무리 커도 입이 찢어질 정도는 아닌 것 같은데. 그리고 딱히 입에 넣어서 내 기분이 좋을 것 같지도 않아. 손가락을 넣을 때도 토할 것 같기만 하고 좋지는 않았어."

모란이 드물게도 눈을 크게 뜨더니 잠시 말을 하지 못하고 제 다리 사이를 내려다보았다. 그의 시선이 슬그머니 바닥을 기더니 이내 연의 엉덩이에 닿았다. 연이 모란을 한번, 그의 다리 사이를 한번, 마지막으로 그의 시선이 닿는 곳을 보고는 대경실색하였다. 설마 저걸 내 엉덩이에 넣겠다는 건 아니겠지! 마치 연의 마음을 읽기라도 한 것처럼 모란이 태연하게 말했다.

"뭘 생각하든 그게 맞을 거야."

"뭘 생각하든 그런 건 꿈도 꾸지 마! 무슨 그런, 그런, 말도 안 되는……!"

생각지도 못한 일이었기에 연이 더듬거렸다. 어쩐지 아까 이상하게도 자꾸 거기를 만지더라니! 얼굴이 벌겋게 달아오른 연이 서둘러 옷을 완전히 여미었다. 치료를 받고 나니 확실히 몸에 활기가 돌긴 하였으나 그건 그거고 이건 이거다.

"이제까지 한 것들도 다 괜찮지 않았어? 장담하건대 아주 기분이 좋을 거거든……."

진지하게 설득하려다가 저도 모르게 입맛을 다시는 바람에 결국 모란의 얼굴로 베개가 날아왔다. 뭐, 그래. 모란이 무릎 위로 떨어진 베개를 주워 들며 목덜미를 긁었다. 상대가 싫다는데 굳이 강제하거나 끈질기게 굴고 싶진 않았다. 게다가 굳이 급히 갈 이유도 없거니와, 뭐든 급히 가면 망하는 법이니.

그리 생각하면서도 모란은 연에게서 끝내 시선을 떼지 못했다. 저도 모르게 입술을 핥았다. 갈증이 나고 허기가 졌다.

"형님? 어디 몸이 안 좋으신가요?"

넋을 놓고 있던 연이 정신을 차렸다. 문득 내려다보니 툭툭 따고 있던 꽃들은 어느새 손안에서 뭉개져 있는 상태였다. 어느새 꽃향기가 풀풀 나는 손을 질색하며 털었다. 오늘도 모란이 정원에 꽃을 피워 두고 간 탓이다.

한위가 얼른 나머지 꽃들을 마저 따 냈다. 그는 남궁가의 장로에게서 훈련을 받고 돌아와 연을 거드는 중이었다.

연은 그의 모습을 새삼 다시 살펴보았다. 소룡대회에서 우승한 후로 세가에서 한위에 대한 대접은 완전히 바뀌었다. 그는 이제 매일 남궁가의 장로들로부터 직접 가르침을 받았다. 옷가지는 깨끗하였고 폐월당에도 하인과 시비가 배치된 덕에 깔끔하고 사람 사는 맛이 났다.

물론 영명은 매우 내키지 않아 했으나 세가는 영명의 의견으로만 돌아가는 곳이 아니었다. 장로들은 장차 세가에 큰 도움이 될 만한 인재를 방치하는 걸 크게 반대하였다. 정작 한위가 방치될 때는 거들떠도 보지 않던 이들이 소룡대회에서 우승하자 부당한 처사라고 하는 게 연은 웃기지도 않았다.

이제는 영명이 어찌하지 못할 테니 연은 한위를 괴롭히는 척하는 것도 그만두었다. 그는 세가의 사람들이 자신을 어떻게 보는지 잘 알았다. 동생이 한미할 때에는 괴롭히다가 소룡대회에서 우승하니 잘 보이려고 한다고들 하겠지.

그러나 연은 세가 사람들이 어찌 떠들든 아무런 상관이 없었다. 얼마 후면 자신과는 인연이 없어질 곳이 아니던가.

'세가를 나갈 때 굳이 한위를 같이 데리고 나가지 않아도 되겠네.'

자신을 따라 나서는 것보다는 세가에 남아 있는 게 장차 한위의 장래에 좋을 것이었다. 소룡대회에서 우승한 이상 남궁세가는 전폭적으로 한위를 지지해 줄 터다. 연은 기분이 안 좋을 때마다 그날 영명이 지었던 얼굴을 떠올리며 충분히 만족할 수 있었다.

"형님?"

한위가 걱정스럽게 다시 불렀을 때에야 연은 겨우 대꾸했다.

"아니, 아니다. 내 몸 상태는 괜찮아."

그러고는 연이 입술을 꾹 깨물었다. 실은 넋이 나간 건 몸 상태가 나빠서가 아니었다. 오늘은 드물게도 상태가 좋았다. 다만 이렇게 몸이 좋아진 원인에 대해 생각하니 떠오르는 사람이 있기 때문이었다.

모란으로부터 치료를 받을 때마다 연의 몸 상태는 두드러지게 회복되었다. 치료를 받는 건 여전히 아팠지만 받고 나면 좀 덜 추웠고, 덜 숨이 찼으며 더 많이 움직일 수 있었다. 다만 최근 받은 그 치료라는 것이 연을 심란하게 만들었다. 한위가 파 놓은 구덩이에 꽃을 던져 넣으며 연이 미간을 접었다.

'진짜 그게 들어가나? 거기에? 정말? 어떻게 그걸 넣는다 치자, 하지만 어떻게 기분이 좋아진다는 거지? 무슨 수로?'

호기심이 일어 잠깐 상상해 본 연은 지레 놀라 고개를 내저었다. 모란이 해 준 그 행위들만 해도 연에게는 충격적일 정도로 자극적이었다. 혼자 자위하는 것과는 완전히 달랐다.

게다가 그…… 넣는다는 것도 그렇다. 처음에는 상상도 못 한 행위를 제안하니 놀라 내쳤으나 시간이 지나자 연은 마음이 흔들렸다. 처음 할 때보다 치료가 덜 아프다고는 해도 여전히 큰 고통인 탓도 있었고 모란이 자신을 만져 주는 게 기분 좋았기 때문도 있었다. 모란의 언행에 질겁한 게 무색할 정도로 이성이 죄다 사라져서는…….

연은 쯧, 혀를 차고는 마지못해 제 마음을 인정했다. 그리고 시무룩하게 꽃잎 위로 흙을 덮었다.

'모란과…….'

연이 흙을 한 더미 덮었다.

'이렇고 저런 짓을…….'

흙을 팍팍 뿌렸다.

'……하는 게 좋다, 젠장.'

그는 아예 흙더미 위에 발길질을 하다 문득 회의감이 들어 멈추었다. 어디 이런저런 짓 하는 것만 좋은가. 모란을 향한 연의 심기는 복잡 그 자체였다. 처음에는 분명 상대도 하지 않겠다고 다짐했던 것 같은데 그 다짐은 어디로 갔는지…….

시간이 지날수록 괜찮은 사람이라는 생각이 들었고, 이제는 괜찮은 사람이라고 생각하는 단계도 넘었다. 자꾸만 남자가 남자를 좋아한들 뭐가 대수냐는 생각만 떠오르는 것이다.

모란을 볼 때 뛰는 심장이 어릴 적 세가의 어느 시비를 향해 품었던 첫사랑의 느낌과 비슷했다. 비슷한데 달랐다. 왜 다르지? 그 시비는 여자고 모란은 남자여서 그런가? 아니면 그 시비와는 살짝 입을 맞추어 본 게 다라서? 그러나 이런 마음을 상담할 곳도 마땅치가 않았다.

"한위야, 너는 모란을 어떻게 생각하지?"

"음, 모란 형님은……."

한위가 잠시 뜸을 들이며 말꼬리를 길게 끌었다. 그러고 보니 아공간이란 곳에서 훈련을 받느라 한위는 연보다도 더 모란과 오래 알고 지낸 사이가 되지 않았나. 그럼에도 한위는 모란을 퍽 어려워하곤 했다.

"좋으신 분이에요. 그런데 무섭기도 하고요. 꼭 사람이 아니신 것 같거든요. 아공간 안에서는 더욱 그랬어요……."

"그건 그렇지."

최근 들어 연은 정말 모란이 이백오십 살을 넘게 산 건 아닐까 하는 의심을 가지기 시작했다. 모란이 그 이상한 금색 눈을 하거나 세상 모든 일 겪어 본 이처럼 무료하게 굴 때에는 완전히 다른 사람 같았던 탓이다. 게다가 한 말은 꼭 지켰기 때문이기도 했다.

하지만 이백오십이면 어떻고 스물이면 어떻단 말인가……. 그게 연이 하는 고민을 없애 주지는 않았다.

'사귀자고 할 때 그러마고 할 걸 그랬나?'

의식의 흐름대로 거기까지 생각한 연은 또다시 소스라치게 놀랐다. 미쳤군. 남궁연, 미쳐도 단단히 미쳤어. 몸을 부르르 떨고는 다시 퍽퍽 감정을 담아 꽃잎 위에 쌓은 흙더미를 마구 짓밟았다. 한위가 눈을 굴리며 그런 연의 눈치를 보았다.

"연 도련님, 한위 도련님."

부르는 소리에 연과 한위가 뒤를 돌아보았다. 종종거리며 다가온 하인이 정중하게 둘을 향해 고개를 숙여 보였다.

"소가주님께서 점심 식사를 같이하자고 하십니다."

"곧 가겠다고 전하거라."

하인은 다시 종종거리며 사라졌다. 연이 신발 위에 올라간 약간의 흙을 툭툭 털어 내며 걸음을 옮기자 한위도 자연스럽게 그 뒤를 따랐다.

영명이 어찌할 수 없다는 걸 알아서인지 아니면 이미 한번 공식적으로 한위의 편을 들어서인지 이제 연오는 거리낌 없이 한위를 곧잘 불러내곤 했다. 더 좋은 것은 소룡대회 이후로는 주강 대신 한위만을 데리고 나갈 수도 있다는 점이었다. 하지만……

'주강은 대체 무슨 생각을 하고 있는 걸까?'

주강은 이미 한위를 맡아 훈련시킨 적이 있다. 그러니 단기간 내에 급격하게 상승한 한위의 실력은 현실적으로 불가능하다는 걸 잘 알 것이다. 실제로 소룡대회에서 돌아온 뒤 그는 한위와 대련을 해 본 적도 있었다.

그러나 대련 후의 주강의 반응은 불신하는 것도 아니었고 추궁하는 것도 아니었다. 대신 그는 전과는 완전히 달라진 눈으로 한위를 보곤 했다. 연은 그가 대체 한위에게서 무엇을 보고 있는지 알 수가 없었다.

하긴 자신과 모란의 관계가 전과는 완전히 달라졌는데도 의문 한번 표한 적이 없는 사람이 아닌가. 원래도 속내를 알 수 없는 사내였기에 그저 그러려니 할 뿐이다.

그렇게 이런저런 생각을 하다 보니 어느새 화월당이었다. 동백꽃이며 매화가 흐드러지게 핀 정원을 보며 연은 속으로 질색했다. 연오는 간만에 여유롭게 정원을 거니는 중이었다. 그러다 뒤를 돌아보고는 둘을 향해 미소 지었다.

"점차 추위가 가시는 걸 보니 봄이 오는 모양이다. 그렇지 않느냐, 한위야?"

아직까지 연오를 퍽 어려워하는 한위가 뻣뻣하게 고개를 끄덕거렸다. 한위는 연오를 좋아하긴 하였으나 그게 편히 대할 수 있다는 의미는 아니었다. 하기야 무려 열 살이나 차이가 나니 그럴 법도 하다고 연이 생각했다. 연오는 좀 섭섭한 모양이었지만.

"들어오거라."

연오를 따라 화월당 안에 들어서니 시비들이 음식을 차렸다.

성장기이기도 하고 훈련을 받느라 식욕이 왕성한 한위 앞에는 특별히 작은 오리구이가 따로 하나 놓였다. 며칠에 한 번은 이리 불러 식사를 같이한 덕에 한위는 요즘 부쩍 살도 오르고 체격도 커지기 시작했다. 연오와 연은 그 모습을 흐뭇하게 보곤 했다.

"이리 셋이 식사를 하니 참으로 좋구나."

진심으로 기쁜 얼굴로 연오가 입을 열었다. 그가 전부터 이런 자리를 바라 왔다는 게 한눈에 보였다. 그걸 알기에, 연은 딱히 입맛이 돌지 않아도 연오와 함께 먹을 때는 평소보다는 부러 더 먹곤 하였다.

얼마간 식사가 이어진 뒤, 연오가 찻잔을 내려놓으며 본론을 꺼내었다.

"오늘은 너희들에게 기쁜 소식을 알려 주려고 한다."

"기쁜 소식 말입니까?"

"그래. 아직 구체적으로 날짜는 잡히지 않았지만 봄이 오면 혼인식을 올릴 예정이다."

이런 소식은 처음 접해 보는 한위가 놀라 입을 벌렸다. 그간은 세가에 살아도 사람들과 동떨어져 있어 소식을 접할 수가 없었던 탓이다. 반면 미리 짐작하고 있던 연은 연오에게 축하 인사를 건넸다.

"진심으로 축하드립니다, 형님."

연오와 결혼하게 될 사람은 제갈세가의 여식 제갈금려로, 둘은 아주 어릴 적부터 약혼으로 맺어진 사이였다. 연도 몇 번 얼굴을 본 적 있는데 활기차고 아름다운 사람이었다. 연오와 제갈금려는 사이도 좋아서 작년부터 정식으로 혼담이 오갔다고 들었다. 연오와 금려가 함께 지내며 꾸릴 새로운 남궁세가는, 생각만 해도 기분이 좋았다.

"연이 너도 이제 슬슬 혼인을 알아보아야 하지 않겠느냐? 네 나이도 벌써 스물이니. 혹시 생각해 둔 사람이 있다면 말해 보거라."

아직은 혼인할 생각도 좋아하는 사람도 없다고 해야 하는데 연은 순간 걸리는 것이 있어 멈칫하고 말았다. 연오는 기민하게 그 찰나를 잡아내고는 웃음을 터트렸다. 연이 당황하여 손을 내저었다.

"저, 형님이 생각하시는 그런 것이 전혀 아닙니다."

"하지만 조금이라도 망설였다는 건 마음에 둔 사람은 있다는 거겠지. 그래, 어떤 사람이지?"

어떤 사람이냐면……. 제멋대로에 야만스럽고 도통 앞으로 이어질 행동을 예측할 수 없는 사내다. 창연각 정도는 가볍게 털어 버릴 정도로 실력이 고강한 데다가 변태 같은 작자이기도 했다.

연오가 강력하게 반대하기를 바라며 연은 부러 단점을 골라 입에 올렸다.

"제멋대로인 데다가 저보다 나이도 많고……."

이백오십 살이면 나이가 많다 못해 까마득하지 않던가. 모란의 말이 사실이라면 연도 전혀 거짓말을 하는 것이 아니었다.

"매사에 성의가 없으며 사귀자는 말을 심심풀이처럼 하는 사람입니다."

그렇게 말하고는 고개를 들어 보니 연오가 진지하게 듣는 중이었다. 연이 한숨을 쉬고는 솔직하게 털어놓았다.

"사실은 제가 그 사람을 좋아하는지도 모르겠고요."

"그런 고민을 한다는 것 자체가 이미 좋아하고 있다는 의미임을 모르는구나."

연오가 그렇게 말하자 연의 가슴이 뜨끔했다. 말도 안 되고 어처구니없는 논리인지라 그가 정색하며 극구 부정했다.

"그럴 리가 없습니다. 그래서도 안 됩니다."

"그래서 안 되는 건 또 어디에 있느냐? 이건 한위의 경우도 마찬가지지만, 아무튼 연이 너는 자유롭게 좋아하는 사람과 혼인을 올리면 된다. 아버지나 장로들이 반대해도 내가 도와줄 테니."

"하지만 형님은 정략결혼이라 하여도 그분을 사랑하지 않습니까?"

연의 물음에 연오가 빙그레 웃었다.

"당연히 나야 금려를 사랑하지. 금려도 나를 사랑하고. 정략결혼이여도 서로를 사랑하는 사이가 될 수 있다. 하지만 그렇지 않은 경우도 있지 않니?"

그렇지 않은 경우를 연오나 연이나 아주 잘 알고 있었다. 황보세희는 가문의 강요로 영명과 혼인하여 연오를 낳았다. 그럼에도 그녀는 영명을 사랑하지는 않았다. 반면 연의 모친인 모용단리는…… 또다시 모친의 생각이 나려 해, 연은 황급히 말을 돌렸다.

"아무튼 그자는 절대 아닙니다."

연오가 눈썹을 들어 올렸다. 그자? 말을 하고도 아차 싶었던 연은 제 몫의 음식을 한위의 앞에 슬그머니 밀어 주며 딴청을 피웠다. 다행히도 연오는 연이 좋아하는 사람이 있다는 것에 집중하느라 실수로 낸 호칭에는 크게 신경을 쓰지 않았다.

식사를 마치고 난 뒤 연은 더 심란해진 마음으로 화정당에 돌아갔다. 대화를 나누다 보니 어느덧 저녁이 되었기에 한위와는 중간에 헤어졌다. 터덜거리며 돌아오니 모란이 침상 위에 편하게 드러누워 있었다. 서책을 읽고 있기에 뭔가 하여 보니 춘화집이었다. 연은 한숨을 쉬며 시큰둥하게 모란을 지나 외출용 외투를 꺼내러 갔다. 눈썹을 슬쩍 움직이며 연의 반응을 살피던 모란이 김샌 얼굴로 말했다.

"뭔가 반응이 있을 줄 알았는데."

그러더니 춘화집을 내려 두며 바로 앉았다. 연이 외투를 입으며 모란에게 어이없다는 시선을 보냈다.

"누구를 춘화집 한번 본 적 없는 샌님으로 알아? 그 몸으로 지낼 적에 몇 번 읽어 봤어."

모란으로 지낼 적에 또래의 아이들은 돈을 모아서 춘화집을 사거나 빌려다 읽었다. 대개 이야기를 나누다 보면 한 명이 은밀하게 꺼내며 같이 보자고 하는 형식이었다. 그래서 보긴 보았는데 연으로서는 큰 감흥이 없었다. 그냥 누군지는 몰라도 그림 잘 그리는구나, 혹은 저런 자세도 가능하구나 정도였다.

"이건 그냥 춘화집이 아니야. 구하느라 얼마나 힘들었는데."

그냥 춘화집이 아니라고? 모란이 다가와 연의 앞에 굳이 보란 듯이 서책을 펼쳐 보았다. 연이 제 눈을 의심했다. 춘화집에 있는 그림들이 남녀상열지사(男女相悅之詞)가 아니라 남남상열지사(男男相悅之詞)였던 것이다. 대체 이런 건 또 어디서 구했는지…….

연이 짜증을 내며 책을 탁 치웠다. 내가 이런 저질스러운 사내를 좋아한다고? 말도 안 되는 소리지.

"날이 저물었어. 빨리 나가자고."

딱딱거리는 말에 모란은 그제야 느적거리며 연의 팔목을 잡았다. 순간이동을 할 때 몸이 허공에 붕 뜨는 듯한 감각은 몇 번을 해도 쉽사리 익숙해지지 않았다. 눈을 뜨자 익숙한 거리가 눈에 보였다. 연의 발걸음이 가장 먼저 향한 곳은 당연히도 환자의 집이었다.

원래의 몸으로 돌아온 뒤 처음으로 치료했었던 중풍 환자는 이제는 앉을 수 있을 정도로 거동이 용이해졌다. 환자가 오른손과 왼손을 움직이며 눈시울을 붉히는 모습을 보자 연은 언제 심란했냐는 듯 마음이 평온해졌다.

'그래, 누굴 좋아하건 말건 이 애매모호한 느낌이 다 무슨 소용이랴. 이렇게 사람들을 치료해 주며 살면 좋은 것을.'

이제는 연이 올 때면 아픈 환자가 집에 있는 사람들이 미리 나와 서성거리며 기다리기도 하였다. 밤에 아픈 환자는 대개 어찌할 바를 몰라 발만 동동 구르기 마련이라, 그들은 크게 반가워하며 연을 맞이하곤 했다.

그날 밤 연이 일곱 번째로 방문한 환자도 마찬가지였다. 버선발로 뛰쳐나와 연을 맞이한 여자는 남편이 답답함을 호소하고 숨도 못 쉰 채 끙끙거린다며 안절부절못했다.

"저희 아버지도 이러다가 돌아가셨어요, 저는, 무서워서 정말 어떻게 해야 할지……."

이제 막 혼인한 젊은 부부였는지라 연과 비슷한 또래의 부인이 울먹였다. 부인과 비슷한 연배라면 가능성이 낮기는 하지만 최악의 경우에는 심장병일 수도 있으니 연이 서둘러 걸음을 옮겼다.

진맥을 해 보니 다행히도 남편은 급체를 한 것일 뿐이었다. 연이 침을 놔 주자 그는 곧 황급히 밖으로 달려 나갔다. 밖에서 요란하게 토하는 소리를 들으며 연은 방 안을 둘러보았다. 여기저기 놓인 꾸러미들에서 익숙한 냄새가 났다. 이들은 약재상이었다.

혹시나 약재를 좀 살 수 있을까 하여 연은 일단 앉아 기다렸다. 모란을 힐끔 보니 환자들을 치료할 때면 항상 그렇듯이 추근거리는 일 없이 조용히 벽에 기대어 연을 기다리는 중이었다.

"정말 감사합니다. 어찌나 체증이 심하던지 이대로 죽는 줄로만 알았습니다. 배탈에 좋다는 약초를 먹어도 소용이 없더군요."

잠시 후 한바탕 게워 내서 편해진 얼굴로 약재 상인이 돌아왔다. 구토와 설사는 병증에 속하기는 하였으나 그렇다고 하여 늘 나쁜 것만은 아니었다. 탈수가 오고 이로운 것도 같이 빠져나가는 부작용이 있어서 그렇지, 몸에 해로운 것을 배출하려는 자연스러운 치유 과정 중 하나이기도 하였다.

"혹시 괜찮다면 약재를 구입할 수 있겠습니까?"

연의 질문에 약재 상인은 반색을 했다.

"아, 물론이지요! 어떤 것들이 필요하십니까? 말씀만 하십시오. 특별히 질 좋은 약초들을 골라 드리겠습니다."

연은 꼭 필요하지만 일반적인 방법으로는 구하기 어려운 희귀한 약초와 그 외에도 여러 가지를 샀다. 상인은 고마워하며 연에게 다른 약초들도 더 얹어 주었다. 그러고는 이내 어두운 안색으로 크게 한숨을 쉬며 한탄했다.

"글쎄, 요즘은 통 장사가 안 된답니다. 약초를 채집해도 사 갈 사람이 없어 쌓이기만 하지요. 제가 아는 약초상도 장사가 안 된다고 울상입니다. 환자가 생기지 않아서 그런 건지, 뭔지 의원님들이 약초를 사 주시질 않으니."

연이 의아해했다. 환자는 본래 끝이 없는 존재였다. 아니, 끝을 본다는 게 불가능하다. 아무리 완벽하게 치유를 한다고 한들 어느 날은 또다시 다른 병에 걸리거나 부상을 입는 것이다. 감기에 걸리는 일이 없는 무인조차 싸우다가 왕왕 부상을 입지 않던가. 게다가 겨울철은 사계 중 가장 환자가 많이 발생하는 때였다.

조금 의아하긴 하였으나, 연은 우연의 일치려니 여기며 자리에서 일어났다.

"이만 가 보겠습니다. 죽같이 소화가 잘 되는 것을 먹되 당분 간은 떡이나 고기같이 소화가 안 되는 음식은 피하도록 하십시 오."

"꼭 그리하겠습니다. 오늘 정말 감사했습니다, 의원님."

젊은 부부의 배웅을 받으며 나오니 벌써 어두컴컴한 밤이었 다. 이 근처에는 더 이상 환자가 없는 것 같았다. 연이 피곤한 미간을 눌렀다. 그래도 체력이 많이 늘어 예전에는 겨우 다섯 명 치료하던 것을 요즘은 많게는 열 명까지도 치료할 수 있었 다.

"이제 돌아갈 거야?"

모란의 말에, 연은 고개를 끄덕이고는 잠시간 생각에 잠겼다. 밤에 돌아다니니 유독 피곤하고 힘들었다.

"이제는 주강 없이 한위만 데리고 낮에 나올 수 있으니 굳이 밤에 이리 나오지 않아도 되지 않을까? 모란 당신도 순간이동 으로 밤마다 나오기 성가실 거고."

연의 말에 모란은 눈썹을 까닥거리고는 어깨를 으쓱였다. 반 가워할 줄 알았더니 어째 딱히 찬성하는 태도는 아니었다.

"어차피 낮에는 네 사부님인가가 있잖아. 게다가 낮에 활동 하면 이목을 끌 테고, 그러다 보면 신원을 알아내는 사람이 나 올지도 모르지. 그리고 딱히 이렇게 밤에 나오는 게 성가시거나 하진 않아."

드물게도 모란은 연의 의견에 적극적으로 반대하고 나섰다. 그의 말에 틀린 것은 없어 연이 고개를 끄덕였다.

하긴 그렇지. 낮에는 사부님이 계시니 굳이 연까지 활동하지 않아도 될 것이다. 게다가 이제 연은 제법 유명해져서 밤마다 그만을 기다리는 환자들도 꽤 되었다. 낮에는 일을 해야 해서 치료를 받을 틈이 없거나 아까처럼 급히 발병하곤 했으니.

볼일을 모두 마친 연은 모란과 함께 화정당으로 돌아왔다. 따뜻하게 데워진 이불 속으로 들어가며 연은 장사가 잘 안 된다는 약재상의 말을 떠올렸다. 별일 아니겠지. 그는 대수롭지 않게 여기며 잠들었다.

그러나 약재상의 말이 결코 대수롭게 여길 만한 것이 아님을, 그는 머지않아 깨닫게 되었다.

"형님, 의원님이 문을 열지 않으신 것 같아요."

연이 그 자리에 우뚝 섰다. 한위가 기웃거리며 굳게 닫힌 의원(醫院) 문을 살폈다.

연은 못해도 한 달에 한 번은 꼭 은록의 의원에 들러 진찰을 받은 뒤 탕약을 지었다. 모란이 치료를 해 주니 굳이 들를 필요는 없지만 사부를 뵙고 싶은 마음에서였다. 비록 이제는 그저 의원과 환자의 사이일 뿐이지만 그래도 여전히 은록은 연에게 크게 의지가 되는 사람이었던 것이다.

오늘이 바로 그 한 달에 한 번 있는 날이라 연은 한위를 데리고 진찰받으러 나왔다. 그러나 의원에 도착했을 때는 문이 굳게 닫혀 있는 상태였다.

하지만 은록이 어떤 사람이던가? 그는 어지간한 일이 아니라면 일 년에 하루도 빼먹지 않고 의원을 열던 사람이었다. 무슨 일이 있어도 곤란한 사정의 환자들을 매일같이 돌봤다.

혹시 의원을 열지도 못할 정도로 아픈 게 아닌가 싶어 연은 계속 의원 앞을 서성였다. 귀를 기울여 보아도 안에서는 아무런 인기척이 없었다. 아무도 없는 것 같았다. 연은 이게 어찌 된 일인가 그 자리에 황망하게 멈췄다. 은록과 십 년을 알고 지냈지만 그 십 년간 의원을 닫은 적은 한 손에 꼽았다.

"아니, 오늘도 열지 않으셨네."

걱정스러운 말투를 듣자마자 연이 고개를 돌렸다. 익숙한 얼굴의 마을 사람이었다. 그가 서둘러 다가가자 마을 사람이 움찔하며 뒤로 물러났다. 그러거나 말거나 연이 캐물었다.

"진은록 의원님이 문을 열지 않은 지 얼마나 되었습니까?"

"그, 글쎄요……. 아마도 거의 팔 일 정도는 된 것 같습니다, 공자님."

대답을 듣자 연의 가슴이 철렁 내려앉았다. 팔 일? 팔 일씩이나 의원을 비워 두다니, 은록에게 무슨 일이 생긴 게 분명했다. 사전에 아무런 말도 하지 않고 사라진 채 이렇게 오래 자리를 비우는 건 결코 그가 할 만한 일이 아니었다.

"혹시 무슨 일로 이리 자리를 비우셨는지 아십니까?"

"제가 그걸 알면 이렇게 걱정도 하지 않겠지요."

마을 사람은 딱딱하게 굳은 연의 얼굴을 보자 악명을 떠올렸는지 슬금슬금 뒤로 물러났다. 그러고는 얼른 후다닥 자리를 벗어나고 말았다. 그러나 연은 그런 건 신경 쓰이지도 않았다. 그저 다시 의원 문을 두들겨 보았다. 역시 안에는 아무도 없는 것 같았다. 한위가 중얼거렸다.

"대체 어딜 가셨을까요……."

연이 하고 싶은 말이었다. 사부님이 대체 어딜 가셨을까. 연은 한참을 그 자리에 서서 기다렸다. 그러나 연처럼 은록을 기다리는 사람 몇몇이 들렀다 갔을 뿐이다. 은록은 인망이 높았기에 방문객들의 얼굴에는 연처럼 근심이 가득했다. 인망만 높다 뿐이랴, 이 근방에서 은록처럼 실력이 좋은 의원도 없었던지라 와서 발을 동동 구르다 가는 사람도 있었다.

"아이고, 의원님……. 의원님이 계셔야 하는데."

척 봐도 낯빛이 안 좋은 아이를 업고 온 여인이 끝내 눈물을 터트리는 걸 보며 연이 입술을 깨물었다. 낡고 더러운 행색을 보아, 멀리서 아이를 업고 며칠을 걸어온 모양이었다. 연이 주위를 살폈다. 다행히도 지금은 보는 시선이 없었다.

"의술을 아는 사람인데, 제가 좀 봐도 되겠습니까?"

연이 말을 걸자 여인이 울음을 삼키며 다가와 얼른 포대기를 풀었다. 아이는 힘없이 늘어져 있었다. 척 봐도 몸이 부었고 제 모친의 등에 토한 흔적이 남아 있었다. 연은 눈꺼풀과 혀의 색을 확인해 본 뒤 맥을 짚었다. 그리고 안도의 숨을 쉬었다. 그렇게 심각하지는 않았다. 다만 미열이 있는 것이 그대로 내버려 두면 심한 증상으로 번질 것이 분명했다.

"관격증(關格證)이군요. 아이가 며칠 전부터 소변을 거의 못 보지 않았습니까?"

"네, 네. 그렇습니다. 그랬어요."

척 봐도 돈이 없어 보였기에 연은 전낭에서 돈을 꺼내 여인에게 쥐여 주었다. 여인이 손을 떨며 돈을 받아 들었다.

"이리로 나가면 사거리에 약초방이 있습니다. 가서 대황, 망초, 감초를 달라 하십시오. 대황은 한 손으로 쥐어서 두 줌, 그리고 망초와 감초는 한 줌씩 물에 넣어 두 시간을 끓인 뒤 아이에게 먹이세요."

연은 혹시 몰라 여인에게 자신이 말한 것을 다시 읊게 했다. 필사적이었던 탓인지 다행히 여인은 세 번 만에 연이 말한 것을 완벽하게 외웠다. 그러고는 눈물을 글썽이며 크게 절해 감사를 표하고는 서둘러 약방으로 달려갔다. 멀어지는 여인의 뒷모습을 보던 연의 얼굴이 이내 어두워졌다.

그는 한참 후에야 걸음을 옮겼다. 사부님에게 무슨 일이 생긴 걸까? 몸은 괜찮으신 걸까? 이런저런 생각으로 심란하여 연의 낯빛도 어두웠다. 세가로 돌아가는 길에 한위가 조심스럽게 물었다.

"저어, 형님은 의술을 어디서 배우신 건가요?"

그러고 보면 한위는 벌써 연이 누군가를 치료하는 모습을 두 번이나 봤다. 궁금할 법도 했다. 연이 잠시 침묵하다가 입을 열었다.

"음, 예전에 크게 아픈 적이 있었단다. 그때 치료해 주신 분이 계시는데, 그게 인연이 되어 배우게 되었지."

"그렇구나……."

고개를 끄덕거리고는 한위가 조용히 물었다. 다른 사람들에게는 비밀로 해야 하는 것이지요? 연은 대답 대신 쓰게 웃었다. 한위의 질문은 거기서 끝나지 않았다.

"하지만 왜 비밀로 하시는지 모르겠어요. 나중에 형님이 세가 근처에 의원을 여시면 정말 좋을 텐데요."

당연하지만 세가 근처에서 의원을 열 생각이 조금도 없기에 비밀로 하는 것이었다. 나중에 연오가 세가를 잇기는 하겠지만 그게 과연 언제가 될까? 오 년? 십 년?

영명은 무인이고, 무인은 오래 사는 이들이었다. 연오는 이제 스물다섯이다. 그가 가주 자리를 물려받으려면 십몇 년은 더 있어야 할 테지. 연은 그때까지 영명을 참아 낼 수 없었다. 영명만이 아니다. 연오나 한위가 있긴 하였으나 그럼에도 세가 자체가 연에게는 견딜 수 없는 곳이었다.

세가에 도착하자 한위는 남궁인 장로에게서 검술 지도를 받을 시간이었다. 연의 얼굴이 워낙 어두웠던 탓에 그는 발걸음을 옮기면서도 몇 번이나 뒤를 돌아보다 마지못해 헤어졌다.

연은 화정당으로 향하며 은록이 갈 만한 곳에 대해 떠올려 보

347

앉으나 마땅한 곳이 떠오르지 않았다. 유일하게 먼 친척이 호북성 근처에 산다고는 들었지만 그 친척마저도 생판 남에 가까울 정도의 사이라고 들었다.

근심에 잠겨 터덜터덜 화정당에 돌아오자 모란이 창가에 누워 낮잠을 즐기고 있었다. 힐끔 보고는 침상에 걸터앉자 언제 잤냐는 듯 모란이 눈을 떴다.

"왜 그렇게 표정이 안 좋아?"

연이 별 대꾸를 하지 않자 모란이 자리에서 벌떡 일어나 다가왔다. 어느새 그 특별난 금빛 고리가 영근 눈으로 이리저리 살펴보고 만져도 본 다음에 의아한 듯 눈썹을 들어 올렸다.

"몸이 안 좋은 것은 아닌데."

연은 무거운 근심과 걱정으로 말문이 막혀 말도 없이 침상에 누웠다. 그러다 번뜩 생각나는 것이 있어 다시 벌떡 일어났다.

"지난번에 마법으로 사람 찾는 것 할 수 있다고 하지 않았어?"

"정확히 말해서는 마력 탐지지만……. 왜, 찾는 사람이라도 있나 보지? 누군데? 만났던 사람이어야만 가능해."

모란이 들어줄 것 같은 태도를 취하자 연이 망설이다가 오늘 있었던 일을 털어놓았다. 은록이 절대 별말 없이 의원을 비울 사람이 아니라는 것부터, 지나치게 오래간 비워져 있는 의원에 대해서.

흠, 하고는 모란이 잠시만 기다려 보라며 조용히 침묵에 잠겼다. 연이 인내심 있게 기다리자 한참 만에 그가 어깨를 으쓱했다.

"적어도 이 근방에는 없다는 건 확실하네."

"이 근방이라면 범위가 어디까지지?"

"저기 밖에 산 보이지? 저 산기슭부터 이 부근 시장 좀 넘어서?"

연은 낙담했다. 이 근방에 없다니 더더욱 걱정이 커졌던 것이다. 모란이 도로 누우며 심드렁하게 말했다.

"어디 놀러라도 갔나 보지."

"그럴 분이 아니야."

"아니면 여기서 사는 게 지겨워서 갑자기 이사 갔을 수도 있고……."

모란에게 성질 낼 기운도 없어 연이 다시 침상에 누웠다. 그러고는 벌떡 또 일어났다. 어찌해야 할지 감도 잡히지 않아 안절부절못하자 모란이 보지도 않고 팔을 뻗더니 가슴을 꾹 눌러 뉘였다.

"아, 거참. 나가서 찾아본다고 해서 그 양반이 나올 것 같아?"

평소라면 그냥 넘어갔을 테지만 심기가 퍽 좋지 않았던 연이 드디어 모란을 노려보았다.

"사부님에게 예의 차리는 게 거래 조건이었다는 거 안 잊었지?"

"아무리 이 근처를 돌아다녀도 그 대단하신 의원님은 나오지 않을 거랍니다, 연 공자님. 그 체력으로는 시장 너머나 산 너머만 가도 지쳐 쓰러질 거 잘 알지 않아?"

안 그래도 심란한데 비꼬는 소리까지 들으니 결국 짜증이 치솟고 말았다.

"찾으러 나가는 것 아냐. 며칠 동안이나 의원이 비워져 있었으니 환자들이 치료를 못 받고 있을 거 아니야."

연은 아까 해지고 낡은 차림새로 아이를 업고 달려와 발을 동동 구르던 여인을 떠올렸다. 그 여인뿐만이 아니었다. 은록의 의원에서 기다리던 그 잠깐 동안 온 환자들의 얼굴은 하나같이 간절하고 필사적이었다.

십 년이나 은록과 함께 일을 해 왔으니 연은 그들이 어떤 사정을 가지고 있을지 훤했다. 은록이 치료해 줄 때마다 그들이 정말 감사하다며 주곤 했던 소소한 물품이나 푼돈은 일반 의원에서는 약초값도 되지 않았다. 그러나 그들에게는 몇 끼 해결할 수 있는 소중한 식사요, 재산의 일부였다. 가난하고 병든 사람들에게는 은록 같은 자만이 유일한 구세주였다.

연이 면사포를 챙겨 들자 모란이 창밖으로 해가 쨍쨍한 하늘을 한번 보고는 한숨을 쉬었다. 그러고도 모자란지 다시 한번 푹 한숨을 쉬고는 자리에서 일어났다. 연이 눈을 깜박였다.

"그 꼬마는 훈련받는 중이지? 주강을 데리고 나가기엔 곤란할 테니 데려다줄까?"

"……고마워."

연은 사양 않고 모란의 팔을 잡았다. 이따금 짜증 난다거나 얄미운 것과는 별개로 모란은 항상 연에게 큰 도움이 되는 이였다. 그는 진심으로 모란의 도움이 고마웠다. 감사 인사를 듣고도 모란은 뭐가 그리 못마땅한지 불퉁한 얼굴을 했다. 무어라 투덜거리면서도 그는 착실히 했던 말을 지켰다.

순간이동이 끝나고 눈을 떴을 때 연의 시야는 어둑하였다. 어느 건물 안에 들어온 건 분명한데 문이며 창문이 다 닫힌 까닭에 아무것도 보이지 않았다. 연이 더듬거리다가 크게 자빠질 뻔하자 모란이 팔을 잡아 똑바로 세웠다.

곧장 환한 빛 무리가 띄워졌다. 마법인 것 같았다. 주위를 둘러보니 그들은 은록의 의원 안에 들어와 있었다.

혹시나 하여 연은 의원 안을 살펴보았으나 약간의 먼지가 쌓여 있을 뿐, 남겨진 서신이라든가 쪽지 따위는 존재하지 않았다. 연은 실망을 감추지 못했다. 그리고 일단 면사포부터 썼다. 그리고 창문을 모두 열었다. 햇볕이 의원 안을 환하게 비추어도 모란은 빛 무리를 끄지 않았다. 그는 생각에 잠겨 주위를 찬찬히 둘러보는 중이었다.

"왜? 뭐라도 있어?"

"……아니, 별건 아닌데. 그저께인가 날 찾는 녀석들이 있었거든. 갑자기 그게 떠오르네. 지금 와서 무슨 일이었는지 물어보기에는 곤란한 상황이라……."

모란이 중얼거렸다. 모란을 찾는 사람들? 누굴까, 전에 맡았던 환자인가? 그러나 모란은 입을 다물어 버렸다. 연은 찜찜한 마음이 들었으나 더 말해 줄 것 같지는 않아 일단 의원 내부부터 간단하게 청소했다. 오랜만에 의원에 들어오니 이상한 기분이 들었다. 참으로 사람 일은 모르는 것이라, 연이 생각했다. 다시는 여기서 치료하는 일이 없을 거라고 여겼는데 말이다.

연이 의원 문을 열자 곧 소식을 들은 사람들이 찾아왔다. 그들은 면사포를 쓴 낯선 의원의 모습에 반신반의했다가 익숙한 모란의 모습을 보고는 그러려니 여겼다. 더군다나 사람들 중 몇은 연을, 정확히 말하면 밤에 일하던 의원을 알아보기까지 했다.

연은 화타니 편작이니 하는 과장된 소문들이 떠올라 민망하여 얼굴이 벌겋게 달아오르고 말았다. 밤마다 면사포를 쓰고 돌아다니며 사람들을 치료하는 의원이라니 이상한 소문이 날 법도 했다. 면사포 때문에 난 소문이지만, 때문에 도리어 면사포를 쓴 게 다행이기도 했다.

연은 일단 하던 대로 몰려든 사람들 중 중한 환자들을 골라내기 시작했다. 모란은 좀 떨어진 곳에서 지켜보고 있다가 슬그머니 다가왔다.

"도와줄까? 대충 어떤 사람들을 고르는지 알 것 같은데."

"도와주면 나야 좋지만……."

이래도 되나 싶어 연이 말을 흐렸다. 모란은 사람들을 휙 훑어보더니 슬렁슬렁 몇몇을 골라내기 시작했다. 유독 상태가 안 좋은 사람들을 기가 막힐 정도로 골라내기에 연은 내심 놀랐다.

그러나 놀라움도 잠시, 그는 고개를 미미하게 끄덕였다. 하긴 이제까지 모란이 보여 준 별난 재주들을 떠올리면 그리 신기할 것까지는 없었다. 그는 모란에게 바깥 정리를 맡기고 안에 들어와 환자들을 치료하기 시작했다.

연이 은록의 의원에서 진료하는 것은 환자들을 치료하기 위해서만은 아니었다. 이렇게 닫혔던 의원을 열고 있으면 누구라도 사부의 행방을 아는 사람이 나타나지 않을까 싶었던 것이다. 그러나 그날 하루 종일 환자들을 받았음에도, 끝끝내 은록의 행방에 대해 알고 있는 사람은 나타나지 않았다.

저녁이 되어 마침내 의원 문을 닫았다. 환자들 중에서도 아주 급한 불 정도를 대충 끈 것뿐인데 몹시 피곤하였다. 연은 그 자리에 쓰러지듯이 누웠다. 그래도 전의 체력이었으면 이런 진료는 꿈도 꾸지 못할 일이었다.

엎어져 간신히 숨만 가랑가랑 쉬고 있자 모란이 쯧쯧 혀를 차며 다가와 연의 머리를 제 허벅지 위에 올려 주었다. 무심한 듯 다정하게 구는 행동에 연은 작게 한숨을 쉬었다. 그 마음을 아는지 모르는지, 모란이 연의 이마를 톡톡 두드렸다.

"내일도 이렇게는 못 할걸."

연도 모란의 말에 동의했다. 도저히 내일 밖에 나와 또 진료를 볼 만한 몸 상태가 아니었다. 이런 체력이라면 나중에 세가를 나가도 의원을 차리기란 요원한 일이었다. 환자를 치료해 주고 정작 자신은 쓰러져 앓아 버리는 의원이라니…… 그처럼 웃긴 꼴이 어디 있겠는가. 연은 새삼 모란이 해 주는 치료가 제게는 아주 귀하고 소중하다는 걸 깨달았다.

"그건 그렇고, 좀 이상해."

모란이 살살 머리카락을 쓸어 넘기는 걸 내버려 두며 연이 미간을 접었다.

"무어가 이상한데?"

"이상하게 전보다 진맥 짚는 것이 수월해진 것 같단 말이지."

밤에만 나가 소수의 환자들만 보느라 긴가민가하였는데 오늘로 확실해졌다. 전에 비해 반절의 시간만 진맥을 하고도 더 정확히 진찰을 내릴 수 있게 된 것이다. 연의 의문에 모란이 답을 내주었다.

"몸이 예민해져서 그래."

"몸이 예민해졌다고?"

"치료 때문에 뭐라고 할까……. 본원지기 따위를 감지하는 감도가 올라간 거지. 진찰해 보면 어쩐지 이 환자는 언제까지 살 수 있겠다 감이 오지 않던?"

연이 입을 조금 벌렸다. 모란의 말대로였다. 함부로 입에 담거나 재단하지는 않았지만, 확실히 진맥하는 환자의 수명이 어느 정도겠다 감이 왔다. 그만큼 전보다 중한 환자 가려내는 것도 쉬워졌다.

연은 아까 모란이 매우 수월하게 중한 환자를 골라내던 걸 떠올렸다. 의원인 연보다도 그는 쉽게 그 일을 해치웠다.

"그러면 모란 당신은…… 항상 그런 걸, 봐?"

"딱히 보려고 보는 건 아니고, 뭐. 그냥 보면 보이지. 수명뿐만 아니라 그 외의 것들도 그래. 가령 어디가 병들었다든가, 혹은 사람을 얼마나 죽였다든가. 크게 쓸모는 없는 능력이야."

모란이 대수롭지 않게 말했다. 연은 문득 자신의 수명은 얼마나 되는지 물어보고 싶었지만 참았다. 그런 건 물어봐서는 안 될 것 같았다. 모란 때문이 아니라 자신을 위해서였다.

의원이면서 정작 스스로의 수명이 어떠한지는 알 수 없다는
게 참 모순적이었다. 그저 모란의 치료가 끝나도 남처럼 오래
살지는 못하겠거니 할 뿐이다. 한번 소모된 본원지기는 결코 회
복되는 일이 없었으니까.

모란은 기운을 많이 소진한 탓에 흐느적거리는 연을 챙겨 들
고 화정당으로 이동했다. 그리고 못마땅해하며 혀를 쯧 찼다.
실은 오늘 찾아온 그 중환자들보다도 더 안 좋은 게 연의 상태
다. 모란이 연의 근원을 수복하는 걸 당장 멈춘다면 그 중환자
들보다도 오래 못 살 정도였다. 그런 몸으로 치료하겠다고 나서
니…….

그러나 이제 와서 네 수명이 하루살이 같다고는 할 수 없으니
그저 모란이 몸소 챙기는 수밖에. 그는 연이 비척비척 침의로
갈아입는 모습을 지켜보았다.

'약재상이 장사가 잘 안 된다고 하였지.'

장사가 안 되는 약재상들, 사라진 진은록, 백모란을 찾는 사
내들. 모란이 생각에 잠겨 턱을 문질렀다. 오늘 연이 의원을 열
자마자 밀려든 사람들을 보아하니 약재상이 장사가 안 되는 건
환자가 없어서가 아니다. 바로 의원이 없어서일 터였다. 그렇다
면 나머지는…….

모란이 생각에 잠긴 동안 연은 비틀거리며 침상으로 기어 들
어갔다. 그러고는 눕자마자 곧 기절하듯 잠에 빠져들었다. 모란
은 그 모습을 지켜보고 있다가 열이 오르기 시작하는 이마를 짚
었다. 그러고는 무심한 얼굴로 제 생기를 흘려 넣어 주었다. 임
시방편이나 다름없는 것이었지만 안 하는 것보다는 나아서, 점
차 연의 안색이 편해지기 시작했다.

모란의 입가에 미지근한 미소가 걸렸다. 그는 잠자는 중이라
듣지 못하는 연에게 아까 못 다한 설명을 해 주었다.

"나는 사람 죽인 것도 알 수 있고 사람 살린 것 또한 알 수 있어."

무릇 생명을 가진 것들은 인생에 두 번 크게 본원지기를 발한다. 생명이 끝장날 때와 생명이 다시 살아날 때……. 그때만큼 감정이 격할 때가 없는 것이다. 그리하여 사람을 죽이는 손과 사람을 살리는 손은 각각 달랐다. 상대의 흔적이 남기 마련이었다.

모란은 손가락에 감기는 머리카락을 어루만지다가 이불을 끌어당겨 연의 손을 완전히 덮어 주었다. 그의 눈에는 잘 보였다.

사람을 죽이는 자의 손에는 죽는 자의 흔적만이 남아 깨끗해 보이나, 사람을 살리고자 하는 자의 손에는 죽는 사람과 사는 사람 둘 모두의 흔적이 남아 얼룩덜룩한 것을 말이다.

연은 침상 위에서 이리저리 뒤척거리다가 참지 못하고 벌떡 일어났다.

"아무래도 안 되겠어. 그저께 다 못 돌본 환자들이……. 그리고 은록 사부님이……."

"그냥 이거나 먹으며 누워 있으렴."

"하지만 누워서만 지낸 지 이틀이나 지났다고! 이틀이 아니라 하룻밤 사이에도 변해 버리는 게 병세야."

모란이 연의 가슴을 눌러 다시 눕혔다. 그리고 뭐라 항의하려는 입에 말린 감을 밀어 넣고는 말로 연을 공격했다.

"하룻밤 사이에 변해 버리는 건 네 병세겠지."

할 말이 없어진 연은 침상에 다시 구겨져 누웠다. 아닌 게 아니라 어제 내내 열을 내며 끙끙 앓았다. 전날 무리하기는 한 모양이었다. 오늘은 열이 내리고 몸도 좀 괜찮아졌지만 여전히 피곤한 감이 있었다. 모란이 뺨을 긁적이고는 제안했다.

"정 답답하면 산책이라도 할래?"

"세가 밖에서?"

연의 질문에 모란이 짐짓 다독이는 척 다소 힘을 실어 이불을 퍽퍽 누르며 과도하게 상냥하고 다정한 어투로 대답했다.

"아니, 여기 정원에서. 예쁘게 꽃도 피워 놨는데 모쪼록 연이 네가 방울꽃을 좋아해 줬으면 해. 아주 예쁘거든."

어쩐지 좀 짜증이 난 것도 같았다. 연은 내심 좀 놀랐다. 언제나 능청맞을 것 같은 모란이 짜증을 부리다니……. 평소에는 꽃이라면 과민하게 구는 환자가 아무런 대꾸 없이 문만 흘깃거리자 참다못한 모란은 결국 다정한 말투 따위는 집어치웠다.

"정말 어지간히도 말을 안 듣네. 맘 같아서는 엎어 놓고 엉덩이라도 때려 말을 듣게 만들어 주고 싶은데 어떻게 생각해?"

"……정원이나 산책할래."

연은 조금 얼굴을 붉히며 입술을 깨물다가 마지못해 대답했다. 모란이 히죽 웃었다.

"좋은 선택이야."

연은 한숨을 쉬며 외투를 걸치고 밖으로 나갔다.

정원은 벌써 희끄무레하게 초록빛이 돌고 있었다. 아직도 날은 쌀쌀했지만 봄이 오긴 오려는 모양이었다. 모란이 어슬렁어슬렁 걸어가 햇빛이 잘 비추는 곳에 아무렇게나 앉았다.

연이 모란을 물끄러미 바라보았다. 그는 어제 연이 아픈 동안 내내 곁에 머물러 주었다. 끙끙 앓다가 눈을 뜨면 서늘한 손바닥이 이마를 덮고 있었다. 연은 그게 그냥 열을 재려는 것 따위가 아니라는 걸 알았다. 제게 무엇을 해 주었기에 오늘에라도 자리를 털고 일어날 수 있었을 것이다. 보통이라면 며칠은 앓아

누웠을 텐데.

'건강해지고 싶어.'

습관처럼 소망하다가 문득 연이 의문을 가졌다. 자신이 이렇게 아프게 된 게 모란의 몸에 들어갔다 나와서라면, 자신은 왜 그 몸에 들어가게 된 걸까? 모란의 혼은 왜 몸에서 나가 다른 어느 세계를 떠돌다 오게 된 걸까? 분명 그 원인이 있을 터였다…….

'모란에게 물으면 답을 해 줄까?'

미간을 접으며 고민하다가 연이 문득 시선을 돌렸다. 한위가 주강의 곁에 있는 게 보였다. 주강이 그다지 살가운 편이 아닌데도 한위는 유독 그를 따랐다. 그가 거절하는 일 없이 잘 받아 줘서 그런 것일지도 몰랐다.

모란이 해를 쬐는 동안 연은 의자에 앉아 한위와 주강을 지켜보았다. 둘의 모습이……. 모습이 친근하여 마치…… 형제? 아니, 형제는 아니고. 형제라기엔 너무 나이 차이가 많이 났다. 그래, 마치 스승과 제자 같았다.

연이 한숨을 쉬고는 저도 모르게 근심 가득한 얼굴로 중얼거렸다.

"은록 사부님……."

모란이 돌연 해바라기를 멈추고 자리에서 벌떡 일어났다. 그러더니 연에게 불퉁한 시선을 보내는 게 아닌가. 무슨 일인가 하여 연이 쳐다보니, 그는 알 수 없는 말을 했다.

"아무리 생각해도 난 너무 오지랖도 넓고 무르고 착한 것 같아."

저게 대체 무슨 개소리…… 아니, 헛소리란 말인가. 백모란이 무르고 착하다니. 아직도 연은 초반에 모란이 자신에게서나 상인에게서 가차 없이 무언가를 뜯어 간 걸 생생하게 기억하고 있었다. 처음 만남에서 나뭇가지 부러트리듯 제 팔을 부러트린 것도. 이 나이에 웃긴 일이지만 궂은 날에는 부러졌던 팔이 쑤셨다.

"좋아, 잠깐 나가서 네 사부 좀 찾아보고 올게."

"정말로……?"

모란의 말이 믿기지 않아 연이 눈을 휘둥그레 떴다. 심장이 쾅쾅 뛰었다. 모란이 나서 준다면 금방 은록을 찾을 수 있을 것 같았다.

"그래, 예상보다 빨리 소모되어서 구해야 할 재료도 있고, 주루에도 들러 봐야 하고."

주루? 술을 마시러 간다는 이야기인가, 저건? 연은 모란이 세가에 없을 때는 무엇을 하는지 아는 바가 없었다. 관심도 없었다. 하지만 요즘에는 좀 궁금하기는 하였다. 가까이 다가온 모란이 손가락을 하나 들어 보였다. 그러고는 으름장질렀다.

"단, 조건이 있어. 내일 아침 해가 뜰 때까지는 꼼짝 않고 저기 안에 누워 있어야 해. 꼼짝 않고, 아주 얌전히, 저 침대에, 누워 있는 거야. 의원 일도 좀 쉬고."

연이 얌전히 고개를 끄덕거렸다.

"정말이지 내가 누구 곁에 붙어서 간호 따위나 하는 건 이백 오십 년에 한 번 있을까 말까 한 드문 일이거든. 그걸 헛수고로 만들었다가는 돌아와서 가만 안 놔둘 테다. 알겠지, 연아?"

연아, 하고 부를 때는 조금 소름이 돋았으나 아무튼 은록을 찾아봐 준다는데 그 정도야 얼마든지 들어줄 수 있었다. 연이 드물게도 고분고분하게 고개만 끄덕이자 모란이 만족한 얼굴로 살짝 고개를 끄덕였다. 그러고는 팔짱을 끼고 그 자리에 섰다. 이만 안에 들어가 보라는 의미였다. 그는 굳이 연이 침소까지 들어가는 걸 보고 난 뒤에야 자리를 떠났다.

연은 침상에 누워 중얼거렸다.

"요즘따라 유달리 잘해 주는 것 같단 말이야."

그리고 생각했다.

'이건 모란과 내가 좀 친……하고 막역한 사이가…… 되었다는 의미일까? 언제 제대로 된 친구를…… 둔 적이 있어야지. 아니, 친구인지 아닌지는 모르겠지만. 어쩌면……. 아무튼.'

눕기는 하였으나 워낙 오래 자서 잠도 오지 않았다. 연은 한 시진 정도는 천장의 문양을 세다가 다음 한 시진은 서책을 읽었다. 그럼에도 시간은 무척 느릿느릿 흘러갔다. 마침내 참지 못하고 저도 모르게 벌떡 자리에서 일어난 연이 문 가까이 다가갔다. 거의 문을 열 뻔하였으나 이내 자리로 돌아왔다. 아무리 갑갑하다 한들 약속을 어길 수는 없는 노릇이었다. 의원으로서의 제가 환자가 말 잘 듣고 회복 잘하기를 바라듯이 모란도 그러기를 바랐을 테니.

지루하게 자리를 지키던 연은 어느덧 깜박 잠이 들었다. 얕게 잠에 빠져들었다가 눈가에서 어른거리는 햇빛에 반짝 눈을 떴다. 어느덧 아침이었다. 연이 자리에서 일어나 문을 열었다. 모란은 분명 '내일 아침 해가 뜰 때까지'라 하였다.

확실히 오래 침상에 누워 있어서 그런지 몸이 훨씬 개운하고 상태가 좋았다. 시비와 하인들은 드물게도 일찍 일어난 연에게 의아한 시선을 보냈다. 평상시에는 몸 상태가 별로라 아침 일찍 일어나는 법이 없었으니까 당연한 일이지만, 연은 다소 민망하였다.

연은 모란이 찾아와 사부가 어디에 있었는지 말해 주기를 바라며 정원에서 시간을 보냈다. 오늘은 정원에 꽃이 피어 있지 않았는데, 그게 어쩐지 다소 신경이 쓰였다.

'모란이 어제 떠난 후로는 들르지 않았다는 의미지, 저건.'

정원에 앉아 이제나저제나 기다렸으나 점심을 다 먹을 때까지도 모란은 오지 않았다. 그러다 타닥타닥 달려오는 소리가 들려 고개를 들어 보니 한위였다. 처음 만난 이래로 한위는 거의 매일같이 연에게 찾아오고는 했다.

연이 하늘을 흘깃 올려다보았다. 아침 해가 뜨다 못해 이제는 어느덧 오후였다. 그가 굳게 마음을 먹었다.

"한위야, 오늘 점심 식사는 밖에서 하는 게 어떻겠니?"

"좋아요!"

언제나 그렇듯이 연의 제안에 한위는 눈에 띄게 좋아하는 기색을 보였다. 세가에서만 산 세월이 워낙 길다 보니 외출을 무척 좋아하는 편이었다.

'분명히 주루에 간다고 하였지.'

한위를 데리고 대낮부터 주루에 가기는 좀 그랬지만…… 입구 정도까지만 가는 것은 괜찮지 않을까 하고 연이 생각했다. 어차피 이 근방의 주루는 두 개가 고작이었다.

요즘따라 호위나 감시에 소홀해진 주강은 연이 한위를 데리고 나가는 걸 보고도 움직이지도 않았다. 연오가 자주 부르는지 자리를 비우는 일도 잦았다. 최근 연의 몸 상태도 좋아졌겠다, 머지않아 연오가 주강을 귀찮은 임무로부터 해방시켜 줄 모양이었다.

연은 일단 한위를 객잔에 데려가 점심을 사 먹였다. 요즘 무척 식욕이 왕성한 한위는 소면 한 그릇 정도는 우습게 해치웠다. 연이 잠시간 한위의 체격을 가늠해 보았다. 이제는 정말 얼추 열다섯, 아니 열여섯 정도로는 보였다. 점차 앳된 티도 사라지고 있었다. 장로에게 듣기로는 무공의 성취도 또래에 비해 월등하다고 하였다. 그런 이야기를 들을 때마다 연은 제가 다 뿌

듯해지곤 했다.

점심을 마친 뒤에는 주루가 위치한 거리로 향했다. 화려한 홍등을 내거는 밤과 달리 낮의 거리는 조용하였다. 한위는 신기한 얼굴로 화려하게 꾸며진 점포나 객잔들을 흘깃거렸다.

마침내 연의 걸음이 멈춘 곳은 가장 화려한 주루였다. 안으로 들어가자 하품을 하며 걸레질을 하고 있던 점소이가 얼굴에 사무적인 미소를 지었다.

"공자님, 죄송하지만 저희 주루는 해가 지고 난 뒤부터 영업을 한답니다. 지금은 기녀들이 모두 자고 있는 시간이라…….."

물론 연은 기녀를 보러 온 것이 아니었기에 점소이의 말을 잘랐다.

"혹시 백모란이란 자가 이곳에 있지는 않나?"

그 질문에 점소이의 얼굴이 묘하게 바뀌었다. 그는 다시 한번 둘을 살펴보더니 공손한 자세를 취했다. 모란이 여기에 있기는 한 모양이었다.

"잠시만 기다려 주십시오."

그가 안으로 달려 들어간 지 얼마 안 되어 기녀 한 명이 나왔다. 낮에도 화려한 옷과 화장으로 치장을 한 미인이었다. 이런 종류의 사람은 처음 보는 한위의 눈이 휘둥그레졌다. 연이 미간을 접었다. 단순히 술꾼 하나 찾자는데 백모란의 이름을 대자 이곳 사람들의 반응이 의미심장했던 것이다.

"안녕하세요, 공자님. 저는 기녀 월령이라고 합니다. 모란 님을 찾으신다고요. 어떤 용건인지 물어도 되겠습니까?"

연이 떨떠름한 표정을 지었다.

"딱히 용건이랄 것까지는 없고, 안에 백모란이 있다면 이제는 아침 해가 떴다고 전해 주기만 하면 됩니다. 그러면 알아서 나올 테니."

연의 표정에 기녀는 정중하면서도 어딘가 찜찜한 태도를 취했다.

"저, 공자님. 이런 말씀드리기는 죄송하지만 모란 님께서는 낮에는 아무도 만나시지 않는답니다."

낮에는 아무도 만나지 않는다고……? 보통 모란은 낮이면 연과 같이 지내는 편이 아니었던가? 이해할 수 없던 연이 얼굴을 찌푸리자 기녀가 과하게 상냥한 태도로 말을 덧붙였다.

"기루의 운우지락(雲雨之樂)은 밤에만 이루어지는 법이지요. 말을 전해 드릴 수 없거니와 설령 전한다 해도 언짢아하실 겁니다."

낮에는 뭐? 운우지락이 어쨌다고? 연이 눈썹을 찌푸렸다. 보아하니 모란이 주루에서 대체 뭘 하고 다니는지는 잘 알겠다. 알겠는데……. 그걸 왜 사내인 제게 말하는지는 이해하지 못하겠다……고 생각하던 연은 퍼뜩 정신이 들었다.

'백모란 이 작자, 분명 남자도 좋다고 하였지.'

오래간만에 성질이 올라 연이 잠시 미간을 짚었다.

"운우지……."

어처구니가 없어서 연은 잠시 말을 잇지 못했다. 사부님을 찾아 준다더니 주루에서 운우지락이나 나누고 계셨겠다? 기녀가 다시 얄미울 만큼 공손한 태도로 물었다.

"하지만 혹시 모르는 일이니 공자의 성함을 여쭈어도 될는지요?"

그냥 이 자리에서 나가 버리고 싶은 마음에 갈등하다가 연이 이를 갈며 내뱉었다.

"남궁연."

기녀가 번쩍 고개를 들었다. 눈이 휘둥그레 뜨여져 있었다. 어쩔 줄 몰라 하던 그녀가 돌연 무릎을 꿇었다. 이건 또 무엇 하는 짓인가 싶어 연이 얼굴을 찌푸렸다. 기녀가 깊이 몸을 숙였다. 남궁이라는 이름에 이러는가 싶었는데 들어 보니 그건 또 아니었다.

"제가 루주님의 귀인을 미처 몰라보고 큰 결례를 저질렀습니다. 정말 죄송합니다. 현재 루주님께서는 오늘 아침부터 자리를 비우신 상태입니다."

연이 제 귀를 의심했다. 지금 말하는 루주가 설마 백모란은 아니겠지 싶었던 것이다.

"설마 그 루주가 백모란을 말하는 건⋯⋯?"

"그렇습니다."

연이 잠시 어안이 벙벙하여 이 화려하고 거대한 주루를 살펴보았다. 모란은 대체 그동안 무슨 짓을 하였기에 이런 호화스러운 주루의 루주씩이나 되어 있나. 놀라울 따름이었다. 연이 고개를 저었다. 정말이지 모란은 예측 불가한 사내였다.

"모란이 돌아오면 세가에서 보자고 전해 주십시오."

"꼭 전해 드리도록 하겠습니다."

아무래도 기녀가 엎드려서 일어날 기색이 아니기에 얼른 루주를 나가려던 연은 잠깐 머뭇거렸다. 저녁부터 나갔다던 모란이 간 곳이 궁금했다.

"어딜 갔다고 말하지는 않았습니까?"

"정확한 말씀은 없으셨으나 잠시 산에 놀러 갔다 오겠다고는 하셨습니다."

산⋯⋯? 새벽부터 지금까지 산에 있다는 건, 사부님이 거기에 계신다는 의미일까? 연이 의문스러워하며 주루를 나섰다. 그리고 다시 주루를 돌아보았다. 금 열 냥을 이 정도까지 불려 놓는 건 아무나 할 수 있는 일은 아닐 터였다.

주루를 벗어나자 내내 입만 벌리고 있던 한위가 뒤늦게 감탄했다.

"정말 예쁜 분이었어요. 제가 본 중에 건물도 가장 멋졌구요."

"주루가…… 대체로 그런 편이지."

연은 한위의 말에 대충 맞장구를 쳤다. 아까 기녀에게서 들은 운우지락이라는 말이 계속 머리를 맴돌았다. 불청객을 쫓기 위해 그냥 한 말일까, 아니면 정말 사실이었을까? 연은 후자 쪽이 더 가능성이 높다고 여겼다.

'백모란이 공자나 기녀와 운우지락을 나누든 말든 나와 무슨 상관인가.'

그런 생각을 하면서도 연은 마음이 다소 심란했다. 그는 그 마음에서 벗어나기 위해 몸을 고생시키기로 했다. 어차피 오늘도 환자들이 많을 터, 보는 눈 없는 골목으로 들어가 면사포를 썼다. 연이 이런 차림을 하는 건 처음 보는 한위가 눈을 반짝거렸다.

"비밀 의원이 되시는 것이지요?"

"다른 사람에게 알려져 성가시게 되는 것은 싫거든. 자……."

그가 가져온 다른 면사포를 한위에게 씌워 주었다. 소룡대회 이후로는 한위도 차츰 밖에 얼굴이 알려지기 시작했던 것이다. 한위가 재미있어하는 모습을 보자 연의 기분이 좀 풀렸다. 환자들을 치료하면 더욱 나아질 것 같았다.

의원으로 향하는 길에 연은 약재상을 들렀다. 약재를 사러 왔다고 하자 약재상은 매우 반가워했다. 연은 문득 지난번 치료했을 때 장사가 잘되지 않는다고 했던 약재상을 떠올리고는 물었다.

"요즘도 약재상이 장사가 안 됩니까?"

"예에, 그렇습니다. 어디 의원 분들이 사러 오셔야지 말입니다. 의원분들이 사라졌다는 소문이 돌아 요즘 뒤숭숭하더군요."

연의 머릿속에 사라진 은록의 행방이 떠오르는 건 자연스러운 일이었다. 환자가 줄어든 게 아니라 의원이 줄어든 것이라면 장사가 안 될 만도 하였다. 지푸라기라도 잡는 심정으로 연이 물었다.

"혹시 의원들이 모두 어디로 갔는지 아십니까?"

"글쎄, 저도 잘은 모르겠습니다."

고개를 젓던 약재상이 고개를 갸웃거렸다.

"그러고 보니 관아에서 의원들을 소환했다는 말도 있었습니다. 혹시 전염병이라도 돌기 시작한 것은 아닌지 다들 은근히 불안해하고 있지요."

"관아…… 말입니까?"

의원은 크게 두 종류로 나뉘었다. 국가에 귀속되어 활동하는 의원과 개인적으로 개업하여 활동하는 의원. 허나 그 어떤 의원이라도 재난이나 전염병이 돌 때에는 관아에 협력하게 되어 있었다.

'하지만 사부님은 관아를 싫어하시는데…….'

은록과 같이 지내는 동안 전염병이 돈 적이 있기는 했다. 그러나 은록은 황가나 관아라면 질색을 하였다. 아무리 전염병이 돌아도 관아의 부름에 응한 적이 없었다. 관아에서도 그런 은록의 고집을 알고는 포기할 정도였다.

'하지만 그렇다면 모란은 관아를 뒤져 볼 것이지, 왜 산을 뒤지고 있단 말인가?'

연은 영문을 알 수가 없어 고개를 저었다. 어쨌든 모든 건 모란이 돌아오면 알게 될 일이었다.

연이 한위를 데리고 막 은록의 의원에 도착했을 때였다. 농부 한 명이 초조하게 서성거리며 기다리고 있었다. 어두운 낯을 한 농부가 연이 도착하자마자 매달렸다.

"무슨 일입니까?"

"아이고, 의원님! 혹시 그 화타의 후손이자 편작의 후계자이신 의원님이십니까? 제가 얼마나 의원님을 찾아다녔는데요!"

대체 저놈의 소문은 언제 사라질 작정인지! 몇 번을 들어도 민망하기 짝이 없어 연이 눈을 감았다가 떴다. 그가 마지못해 입을 열었다.

"화타의 후손도 아니고 편작의 후계자도 아니지만, 아무튼 의원은 맞습니다. 무슨 일입니까?"

"급한 환자가 있습니다. 아니, 제 아들 녀석이 갑자기 거품을 물고 쓰러지더니 발광을 하는 게 아닙니까. 도무지 데리고 올 수가 없는데 금방이라도 숨이 넘어갈 것 같아서……."

간질 발작인가? 아니면 광증? 독초? 혹은 돌고 있는지도 모른다던 그 전염병? 어느 쪽이든 내버려 두면 위험한 증상들이기에 연이 급히 농부들을 따라갔다. 한위도 연의 곁에 바싹 붙었다.

"여기, 여기입니다! 의원님, 빨리 오십시오!"

숨을 헐떡이지 않으려고 노력하며 연이 농부들을 따라갔다. 한참을 걸으니 과연 논두렁에 어느 남자가 컥컥거리며 뒹굴고 있었다. 연신 땅을 내려치는 게 몹시 고통스러워 보였다.

'숨도 쉬기 어려워하는 것이, 덤빌 것 같지는 않지만…….'

연이 한위에게 눈짓을 했다. 여기 있는 사람들 중에서는 한위가 가장 셌다.

"혹시라도 무슨 일이 있다면 바로 제압하거라."

바짝 긴장한 얼굴로 한위가 고개를 끄덕이며 연의 곁에 바싹 붙었다. 연이 가까이 다가갔다. 남자는 마치 마비가 온 것처럼 손을 이상하게 구부리고 있었다. 머리에 문제가 생긴 것인가?

더 자세히 관찰을 하기 위해 연이 몸을 숙일 때였다. 남자가 휙 팔을 휘둘렀다.

"형님!"

얼른 한위가 연을 끌어당겼다. 그러나 때는 이미 늦었다. 남자는 공격하기 위해 팔을 휘두른 게 아니었다. 흰 가루가 허공에 흩뿌려졌다.

"이게 무슨……."

연이 얼른 코와 입을 소매로 막았으나 조금 마시자마자 급격하게 의식이 흐려지기 시작했다. 비틀거리며 바닥에 주저앉던 그의 눈에 한위의 상태가 눈에 들어왔다. 연을 피하게 하느라 흰 가루를 정통으로 맞은 한위는 벌써 정신을 잃고 맥없이 땅으로 쓰러진 상태였다.

겨우 고개를 돌리자 순박한 농부가 칼을 빼 들고 있었다. 경련하며 괴로워하는 환자라고 생각했던 남자는 언제 그랬냐는 듯 벌떡 일어나 연에게 다가왔다. 연이 점차 동공이 풀려 가는 눈으로 애써 올려다보았다.

"이자는 아직 정신을 잃지 않았는데."

"무인도 아니고 그냥 샌님이잖아. 이제 곧 정신을 잃게 될 거야."

"허리춤에 검이 있는데 샌님이라고?"

"뭐, 멋 부리는 용으로 들고 다녔나 보지. 생긴 걸 봐. 어디 검이나 휘두를 수 있겠어?"

킬킬 웃는 소리가 들렸다. 연은 어떻게든 정신을 차리려고 애를 쓰며 바닥을 긁었다. 하지만 거친 흙만이 손아귀에 들어올 뿐이었다. 그가 가물거리는 시야를 붙잡으려고 노력하는 동안 남자 한 명이 한위를 가리켰다.

"이 녀석은 어떻게 하지?"

"내버려 둬. 아직 어린애잖아. 우리에게 중요한 건 의원이라고. 자, 어서 마차에 싣기나 하자. 난 두목에게 목 잘리기 싫거든."

남자가 저벅저벅 다가왔다. 제게 뻗쳐 오는 손을 마지막으로 연의 의식은 완전히 훅 꺼지고 말았다.

"할 일도 많은데 정말 짜증 나게 하네."

모란이 퍽 걷어차자 도적이 의식을 잃은 와중에도 크게 신음했다. 아침부터 저녁까지 내내 주강 근처의 산이란 산은 죄다 뒤지고 다녀서 그는 드물게도 피곤했다.

'술식을 어떻게 수정하면 한 번에 두세 명씩 집어넣을 수도 있지 않을까. 그럼 더 오래갈 텐데.'

연이 한번 크게 앓을 때는 유독 생기가 뭉텅뭉텅 빠져나갔다. 그러면 그걸 채우기 위해 화정당 사방에 파묻어 둔 술식 재료들의 기운도 뭉텅뭉텅 빠져나가는 것이다. 본래는 며칠은 갔을 것이 이틀밖에 가지 않았으니 이번에 유독 크게 앓기는 하였다.

하지만 모란도 이번엔 단순히 술식 재료 구하자고 산에 온 게 아니니, 다시 주위를 둘러보았다. 이 산 어디에도 진은록은 존재하지 않았다.

'내 예상대로라면 이 근방 녹림채 어딘가에는 그 의원 양반이 있어야 하는데.'

은록은 단순히 사라져 버린 게 아니다. 또한 사라진 의원이 은록뿐만도 아니었다. 이 근방의 유명하다는 의원들은 모두 하룻밤 사이에 자취를 감추어 버리고 말았다. 그러니 약재상의 장사가 될 리가 만무했다.

문제는 누가 의원들을 데려갔느냐였다. 어지간한 권력의 소유자가 아니라면 의원들을 납치하고 사건을 무마하기란 힘들었다. 그러니 둘 중 하나다. 대단한 권력자거나 혹은 그만큼 절박하거나. 그리고 모란은 그 절박한 자가 누군지 대충 짐작이 갔다.

최근 주강 근처에서는 녹림과 수림을 대상으로 한 대대적인 소탕이 있었다. 그러나 단순한 소탕이 아니다. 누가 시행했는지는 몰라도 산허리에 뿌려진 독무는 아직까지도 남아 있을 정도로 지독한 것이었다. 덕분에 모란의 재료 수급도 어려워졌다. 잡아들이는 녹림채 도적 중에 부상당하거나 병든 자가 많았던 탓이다. 이 독무에 당한 누군가가 살기 위해 의원들을 잡아들이고 있다 생각하면 모든 게 들어맞았다.

졸개가 다쳤다고 해서 이럴 것 같지는 않고, 아마도 녹림의 수두(首頭) 정도는 되기 때문에 이런 일을 저질렀을 터다. 짐작가는 상대는 녹림십오채(綠林十五寨) 두목 왕장호였다. 태산일도양단(太山一刀兩斷)이니 하는 웃기지도 않은 호칭을 가졌더랬지. 산을 가른다고? 이런 독 따위에 당하는 자가? 모란이 코웃음을 쳤다.

'그럼 이 독무는 남궁세가에서 뿌린 것인가? 아마 그 남궁영명이란 자겠지. 손속도 참으로 악랄하군.'

진은록이 있는 곳에 그 두목도 있겠거니 하고 찾아왔더니 이 산에는 아무도 없었다. 십오 채라더니 한 이십 채쯤 되는 도적 소굴을 죄다 뒤졌는데 두목은커녕 다 죽어 가는 조무래기들만 남아 있을 뿐이었다. 하지만 산적들이 산에 있지 않다면 대체 어디에 있단 말인가?

일단 시간이 다 되어, 모란은 재료를 데리고 세가로 돌아갔다. 술식의 특성상 하루라도 거르면 반작용이 생기니 재료도 꼬박꼬박 갈아 주어야 했다. 그런데 재료를 바꾼 뒤 화정당으로 가니 연은 자리에 없었다. 연뿐이랴, 한위도 자리를 비운 상태였다.

"벌써 저녁인데 대체 어디서 뭘 하고 있는 거야?"

연은 못해도 축시[14]가 지나가기 전까지는 저 침상에 누워 얌전히 잠이나 자야 했다. 그 순간 모란의 뇌리를 스치는 어떠한 생각이 있었다.

"설마 또 밖에서 그 면사포 뒤집어쓰고 있는 건 아니겠지."

연은 세가 밖의 일에는 관심이 없어서 잘 모르는 모양이었지만, 현재 그의 명성은 꽤 유명했다. 왜 화타니 편작이니 하는 호칭이 붙었겠는가? 신원 미상의 공자가 밤마다 면사포를 쓰고 나타나 사람들을 치료해 주고 사라지는데 소문이 나지 않으면 그게 이상한 일일 터. 모란이 인상을 썼다.

오늘 그가 예상한 대로 주강 근처 산에 진은록도 있고 그 왕장호라는 두목도 있어서 전부 잡아 족쳤다면 문제가 되지 않았겠지만…… 그렇지 않다면 큰 문제가 된다. 연은 녹림이 의원들을 납치하는 상황에 대해서는 아무것도 모르지 않던가.

심지어 바로 이틀 전, 그 신비스러운 의원이 낮에 나타나 사람들을 치료한 뒤다. 소문이 짠하게 퍼진 와중에 연이 면사포를 쓰고 돌아다녔다면 완전 나 잡아가 달라고 광고하고 다니는 셈이었다.

'젠장, 오늘 내로는 완전히 해결할 수 있을 줄 알았는데.'

모란이 얼굴을 굳혔다. 그는 이백오십여 년의 긴 세월을 그때그때 충실히 살아왔다. 거의 후회는 없는 삶이었지만, 그럼에도 후회하게 될 만한 일이 몇 가지 있었는데 그중 하나가 연이었다. 언제나 저도 모르게 자만하고 말 때면 일이 터지는 것이다.

---

14) 새벽 한 시 ~ 세 시

자만 때문에 일이 생긴 게 이번이 처음도 아닌데 유독 속이 탔다.

그가 크게 한숨을 쉬며 얼굴을 문질렀다. 그는 연이 납치되지 않았기를 바랐다. 이건 단순히 그 신비 의원이 도적 두목에게 납치되어 치료를 강요받는 수준에서 끝날 일이 아니었다.

'제발 그 산적 두목이 연의 얼굴은 모르기를.'

연은 그냥 연도 아니고 남궁연이었다. 그 두목 왕장호를 그리 만들어 놓은 그 '남궁'인 것이다. 모란은 연과 한위가 근방에 있기를 바라며 마력을 넓게 퍼트렸다. 곧장 익숙한 기운이 잡혔다. 한위였다. 그러나 연은 없었다.

모란의 얼굴이 굳었다. 축시까지는 두 시진이 남아 있었다. 두 시진 안에는 연을 찾아 침상에 데려다 눕혀야 한다. 모란이 이를 갈았다.

'이 빌어먹을 술식, 이번 일 끝나고 나면 꼭 뜯어고치고 만다.'

곧 그의 신형이 세가에서 사라졌다.

"으……."

몸이 흔들리는 움직임에 연이 정신을 차렸다. 눈앞이 헝겊 같은 것으로 가려져 있었다. 내가 왜 여기에 이러고 있는 거지. 혼몽하여 다시 까무룩 정신을 잃으려다가 연이 번쩍 눈을 떴다. 왜 정신을 잃게 되었는지 기억이 났다.

'분명 농부라고 생각했던 자들이…….'

연은 눈에 씌워진 것을 벗겨 내려다 멈칫했다. 손목이 차가운 금속 족쇄로 죄여져 있었다. 눈에 씌워진 것도 머리 전체에 마치 작은 자루가 씌워진 것에 가까웠다. 입에는 재갈이 물려져 있었다.

말 발굽이 달가닥거리는 소리에 연은 자신이 마차에 있다는 사실을 깨달았다. 도대체 자신이 어디로 실려 가고 있는지 알 수가 없었다. 왜 자신을 납치한 건지도 알 수 없긴 마찬가지였다. 게다가 온몸이 욱신거려 마치 두드려 맞은 것만 같았다.

연이 어떻게든 족쇄에서 벗어나려고 무의미하게 애를 쓰는 동안 마침내 마차가 멈추었다. 끼익, 하고 문이 열리더니 억센 손들이 연을 강제로 일으켜 세웠다. 땅에 발을 디뎠으나 힘이 없어 연은 제대로 걷지를 못했다. 몸이 몹시 춥고 식은땀이 났다.

"이 녀석은 왜 이렇게 비실거려? 설마 손을 댄 건 아니겠지?"

"아이고, 그럴 리가 있겠습니까. 소중한 의원 나리인데. 자, 아무리 밤이라고 해도 보는 눈이 있으니 어서 들어가시죠."

"아무튼 의원이란 것들이 하나같이 약해 빠져서는."

소중한 의원 나리? 무언지는 모르겠지만 말투를 듣자 하니 이들이 자신을 해치거나 죽이려고 하는 것 같지는 않았다. 연은 양쪽에서 팔이 붙잡혀 들리다시피 질질 끌려갔다. 그는 대문을 지나, 마당이나 뜰 따위를 건너간 뒤에는 실내 안으로 밀어 넣어졌다.

이윽고 연은 어딘가 따뜻한 방에 무릎 꿇려졌다. 그가 앉은 자리에서 조금 떨어진 곳으로부터 쌕쌕거리는 숨소리가 들려왔다. 연이 습관적으로 진단을 내렸다.

'이건…… 흉강 어딘가에 문제가 있는 숨소리인데.'

그가 무의식적인 진찰을 멈춘 것은 우렁우렁한 목소리가 들린 탓이었다.

"그래, 이자가 그 화백인가 편백인가 하는 자라고?"

"예, 두목. 소문에 따르면 화타인가 편타인가의 후계자라고 합니다. 듣기로는 아주 솜씨가 좋은 자 같았습니다."

그놈의 화타의 후손이니 편작의 후계자니 하는 헛소문에 치를 떨 만한 여유도 없었다. 두목이라는 단어가 연의 귀를 스친 탓이었다. 연이 움찔하여 고개를 들었다. 두목이라니, 여기가 무슨 도적 소굴이라도 된단 말인가?

"어디 얼굴 한번 보자."

두건이 벗겨지자 연이 호롱불 빛에 눈을 찌푸렸다. 곧이어 재갈도 풀렸다. 어지러워 고개를 흔들며 그가 시선을 들어 올렸다.

가장 먼저 눈에 들어온 것은 거대한 풍채의 사내였다. 눈빛이 형형하여 마치 호랑이나 곰 같은 자로, 실제 몸에도 호랑이 가죽을 두르고 있었다. 허리춤에 걸린 거대한 도끼가 인상적이었다. 주위를 둘러보니 거대한 사내 말고도 여러 사람들이 있었다. 하나같이 거칠어 보이는 사내들이었다.

연이 식은땀을 흘렸다. 아무래도 정말 도적 소굴에 들어와 있는 듯했다. 다만 이해할 수 없는 건 이 건물이 아무리 봐도 관아인 것 같다는 점이다. 사내가 얼굴을 험악하게 찌푸렸다.

"저런 화화공자(花花公子)같은 녀석이 의원이라고? 나이도 어려 보이는데. 의원인 게 확실한가?"

"아마…… 맞을 겁니다, 두목. 계집애 같은 면사포를 쓰고 다녔거든요."

수하로 보이는 한 명이 땀을 삐질삐질 흘리며 대답했다. 두목이라 불린 자가 으르렁거리며 거친 소리를 내자 수하가 얼어붙어 납작 엎드렸다. 연이 잠시 눈을 감았다. 방 한구석에 핏자국이 흥건했다.

"흥, 장본인에게 물어보면 되겠지."

두목이 몸을 일으켰다. 연이 고개를 꼿꼿하게 들어 두목을 바라보았다. 그가 바로 연의 앞까지 다가오더니 허리춤의 도끼를 꺼내 들었다. 날카로운 날이 바로 목 아래에 와 닿았다.

"네놈은 의원이냐, 아니냐?"

연이 잠시 망설였다. 의원이라고 해야 할 것인가, 아니라고 해야 할 것인가? 그가 막 입을 열려던 찰나였다. 부하 중 한 명이 자리에서 벌떡 일어났다. 그가 얼굴을 일그러트리며 연에게 손가락질을 하였다.

"두목님! 그놈은 의원이 아닙니다. 제가 예전에 남궁세가에서 일할 때 보아서 압니다!"

젠장, 연이 속으로 혀를 찼다. 하필 이 자리에 자신을 아는 자가 있을 줄은 몰랐다. 두목이 와랑와랑하게 울리는 목소리로 물었다.

"의원이 아니라고?"

"남궁영명의 아들입니다! 영명 그자와 마찬가지로 아주 악랄한 놈입니다."

그 말이 미치는 파장은 강력했다. 사방에서 연을 죽이고자 하는 악의와 살기가 고개를 들었다. 안 그래도 안 좋은 몸인데 살기가 쏟아지니, 버티고 앉아 있는 것이 고작이었다.

두목이 크게 웃음을 터트렸다. 마치 공기를 찢어발기는 듯한 사나운 웃음이었다. 이쯤 되니 연은 사내의 정체를 모르려야 모를 수가 없었다. 도끼를 쓰며, 남궁영명을 증오하는 산적 두목. 최근 남궁세가에서 토벌에 실패한 녹림십오채의 두목 왕장호가 아니겠는가.

그가 돌연 뚝 웃음을 멈추고는 도끼날을 더 가까이 붙였다. 연은 자신의 목에서 무언가 흘러내리는 걸 알 수 있었다. 그 감각에 목덜미가 서늘했다.

"그래, 네가 정말 그 영명 그자의 아들이냐?"

"그렇다."

도끼날이 목으로 더 파고들든 말든 연이 똑바로 고개를 들어 인정했다. 도적들 앞에서 구차하게 엎드려 떨거나 빌고 싶지는 않았다.

"남궁연이다."

연은 당장 왕장호가 자신을 어떻게 해 버릴 것이라고 생각했다. 하지만 뜻밖에도 그는 목을 겨누고 있던 도끼날을 내려 두었다. 저도 모르게 연이 왕장호의 손을 바라보았다가 눈썹을 찌푸렸다. 손톱이 파랗다 못해 검은 색이었다.

연은 이들이 의원을 찾은 이유를 깨달았다. 역시나 왕장호가 중독된 것이다. 그리고 이들의 분위기를 보아하니 그 이유는 아마도 영명 때문인 것 같았다.

'그럼 여기서 이렇게 죽는 건가.'

아마도 죽겠지. 녹림은 잔혹하고 비인간적인 손속으로도 유명하지 않았나. 왕장호가 연을 쏘아보았다. 당장이라도 죽일 것 같은 기세였다.

"지금 당장이라도 목을 쳐 죽이고 싶지만, 그렇게 쉽게 죽일 수는 없지."

왕장호가 도끼를 쥔 손을 부들부들 떨었다. 눈에는 잔뜩 핏발이 서 있었다. 그가 빠득 이를 악물며 연의 멱살을 쥐어 올렸다. 그에게서 지독한 입 냄새가 풍겼다.

"영명 그자 앞에서 네놈을 산 채로 찢어 죽일 것이다. 그자가 아들의 죽음을 보며 피눈물을 흘리는 걸 보고 말 것이야."

왕장호가 쥔 멱살을 던지듯 놓았다. 내팽개쳐져 아무렇게나 바닥을 구르면서 연이 생각했다. 글쎄, 과연 영명이 자신이 죽는 걸 본다고 하여 피눈물을 흘리기는 할까? 화를 내기야 하겠지. 산적 따위의 손에 아들을 잃게 내버려 두었다는 오명으로 가문의 체면에 먹칠을 하게 될 테니.

그 후 왕장호는 연을 아무렇게나 방구석에 내버려 둔 채 방치했다. 도적들이 술판을 벌이는 걸 보며 연이 가늠해 보았다.

'왕장호가 나를 얼마나 오래 살려 둘 것인가?'

하루? 아니면 이틀? 저도 모르게 모란이 생각나는 건 그간 그에게 너무 의지한 탓이리라, 연이 생각했다. 하지만 모란이 자신을 찾아낼 수 있을까? 그 누가 도적들이 관아를 차지하고 있을 거라 생각하겠는가. 지금쯤 엉뚱하게도 산이나 뒤지고 있을 게 뻔했다.

'모란은 사부님이 녹림에게 잡혀갔다는 걸 알고 있었군. 그래서 산을 뒤지고 있었던 거야.'

그 말은 반대로 말하자면 은록이 여기 있을 거란 의미도 되었다. 사부님은 무사하실까? 어떻게든 안부를 확인하고 싶었지만 이자들이 자신을 순순히 의원들과 만나게 할 것 같지는 않았다. 한위는 괜찮을까? 마지막으로 정신을 잃으며 어린애이니 내버려 두자는 말을 들은 것 같긴 한데 확실치가 않았다.

정작 문제는 연 자신이었다. 납치당할 때 마신 흰 가루가 문제인지, 등에서 식은땀이 흐르고 현기증이 났다. 그저 이만 악물며 인내하고 있을 때였다. 거나하게 취한 도적 하나가 연을 향해 손짓했다.

"이봐, 공자님. 여자가 없으니 심심한데 대신 와서 우리 수발이나 들지 그래."

연이 대꾸조차 하지 않자 그가 휘청거리며 다가왔다. 그러고는 거칠게 머리채를 잡았다. 절로 신음 소리가 나올 것 같았으나 연은 꾹 참았다. 도적은 연을 질질 끌어서는 도적들 한가운데에 던져 놓았다. 왕장호는 말없이 술이나 마시며 제 수하가

하는 짓을 지켜보고 있었다.

"그 아비에 그 자식이라고, 마을에서도 유명해. 죄도 없는 하인 하나를 트집 잡아 패 죽여 놓았다지? 아주 부전자전이군그래."

'죄도 없는 하인이면 모란인가? 죽이지는 않았는데, 정말이지 화타니 편작이니 할 때부터 알았지만 소문 한번 환상적으로 났구나.'

연이 피식 웃자 비웃는 거라고 생각했는지 도적이 그의 멱살을 잡아 일으켰다. 그리고 모욕적으로 따귀를 한 대 쳤다. 눈앞에서 불이 번쩍 이는 듯한 따귀였다. 그는 그러고도 화가 풀리지 않았는지, 더 때리기 위해 손을 번쩍 치켜들었다. 그러나 대신 기겁하여 멱살을 잡은 손을 놓았다. 연이 쿨럭 피를 토한 탓이었다.

"뭐, 뭐야?"

그대로 자리에 엎어진 연은 기침하며 바닥에 피를 한 움큼 쏟아 내었다. 머리가 어지럽고 속이 조여 오는 듯했다. 지난번에도 이런 적이 있었지. 저도 모르게 덜컥 겁이 나, 연은 조소했다. 당장 도적의 손에 목이 따일지도 모르는데 이리 죽는 걸 두려워하다니…… 연이 다시 피를 뱉자 도적이 어이없다는 표정으로 제 손을 살폈다. 어이없을 만도 했다.

"아직 한 대밖에 패지 못했다고!"

"구량."

왕장호가 부르자 도적이 바싹 굳었다. 그러고는 바로 바닥에 납작 엎드렸다. 녹림채 두목의 심기는 상당히 불쾌해 보였다.

"네놈이 감히 나보다 이 녀석을 손보겠다?"

"아, 아닙니다 두목님! 맹세코 그럴 생각으로 다룬 게 아닙니다. 제, 제 생각에는 이, 이 녀석이 원래 병에 걸린 놈이라서 그런 거 같······. 죄, 죄, 죄송합니다."

벌벌 떠는 부하의 반응만 봐도 연은 왕장호가 얼마나 가혹한 두목인지 잘 짐작이 갔다. 어지간히도 심기에 거슬렸는지 왕장호가 도끼 손잡이에 손을 가져갔다.

방문이 열린 것은 바로 그때였다. 연이 고개를 들자 다른 사내가 들어섰다. 왕장호를 빼닮은 젊은 남자였다. 연은 그가 누구인지 알 수 있었다.

필시 왕장호의 아들인 왕자우일 것이다. 아버지 못지않게 악명이 높은 자였다. 그가 험악한 시선으로 안을 둘러보았다. 사내들의 몸이 움츠러들었다.

"아버지, 그 의원 놈이 끝끝내 진맥도 거부하는데 어떻게 할까요."

다시 도끼 손잡이에서 손을 뗀 왕장호는 술을 벌컥벌컥 마셨다. 그리고 굳은 얼굴로 연과 제 아들을 번갈아 바라보았다. 꽤나 무공이 고강할 텐데도 그는 일부러 술에 취하도록 자신을 내버려 두었다.

"저 녀석은 아직 죽으면 안 되니까 데리고 가서 치료받게 해라."

"예에, 알겠습니다."

뜻밖이었다. 동시에 연에게는 좋은 기회였다. 왕장호도 중얼거렸다. 아주 좋은 기회지, 치료할 수 있는 의원들이 한가득이 아니더냐. 왕자우가 그런 아버지를 흘깃 보고는 연을 끌고 나갔다. 비틀비틀 걸어가면서 연이 고개를 흔들었다. 시야가 어지러웠다.

"무엇 하나 물어봐도 되나?"

"다 죽어 가는 놈이 웃기기도 하군. 뭘 물어보려는 것이냐?"

왕자우가 피식 웃었다. 끌려가면서도 주위를 둘러본 연은 이

곳이 안휘성의 관아임을 확신했다. 아무리 녹림이라도 미친 게 아닌가 싶었다. 관아를 건드린다는 것은 황가를 적으로 둔다는 게 아닌가? 그만큼 왕장호가 절박하다는 의미겠지.

등잔 밑이 어둡다고 당분간은 관아 내에서 지내도 의심받지 않을 것이다. 그러나 시간이 오래 흐르면? 당연히 의심을 사게 될 것이고 황가에 이 소식이 전해질 것이다.

녹림 따위에게 관아를 점령당했다는 걸 알게 된 황가가 어떻게 나올까…….

"이곳에…… 진은록이란 자가 있나?"

연의 질문에 왕자우가 우뚝 걸음을 멈추었다. 그러더니 연을 거칠게 흔들어 대며 물었다.

"진은록이란 자를 알고 있어?"

연은 하마터면 혀를 깨물 뻔하였다. 하도 흔들어 대는 통에 대답하기가 힘들었으나 겨우겨우 입을 열었다.

"그는 나의, 주치의야."

"아, 그렇다면 마침 잘되었군. 그자가 얼마나 고집이 센지 말이야. 같이 목숨 잃고 싶지 않다면 들어가서 잘 설득해 보라고."

다시 질질 끌려 들어가면서 연이 눈살을 찌푸렸다. 역시 사부님이 여기에 계시는구나.

왕자우가 향하는 곳은 관아의 감옥이었다. 의원들을 죄다 이곳에 가두어 두었는지 감옥을 지나갈 때마다 안에는 초췌한 몰골로 두려워하는 자들이 보였다. 한두 명이 아니었다.

한참을 지나 그들은 가장 깊숙하고 어두침침한 감옥에 이르렀다. 왕자우는 문을 열어 연을 거칠게 떠밀어 넣었다.

"내가 아까 한 말 명심해. 설득하지 못하면 너도 죽는다."

쾅, 하고 문이 닫혔다. 그리고 왕자우의 발소리가 멀어졌다.

연은 끙끙 신음을 하며 고개를 들었다. 그러고는 놀라 눈을 휘둥그레 떴다.

"사……!"

연은 사부님이라 부를 뻔한 것을 가까스로 멈출 수 있었다. 은록의 상태는 그만큼 심각해 보였다. 문이 닫히는 소리에 깼는지 벽에 기대어 있던 은록이 눈을 떴다. 그 역시 믿을 수 없다는 얼굴로 연을 바라보았다.

"연, 공자? 대체 여…긴 어떻게……."

은록이 신음하며 몸을 웅크렸다. 하지만 이내 고개를 떨구는 것이, 다시 정신을 잃은 듯했다. 연이 숨을 한번 들이쉬고는 다가갔다.

침착하게 상태를 파악해 본 바, 몸에 절상(切傷)[15]과 자상(刺傷)[16]이 있었다. 절상은 오른쪽 옆구리에 난 것으로 아직 피가 흐르고 있었고, 자상은 허벅지의 것으로 단검이 박혀 있었다.

연이 이를 악물었다. 얼핏 보면 절상이 위험해 보이지만 정작 치명적인 것은 허벅지에 꽂힌 단검이었다.

'급소를 잘 아는 자의 소행이다.'

절상은 당시 피가 상당히 나기는 했을 것이나 차후 관리만 잘한다면 나을 부위였다. 반면 허벅지에 꽂힌 단검은 절대 뽑으면 안 된다. 혈맥을 건드린 상태라 뽑으면 다량의 출혈로 인해 아무리 길어도 일각 내에 사망하고 말 것이다. 연이 일단 자신의 옷자락을 길게 찢어 냈다. 그나마 여기서 쓸 수 있는 깨끗한 천이었다.

여기서 치료를 한다는 건 말도 안 되는 일이기에 연이 옷자락을 붕대 삼아 단검 주위를 압박하여 감았다. 당분간은 단검이 도리어 지혈하는 역할을 해 주겠지. 정말 당분간이지만…….

15) 날카로운 물체에 베인 상처
16) 깊게 찔린 상처

붕대를 감아 단검을 고정시킨 뒤 은록의 맥을 짚었다. 심박수가 느리고 체온이 심히 낮았다. 연은 급히 주위를 두리번거렸다. 의원들이 천지이니 어디 치료 도구가 없을까 하는 마음이었다.

그의 눈에 걸린 건 구석에 놓여 있던 작은 보따리였다. 비틀거리며 다가가 기침을 하며 보따리를 풀어 보았다. 다행히도 안에 침구며 기본적인 약초가 들어 있었다. 약초 중에는 지혈 작용을 하는 것도 있었다. 천만다행이었다.

하지만 지혈제를 뿌릴 때 고통이 극심할 것이 분명하였다. 고통이 극심하면 은록이 의식을 되찾을 수도 있었다. 지금 상태에서는 그가 의식을 되찾는 게 그다지 좋을 것 같지는 않았다.

아무리 봐도 은록이 정신을 잃은 상태이기에 망설이다가 마침내 연이 침을 집어 들었다. 그가 침 하나를 혈도 자리에 놓았다. 고통을 완화하는 자리였다. 치료하여 회복을 꾀할 뿐만 아니라 가능한 한 환자의 고통을 경감시키는 게 의원의 의무였다.

지혈제를 뿌리고 바늘과 실로 상처를 꿰매는 동안 은록은 다행히 아무런 미동도 없었다. 모든 처치를 마치고 난 뒤 연은 한시름 돌렸다. 단검도 어떻게 하면 좋겠지만…… 뽑았을 때의 출혈을 감당할 수 있을지가 의문이었다. 게다가 여기는 바닥이며 벽이 얼음장처럼 느껴지는 감옥이다. 피를 흘리면 체온이 더 떨어진다. 당연한 일이었다.

연은 쿨럭쿨럭 기침하며 벽에 기대어 앉았다. 아까처럼 피를 토하지는 않지만 상태가 점차 악화되어 가고 있었다. 아무래도 납치당할 때 마신 흰 가루 탓은 아닌 것 같은데…….

가물가물 눈이 감겨 가던 연이 정신을 차린 건 아스라하게 들려오는 괴성 때문이었다. 정신이 번쩍 들어 자리에서 일어났다.

마치 짐승이 우는 소리 같기도 했다. 이처럼 처절하게 울리는 소리는 난생처음 들어 보았다.

잠이 다 달아난 연이 바짝 긴장하여 앉자, 이내 와지끈 무언가 때려 부수는 소리와 함께 왕자우가 폭풍같이 들이닥쳤다. 얼굴이 잔뜩 일그러져 있었고, 아까 없던 멍 자국까지 있었다. 그가 쾅 소리가 나도록 철창을 열었다.

"당장 아버지를 치료하지 않으면 맹세코 네 멱을 따 버리겠다! 뭐라도 하란 말이야!"

왕자우가 검을 뽑아 들며 은록에게 겨누었다. 그러나 당연하게도, 의식이 없는 상대에게는 소용없는 짓이었다. 금방이라도 왕자우의 검이 은록을 찌를 것 같기에 연이 참지 못하고 자리에서 일어나고 말았다.

"내가 진맥하도록 하겠어."

"뭐라고?"

왕자우의 검 끝이 연에게로 향했다. 연은 눈 하나 깜짝하지 않았다.

"저자의 상처를 치료한 걸 보면 알 수 있겠지만, 나 역시 의원이다. 의식도 제대로 차리지 못하는 저자가 제대로 치료할 수 있을 것 같아? 내가 그를 진맥하고 치료하게 해 줘."

그리 말하고는 연이 보란 듯이 방금 은록을 치료한 침구를 주워 들었다. 왕자우는 은록과 연을 번갈아 보더니 이를 갈며 이내 연을 끌어냈다. 연은 내심 안도의 숨을 쉬었다. 당분간 은록은 안전할 것이다.

왕자우에게 이끌려 감옥에 나왔을 때에는 아까 그 처절하던 비명은 멈추어 있었다. 대신 아까 그 도적들이 방에서 신음하며 나왔다. 거의 기다시피 나온 그들은 잔뜩 겁에 질려 있었다. 피를 흘리는 자도 몇 있었다.

왕자우가 딱딱하게 굳은 얼굴로 연을 방 안에 밀어 넣었다. 도적 하나가 죽어 바닥에 나자빠져 있었다.

왕장호가 거칠게 숨을 들이쉬며 연을 노려보았다. 그러더니 바닥에 무언가를 퉤, 뱉었다. 둥근 열매 같은 것이 바닥을 굴렀다. 연은 그 열매의 정체를 단번에 알아볼 수 있었다.

"뭐야?!"

"이자가 의원이고 진맥을 할 수 있다고 하여 데려왔습⋯⋯."

왕자우가 뒤로 물러났다. 왕장호가 술병을 집어 던진 탓이었다. 쨍그랑 날카로운 소리를 내며 파편이 사방으로 튀었다. 왕자우의 얼굴에 난 멍 자국도 왕장호가 낸 것이 분명했다.

"저놈이 의원이라고?! 저놈은 그 남궁영명의 자식이야! 육시(戮屍)를 하고 싶어 삼켜도 시원찮을!"

고통으로 이성을 잃은 왕장호가 도끼를 손에 쥐고 다가왔다. 혹시나 휘말릴까 왕자우가 연을 놔 주며 뒤로 물러났다. 왕장호의 눈에서 불덩이가 뚝뚝 떨어지는 듯했다. 식은땀으로 젖어 축축해진 주먹을 꽉 쥐며 연이 입을 열었다.

"숨을 쉴 때마다 가슴이 타는 것 같지 않나?"

높이 치켜들렸던 도끼가 허공에서 멈추었다.

연이 계속해서 읊었다. 그는 왕장호의 까맣던 손톱과 부들부들 떨리던 손, 그리고 핏발이 선 노란 눈과 악취가 나던 숨결을 되짚었다.

"양귀비를 먹지 않으면 한시라도 견디기 힘들 정도로 고통스럽고, 가만히 있어도 숨이 차고 식은땀이 쏟아지지. 오장육부가 꼬이는 듯하고 검붉은 소변이 나왔을 것이다."

그렇게 말하고는 연이 입을 다물었다. 왕장호가 쿵 소리를 내며 거대한 도끼를 내려놓았다. 그리고 연을 노려보았다. 고통과 분노로 핏발이 선 눈이었다. 빠득빠득 이를 악무는데 잇몸 사이에서 붉은 피가 흘렀다.

"넌 남궁가의 사람이 아니던가?"

"남궁가의 사람은 의원이 되지 말라는 법이 있나?"

방 안에는 아주 무거운 침묵이 깔렸다. 그저 왕장호가 고통스러워하며 씩씩거리는 소리만이 들릴 뿐이었다. 연이 다시 입을 열었다.

"나는 의원이다. 내가 진맥을 하게 해 줘. 하지만 조건이 있다. 단둘이어야만 해."

"……네놈을 어떻게 믿고 나가!"

왕자우가 달려들려 할 때 왕장호가 손을 들어 막았다. 그 와중에도 그는 몸을 부들부들 떨었다. 연은 저 떨림이 분노나 격한 감정 때문이 아니라는 걸 잘 알았다. 그만큼 고통스러워 견딜 수 없는 것이다. 부하들을 쳐 죽이고 감히 관아에 들어와 점령하여 의원들을 납치할 만큼. 연이 침착하게 왕장호를 설득했다.

"보면 알겠지만, 나는 무인이 아니다. 피를 토할 정도로 약하고. 그래, 죽어 가고 있어. 왕장호 당신이 죽이려고 마음만 먹는다면 순식간일 테지."

"……."

"내가 단둘이어야 한다고 하는 건, 다른 사람에게는 들려줘서는 안 될 이야기가 있기 때문이다. 물론 선택은 당신 몫이니……."

그 뒤 연은 침묵을 지켰다. 왕장호는 비틀거리다가 제 아들에게 손짓을 했다. 나가라는 표시였다. 왕자우는 연을 죽일 듯이 노려보고는 마지못해 문을 닫고 나갔다.

그제야 연이 왕장호에게 다가갔다. 아까부터 상태가 좋지 않았던 터라 쿨럭 소매 안으로 기침을 하고는 무릎을 꿇고 앉아 그의 손목을 잡았다. 워낙 강골이라 손목이 아주 두꺼웠다. 무슨 생각을 하고 있는지 왕장호의 얼굴은 무표정했다.

"……병이 있나 보지?"

"그래. 어릴 적부터. 무인이 될 수 없는 몸이지. 그래서 대신 의원이 되고자 하였고."

눈을 감고 연이 진맥을 했다. 왕장호의 혈맥은 마치 끓어오르는 용암과 같았다. 독이 시시각각 그의 몸을 자글자글 태우며 끔찍한 고통을 가하고 있었다. 왕장호가 가공할 내공을 가진 고수고, 정신력이 대단하였기에 그나마 이렇게 정신을 유지하고 있는 것이다. 진맥을 하는 내내 왕장호는 보란 듯이 도끼 손잡이를 꽉 잡고 있었다.

마침내 연이 진맥을 하던 것을 놓고는 침구에서 침을 꺼내 들었다. 그리고 거대한 몸에 신중하게 침을 놓았다. 침을 꽂을 때 왕장호는 조금도 움찔하거나 하지 않았다.

마지막 일곱 번째 침을 놓을 때 왕장호가 숨이 끓어오르는 듯한 소리를 냈다. 그리고 이내 눈을 부릅떴다. 고통 때문은 아니었다. 오래간만에 찾아온 평온함 때문이었다.

"어떻게…… 이럴 수가……."

"……."

연이 고요히 왕장호를 응시했다. 그리고 그가 자리에서 벌떡 일어나려는 걸 가볍게 손을 들어 저지했다. 왕장호가 떨리는 시선을 연에게 보냈다. 그의 눈가에서 눈물이 흘렀다.

그는 남궁영명의 독에 당한 후로 지난 네 달 동안 한시도 편하게 살지를 못했다. 처음에는 온몸이 벌레에 물어뜯기는 듯했다. 시간이 지나자 차츰 가시에 찔리는 것 같더니 종내에는 그 가시가 칼로 변하였고, 그다음으로는 불로, 용암으로 변했다. 양귀비를 먹어도 이제는 잘 듣지도 않았다.

그런데 남궁영명의 아들이 제게 침을 놓으니 언제 그랬냐는 듯 평온함이 찾아오는 것이었다. 그가 몸을 떨며 물었다.

"완치된 것인가? 완치될 수 있는 것인가?"

그러나 상대의 얼굴을 보고는 왕장호의 표정에서 미소가 가셨다. 연이 침착하게 입을 열었다.

"나는 지금부터 전혀 사적인 감정 없이 의원으로서 말하는 것이다."

왕장호가 잔뜩 긴장하여 다음 말을 기다렸다. 어찌나 몸을 떨었는지 꽂혀 있던 침들도 사정없이 떨렸다.

"당신이 당한 독은 치료 방법이 없어."

왕장호가 눈을 부릅떴다. 이토록 고통 없이 평화로운데 치료 방법이 없다니 믿을 수가 없었다.

"그 무슨……!"

"내가 방금 한 건 그저 고통을 차단한 것에 불과해. 이조차 오래가지는 못해. 임시로 중요한 혈맥을 모두 막아 놓은 것이라 일각이 지나면 다시 고통이 찾아올 테니까. 이건 단순히 당신에게 명료한 정신을 찾아 주기 위해서다. 그러니 이제부터 잘 듣도록 해. 당신의 인생에 있어 아주 중요한 이야기를 할 테니까."

연은 왕장호가 분노할지도 모른다고 생각했다. 그러나 생각보다 그의 표정은 침착했다. 그만큼 오래 고통에 시달린 것이다.

"당신이 당한 독은 일종의 산공독(散功毒)이다. 알다시피 산공독은 무공을 운용하면 운용할수록 내공을 태워 버리는 독이지."

심지어 이는 보통 산공독이 아니었다. 몹시도 지독하여 일단 한번 일정량 이상의 독에 노출이 되면 그 후로는 끔찍한 고통을 가하는 것이다. 독에 당한 자는 무공을 운용할 때에만 그나마 고통이 사그라들고, 그렇지 않을 때에는 제정신으로는 참기 힘든 지옥을 겪게 된다.

연은 진맥을 하면서 알 수 있었다. 전과 달리 아주 잘 보였다. 독이 왕장호의 내공을 장작 삼아 몸을 활활 태우는 것이. 그 불이 왕장호의 오장육부를 해치고 있었다. 그러니 폐며 간이며 신장까지 제 기능을 하지 못하는 것이다.

"독에 당한 후로 네 달을 살았지. 앞으로 당신은 한 달을 더 살게 될 거다. 내공이 적은 자라면 그 자리에서 죽어 버렸을 테지만 당신이 지닌 내공은 막강해. 그러니 이리 심한 중독에도 네 달씩이나 버텼겠지. 그리고 남은 한 달은 지금까지와는 비교도 되지 않을 정도로 끔찍한 지옥이 될 터."

왕장호의 몸이 더욱 거세게 떨렸다. 연은 동요하지 않고 말을 이었다. 때로는 잔인하더라도 환자에게 몸의 상태를 진실하게 알릴 필요가 있었다.

"검붉은 소변은 이미 신장이 망가졌다는 뜻이고, 검은 눈 밑과 노란 눈은 간이, 손톱이 검고 푸른 건 폐가 제 기능을 하지 못한다는 의미다. 그리고 숨에서 나는 악취는 장기들이 녹아 간다는 것이지. 앞으로는 더할 거고."

격한 감정으로 핏줄이 터진 왕장호의 눈이 벌겋게 물들었다.

"그런데……. 그런데 치료 방법이 없다고?"

"……그래. 그 어떤 의원이 와도 당신을 치료하지는 못해. 설령 해독을 하더라도 이미 육체가 손상된 수준이 심각해. 어쨌든 한 달 안으로 죽게 될 거야."

양귀비와 술이 이미 중독된 육체에 손상을 입혔다. 이는 마치 불에 기름을 붓는 것과 같았다. 그러나 극한 고통에 시달리던 왕장호에게는 별 선택지가 없었을 것이다. 그가 눈물을 흘리며 자리에서 일어났다.

"그런 이야기나 하려고 이런, 이런……!"

왕장호가 어느새 놓고 있던 도끼를 찾아 더듬거리는 걸 보며 연이 조용히 입을 열었다.

"하지만 이대로 가만히 있으면 당신은 고통 없이 죽은 듯 잠들 수 있어."

연의 말에 막 도끼 손잡이를 쥐던 왕장호의 손이 우뚝 멈췄다. 그리고 잠시간 고개를 돌린 채 움직이지 않았다.

"일각이 지나기 전 내가 백회혈에 마지막 침을 놓으면 평화로운 잠이 몰려와. 한 달을 더 살지는 못하겠지만 더는 고통을 느끼는 일은 없겠지."

"……."

굳이 왕장호의 아들 왕자우를 물린 이유가 있었다. 왕장호를 바라보는 왕자우의 시선은 단순히 아버지가 아닌, 자신의 우상이나 기준을 바라보는 것이었다. 왕자우뿐만이 아니다. 그들이 거느리고 있는 도적들은 왕장호가 고통에 미쳐 날뛰는 일이 있어도, 관아를 점령하는 미친 짓을 해도 순순히 따랐다. 왕장호도 잘 알고 있을 것이다. 이 녹림 도적들에게 자신이 어떤 존재인지를.

이런 자가 두목이었기에 남궁세가도 그토록 오래 그들을 처리하지 못했다. 이런 자가 두목이었기에…… 영명이 비겁하게도 독무 따위를 쓴 것이겠지.

"흐으으……."

도끼 손잡이를 꽉 쥔 왕장호가 희미하게 흐느끼는 소리를 냈다. 그의 팔은 끝내 올라가지 않았다. 연은 조용히 그자의 눈물이 바닥을 적시는 것을 바라보았다.

"만약 그렇게 평화로운 잠을 자게 된다 해도, 당신은 비겁하게 죽은 게 아니야. 내 손에 의해 살해당한 것이니. 적어도 당신의 아들과 당신의 부하들은 그렇게 알게 되겠지. 겁쟁이처럼 자살하여 고통에서 벗어난 사내가 아니라, 적의 비겁한 술수에 의해 죽음을 맞이한 녹림십오채의 두목 왕장호로서.”

왕장호는 그대로 엎드려 잠시간 비통하게 흐느끼기만 했다. 정말 끔찍하게 고통스러웠다. 그러나 자신만을 바라보는 아들이나 수하들 앞에서는 어쩔 수가 없었다. 그 악명 높은 주강 녹림십오채의 두목인데, 벌레처럼 바닥을 기며 고통스러워하는 모습을 보일 수 있겠는가?

자살조차 할 수가 없었다. 그러니 그저 쓴 양귀비 열매를 씹고 술을 삼키며 겨우겨우 버틴 것이다. 그렇게 버티고 버티다 관아를 점령하고 관군과 농민을 가장해 의원들을 납치했다. 그런데도 그 수많은 의원들 중 단 한 명도 자신을 치료할 수 있는 사람이 없었다. 희망은 흔적도 없이 사라지고 대신 그 자리를 끔찍한 절망과 고통이 채웠다…….

왕장호가 지난 네 달을 떠올리며 엎드린 채 중얼거렸다.

“나는 마교의 왕장호다. 마교인은 스스로 목숨을 끊는 겁쟁이 같은 짓은 안 한다.”

그가 마교인 줄은 대충 알고 있었다. 소문이 그러하였고 진맥을 짚었을 때 느껴지는 내공심법이 그랬다. 저 말은 끔찍한 고통 속의 한 달이라도 더 살고 싶다는 의미인가? 연은 그가 말을 잇기를 차분히 기다렸다. 그러나 왕장호는 그대로 가만히 멈춰 있을 뿐이었다.

한참 만에 왕장호가 토해 놓았다.

“살아서 증오스러운 남궁영명 그자에게 복수를 해야 하는데.”

그가 짓씹듯이 말을 내뱉었다. 그 살기가 지독하였다. 무릇 무인이라면 가능한 마교 출신의 사람에게는 원한을 사지 않으려 한다. 그들의 교리가 은원은 반드시 배로 갚을 것을 명하고 있다는 건 유명했다. 실지로 그들은 몇 년이고 몇 십 년이고 복수만을 위해 살기도 하였다.

왕장호가 핏줄이 다 터진 붉은 눈을 들어 연을 바라보았다. 그러더니 돌연 크게 웃었다.

"그러나 굳이 내가 아니더라도 영명 그자는 파멸을 맞이할 테지. 다른 동지가 그에게 복수하려 하고 있다는 걸 안다. 나보다도 오래되고 질긴 원한을 가진 자이니, 결코 포기하지 않고 영명 그자를 죽여 버릴 터."

연이 마른침을 삼켰다. 본래 정파와 사파는 사이가 좋지 않았다. 남궁영명은 정파 중에서도 사파에 지극한 적대감을 가지고 있는 것으로 유명했다. 다른 원한을 샀다 하여 이상할 것은 없었다. 그럼에도 왕장호의 말은 어딘가 의미심장한 구석이 있었다. 왕장호가 도끼 손잡이를 꽉 쥐었다.

돌연 어느 순간 힘이 빠져나가며 그의 눈빛에서도 살기가 가라앉았다. 연은 그의 눈에서 어떤 불씨가 꺼지는 것을 보았다.

"살고 싶다. 그러나…… 살고 싶은 만큼 죽고 싶구나."

"……."

"나를 죽여라."

연이 조용히 고개를 끄덕였다. 그러자 왕장호는 언제 눈물을 흘리고 침통해했냐는 듯 다시 자리에 누웠다. 다른 한 손에는 그의 도끼가 쥐여져 있었다. 눈을 감겨 주려 하자 왕장호가 손을 들어 막았다.

연은 흐트러진 의복을 정갈히 했다. 아까 도적에게 머리채를 쥐여 엉망이 된 머리카락도 풀어 두건으로 다시 묶었다. 그리고는 대침을 집어 들었다.

그의 눈이 똑바로 연의 손으로 향했다. 대침을 쥔 손이 천천히 정수리를 찌를 적에 왕장호의 얼굴에는 안도감이 찾아들었다. 왕장호가 눈을 감으며 중얼거렸다.

"참으로 오랜만에 취하는 잠이로구나……."

그는 길게 숨을 뱉었다. 곧 왕장호의 움직임이 완전히 멎었다. 연은 환자의 얼굴을 지켜보다가 꽂았던 대침을 뽑았다. 이내 다른 일곱 개의 침도 뽑은 뒤 그가 마른침을 삼켰다.

이 침술은 그가 은록으로부터 가장 마지막에 배운 것이다.

환자를 모두 치료해 줄 수 있다면 좋겠지만 사람인 이상 의원은 모든 사람을 살릴 수가 없었다. 그리고 살릴 수 없는 대부분의 환자들은 극심한 고통을 겪었다. 고통을 참다못해 머리를 짓찧어 대거나 몇 번이고 자살 시도를 하는 자들도 있었다.

은록은 정말로 회복될 가망이 없다는 확신이 들었을 때에 일곱 개의 침과 대침 하나를 집어 들었다. 일곱 개의 침을 놓고 나면 환자는 고통을 잊는다. 그렇게 오래간만에 고통을 잊고 평온함 속에서 가족과 친지들에게 작별 인사를 하고 잠자듯 죽음을 맞이하곤 했다. 모순적이게도 의원이 베풀 수 있는 가장 큰 자비가 죽음인 것이다.

그러나 연은 은록의 가르침에 따라 이렇게 침을 놓을 때마다 확신을 가질 수 없었다. 이게 정말 올바른 일일까? 이것을 과연 의술이라고 할 수 있을까?

연이 그렇게 의문을 가지고 질문을 할 때면 은록은 언제나 그 의문을 계속 가지고 있으라는 답을 돌려주었다. 환자를 죽이기 전이나 죽이고 난 뒤나 절대 그 의문을 잊어서는 안 된다고 그는 몇 번이고 반복하여 말했다. 현재까지도 연은 여전히 의문을 가지고 있었다.

침구를 정리한 뒤에도 연은 그저 그대로 앉아 있기만 했다.

기분이 좋지 않거나 심란하기 때문이 아니었다. 몸 상태가 정말 좋지 않았다. 지금 시간이 몇 시지? 해시가 지났을까? 통 시간을 헤아릴 수가 없었다.

밖에서는 왕자우가 이제나저제나 기다리고 있을 터……. 하지만 일어날 기운이 없었다. 기침을 하느라 엎드렸다가 연이 중얼거렸다.

"모란의 치료가 아무런 의미도 없구나. 이렇게 죽을 줄은 몰랐는데."

"의미가 없기는 왜 없어?"

불퉁한 목소리에 연이 놀라 고개를 들었다.

모란이었다. 막 도착했는지 그가 짜증스럽게 미간을 문지르며 가까이 다가왔다. 그러지 않으려고 했는데 그를 보자 드는 반가움은 어쩔 수가 없었다. 모란이 가까이 다가와 훑듯이 연의 몸을 어루만졌다. 닿는 곳마다 피부가 오싹한 느낌이 들었다. 모란의 눈에 금빛 고리가 하나둘 영글어 가는 걸 보다가 연은 저도 모르게 두려움이 일어 시선을 돌렸다.

"빌어먹을, 이 근처에 관아는 왜 그렇게 많은지."

가까이서 보니 모란의 목덜미에 땀이 송글송글 맺혀 있었다. 찾느라 꽤나 고생한 모양이었다. 대충 상태를 살폈는지 모란이 옷 속에 손을 밀어 넣으며 다짜고짜 입부터 맞추려는 걸 연이 밀어 냈다.

"잠시……만……. 일으켜 줘."

"일어서지 않아도 돼. 누워 있어."

"밖에 있는 자에게 할 말이 있어. 일으켜 줘. 아니면 내가 일어설 테니."

드물게도 모란이 초조한 얼굴로 혀를 차고는 연을 일으켜 세웠다. 어쩐지 그는 왕장호와 연 사이에 무슨 일이 있었는지 모두 아는 것 같았다. 모란의 부축을 받아 문을 열고 나가자 아무렇게나 땅바닥에 앉아 있던 왕자우가 벌떡 일어났다. 그리고 모란을 보자마자 검을 뽑아 들었다. 사방에서 도적들이 무기를 치켜들었다.

"넌 누구냐!"

"……."

대답하지 않고 침묵을 지키자 왕자우는 분위기가 심상치 않다는 걸 깨달았다. 그의 얼굴이 일그러졌다.

"아버지는, 아버지는 어떻게 되었지!"

연은 품에서 대침을 하나 꺼내 왕자우의 앞에 던졌다. 그리고는 무심하게 말했다.

"왕장호는 내가 죽였다. 그가 방심하고 있는 사이 급소를 찔렀지."

왕자우는 믿을 수 없다는 얼굴로 대침과 연, 그리고 모란을 바라보더니 끝내 이성을 잃었다. 아버지가 살해당했다는 분노에 크게 괴성을 지르더니 연을 죽여 버릴 기세로 달려들었다. 그러나 살기 어린 공격은 간단히 막혀 버리고 말았다.

모란이 팔을 들어 올리자 손바닥을 가로질러 금빛 고리가 걸렸다. 동시에 달려들던 왕자우의 몸이 휘청했다. 몸이 땅속으로 푹 꺼지며 무릎까지 파묻힌 탓이었다. 그는 눈을 부릅뜨고 거칠게 몸을 흔들었다.

"으아아악!"

왕자우가 비명을 질렀다. 그의 온몸에서 붉은 기운이 뚝뚝 떨어지는 듯하더니 검날에도 붉은 검기가 맺혔다. 왕장호는 마교에서 나간 후 아들에게도 마교의 내공심법과 검술을 가르친 모양이었다.

모란은 잠시간 눈썹을 찌푸리고 이 마교 특유의 붉은 검기를 살펴보았다. 충분히 살필 만큼 살핀 후 천천히 주먹을 쥐었다. 손에 걸려 있던 금빛의 고리가 순식간에 세 개로 늘어났다. 땅이 갈라진 건 바로 그때였다.

"이게 뭐야!"

"아악! 살려 줘!"

왕자우와 도적들 아래의 땅이 검고 거대한 아가리를 벌렸다. 연이 자신의 눈을 의심했다.

반달 모양으로 쩍 벌어진 땅속으로 도적들이 후두둑 떨어졌다. 왕자우와 몇몇 도적만이 간신히 모서리에 아등바등 매달렸다. 왕자우의 안색이 창백했다. 그가 자신을 내려다보고 있는 모란을 괴물 보듯 바라보았다.

"이 정도 봐줬으면 됐겠지."

모란이 연을 쳐다보면서 말했다. 그 얼굴이 마치 처음 만났던 날처럼 무심하고 차가웠다. 연은 분명 모란이 왕자우를 죽일 것이라 생각했다.

왕자우가 어떻게든 벗어나려는 것을 모란이 발로 걷어차 아래로 떨어트렸다. 남은 도적들까지 한 번에 집어삼킨 뒤에야 땅이 입을 다물었다.

이제는 아무런 비명 소리 없이 사방이 고요했다. 대체 어찌 땅을 이런 식으로 움직였을까? 이런 기괴한 수법은 난생처음 본 연이 말을 더듬거렸다.

"죽……였어?"

"안 죽였어. 잠시 가두어 뒀을 뿐이야."

안도의 숨을 쉬었다가 연이 모란의 표정을 보고는 멈칫했다. 주춤 뒤로 물러나는 걸 모란이 단번에 자신의 품 안으로 끌어당겼다.

"분명 내 간호를 헛수고로 만들면 가만있지 않겠다 하였지.

한 귀로 듣고 한 귀로 흘렸어?"

모란이 아니었다면 죽었을 게 분명하기에 연이 입을 다물었다. 실은 말할 기운도 없었다. 그는 곧 앞으로 고꾸라졌다. 아니, 세상이 고꾸라졌던가? 왕자우 앞에서는 겨우 버티고 있었던 것이다.

빌어먹을, 욕지거리를 내뱉은 모란이 아예 연을 들쳐 안았다. 연은 억울한 마음에 중얼거렸다.

"아침 해, 뜰 때까지 밖에 안 나갔는데……."

어이가 없던 모란이 코웃음을 쳤다. 그가 한 시진이 넘도록 관아란 관아는 죄다 뒤지고 다닌 걸 알면 그런 말은 못 할 것이다. 모란은 연을 들쳐 안은 채 벌컥벌컥 관아에 있는 방들을 열고 다녔다.

마침내 마음에 드는 방을 골랐는지 모란이 안으로 들어섰다. 손도 대지 않았는데 문이 알아서 닫혔다. 그 기세에 연이 마른침을 삼켰다.

하지만 거친 기세와는 다르게 모란이 연을 내려놓는 행동은 조심스러웠다. 마치 톡 건들면 깨지는 살얼음을 대하는 듯했다.

연이 여기가 어떤 방인지 미처 살피기도 전에 모란이 덮쳤다. 마치 잡아먹을 것처럼 사나운 입맞춤이었다. 처음에는 아프게 입술을 깨물리고는 다음으로는 혀가 씹혔다. 항의하는 의미로 밀거나 때릴 만한 힘도 없었다. 그저 아프도록 고개가 꺾인 채 모란을 받아들일 따름이었다.

"……!"

불에 달군 칼에 찔리는 듯해 연이 헉 하는 소리를 냈다. 희미해져 가던 정신이 번쩍 들었다. 기운도 좀 돌아왔으나 모란에게 매달리는 것이 고작이었다. 하마터면 모란의 혀를 깨물 뻔하기까지 했다. 몇 번을 겪어도 익숙해지지 않는 고통이었다.

그렇게 매달리다가 힘이 빠져 팔이 미끄러져 내리자 쯧 혀를 차며 모란이 연을 고쳐 안았다. 이제 그는 모란의 무릎 위에 걸 터앉은 상태였다.

"흐으……."

모란이 연의 옷을 풀어 헤쳤다. 동시에 노골적으로 세게 귀를 빨아들이고 목덜미를 길게 핥았다. 입술과 혀가 닿는 자리마다 소름이 돋았다. 모란이 손으로 쥐는 부위마다 마치 자국이 남을 것처럼 느껴지고 명치 아래쪽은 근질거렸다.

견디기 힘든 한기와 고통이 모란의 접촉에 점차 사그라들었 다. 연은 그저 그가 하는 대로 내버려 두었다. 언제부터인가 모 란과 함께 있으면 마음이 놓였다.

"읏!"

오늘따라 모란은 진도가 빨랐다. 한 손은 엉덩이를 꽉 움켜쥐 더니 어느새 다른 한 손은 연의 성기를 잡아 문질렀다. 고통과 쾌감이 교차하자 연의 이성이 흐려지기 시작했다. 그는 부러 몸 을 맡겼다. 두 감각은 방금 전에 있었던 일을 잊게 만들기에 좋 았던 것이다. 가령, 그의 손길 아래에서 서서히 꺼지던 녹림십 오채 두목의 생명이라든가…….

"오늘따라 얌전하네."

연의 가슴에 이를 내어 따끔하게 하다가 입술로 유두를 문지 르며 모란이 중얼거렸다.

바지 속에서 나는 질척거리는 소리에 연은 대답할 수가 없었 다. 그저 숨만 헐떡이며 모란이 손을 더 빨리 움직이는 걸 볼 따 름이었다.

"흐음. 착하게 군다 이거지."

"아!"

모란이 돌연 손에 힘을 주어 꽉 쥐자 연이 외마디 소리를 질렀다. 아픈데도 그의 손에 가득 쥐인 물건이 근질거리니 이해할 수가 없는 노릇이다. 모란이 꾹 쥔 채로 손을 움직여 쥐어짜듯 움직이니 그 자극이 지독해, 연은 이를 악물었다. 꼼짝도 못하고 있자 모란이 물끄러미 얼굴을 바라보면서 바지를 벗겨 냈다. 입술이 목덜미부터 타고 올라가 귓불을 잘근거리더니 속삭였다.

"아래를 봐."

연이 가만히 있자 모란이 쥔 손에 좀 더 힘을 가했다. 연아, 아래를 보라니까?

그 말에 이상하게도 저항할 생각이 들지 않았다. 그저 온몸이, 얼굴이, 특히나 모란에게 잘근잘근 씹히고 빨리고 있는 귓불이 빨갛게 달아오를 따름이었다. 평상시의 자신은 어디로 갔는지 알 수가 없었다. 그저 모란에게 얌전히 잡힌 그가 있을 뿐…….

입술을 깨물며 아래를 내려다보니 모란의 손에 쥐인 제 성기가 보였다. 연이 저도 모르게 입술을 깨물었다. 모란의 손가락 위로 발갛게 달아오른 귀두가 드러났다. 질금거리며 말간 액을 흘리고 있는 모습이…….

모란이 보란 듯이 손을 위아래로 움직이자 척척거리며 물기 어린 소리가 들렸다. 연은 얼마간은 버텼으나 엄지손가락이 귀두를 문지르다 안을 후벼 파듯 할 때는 견디지 못하고 고개를 젖히고 말았다.

"아, 아!"

숨이 가빠진 만큼 쾌감도 차오르기 시작했다. 그러나 막 사정을 코앞에 두었을 때 모란은 도리어 손을 움직이던 걸 멈추고 말았다. 연이 모란에게 매달리며 흐느끼는 소리를 냈다.

"보지 않으면 움직이지 않을 거야."

"그런, 게 어디에…… 흐읏!"

"네 선택이란다, 연아. 보기 싫거든 안 보면 돼. 보고 싶거든, 봐. 네가 어떤 식으로 내 손 위에 싸 버리는지……."

모란이 음탕하고 야한 말을 귓가에 지껄였다. 결국 연은 견디지 못하고 다시 고개를 내렸다.

그제야 손이 다시 움직이기 시작했다. 연은 모란의 손이 자신의 것을 크게 주무르기도 하고, 빠르게 위아래로 흔드는 것을 바라봐야만 했다.

입에서 신음 소리가 희미하게 새어 나왔다. 등골에 소름이 오싹오싹 돋았다. 연이 눈을 질끈 감았다. 그리고 얼마 못 가 애원했다.

"잠시, 잠시만, 아, 앗!"

견디기가 힘들어 저도 모르게 상대의 손목을 잡아도 모란은 봐주지 않았다. 손을 멈추는 법도 없었다. 머리끝까지 쾌감이 차오르다 넘쳐흐를 적에 모란은 귀두를 가볍게 막았다. 흰 사정액이 모란의 손바닥 안으로 흐트러졌다.

진이 빠진 연은 모란에게 완전히 기대었다. 숨을 헐떡거리는데 평소와는 달리 치료받을 때 특유의 고통이 멈추지 않았다. 아까는 불에 달군 검에 깊게 찔린 것 같다면 지금은 그냥 달군 검 끝이 콕콕 찔리는 것 같았다. 연의 이마에 식은땀이 맺혔다.

"왜……."

"네가 내 간호를 헛수고로 만든 덕에, 고맙게도 오늘은 이걸로 충분하질 않아서."

모란이 제 손에 묻은 정액을 보란 듯이 느릿느릿 연의 허벅지 안이며 마른 배 위에 묻혔다. 그 선정적인 모습에 연이 얼굴을 확 붉혔다.

모란은 다시 연의 피부 위를 입술이며 이로 잘근거리면서 어디론가 손을 뻗었다. 연은 그제야 그들이 어느 방에 있는지 살필 수 있었다. 관아에서 지내던 어느 관직자인지 아니면 녹림들인지 누군가 기생을 불러 이 방에서 질펀하게 논 게 틀림없었다.

모란이 가져온 것은 비녀 두 개였다. 그냥 비녀도 아니고 진주가 알알이 박혀 있는 꽤나 비싼 물건이었다. 다시 몰려들기 시작하는 고통에 연이 입술을 깨물며 모란의 옷자락을 꾹 쥐었다. 이 고통은 일단 한번 시작되면 치료가 마무리되기 전까지는 멈추지 않는 모양이었다.

모란이 비녀에서 진주를 떼어 내 그릇 위에 담았다. 총 여덟 알이었다.

"그것 아느냐? 사실 이 진주도 일종의 내단이나 마찬가지이지. 복용해도 효과가 미미하고 효과보다도 부작용이 심해서 거들떠도 안 보는 것일 뿐."

"그게 대체, 웃, 무슨 상관이기에……."

다음으로 모란이 한 행동에 연이 눈을 크게 떴다. 모란이 손가락을 들어 다른 쪽 손을 긋자 마치 칼에 베이기라도 하듯 상처가 생겨난 것이다. 게다가 그리 크지 않은 상처인데 피가 왈칵왈칵 쏟아지는 게 아닌가.

후두둑 피가 떨어지며 흰 진주알을 벌겋게 물들였다. 단순히 물드는 것이 아니었다. 마치 진주알이 피를 흡수하는 듯했다. 그동안 모란의 마법을 보며 사술 같다고 생각한 적은 한 번도 없었지만 조금도 튀거나 그릇을 적시지 않고 진주알에만 몰려드는 피는 솔직히 기이했다.

놀랍게도 시간이 지나면서 점차 진주알은 크기가 커지기 시작했다. 색깔도 반지르르한 고운 분홍빛이었다. 작은 밤알만한 크기가 되고 나서야 모란은 진주알에 피를 쏟는 걸 그만두었다. 그러더니 산호색의 진주알을 들어 이리저리 살펴보았다.

"처음인데 잘 만들어졌네."

"그게…… 뭐야, 대체?"

"이거? 인공적으로 만든 내단. 한번 먹어 볼래?"

연은 엉겁결에 입을 벌려 모란이 밀어 넣어 준 진주를 물었다. 먹어 보라는 말에 조심스럽게 이로 물어 보았으나 지나치게 단단했다. 이건…… 그냥 커다란 진주였다. 그냥 삼키다가는 질식해 죽을 만한 크기의.

눈살을 찌푸린 모란이 침으로 반질거리는 것을 꺼냈다. 그리고 한참 진주를 들여다보더니 쯧 혀를 찼다.

"이런, 아무래도 소화시키려면 하루 반나절쯤 걸리겠는데. 그럼…… 어쩔 수 없지!"

모란이 다시 피부 위로 입질을 하기 시작했다. 연은 그가 내단을 만드는 데 실패하고는 포기했다고 생각했다. 그게 아님을 깨달은 건 모란이 바지를 완전히 벗겨 냈을 때였다.

위에만 겨우 옷을 걸친 상태라 민망해하고 있는데 엉덩이를 주무르던 모란의 손이 좀 더 은밀한 곳으로 향했다. 연의 얼굴에 확 열기가 올라왔다.

입술을 깨물고 있으려니 모란이 손가락을 금방이라도 밀어 넣을 듯 뒤를 지분거렸다. 대체 언제 향유를 열었는지 은은한 향기가 번졌다. 엉덩이에서 손가락이 미끌거리는 감각은 정말이지 노골적이었다.

하려면 하라는 마음으로 입만 다물고 있자 모란이 은근하게 요구했다.

"넣으라고 해, 어서."

"읏, 뭐……?"

"여기에 넣어 달라 하라고. 그러면 기분 좋게 해 줄 테니까."

며칠 전이라면 안 된다고 했겠지만, 지금의 연은 평소에 세워 두고 있던 윤리나 도덕심 따위의 벽이 상당히 무너져 있는 상태였다.

모란은 더는 재촉하지 않았다. 대신 중지로 느릿느릿 엉덩이 골에서 회음부까지 문질러 대는 것이었다.

연이 입술을 떨었다. 이를 악물었다가, 눈도 질끈 감았다가 마침내 입을 열었다.

"넣······."

"흠? 뭐라고?"

어느새 연의 성기는 다시 단단해지기 시작했다. 모란은 그의 울럭이는 목울대 위에 다정하게 입을 맞추었다. 금방이라도 밀어 넣을 듯이 손가락이 입구를 꾹 눌렀다. 저도 모르게 엉덩이를 들썩이던 연이 마침내 간청하고 말았다.

"넣어······ 줘."

단순히 덜 아프기 위해서가 아니었다. 모란이 주는 쾌감을 좀 더 맛보고 싶었다. 일단 한번 입 밖으로 내자 요즘따라 아슬아슬하던 마음속 금제가 와르르 무너졌다.

"아주 잘했어."

모란이 연의 허리에 단단하게 팔을 꽉 둘렀다. 곧장 손가락 하나가 느리게 밀려들어 오자 가슴이 빠르게 뛰었다. 연이 모란의 목에 팔을 감으며 매달렸다. 마침내 선을 넘기고 만 것이다.

손가락은 미끌거리는 향유의 도움을 받아 수월하게 움직였다. 몇 번을 들어갔다 나오기를 반복하더니 이내 두 개로 늘었다. 모란은 손등이 닿도록 깊이 넣었다가 빼고는 다시 밀어 넣었다.

쯔걱거리는 소리를 들으며 연이 눈을 감았다. 분위기가 야릇하고 자극적이기는 하지만 아직까지는 그다지 기분 좋은 것을 알 수가 없었다.

그저 부끄러웠다. 그러느라 연은 아까 그 산호색 고운 진주알이 스르륵 그릇에서 빠져나와 바닥을 굴러가는 걸 알아차리지 못했다. 모란이 가위질하듯 손가락으로 뒤를 벌렸을 때 연의 부끄러움은 정점을 찍고 말았다.

딱히 좋은 것도 모르겠고, 여전히 달군 칼끝으로 쿡쿡 찌르는 듯이 아픈 데다가 민망하여 연이 막 그만하면 안 되겠냐고 입을 열려 할 때였다.

모란이 손가락을 깊이 삽입하며 어딘가를 꾹 누르자 등골이 오싹하며 야릇하였다.

"……?"

방금 그게 뭐였지, 하고 어깨에 기대었던 고개를 약간 들어 올렸다. 착각이었나 싶었는데, 모란이 안을 꾹 누르자 연의 몸이 움찔 튀었다. 이번에는 느낌이 분명했다. 연이 당황하여 바르작거렸다.

"이게, 무슨…… 아, 앗!"

아찔한 쾌감이 온몸을 울렸다. 낯설고 이해할 수 없는 종류의 자극이었다. 연이 아직도 그 느낌을 이해하지 못해 당황한 사이, 모란이 손을 빠르게 움직이기 시작했다. 찌걱거리는 소리와 함께 연의 몸이 떨리기 시작했다. 시야며 머릿속이 뒤죽박죽 뒤엉켰다.

"아웃, 잠시, 아! 이상, 이상해……. 웃, 으!"

모란이 안에서 마치 갈고리처럼 손가락을 구부렸을 때에는 발가락이 절로 곱아들었다. 입 안에서 신음이 흘러나오는데 어찌할 방법이 없었다. 그저 속수무책으로 모란에게 몸을 내줄 뿐이었다.

"연아, 네가…… 무척 귀엽다고 내가 말했던가?"

모란이 한숨을 쉬며 퍽퍽 추삽질을 했다. 어느새 엉덩이 사이를 드나드는 손가락이 세 개로 늘어나 있었지만 연은 눈치채지도 못했다.

"내가 얼마나 인내하는 것인지 상상도 못 할 텐데."

그리 지껄인 모란은 품에 안은 몸이 바르작거릴수록 속도를 높이기만 했다. 손가락이 드나드는 틈에서 향유가 뚝뚝 흘러 바닥을 적셨다.

"아, 아! 응, 읏……. 모란, 아흐윽……!"

하도 거칠게 손가락을 움직이는 통에 허리를 들썩이다가 연이 모란에게 매달렸다. 오금이 저리고 떨리는 쾌감은 괴로울 정도였다. 그와 반대로 치료의 고통은 잦아들었다. 아까는 달군 칼끝에 찔리는 것 같았다면 지금은 가시가 박힌 듯 아픈 수준이었다. 하지만 그런 건 신경도 쓰지 못할 정도로 연은 신음하기에 바빴다. 낯설고 이상한 쾌감이 뚝뚝 흘러 선단을 적시고 있었다.

점차 절정이 다가와 연이 숨을 가쁘게 헐떡일 때였다. 모란의 손가락이 빠져나갔다. 그리고 대신 꾹 닿는 둥근 것이 있었다.

"홋……?"

그게 안으로 매끄럽게 밀려들어 올 때에서야 연은 무엇인지 깨닫고는 아연실색하였다. 아까 모란이 만들어 둔 커다란 진주였다.

"앗, 뭐야, 아윽……! 싫, 싫어……."

연은 빠져나가려고 바르작거렸으나 아까부터 허리를 감고 있던 모란의 팔은 꿈쩍도 하지 않았다. 쉬쉬 달래면서도 모란은 가차 없이 진주를 굴려 안에 밀어 넣었다. 가장 굵은 부분이 지나가자 나머지는 쉬웠다.

기어코 뒤로 진주를 완전히 삼키게 될 적에 연은 몸을 떨고 말았다. 모란은 멈추지 않고 손등이 닿도록 손가락을 꾹 밀어 넣었다.

둥근 진주가 꾹 안을 짓누르며 느리게 들어가자 흰 쾌감이 번졌다. 믿을 수가 없었다. 연이 모란의 어깨를 꽉 움켜쥐었다.

"아프지 않지?"

"아픈 게 문제가 아니잖…… 아흐읏!"

모란이 손가락으로 삽입된 진주를 짓누르자 가해지는 압박감에 연이 고개를 젖혔다. 단단히 선 성기에서 말간 액이 흘러내렸다. 두 번째 진주알이 뒤에 닿자 연이 다시 바르작거렸다. 그는 지금 이게 좋은 건지 아닌 건지 알 수가 없었다. 다만 덜컥 겁이 날 따름이었다.

모란이 식은땀이 흐르는 연의 목덜미에 입술을 잘게 내리눌렀다.

"내가 네게 안 좋은 일 한 적은 없지 않아. 잠깐만 참으면 돼."

"잠, 깐만…… 얼마나…….."

"글쎄. 반나절 정도? 안에서 잘 녹아 흡수될 때까지?"

연의 정신이 번쩍 들었다. 그러니까 모란은 입으로는 진주를 먹을 수 없으니 뒤로 먹이려는 작정이었던 것이다. 반나절은 절대 잠깐으로 퉁칠 수 있는 시간이 아니었다.

이제는 상당히 기운이 돌아온 연이 밀어 내려고도 하고 퍽 치기도 하였으나 진주알이 다시 밀려드는 통에 그만 힘이 빠지고 말았다.

"읏, 아……! 안 돼, 아앗!"

모란이 밀어 넣을 때마다 제 뒤가 꿀꺽꿀꺽 잘도 진주알을 삼키는 게 믿기지가 않았다. 진주알이 하나씩 들어올 때마다 쾌감이 밀려오는 것도 믿기지가 않았다. 네 번째 진주알을 넣을 적에 연은 그만 절정에 이르고 말았다. 막 사정하고 난 뒤 다시 자극받는 게 괴롭다는 것을 처음 알았다. 그는 연신 쾌감에 떨며 반쯤 흐느끼는 소리를 냈다.

모란이 찌걱거리는 소리를 내며 안에서 진주알을 손가락으로 굴리자 온몸이 경련하듯 떨렸다. 안에서 진주끼리 부딪쳐 잘각거리는 소리도 미세하게 났다.

"그만, 그만⋯⋯."

하지만 그만이라는 단어는 이내 잠시만으로 바뀌었다. 더는 안 들어간다는 말로 바뀌는 건 금방이었다. 결국 연은 울먹이고 말았다. 쾌감으로 머리가 핑핑 돌아 어떻게 되어 버리는 것 같았다.

"안, 안 들어가. 아앗! 아흑, 안 들어간다고⋯⋯."

그러나 안 들어간다고 애원하는 말이 무색하게 진주알은 빌어먹게도 잘만 들어가는 것이었다. 모란이 여덟 개의 진주알을 모두 밀어 넣고 손가락을 휘저었다.

손가락을 쑤석일 때마다 연은 안에서 진주알들이 달그락거리며 부딪치는 감각을 느낄 수 있었다. 손끝이 탁탁 진주알에 닿을 정도로 모란이 세게 추삽질을 하자 연은 다시 한번 사정을 하고 말았다.

그가 소리도 내지 못하고 몸을 떠는 동안, 모란은 기어코 꾹꾹 진주알들을 안쪽 깊숙한 곳에 밀어 넣었다. 몸을 덜덜 떨던 연의 눈가에는 끝내 수치심으로 물기가 어리고 말았다. 진주가 다시 빠져나오지 않겠다는 확신이 들었는지 마침내 모란이 질척하게 젖은 손가락을 빼냈다.

전혀 생각도 하지 못했던 행위에 얼굴이 완전히 벌겋게 달아오른 연이 숨을 가쁘게 쉬었다. 모란은 그런 연의 뒷덜미를 살살 쓰다듬었다.

마침내 절정의 여운에서 벗어날 때쯤 모란이 입을 맞추었다. 처음과는 달리 이제 사나움은 완전히 사라져 버린 다정한 태도였다. 모란이 제 혀와 입술을 살금살금 빨고 안을 휘저을 적에 연은 콱 그의 혀를 깨물었다.

"윽!"

모란이 인상을 쓰며 입을 떼어 냈다. 그러나 연의 표정을 보더니 도로 히죽 웃는 것이 아닌가. 부끄럽기도 하고 바짝 약도 올랐던 연이 모란을 밀어 냈다. 이제는 모란도 순순히 연을 풀어 주었다.

"꼭, 그, 그런…… 그런 걸 해야 했어?!"

연은 배 속이 몹시 불편하게 느껴졌다. 아프지는 않았지만 움직일 때마다 안에서 진주알들이 달그락거리는 것 같았다. 치료가 목적이었다는 건 알겠지만 그럼에도 너무 부끄러웠다. 행위뿐만 아니라 이제껏 한 번도 겪은 적 없던 쾌감에 몸부림치고 신음하고 울먹였다니 믿기지가 않았다. 모란이 능글거리며 지껄였다.

"내가 그러려고 그런 건 아니고……. 뭐, 그럴 마음이 아예 없었다는 건 아니지만……."

얼굴이 벌겋게 달아오른 연이 없다는 걸 알면서도 검을 찾아 허리춤을 더듬거리다가 주위를 두리번거리자 모란이 얼른 태도를 고쳤다.

"모든 내단이 그렇지만 특히나 진주는 예로부터 좋은 증폭제지. 오늘은 나도 너무 기운을 소진했거든. 그래서……. 임시방편이라고 할까. 싸구려 재료라 큰 효과는 없지만 지금 상태를 유지는 하게 해 줄 거야."

모란이 너무 기운을 소진했다는 말을 듣자 연이 더는 뭐라 못하고 입을 꾹 다물었다. 그가 왜 기운을 소진했는지 익히 짐작이 가기 때문이었다. 사부님 찾고 또 거기에 저를 찾느라…… 시무룩해진 연이 옷을 주섬주섬 입었다. 그 와중에 모란이 몸에 묻은 것들을 닦아 주고 옷 입는 것을 도와주자 연의 얼굴은 또 벌겋게 물들었다.

옷을 다 입고 난 뒤 모란이 작게 헛기침을 했다.

"그리고 내가 사과할 일이 하나 있는데."

"사과할 일?"

안에 들어간 진주들이 너무 신경 쓰였던 연은 조심스럽게 엉덩이를 붙이고 앉았다. 움직이기만 해도 부끄럽고 불편했다. 세상에서 가장 부끄러운 치료를 꼽아 보라면 연은 단언컨대 이 치료를 꼽을 것이다…….

"실은 네게 술식을 하나 걸어 놓았거든. 치료를 할 때마다 나도 기운이 꽤 많이 소진되는데, 영 감당이 안 되더란 말이야. 낮 동안은 화정당 주위에서 기를 긁어모아 밤에 네게 넣어 주는 그런 술식인데, 문제는 완료될 때까지 하룻밤이라도 거르면 반작용이 일어나. 축시가 되기 전 겨우 아슬아슬하게 발견했기에 망정이지."

그런 건 전혀 몰랐던 연이 눈을 깜박였다. 그는 자신을 치료할 때 모란의 기운이 많이 소진되는 것도 눈치채지 못하고 있었다. 항상 치료하고 나서 아무렇지 않은 태연한 얼굴이었던 탓이다. 그러고 보면 처음에 모란은 연의 근원을 들여다보는 것만으로 비틀거릴 때가 있었다. 치료는 그보다 더 힘든 일이겠지…….

"내가 자만했다. 괜찮을 줄 알았어. 무슨 일이 있어도 금방 알아내고 대처할 수 있다고 여겼는데 오늘은 아니었지."

연이 작게 한숨을 쉬었다. 모란이 이렇게 평소와 달리 진지하게 나올 때면 그는 기분이 매우 이상하였다. 모란이 제게 알 수 없는 술식을 걸었다는데 그다지 화가 나지는 않았다. 아니, 화를 낼 수가 없었다…….

"그럼…… 앞으로는 밤에 꼭 화정당 외의 장소에 있어서는 안 되는 건가?"

"아니, 아냐. 술식이 너무 위험해서 개조 좀 하려고. 효과는 떨어지겠지만 중간에 중단해도 반작용은 없는 것으로."

그리고 한 번에 한 두세 명 집어넣어도 괜찮게……. 모란은 물론 산 사람을 재료로 쓴다는 말은 꺼내지도 않았다. 오늘 연이 녹림십오채 두목을 대하는 태도를 보아하니, 그런 술식은 절대 허락하지 않을 게 분명했다.

물론 모란은 전혀 개의치 않았다. 목숨을 빼앗는 것도 아니고 재료로 쓰고 난 다음에는 현상금이 걸린 녀석이 아니면 대충 돈도 몇 푼 쥐여서 보내 주지 않나. 모란으로서는 대단한 관용이었다.

'그럼 안정성을 위해 사방진이 아니라 오방이나 육방진 정도는 되어야겠지.'

대충 이리저리 궁리해 보니 연못 옆 나무 근처에다가 재료를 더 심어 놓으면 될 듯싶었다.

모란이 생각에 잠긴 동안 연은 피곤하여 잠시 엎드렸다가 벌떡 일어났다.

"사부님!"

아무리 잠시라고는 해도 어떻게 사부님을 잊어버릴 수가 있지! 연이 비틀거리며 일어나자 모란이 도로 잡아 엎어 놓았다. 모란의 품에 풀썩 쓰러지자 머리가 핑 돌고 어지러워, 연은 잠시 꼼짝을 하지 못했다. 모란이 다소 흑심이 들어간 손으로 슬슬 등을 쓰다듬었다.

"잠깐 쉬었다가 가."

그러나 연은 모란을 뿌리치고 일어났다. 은록의 몸에 단검이 꽂혀 있는 상태인데 잠깐이라도 내버려 둘 수는 없는 노릇이었다.

그가 비칠거리며 자리에서 일어나자 모란도 마지못해 따라 일어났다. 그리고 속으로 혀를 찼다. 정작 술식이 중단된 부작용은 일어나지도 않았는데 잠깐 한눈파는 사이에 이렇게 안 좋아지다니 믿을 수가 없었다. 지난 두 달 동안 들인 공이 하룻밤 사이에 훅 날아갔다.

연을 들다시피 부축해 감옥으로 향하며, 모란은 아까 도적들을 파묻은 장소를 노려보았다. 그냥 넘어가지는 않을 것이다.

그 잠깐 사이에 은록의 상태가 그렇게 악화되지는 않았으리라 생각하면서도 연은 걱정을 거둘 수가 없었다. 은록이 사라진 게 며칠 전임을 감안해 보면 체력이 그다지 좋지는 않을 터였다.

감옥을 가로질러 가는 동안 갇혀 있던 의원들이 모란과 연을 보고는 어리둥절한 표정을 지었다. 그 의원들을 풀어 주는 건 일단 나중이었다.

은록은 여전히 정신을 잃은 채였다. 얼굴이 몹시 창백했던지라 연은 일단 묶인 팔과 다리부터 풀었다. 바르게 눕히고 맥을 짚어 보니 그리 나쁜 것 같지는 않았다.

연이 아까 찾아냈던 치료 도구를 뒤져 약초 몇 개를 꺼냈다. 다행히 금창약을 만드는 기본적인 재료들이 있었다. 약초를 넣고 짓찧고 있을 때였다. 뒤에 서 있던 모란이 어라? 하는 소리를 냈다.

"왜 그래?"

"깨어 있는데."

깨어 있다니 누…가……. 연은 고개를 돌리고는 흠칫했다. 언제 정신을 잃었냐는 듯한 얼굴로 은록이 연을 바라보고 있었다. 정확히는, 약초를 찧고 있는 연의 손을.

일단 연은…… 침착하게 약초를 손에서 내려놨다. 은록을 치료해야겠다는 마음이 급해 들킬지도 모른다는 건 미처 생각도 못 했다. 아니, 생각도 못 했다기보다는 그저 연에게 의술이란 것이 너무 몸에 박인 직업이었던 탓이다.

대체 언제부터 깨어 계셨던 건가 하여 연이 내심 안절부절못할 때였다. 은록이 조용히 물었다.

"의술은 언제부터 배웠습니까? 연 공자?"

"그…게……."

어떻게 좀 하라고 모란을 바라봐도 그는 딴청을 피우고 있을 따름이었다. 은록은 무심하게 제 배와 허벅지를 바라보았다. 아까 연이 응급 처치를 해 놓은 부분들이었다. 그때도 은록이 실은 정신이 멀쩡했던 건 아닌가 하는 의심이 연의 머리를 스쳤다. 연이 겨우 입을 열었다.

"모란이 알려 주었습니다."

"그렇습니까?"

그러고는 은록이 연을 빤히 바라보았다. 그 시선이 덤덤하였다. 모란이 가르쳐 주었다는데도, 정작 모란이 바로 앞에 있는데도 은록은 시선조차 주지 않았다.

"모란아."

하고 부르는데, 대체 왜 모란을 쳐다보지 않고 자신을 바라보며 부른단 말인가? 연이 마른침을 삼켰다. 차마 시선을 마주치지 못하고 고개를 숙이고 말았다.

"그게 사실이더냐?"

은록의 질문에 모란도 연도 아무런 대답이 없었다. 그 후로 은록은 더는 말을 잇지 않았다. 그저 아무렇지 않은 얼굴로 자신의 상처를 짚어 볼 따름이었다. 감옥에 무거운 침묵이 깔렸다. 창밖을 통해 들어온 희미한 달빛만이 그들을 비췄다.

六章 : 모용세가

"가주님, 사영입니다."

남궁사영이 조용히 불렀다. 퍽 늦은 밤이었다. 세가에 깨어 있는 사람은 경비를 서는 무사 정도밖에 없었다. 늦게까지 세가의 일을 돌보는 남궁연오 혹은 남궁영명, 그리고 남궁사영을 제외한다면 말이다.

"들어오게나."

안에서 대답이 들려왔다. 사영은 문을 열고 안으로 들어갔다. 영명은 그를 본체만체 검만 손질했다. 사영이 속으로 이를 갈았다. 이게 다 창연각 사건 때문이었다.

그날 창연각에 침입했던 자는 믿기지 않는 수준의 고수였다. 사영이 유일하게 기억하는 건 알 수 없는 무형의 기운에 의해 얻어맞고 목이 졸려 의식을 잃은 것이었다. 그뿐이랴, 나중에 눈을 떴을 때 그의 검은 두 동강이 나 있었다. 치욕스러운 기억이었다.

그 후로 사영은 장로직에서 물러나야 했을 뿐만 아니라 영명에게서 신뢰를 잃고 말았다. 크나큰 손실이었다.

"무슨 일로 이 시간에 찾아왔나?"

"아무래도 미심쩍은 일이 있어 이리 왔습니다, 가주님."

그제야 남궁영명은 검 손질을 잠깐 멈추었다. 그의 매서운 시선이 사영에게 향했다. 자존심이 상한 사영이 이를 악물었다. 그러나 내색하지 않고 그저 고개를 숙여 보일 따름이었다. 그럴 만한 가치가 있었으니까.

"지난번 창연각 사건과 관련된 일입니다."

"창연각 사건?"

영명의 시선에 언짢음이 묻어났다. 창연각 사건 후로 범인은 흔적도 없이 사라져 아직도 행방을 알 수가 없었다. 그저 젊은 남성이라는 것 외에는 아무런 단서도 없었다. 그 남궁세가의 창연각이 털렸다는 소문이 얼마나 강호에 빨리 퍼져 나가던지 사영은 속이 다 쓰릴 지경이었다.

"아무래도 수상하지 않습니까? 범인이 세가로 들어온 흔적도, 나간 흔적도 없다니 말입니다. 혹여 내부자의 소행일 수도 있습니다."

"내부자의 소행이라? 내부자라 함은 자네 같은 사람을 말하는 건가?"

영명이 비꼬자 사영의 얼굴이 창백해졌다. 최근 영명은 무슨 이유에서인지 내내 신경이 날카로웠고, 원래도 좋지 않던 성정이 더 포악해져 있던 참이었다. 그가 아무런 말도 못하자 영명이 노골적으로 비웃었다. 사영이 이를 악물었다.

"가주님, 어찌 저를 의심하십니까? 세가를 위해 몸 바쳐 일한 지 오랜 세월입니다."

"그래, 자네가 창연각 도둑에게 협조했다는 건 말도 안 되는 일이지. 그렇다기에는 자네가 입은 손해가 너무 크거든."

빌어먹을. 사영이 속으로 창연각 도둑과 남궁영명을 향한 분노를 불태웠다. 남궁영명 네놈도 언젠가는 이빨 빠진 호랑이 신세가 될 날이 올 것이다. 인내하고 참으며 사영이 입을 열었다.

"창연각 사건 이후 그 꼬마가 소룡대회에서 우승한 일이 의심스럽지 않으십니까?"

영명의 얼굴이 굳었다. 사영은 그가 한위를 유독 예민하게 대한다는 걸 잘 알고 있었다. 아니나 다를까 영명이 노골적으로 언짢은 기색을 보였고, 사영은 속으로 회심의 미소를 지었다.

"저는 소가주님이 그 어린애에게 무언가 가르쳐 줄 시간이 대체 언제 났는지 모르겠습니다. 게다가 가주님의 명이라면 반드시 지키는 분이 아니십니까?"

"⋯⋯."

"다만, 그분의 우애가 워낙 각별하시니 감싸고도신 거겠지요."

"그래서 지금 무슨 말을 하고 싶은 건가?"

마침내 영명이 자리에서 벌떡 일어나 사영을 노려보았다. 사영은 이상하게 영명의 낯빛이 좋지 않다고 생각했으나 지금은 그런 것이 중요한 게 아니었다.

"저는 연 도련님이 의심스럽습니다."

영명이 크게 코웃음을 쳤다.

"연이가? 말 같지도 않은 소리! 그 약해 빠진 녀석이 어떻게 창연각에서 비급을 훔쳐 갈 수가 있단 말이냐? 고작 소리 지른 것에 크게 앓아누울 정도인데?"

사영도 내심으로는 영명의 말에 동의했다. 연은 약했다. 그냥 약한 정도가 아니었다. 영명의 말대로 소리 한번 지르면 피를 토할 만큼 약했다. 그러나 아무래도 찜찜했던 것이다.

그는 영명의 지시에 따라 한위가 어떻게 지내는지 오래도록 지켜보던 사람이었다. 한위는 정말이지 아무것도 모르는 꼬마였다. 말도 아둔할뿐더러 거지나 다름없는 더러운 행색에 무술의 무(武)자도 모르는 꼬마. 정말 확신할 수 있었다.

　그런데 어느 날부터는 점차 행색이 훤해지더니 또랑또랑해지는 것이다. 사영은 언제부터 한위가 그리 변하기 시작했는지 알고 있었다.

　"소룡대회 전날 연 도련님은 한위 그 꼬마와 정말 친하게 어울리셨습니다. 제가 눈으로 직접 보았습니다."

　"괴롭히는 걸 잘못 보았겠지."

　영명은 사영의 말을 귀담아들으려 하지 않았다. 사영은 더욱 머리를 조아렸다.

　"가주님, 만약에 그 꼬마가 뭐라도 할 수 있는 기회가 조금이라도 있었다면 연 도련님밖에는 없습니다. 증거는 없지만……아무래도 느낌이 이상합니다."

　영명이 쯧 혀를 찼다. 한번 창연각을 털린 후로 남궁사영의 머리도 털린 모양이었다. 그는 연이 감히 창연각을 털 수 있을 만한 실력이나 인맥이 된다고는 생각지 않았다. 그는 자신의 자식들을 잘 알았다.

　사영도 자신의 주장이 말도 안 된다는 걸 잘 알았다. 영명이 이 주장을 받아들여 줄 거라고는 생각도 하지 않았다. 이는 단순히 앞으로의 제안을 위한 포석일 뿐이었다.

　"만에 하나 연 도련님이 관련이 없다 하시더라도…… 그 꼬마의 편은 줄여 놓는 게 좋지 않겠습니까. 가주님께서 바라는 게 그것 아니십니까?"

　"……."

　"그러나 소가주님을 어찌할 수는 없는 노릇이니……."

그리 말하고는 사영이 품에서 무언가를 꺼냈다. 두루마리였다. 영명이 미심쩍어하는 얼굴로 노려보며 그것을 받아 들었다. 그가 차근차근 거기에 적힌 내용을 읽는 동안 사영은 그저 기다릴 뿐이었다.

두루마리를 읽고는 영명은 잠시 얼굴을 굳혔다. 떠오르는 과거의 일이 있기 때문이었다. 하지만 그는 이내 고개를 저어 어떠한 과거의 편린을 떨쳐 내었다. 그리고 다시 검을 집어 들며 말했다.

"좋아. 어차피 이제는 장로가 아니라 할 일도 없겠지. 알아서 해 보게. 만약 이 일이 잘된다면 자네가 다시 복직할 수 있게 힘써 보도록 하지."

여전히 비꼬는 말에도 사영은 얼굴이 환해져선 정중하게 고개를 숙여 보였다.

"감사합니다, 가주님."

그만 나가 보라는 손짓에 사영이 방을 나갔다. 영명은 그가 나가자마자 손질하던 검을 내려 두었다. 천천히 걸음을 옮긴 그가 차를 따라 마셨다. 피처럼 붉은색의 차였다.

'사부님이 아신 게 틀림없어.'

연이 초조한 마음으로 자리에서 일어났다가 다시 앉았다. 어젯밤, 은록은 분명하게 연을 바라보면서 모란이라고 불렀다. 그러고는 그 후로는 아무런 말도 하지 않았다. 아픈 와중에 혼몽했던 건 아닌 듯한데 왜 더는 추궁을 하지 않는지 모르겠다.

'아니, 정말 나를 모란이라고 생각하시긴 한 건가? 내가 착각하고 있는 건 아닐까?'

차를 연거푸 마시면서 연은 속으로 끙끙 앓았다. 은록이 유독 말 없고 조용한 사람이라서 더욱 그랬다. 약이나 타고 진찰이나 받으면서 다친 곳은 어떤지 살펴보고 싶은데 갈 엄두도 나지 않았다.

그러고 보니 유독 모란이 조용했다. 대체 무얼 하는 건가 궁금하여 들여다봤더니 쭈그려 앉아서 뭔가 사각거리며 깎고 있었다. 자세히 보니 둥그런 나무 목걸이로, 난생처음 보는 문양이 새겨져 있었다. 이틀 전부터 조각하고 있던 것이기에 연은 그저 그가 심심한 것이라 여겼다.

"어떻게 생각해? 아무래도 사부님이 아신 것 같지?"

"뭐……."

목걸이를 후후 불어 먼지를 털어 내며 모란이 성의 없이 대답했다.

"알 때도 되었지. 제자가 완전히 다른 사람이 된 것 같았을 텐데. 내가 이 몸으로 들어오고 나서부터 이상하게 여기는 눈치였어. 그래선지 의원에도 두세 번 부르고는 말더군."

그건…… 그건 그랬다. 게다가 연과 모란의 관계가 전과는 완전히 달라지지 않았나. 거기까지면 그냥 이상하게 여기고 말았을 터다. 그러나 의술을 하는 모습을 보이고 말았으니 은록으로서는 이상하게 여기다 못해 의심할 법도 했다. 하지만 모란은 영 시큰둥했다.

"하지만 들키면 뭐 어때서? 오히려 좋은 거 아냐?"

"좋은 거라고?"

"넌 네 사부와 다시금 좋은 사이가 되기를 원하는 것이지 않아."

연이 입을 벌렸다가 다시 다물었다. 당연히 은록과 좋은 사이가 되기를 바란다. 왜 아니겠는가? 그는 십 년 동안 연의 가족

417

같던 사람이었다. 믿을 리가 만무하고 미친 사람 취급 받을까 봐 말을 안 꺼냈을 뿐이지.

하지만 은록이 차라리 대놓고 물었으면 좋을 텐데 모란이라고 이름을 부른 뒤부터 깜깜무소식이니 연은 어떻게 해야 할지 알 수가 없었다.

"……그런데 대체 뭘 하는 거야?"

마침내 연이 참지 못하고 묻고 말았다. 모란이 다 만든 목걸이를 소반 위에 올려놓더니 그 위에 이런저런 이상한 돌들을 놓는 게 아닌가. 그는 연의 말에 대꾸 없이 집중한 얼굴로 손바닥을 손가락으로 그었다. 연이 저도 모르게 가까이 다가와 그 광경을 지켜보았다. 피가 주르륵 흘러나왔으나 지난번과는 다르게 흡수되거나 하지는 않았다. 다만 무언가 이상한 기운이 느껴지기는 했다. 피가 좀 꾸물거리는 것 같은 게…….

"잠시 손 좀 이리 내봐."

아무런 망설임 없이 연이 탁 손을 내놓자 모란이 잠시간 묘한 표정으로 바라보았다. 그도 잠시, 그가 똑같이 손가락을 긋자 따끔하며 검지 끝이 베였다. 피 한 방울이 똑 떨어지자 크게 파장이 일더니 이글거리며 피가 증발하기 시작했다. 마침내 남은 것은 묘하게 반질거리는 나무 목걸이였다. 모란이 뿌듯한 얼굴로 목걸이를 연에게 내밀었다.

"이게 뭔데?"

"순간이동이 가능한 목걸이야. 목걸이에 네 피가 묻거나, 일정 이상 상태가 나빠지거나, 착용한 뒤 타의에 의해 몸에서 떨어지는 즉시 나에게로 이동하게 되어 있어. 재료가 없어서 만드는 데 고생 좀 했지."

그러면서 모란이 직접 연의 목에 목걸이를 걸어 주었다. 마치 옻칠을 한 것처럼 나무 목걸이가 다소 붉은빛으로 반들거렸다.

연이 목걸이를 만지작거렸다. 맨들맨들하니 감촉이 좋았다. 그가 솔직하게 감사 인사를 표했다.

"······고마워."

모란이 어깨를 으쓱하며 손을 탁탁 털었다. 손바닥의 상처는 여전히 갈라진 채였으나 피가 흐르지는 않았다.

"아니면 입에 넣거나 핥아도 효과는 똑같아. 아무튼 체액만 닿으면 되니까."

딱히 피를 내는 걸 무서워하는 것도 아니니 아마 핥을 일은 없을 테지만. 아무튼 연이 목걸이를 품속에 잘 넣어 감추었다. 지난번처럼 누군가에 의해 납치되는 일이 있다면 매우 유용할 터였다.

"참, 그 도적들은 알아서 잘 처리했어. 왕자우가 복수하려고 찾아오는 일은 없을 거야."

"······어떻게 처리했기에? 아니, 아니다."

딱히 알아서 좋을 것은 없었기에 연이 고개를 저었다. 그는 고통받는 왕장호에게는 연민을 품었으나 그 외의 면에서는 아니었다. 녹림십오채의 악명이 괜히 유명하던가? 그들의 손에 의해 재산과 목숨을 빼앗긴 이들만 해도 셀 수가 없었다. 관아에 넘겨지는 즉시 판결 없는 사형인 것이다.

"좋아. 그럼 난 이만 볼일이 있어서."

기지개를 쭉 펴더니 모란이 자리에서 일어났다. 연이 그런 모란의 옷자락을 꽉 붙잡았다.

"부탁이 있는데."

"······부탁?"

녹림채 사건 이후로 연은 이상하게 모란이 전보다 훨씬 편하고 가깝게 느껴졌다. 초반의 그 얄미운 감정은 더는 들지 않았다. 그랬기에 전이라면 하지도 않았을 부탁을 슬그머니 건네 보는 것이다.

"사부님이 어떤지 좀 봐 주고 오면 안 될……까? 아무래도 칼에 찔린 상처니까 걱정이 되어서……."

"그래. 뭐 어려운 일이라고."

고개를 끄덕인 모란이 순식간에 모습을 갖추었다. 몇 번을 봐도 신기한 모습이었다.

자리에서 일어난 연은 멈칫하다가 슬쩍 아랫배를 만져 보았다. 하루 반나절이라 하였지. 그럼 지금쯤은 그…… 진주들이 사라졌을까? 괜히 오금이 근질거리는 것 같아 연이 고개를 퍼뜩 저었다.

"인공적인 내단이라니 보도 듣도 못 했어."

내단이란 것을 생물이 오래 품고 있는 어떠한 것이라 칭했을 때, 진주도 엄연한 내단이긴 하였다. 그러나 증폭제니 뭐니 하는 것은 처음 들어 보는 것이다.

연이 꿍 소리를 내며 침상에 누웠다. 어쩐지 속이 메슥거리는 것도 같았다. 이리저리 뒤척거리다가 낮잠을 청했다. 아직 어젯밤의 피로가 풀리지 않은 모양이었다.

그러나 한숨 자고 나니 이번에는 머리가 욱신욱신 아프기 시작했다. 진통 효과가 있는 탕약을 먹어도 마찬가지였다.

산책을 하면 좀 나아지겠거니 하여 자리에서 일어났다. 문을 열고 나가니 한위가 정원에 오도카니 쭈그려 앉아 연못 안의 물고기를 구경하고 있었다. 오늘은 연못 위에 연꽃이 떠 있었다. 모란은 정원에 꽃을 피울 때 특히나 연꽃 피우기를 즐겼다.

"한위야."

그런데 한위의 얼굴이 영 울적했다. 다가가 의자에 앉자 한위가 연의 옆에 털썩 앉았다. 무슨 일인가 하여 가만히 기다리기를 잠깐, 마침내 한위가 입을 열었다.

"형님. 형님은 가주님을 싫어하시나요?"

뜻밖의 질문에 연이 눈을 깜박이다가 고개를 끄덕였다. 그는 한 번도 영명을 좋아해 본 적이 없었다. 딱히 연의 대답을 기대한 건 아니었는지 한위는 발을 흔들며 한참을 말이 없다가 입을 열었다.

"오늘 주강 형님이 제게 화를 내셨어요."

연이 눈썹을 찡그렸다. 주강이 화를 냈다고? 그 주강이? 연은 한 번도 주강이 화를 내는 걸 본 적이 없었다. 자신이 그에게 물건을 집어 던지거나 했을 때도 눈 하나 깜짝 안 하던 사내가 아닌가.

"주강 형님이…… 세가를 나가서 자신과 함께 사는 게 어떻겠냐고 물으셔서……."

그가 제 귀를 의심했다. 그 주강이 한위와 함께 나가서 같이 살자고 했다고? 어지간히도 한위가 마음에 들었던 모양이다. 한위는 우물쭈물하다가 한숨을 쉬었다.

"가주님의 인정을 받을 때까진 세가에 있겠다고 하였더니…… 많이 실망하셨나 봐요. 아무 말도 않고 그냥 가 버리셨어요."

연이 침음했다. 남궁영명은 세가 내에서 그다지 인망이 좋지는 않았다. 연오가 신뢰와 애정으로 사람들을 다루는 편이라면, 영명은 두려움과 억압을 바탕으로 지배하는 편이었다. 그 말은 아군은 있을지언정 그를 좋아하는 사람은 없다는 의미였다. 주강이 연오에게만 충성하는 걸 보았을 때 그도 영명을 그다지 좋아하지 않는 게 분명했다.

"그럼 너는 남궁영명 그자를 좋아하니?"

한위는 연이 영명을 부르는 방식을 듣더니 눈을 휘둥그레 떴다. 그리고 한참을 꾸물거리다가 작게 말했다.

"그래도, 아버지시니까요……."

마치 연에게 혼날 거라고 생각하기라도 하는 것처럼 한위가 어깨를 움츠렸다. 연은 그 어깨를 가볍게 다독여 풀어 주었다.

"그래도 괜찮단다. 상관없어. 내가 그를 싫어한다고 너도 싫어해야 하는 법은 없으니까."

사실 연은 한위가 좀 더 나이가 들고 나서까지 영명을 좋아할 거란 생각은 들지 않았다. 그러나 한위에게 영명이 어느 정도 절대적인 존재라는 건 이해했다. 영명은 한위의 인생을 불행하게 만든 자임과 동시에 막강한 영향력을 미치는 존재였으니까.

아우가 하도 우울해하니, 연은 산책을 한 뒤 방에 들어가 푹 쉴 생각은 접어 두며 자리에서 일어났다.

"연오 형님에게 가 볼까?"

얼굴이 밝아진 한위가 자리에서 벌떡 일어났다. 이렇게 말없이 찾아가도 되려나 하는 생각이 잠시 들었지만, 만약 안 된다 하면 돌아오면 될 터였다. 게다가 연오는 말없이 찾아왔다고 나무랄 사람은 아니었다. 오히려 좋아하면 좋아했지. 가끔 그는 거리가 먼 동생들에게 섭섭함을 느끼는 것도 같았다.

한위와 함께 화월당으로 가면서 연은 옷깃을 좀 더 단단히 맸다. 이제 슬슬 봄이 다가와서 사방이 푸릇푸릇해져 갔지만 여전히 몸에는 한기가 돌았다. 건강이 좋지 않아 이런 것 같기도 했다. 화월당에 도착하니 연의 예상대로 연오는 크게 반기며 둘을 맞이했다. 그는 이제 막 검술 훈련을 하려던 참이었는지 간편한 차림을 하고 있었다.

"마침 잘되었구나. 내일부터는 잠시 세가를 비울 참이라 한번 얼굴이나 보고 가려고 했거든."

"어디에 가십니까?"

"음, 아버지의 명으로 주강에 가 볼 예정이다."

주강……이라면 녹림십오채의 본거지가 아닌가. 어제 같은 일이 있었기에 연은 연오가 그곳에 가는 이유가 대충 짐작이 갔다. 녹림십오채가 관아를 점령하여 의원들을 납치 감금 및 살해한 일은 아침이 되자마자 순식간에 온 중원에 퍼졌다. 전무후무한 일이었던 탓이다. 이 일로 황제가 크게 노하여 대대적인 소탕을 명했다고 했다.

"산적과 수적이 기승을 부리다 못해 어제는 관아를 점령해 의원을 납치하는 일까지 벌어지지 않았느냐. 그래서 안휘성 일대의 각 문파와 세가가 연합하여 주강 일대 현황을 살펴보려고 한다. 소문에 따르면 왕장호가 죽었다고 하던데……. 사실이 어떤지 확인도 해 봐야겠지."

왕장호가 죽던 때를 떠올리며 연이 고개를 끄덕였다. 연오는 아마 연이 왕장호의 목숨을 직접 거둔 사람이라고는 생각도 못 할 것이었다. 연오는 이내 화제를 돌렸다.

"어디 한번 막내의 실력을 좀 볼까."

연오가 대련을 청하는 말을 하자 한위는 얼마나 기뻐하던지 자리에서 펄쩍 뛸 정도였다. 단숨에 기운이 회복되는 게 보여 연이 흐뭇하게 웃었다.

연오와 한위는 곧장 검을 빼 들었다. 둘 다 날이 번쩍이는 진검으로, 한위는 최근 들어 목검에서 진검을 사용하기 시작했다. 보통은 이제 막 진검을 쥔 이에게 진검을 사용하는 대련은 권장하지 않지만 상대는 연오였다. 실력 차이가 까마득하게 나니 한위와 검을 맞대다 무슨 일이 벌어져도 그가 알아서 대처할 수 있었다.

한위는 나날이 눈에 띄게 일취월장하였다. 대련을 하면서 연오도 그것을 깨달았는지 얼굴에 미소가 어렸다.

얼마나 시간이 흘렀을까. 한참 둘을 바라보던 연이 문득 이상한 느낌에 제 뺨을 만졌다. 화끈거리며 열기가 오르고 있었다.

'……뭐지?'

몸이 아파서 열이 오르는 건가 싶어 미간을 문지르고 있자 대련하는 중에도 연오가 귀신같이 알아차렸다. 단번에 한위를 승복시킨 그가 검을 거두고 다가와 근심스러운 얼굴로 연을 살폈다. 한위도 바로 다가왔다.

"몸이 안 좋은 것 같구나."

"음……."

"얼굴에 열이 오르는 것 같은데."

"아무래도, 방에 돌아가 봐야겠습니다."

자리에서 일어나던 연이 휘청였다. 한위가 얼른 옆에서 부축했다. 연오와 한위가 바로 앞에 있으니 영 별로인 몸이 더 실감이 나서 연이 속으로 한숨을 삼켰다.

그래도 앞으로 시간이 지나면 완치될 수 있을 테니 전처럼 그렇게 우울하지는 않았다.

"안 되겠다. 네 주치의를 불러야겠다."

명치부터 오금까지 간지러운 이 증상은 대체 무엇인지 미간을 찡그리며 스스로 진찰해 보던 연은, 연오의 말에 화들짝 놀랐다. 지금 연의 주치의라면 은록이었던 것이다.

"형님, 이런 일로 부를 것 없습니다. 별것 아니니 돌아가서 좀 쉬면 됩니다. 이런 적이 한두 번도 아니고……."

"이렇게 열이 올랐는데 어찌 별것 아니야?"

"무엇보다 지금 진은록 의원님은 부상으로 인해 검상을 입어 거동이 힘드시다고 들었습니다. 그 녹림십오채 사건 때문에요."

어떻게든 은록을 보지 않고자 애써 둘러댄 이유에 연오가 쯧혀를 찼다.

"진은록 의원도 그 일에 연루되었는지는 몰랐구나."

연이 속으로 뜨끔하였다. 어제 관군이 도착하기 전에 모란, 은록과 함께 셋만 은밀하게 관아를 빠져나왔던 것이다. 하지만 아무렴 칼에 찔린 건 사실이니, 그런 은록을 불러올 수는 없는 노릇이다.

"정말 그냥 쉬면 됩니다. 게다가 주치의라면 은록 의원님 말고 모란도 있지 않습니까?"

그제야 모란을 떠올렸는지 연오가 미간을 찡그리면서도 고개를 끄덕였다. 연은 더는 이 자리에 있어서는 안 되겠다는 생각이 들었다. 몸 상태가 영 심상치가 않았다.

"전…… 이만 화정당으로 돌아가 보겠습니다."

그는 자신을 따라오려는 한위를 형님과 마저 대련하라며 떼어 두고 화정당으로 돌아갔다. 터벅터벅 돌아가는 길에 제 맥을 짚어 보니 의아한 부분이 많았다.

'이상하군. 감기 몸살이라기에는 증상이 다른데.'

체온이 오르고 맥박이 빨랐다. 속이 좀 메슥거리고 어지럽기는 하였으나 딱히 아픈 곳은 없었다. 가장 거슬리는 건 명치 부근에서 느껴지는 간질거리는 기분이었다. 인상을 찌푸리며 가던 중 연이 그 자리에서 우뚝 멈춰 섰다.

"설마 아니겠지."

아니겠지 싶은데 어째 증상이 아주 똑같았다. 그러니까, 이따금 춘약이나 최음제를 먹고 가라앉지 않는다며 엉거주춤 달려오곤 하던 환자들과 말이다. 명치에서 느껴지는 간질거리는 기분은…… 분명한 성욕이었다.

연의 얼굴이 벌겋게 달아올랐다. 아니겠지 싶은데 한번 자각을 하자 다리 사이가 점차 묵지근해지기 시작했다. 이런 생각을 해서는 안 되지만 은록이 다쳐서 누워 있는 게 연으로서는 천만다행이었다. 은록이 와서 진맥한 뒤 춘약을 먹지 않았냐고 묻는 건 정말 상상만 해도…….

연은 다소 불편하고 민망한 기분으로 화정당에 도착했다. 혹여나 시비나 하인들에게 눈에 띌까 후다닥 침소로 뛰어 들어가 옷부터 벗었다. 아까 언제 한기가 느껴졌냐는 듯이 몸이 더웠다.

'춘약의 해독제가…… 어디에 있더라?'

연이 자개장을 뒤져 약초를 꺼냈다. 기본적으로 해독 작용이 있는 감초를 잘근잘근 씹어서 삼켰으나 조금도 도움이 되지 않았다.

대체 왜 이러지? 춘약을 먹을 일이 무어가 있다고? 연은 오늘 먹은 것들을 되짚어 보았으나 마신 건 찻물과 은록의 탕약밖에 없었다. 그것도 평소에 항상 마시던 차와 약이었다.

점점 몸에 열기가 오르기만 하여 연이 입술을 깨물었다. 초조하고 다리 사이가 근질거리고 욱신거렸다. 가만히 앉아서 침착하려 노력하다 보니 불현듯 의심 가는 게 떠올랐다. 바로 어젯밤 모란이 밀어 넣었던 진주였다. 분명 모란도 처음 만들어 보는 것이라 했지. 그럼 그게 어떠한 작용을 일으킨 게 아닐까?

모란이 돌아올 시간이니 어떻게든 참으려고 애를 쓰다가 연은 그만 지고 말았다. 그래, 어차피 모란에게 못 볼 꼴 여럿 보인 거, 자위하는 모습쯤 보여도 이제 상관은 없을 터. 평소라면 상상도 못 할 일이었지만 지금은 아무래도 좋았다.

연이 침상에 기대어 바지 안에 손을 밀어 넣었다. 단단히 발기한 성기를 쥐니 저도 모르게 앓는 소리가 나온다. 그러나 문제가 있었다.

"읏…….”

분명히 쾌감이 느껴지는데 마치 무엇에라도 막힌 것처럼 도통 사정을 할 수가 없었다. 얼굴이 벌겋게 달아오른 연이 모란을 향해 이를 갈았다. 대체 그 망할 진주가 무슨 작용을 한 건지 알 수가 없었다. 아니, 아예 감이 안 잡히는 건 아니었다……. 어찌할 방도를 찾을 수 없어 연은 그저 베개만 끌어안았다.

모란이 돌아온 건 그로부터 한 시진이나 지나고 나서였다. 콧 노래를 부르며 도착하자마자 그가 본 건 끙끙거리는 소리를 내 며 침대에 엎어져 있는 연이었다. 전혀 예상치 못한 모습에 놀 라 다가가자마자 그는 벌떡 몸을 일으킨 연에게 멱살을 잡혔다. 물론 이 반응에는 크게 놀라지 않았다. 한두 번 잡힌 게 아니기 에 이제는 익숙하기까지 했다.

아직 무슨 일인지 상황을 파악 못 한 모란에게 연이 괴로운 나머지 눈물까지 글썽이며 물었다.

"빌…어먹을 진주……에 대체…… 무슨 짓을 했어?"

그렇게 묻자 모란이 움찔했다. 연은 정말이지 모란을 죽이고 싶었다. 그가 없는 한 시진은 정말이지 고통이었다. 몸은 잔뜩 달아올라 있는데 사정을 할 수가 없는 고통은 이루 말할 수 없 는 것이었다.

"음, 그게…… 고의는 아니야. 정말이야. 대체 왜 이러는 건 지 나도 잘…… 모르겠네."

퍽 난감한 얼굴로 그렇게 말하면서도 모란은 핥듯이 연을 바 라보았다. 연은 조금이라도 힘이 남아 있었다면 모란에게 한 대 날리고 말았을 거라고 확신했다.

그는 자신이 왜 이러는지 대충 짐작이 갔다. 최음제의 재료가 무엇인가를 떠올려 보면 당연한 일이었다. 진주는 최음제의 재 료로도 쓰였으니까! 거기에 차에, 은록의 탕약에, 모란의 피가 대체 무슨 역할을 했는지는 모르겠지만…….

모란도 진주가 이런 작용을 하는지는 몰랐을 것이다. 처음 만 들어 본다고 하지 않았나. 물론 그렇다고 한 시진 동안 이런 꼴로 방치된 연의 분노와…… 흥분이 식는 것은 아니었다.

"제발, 어떻게 좀 해 봐……."

연이 헐떡거리며 몸을 웅크렸다. 목덜미가 식은땀 때문에 축축하여 기분 나빴다. 어쩔 줄 몰라 바르작거리는 연을, 모란이 쉬쉬 달래는 소리를 내며 눕혔다. 단순히 옷을 벗기는 것만으로도 온몸이 오싹했다.

모란은 평상시처럼 애무를 하려다가 그게 오히려 연을 더 괴롭게 만든다는 걸 깨달았다. 그가 잠시간 질금거리며 말간 액을 줄줄 흘리는 연의 물건을 바라보았다. 연이 흐느끼는 소리를 내며 다리를 움츠렸다. 어쩐지 모란의 눈빛이…….

"잠시만, 뭐 하려는……. 아!"

연의 시야가 희게 물들었다. 모란이 덥석 성기를 입에 담은 것이었다. 어찌나 쾌감이 지극하던지 그것만으로도 그는 절정에 다다를 것만 같았다. 그러나 이번에도 역시 사정이 되지를 않았다. 모란이 고개를 내려 끝까지 삼켰을 때 연은 거의 흐느끼고 말았다. 죽을 것만 같았다.

어쩌지 못하고 이불만 움켜쥐는데 모란이 고개를 주억거리며 연의 것을 빨기 시작했다. 충격적이었고, 믿을 수 없을 정도로 자극적이었다. 모란의 혀가 움직이고 츱, 하는 소리를 내며 빨 때마다 연은 온몸이 뜨거운 물에 잠기는 것 같았다.

말도 못 하고 벌벌 떨며 모란의 머리를 밀어 내려 애를 썼다. 연의 물건을 물고 있는 모란의 입꼬리가 비죽 올라갔다. 그러나 연은 그런 것에는 신경 쓸 수가 없었다.

"그, 그만, 아, 앗! 앗! 그만……!"

축축한 혀가 부드럽게 핥는 감각과 목구멍에 제 성기가 죄이는 느낌에 연이 몸서리를 쳤다. 가지도 못하는 상태에서 예민한 성기를 빨리는 것은 고문과도 같았다. 연이 아무리 바르작거리고 밀어 내려고 해도 모란은 멈추지를 않았다.

숨이 넘어갈 정도로 고개를 젖히며 괴로워하다가 겨우 다시 모란을 보았을 때 연은 깨달았다. 그는 명백히 연의 반응을 즐기고 있었다. 쾌감에 못 이겨 버둥거리고 신음하는 것을……. 그런데 그걸 깨닫고 나자 어째서인지 몸이 더 달아오르는 것이다.

"제, 제발……."

몇 번이고 야살스럽고도 깊게 빨린 연이 제발이라는 단어를 입에 담았을 때에야 모란이 멈추었다. 그는 언제 괴롭혔냐는 듯 뻔뻔한 얼굴로 타액으로 반질거리는 발간 성기를 혀끝으로 문질렀다. 완전히 흐트러진 연이 몸을 움츠리며 희미하게 히끅 하는 소리를 냈다. 모란이 한입에 집어삼키고 싶다는 표정으로 입술을 핥았다.

"아무래도 이런 방법으로는 해결이 안 날 것 같지."

모란의 눈에 잠시 금색 빛이 머물다 사라졌다. 그가 연의 납작한 배 위에 손을 얹었다. 손가락 끝으로 간질거리다가 이내 흠, 하는 소리를 냈다.

"내 짐작으로는 내 피 때문에 양기가 너무 넘치는 것 같단 말이야. 평범한 사람 같으면 괜찮았을 텐데 네 몸은 좀 특수한 상황이라."

겨우 정신을 추스른 연이 이를 꽉 악물었다. 그래서 진주, 넣는 거 싫다고 그렇게 말했는데……. 물론 이런 상황이 올 것을 알고 안 된다고 한 것은 아니지만. 모란이 잠깐 생각에 잠겼다.

"아마 연이 네가 싫어할 텐데……."

안 그래도 죽을 것 같은데, 아니 숨이 넘어갈 것 같은데 제 성기를 쥐고 살살 흔들면서 한다는 말이 저런 거라니! 숨만 헐떡거리던 연은 기어코 모란을 발로 세게 걷어차고 말았다. 모란이

429

옆구리를 문지르면서 사과했다.

"미안, 좀 귀여워서…… 참기가 힘드네. 보면 알겠지만……. 있지, 내가 고자라서 그간 널 건들지 않은 게 아니거든."

모란의 다리 사이가 불룩한 것만 봐도 고자가 아닌 건 잘 알겠다. 그러나 싫어하는 일이건 말건 지금 이 몸 상태만 해결할 수 있다면 뭐든 할 수 있었다. 연이 이를 악물었다.

"뭘, 하면 되는데?"

연은 애가 타 죽겠는데 모란은 미적거리기만 했다. 제가 싫어한다는 게 무언지 짐작이 가지 않아 연이 입술을 깨물었다. 그런데 모란이 한다는 소리가…….

"말마따나 춘약이나 최음제가 아니더냐. 정사를 나누면 되는 것이지."

……라는 게 아닌가. 지금 사람 약 올리는 것도 아니고, 머리 끝까지 화가 난 연이 모란의 멱살을 쥐었다.

"그러면 이제까지 할 거 다 해 놓고 무슨, 뭐 대단한 것처럼……. 할 거면 빨리, 하란 말이야!"

연의 말이 뜻밖이었는지 모란이 처음으로 눈을 크게 뜨더니 이내 조용히 웃었다. 그리고 몸을 일으키더니 온몸을 벌겋게 물들이며 누워 있는 연의 앞에서 옷을 벗기 시작했다.

평소 망나니처럼 대충 걸치던 옷이 벗겨지자 근육이 잘 붙은 몸이 드러났다. 연은 새삼 깨달았다. 모란의 몸은 열여덟 살과는 거리가 멀었다. 아주 멀었다. 이십 대 중반의 사내 몸과 같았다. 하기야 온갖 기이한 것들을 할 줄 아니 육체를 마음대로 만드는 것 또한 이상하지 않았다.

차례차례 옷을 벗어 던진 모란이 마침내 바지를 벗었을 때 연은 저도 모르게 목울대를 울리고 말았다. 모란의 다리 사이에 자리 잡고 있는 물건이…… 그냥 물건이 아니었다. 가히 대물이라 할 정도로 컸다.

갑자기 자신이 너무 호기로운 소리를 한 건 아닌가 하는 후회
가 들었다. 그러니까 저걸…… 저걸 어디에 넣는다고?

"후회는 하지 않게 해 줄게."

나직하게 속삭인 모란이 연에게 입을 맞추었다. 달큼하고 야
하게 혀를 섞는데 몹시도 다정하고 부드러웠다. 빨리 해방되고
싶었던 연이 끙끙거리며 저도 모르게 다리를 벌렸다.

모란이 귀며 목덜미 따위를 길게 핥으며 제 물건을 연의 다리
사이에 문질렀다. 동시에 모란의 몸에 제 성기가 문질러지자 연
은 그저 숨을 헐떡이기만 했다. 이렇게 좋은 게 단순히 약 때문
만은 아닐 터였다.

문득 이는 충동에, 연이 처음으로 모란에게 입을 맞추었다.
입술을 깨물고 혀를 밀어 넣자 모란이 멈칫했다가 연의 혀를 쪽
빨아들였다.

"너무 귀엽게 굴면 안 되는데. 응?"

"당…신은…… 내가 뭘 하든 귀엽다고 하잖아."

모란이 눈썹을 들어 올리더니 눈을 휘어 웃었다. 연은 잠시
그 웃음에 홀렸다. 제가 알기로 모란은 한 번도 이런 식으로 웃
은 적이 없었다.

"그래서 매번 그런 식으로 구는 건가?"

그리 말하고는 모란이 덥석 목을 무는 바람에 연이 움찔했다.
어째서 순간 짐승에게 덜미를 물리는 것 같았을까? 맥이 펄떡
펄떡 뛰는 급소를 세게 빨리자 그런 생각이 더 강해졌다. 그리
고 언제부터 자신이 모란에게 이리 급소를 의심도 없이 내주게
되었을까?

연의 그 의문은 익숙한 향내가 풍기는 탓에 사라지고 말았다.
맡아 본 적 있는 것이었다.

"이 방에는 그런 향유 없는데⋯⋯? 아!"

"내 주머니에는 있지."

뭐? 주머니에 항상 향유를 들고 다닌단 말이야? 모란이 질척한 액체로 젖은 손가락을 하나 밀어 넣었다. 연은 몸을 살짝 틀며 신음했다. 뒤로 어떤 감각을 느낄 수 있는지 이제는 알기 때문에 몸이 절로 떨렸다. 어느새 손가락이 둘로 늘었다. 향유를 더 들이붓고 철벅거리는 소리가 나도록 손을 움직이면서 모란이 물었다.

"잠깐 좀 괴롭혀도 될까?"

"아, 아니⋯⋯."

연이 고개를 저었으나 모란은 음습하게 웃을 따름이었다. 그가 손가락을 가능한 깊이 밀어 넣었다가 안을 짓누르며 빼내니 연의 시야에서는 불똥이 튀기는 듯했다. 떨리며 벌어지는 입술 사이에서 신음 소리가 길게 흘러나왔다. 그는 이 신음 소리가 자신이 내는 것이라고는 도무지 상상이 가지 않았다.

"실은 허락을 구하는 말은 아니었어."

그렇게 지껄이면서 모란이 엉덩이를 꽉 움켜쥐었다. 연이 바르작거리자 한 손으로 양 손목을 쥐더니 아까 상처 낸 손가락을 이로 잘근거리며 세게 빨았다. 따끔거리는 감각이 일었다.

"그렇지?"

손가락을 빼내어 구부러진 손마디로 회음부를 미끌미끌 문지르며 모란이 채근하듯 물었다. 허락을 구하는 말은 아니라면서 왜 제게 묻는 것인지 연은 알 수가 없었다. 그러나 모란이 어떻게 해 주었으면 하고 바란다는 것만은 확신했다. 어쩌면, 어쩌면⋯⋯ 그가 자신을 괴롭히기를 원하는 것일지도. 그 지극한 쾌감을⋯⋯.

연이 마침내 고개를 끄덕였다. 모란이 능글맞은 얼굴로 손가락을 넣어 뒤를 벌렸다. 괴롭히는 건 나중에. 그렇게 말하며 모란이 손가락 세 개를 밀어 넣었다.

"읏, 아⋯⋯."

찔걱이는 소리를 내며 모란이 아래를 들쑤시자 연이 고개를 젖혔다. 그 빌어먹을 진주 때문인지 무엇을 하든 다 좋을 뿐이었다. 그러나⋯⋯ 모란의 손가락이 빠져나가며 대신 두꺼운 것이 문질러질 때는 퍼뜩 정신이 돌아왔다. 연이 불안한 시선을 보냈다.

"잠시만, 안⋯⋯ 될 것 같아."

"응? 무어가?"

연의 발목을 잡아 제 어깨에 걸며 모란이 몸을 앞으로 숙였다. 머리카락이 흘러내려 가슴을 간지럽혔다. 연이 마른침을 삼켰다. 아무리 대충 가늠해 봐도 너무 굵었다. 아까 손가락 세 개도 겨우 들어갔는데 대체 어떻게⋯⋯.

"진짜 끝내주고 좋을 거라니까."

그렇게 말하면서 모란이 꾹 제 것을 밀어 넣었다. 연은 불안하지만 그래도 괜찮겠지 싶었는데, 이내 그런 생각이 훅 달아나고 말았다. 아래가 벌어지는 게 손가락을 넣었을 때와는 비교도 안 되는 것이다. 그러나 이제 와서 무르기에는 늦었다.

"아, 아⋯⋯. 잠시, 잠시만⋯⋯."

모란이 또 어린아이 달래듯 쉬쉬 하는 소리를 냈다. 그러나 밀고 들어오는 것은 멈출 생각을 하지 않았다. 연이 숨도 못 쉬고 헐떡거리자 그가 오르내리는 가슴 위로 입술을 내리눌렀다. 심장 바로 윗부분이었다.

"아!"

연이 이를 악물었다. 마치 안에 몽둥이를 쑤셔 넣는 것 같았다. 느릿느릿 뒤가 강제로 벌어지는 생소한 감각에 눈물을 찔끔거리며 겨우 숨만 쉬다가 아래를 내려다보았다. 연은 차라리 보지 말걸 싶었다. 이제 반도 들어오지 않았다는 게 믿기지 않았다. 연이 입술을 떨자 모란이 살살 핥아 주었다. 전혀 위로가 되지 않았다.

"이, 사기꾼…… 아흑!"

연이 모란의 어깨를 쥐어뜯었다. 생채기가 났지만 그걸로는 모자라다는 생각만 들었다. 이게 어떻게 사람의 다리 사이에 달린 것인가? 무기나 마찬가지지……. 모란은 그 무기를 반쯤 삽입한 채 연의 젖은 눈가를 쪽 소리가 나도록 빨며 능청맞게 웃었다.

"어디가 사기꾼이라는 건지 모르겠는데."

"분명, 그렇게…… 안 컸단 말이야, 앗!"

모란이 허리를 크게 한 번 움직이자 배 속을 얻어맞는 것 같았던 연이 헉 하는 소리를 냈다. 억울하고 또 아프기도 해서 이 나쁜 자식, 하면서 눈물을 찔끔거리자 모란이 살살 허리를 쳐올리며 손으로 꽉 잡았다.

"무슨 소리야. 네게는 매우 솔직하고 착하게 굴고 있거든."

그렇게 말하고는 한 번에 꽉 박아 올리는 것이었다. 빌어먹을, 무어가 솔직하고 착하다는 거……. 그렇게 생각하던 연이 돌연 비명에 가까운 신음 소리를 냈다. 모란이 제 것을 끝까지 밀어 넣은 탓이었다. 속이 메슥거릴 정도로 안이 깊게 찔린 느낌이었다. 연은 모란이 일부러 이리 괴롭게 만드는 게 분명하다고 생각했다.

입술을 깨물고 있는 동안 모란이 본격적으로 허리를 움직이기 시작했다. 철벅철벅 소리가 나도록 박아 넣는 걸 그저 입술만 깨물고 버텼다. 굵은 것이 들락이는 통에 아래가 얼얼하고 아팠다. 아까와 마찬가지로 어디가 좋은 건지 전혀 모르겠다고 여기고 있을 때……. 모란이 조금 자세를 바꾸어 추삽질을 하자 돌연 몸에 힘이 쭉 빠졌다.

"아으, 읏……."

연이 몸을 떨자 모란이 더욱 깊게 찔러 올렸다. 이번에는 확실했다. 오금에서 느껴지던 간질거리던 느낌이 선득한 쾌감이 되어 번졌다. 이게 뭔가 하여 연이 당황했다. 저도 모르게 상대를 밀어 내는데 모란은 연이 당황하건 말건 봐주지 않았다.

"손가락으로 재미 보는 것도 괜찮지만…… 정석이라면 역시 이쪽이지."

"아, 앗!"

연이 헉 하고 숨을 쉬었다. 모란이 퍽퍽 허리를 박아 넣을 때마다 등골이 다 녹아내리는 듯했다. 여전히 깊이 찔려 뻐근하다 느낄 정도로 아팠지만 어느 순간부터는 그 아픔 또한 쾌감이었다. 처음에는 신음하지 않으려고 입을 꽉 다물고 버텼지만 깊이 삽입된 물건이 뭉근하게 안을 짓눌러 대는 것에는 도리가 없었다.

"흑, 읏…… 응!"

몸을 들끓던 열기가 어느새 가라앉고 있었다. 그러나 흥분감은 여전하여 연이 숨을 헐떡였다. 모란의 물건이 뒤를 드나들고 있다는 행위 자체가 선정적이었다. 엉덩이 사이에서 잔뜩 젖은 소리를 내며 안을 아프게 찔러 댈 때마다 반사적으로 조이게 되는 것이다. 수치스럽고 아픈데 그 감각까지도 좋게 느껴지다니 연은 믿을 수가 없었다.

"아, 아! 아앗!"

한번 박힐 때마다 쾌감이 연의 온몸에서 줄줄 흘러내리는 듯했다. 엉덩이가 모란의 몸에 자꾸 철썩철썩 부딪쳐 얻어맞는 것 같기도 했다. 모란이 가볍게 연의 것을 쥐어흔들어 주자 아까 못 간 게 거짓말인 것처럼 흰 백탁액이 튀었다.

그러나 해방감과 사정의 여운에 잠겨 있을 틈이 없었다.

"아웃, 자, 잠시만⋯⋯. 흐앗, 악!"

이제 막 사정하여 예민한 몸이었지만 모란은 봐주지 않았다. 연이 몸을 버둥거리건 비명에 가까운 소리를 내건 상관하지 않는 것이다. 속이 메슥거릴 정도로 밀어 넣는가 하면 몸이 위로 밀려날 정도로 세게 쳐올리기도 하였다.

행위가 계속될수록 연은 그만이라든가 잠시라는 말조차 내뱉을 수 없었다. 숨만 겨우 쉬며 감당 못 할 쾌감에 짓눌릴 뿐이었다. 눈앞에서 몇 번이고 흰빛이 까마득하게 번졌다. 견디기 힘들 정도로 날카로운 쾌감이었다. 모란은 기어이 연이 연달아 사정을 하게 몰아붙이고 나서야 멈추었다.

"흐으, 헉, 앗, 아, 아앗!"

연이 몸을 퍼득 떨며 이를 악물었다가 이내 신음과 함께 고개를 젖혔다. 두 번째 사정을 강요받을 적에는 마치 숨통이 조이는 기분이었다. 신음이 점점이 흩뿌려졌다. 모란이 자신의 것을 깊이 밀어 넣으며 집요하게 연의 표정을 살폈다. 힘이 풀려 사지를 늘어트릴 때에서야 연은 무의식중에 자신이 모란을 꽉 끌어안고 있었다는 걸 깨달았다.

"웃⋯⋯."

그러나 아직도 모란이 제 것을 삽입한 채였기 때문에 연은 옴짝달싹할 수가 없었다. 채 흥분이 가시지 않았기 때문이기도 했다. 교성을 질러 대던 게 떠올라 부끄러워 눈을 질끈 감았다. 그리고 잠시 후 다시 움찔했다. 모란이 손바닥으로 아직 흥분이 덜 가라앉은 성기를 문지른 탓이었다.

"아!"

발작적으로 몸을 움직이자 모란의 물건이 주륵 빠져나갔다.

그 감각에 연이 몸서리를 쳤다. 숨을 헐떡거리고 있자 마저 빼내며 모란이 엉덩이를 꾹 쥐어 벌렸다. 뒤에서 무언가가 느리게 흘러내렸다. 그가 손가락을 넣어 안에서 향유와 정액을 긁어내는 느낌이 생경해, 연이 눈을 꾹 감았다.

"치료했는데 하나도 몰랐지?"

"치…료?"

고개를 돌려 보자 어느새 모란의 눈이 금빛이었다. 영글었던 고리가 하나둘 사라져 가고 있었다.

'치료를 했다고? 하지만 아무런 고통도 없었는데?'

아니, 그야 아주 없지는 않았다. 모란에게 삽입당할 때마다 배 속을 얻어맞는 것 같았으니……. 그러나 달군 검에 몸 깊숙한 곳을 찔리는 그 특유의 느낌은 없었다. 연이 느릿느릿 중얼거렸다.

"하지만 하나도 안 아팠는데……."

"네가 날 얼마나 받아들이냐에 따라 고통도 다르거든. 물론 단순히 몸을 받아들인다는 의미가 아니라."

그리 말하고는 모란이 잠시 연의 몸을 살폈다. 아니, 어찌 보면 좀 더듬거리면서 사심을 채우는 것 같기도 하고……. 연이 미간을 희미하게 찌푸렸다. 단순히 몸을 받아들인다는 의미가 아니라고?

"음, 아직 열은 완전히 가라앉지 않았네. 그래도 하룻밤 푹 자고 나면 완전히 정상으로 돌아오겠는데."

퍽 흡족한 얼굴로 모란이 연의 엉덩이를 도닥이고 주물럭거렸다. 짜증 낼 기운이 없어 어찌하지는 못하고 싫은 내색을 하며 뒤척이기만 했는데, 모란은 아랑곳하지 않았다.

그는 천에 물을 묻혀 와 몸을 닦고 뒤처리를 해 주었다. 그뿐이랴, 옷도 갈아 입혀 주고 이불도 보송한 것으로 갈아 주었다.

밖에 잠깐 나갔다 들어오는 손에는 과일이며 간단히 먹을 만한 간식까지 들려 있었다.

"이렇게 안 해도 되는, 읍."

모란이 입에 잘 깐 군밤 알을 밀어 넣는 바람에 연은 목이 턱 막히고 말았다.

마지못해 씹어 삼키는데 그제야 모란과 정사를 나누었다는 게 실감이 났다. 무언가 이상한 기분이었다. 끝까지 가게 되면 무언가가 바뀔 거라고 생각했는데, 바뀌는 것 없이 그저 모란과 자신일 뿐이라는 게…….

몸이 아직 가라앉지 않은 열기로 가볍게 들떴다. 모란의 알뜰살뜰한 보살핌을 받으며 이불을 덮고 뒤척뒤척하다가 미간을 접었다. 이 열은 어째 좀 수상쩍은데. 진주…… 아니 약 기운이라기보다는…….

그리고 과연 예상대로였다. 저녁때까지 열이 내리지 않고 기침까지 콜록거릴 때에야 모란의 입가에 내내 걸려 있던 미소가 좀 가셨다. 그가 한숨을 쉬자 연의 신경이 곤두섰다. 그는 제 몸이 아플 때마다 주위 사람들 반응이 여간 짜증 나고 싫은 것이 아니었다. 아프고 싶어서 아픈 게 아니었으니까.

"왜, 몸이 이따위라서 한심해?"

모란은 연이 뾰족하게 말하든 말든 개의치 않는 얼굴로 심드렁하게 말했다.

"그렇게 따지면 내게 한심한 자들은 널렸어. 내 눈으로 보기에 다들 고만고만하거든. 내게 덤벼드는 놈들 상대할 때 죽이지 않기가 얼마나 힘든지 알면 그런 소리는 못 할 텐데. 약해 빠져서는 정말이지 어린애만도 못한 수준이라."

연이 입을 딱 벌렸다. 그러나 연에게 먹일 과일을 깎느라 모란은 그 표정을 보지 못했다. 술술 껍질이 깎이는 사과는 예술 그 자체였다. 그는 무엇이든 못하는 일이 없는 사람 같았다.

"그냥 그런 차이야. 다른 놈들이 성가시게 구는 모기 떼 같다면……."

그가 공들여 깎은 사과를 접시 위에 차곡차곡 쌓는 걸 보며 연이 생각했다. 모기 떼라. 처음 만난 날 모란이 팔을 부러트릴 때 벌레 다리 부러트리듯 바라보는 것 같았던 게 착각만은 아니었구나.

"연이 너는 좀 요만하고 작고 동글거리는…… 귀여운 솜털? 훅 불면 휙 저만치 날아가 흔적도 없이 사라져 버리는 느낌이지. 그러니까 내게는 다루기가 얼마나 조심스럽겠어?"

검지와 엄지로 아주 작게 콕 집어 보이며 말한 모란이 사과를 먹이려다 연의 표정을 보고는 얼른 화제를 돌렸다.

"음, 사과 좋아하지?"

연은 다소 멍한 기분으로 모란이 집어 준 사과를 우물우물 씹었다. 한참을 그러고 있다가 모란이 방금 전의 대화도 잊고 빈둥거리기 시작할 때쯤 툭 물었다.

"모란, 당신은 얼마나 강해?"

연은 진지했다. 창연각 사건에도 어렴풋이 느끼고는 있었지만 지난번 녹림 산적을 상대할 때도 그랬다. 모란이 강한 정도는 어지간한 수준이 아니었다. 어느 고수가 그 많은 인원을 그리 한순간에 싹 쓸어버린단 말인가? 그것도 손짓 하나에? 연오는 물론이고 영명도 쉬이 하지 못할 수준이었다.

"글쎄, 비교 대상이 없어서 딱히……."

"그 녹림채 도적들도 모기 떼처럼 느껴졌어?"

모란이 눈을 굴렸다. 그러나 연은 진심이었다. 이제까지는 막연히 모란이 강하구나, 생각하는 정도였지만 하는 말을 들어 보니 짐작도 가지 않았다. 아까 한 말이 도무지 허세라고는 믿기지가 않는다.

게다가 이때까지 그가 말한 것들을—이백오십 여년을 살아 왔다든지 혹은 산을 한 번에 가르기는 힘든 일이라든지— 생각 해 보면, 어쩌면 이 중원에서 모란을 이길 사람은 아예 없을지 도 몰랐다.

이백오십 살……. 평소에 자신이 모란을 너무 막 대한 감이 있지 않았나 새삼 심란하였다. 연이 생각에 잠긴 걸 어떻게 오 해하였는지 그가 수습하려고 다소 애를 썼다.

"그래, 모기 떼는 아니고 그냥 뭐……. 그런…… 아무튼 비슷 한 느낌이라 이거지."

하지만 끝내 다른 비유를 찾지 못한 채 포기한 모란이 어깨를 으쓱했다. 연은 좀 떫은 표정을 지었다. 진짜 모기 떼처럼 느껴 지나 보다.

"아무튼 오해는 하지 말라는 거야. 네가 좀 심하게 약한 것처 럼 느껴지긴 한데 별로 신경 쓰이지는 않으니까. 또 어차피 이 대로라면 한 일 이 년 안으로는 건강해질 거고."

모란은 제가 깎아 놓은 사과를 아작아작 씹어 먹으며 연을 빤 히 바라보았다.

"네가 별 사고만 안 친다는 가정하의 말이지만."

"내가 언제 사고를 쳤어?"

"잠깐 한눈판 사이에 도적 떼거리에게 붙잡혀 쥐어 터져 있는 게 사고 치는 것이지 아니야? 세상에, 그 잠깐 동안 숨이 꼴딱 넘어가고 있으니."

쥐어 터져……. 진짜 말 한번 예쁘게 하네. 연이 주먹을 쥐었 다. 맞긴 맞았으나 고작 따귀 한 대가 아니었던가? 그러나 모란 에게 진 빚이 많았기에, 연이 할 수 있는 건 그가 심통이 난 얼 굴로 깎아 넣어 주는 과일 조각이나 받아먹는 것뿐이었다.

"……정말 한 번에 산을 가를 수 있어?"

모란은 눈썹을 들어 올리며 이번에는 연의 입에 사과를 두 조각이나 넣어 주었다. 그래, 못 가른다는 소리는 안 하는 걸 보니 정말 할 수 있기는 한 모양이었다. 열심히 사과를 씹어 삼킨 뒤 연이 물었다.

"사부님은 좀 어떠셨어?"

"괜찮아 보이던데."

연에게 사과 한 알을 다 먹이고 난 뒤 모란은 춘화집을 펄럭펄럭 넘겨 보는 중이었다. 성의 없는 대답에 연이 미간을 접었다. 정말 살펴보고 오기는 한 건가? 연의 마음을 읽기라도 한 듯이 모란이 한숨을 쉬었다.

"정 걱정되면 내일도 보고 올 테니 좀 자라. 응?"

손을 뻗기에 처음 만난 날 그대로 정신을 잃게 만들었던 게 떠오른 연이 눈을 크게 떴다. 그러나 모란은 그대로 눈꺼풀을 내려 감겨 줄 따름이었다. 연은 몇 차례 눈을 깜박이다 순순히 눈을 감았다. 열로 인해 잠은 순식간에 쏟아졌다.

그가 다시 눈을 뜬 건 도련님, 하고 부르는 시비의 목소리 때문이었다. 보통 응답이 없으면 물러나곤 했는데 긴한 일이었는지 계속 부르는 통에 연은 억지로 몸을 일으켜야만 했다. 머리가 지끈지끈 울리며 아팠다.

어느덧 아침이라 방 안이 환했다. 지난밤 모란이 앉아 있던 자리에는 주인 대신 춘화집이 아무렇게나 놓여 있었다. 평범한 춘화집은 아니었다. 남자 두 명이 얼싸안고 있는 표지다. 그중 한 명은 옷을 제대로 입고 있었고 다른 한 명은 홀딱 벌거벗고 있었다.

평소 보는 것과는 달리 의외로 건전한 듯하여 좀 더 자세히 보니 벌거벗은 자의 엉덩이 사이에 커다란 막대기가 하나…….
그럼 그렇지. 전이라면 저런 크기의 막대기를 어찌 넣나 싶었을
텐데 모란의 양물을 보고 난 뒤라 그다지 놀랍지도 않았다. 들
어가긴 들어갔지……. 춘화집 표지가 너무 적나라하여 뒤집어
놓은 뒤 연이 말했다.

"들어오거라."

허락이 떨어지자 시비가 문을 열고 들어왔다. 한눈에 봐도 아
파 보이는 연의 모습에 난감한 얼굴로 입을 열었다.

"가주님께서 도련님을 뵙자고 하십니다."

순간 연의 신경이 바짝 곤두섰다. 대체 영명이 무엇 때문에
자신을 보자 한단 말인가? 이렇게 아플 때면 더더욱 영명을 보
기가 싫었다. 얼굴이 열기로 후끈후끈했다.

"몸이 안 좋아 뵙기 힘들다고 전해라."

시비가 머뭇거리다가 물러났다. 가주님이라는 단어를 듣는
것만으로도 심기가 퍽 안 좋아진 연이 침대 위에서 뒤척거렸다.
다시 잠을 청하려고 했으나 그럴 수가 없었다. 잠시 후 시비가
돌아와 다시 말을 올린 까닭이었다.

"몸이 안 좋더라도 오라고 하십니다. 중한 말씀이 있으신 듯
합니다."

한숨을 쉬며 연이 몸을 일으켰다. 그래, 아비란 자가 언제 남
의 사정을 봐주던 이였던가? 머리가 아프고 몸이 으슬으슬하여
두꺼운 옷을 걸쳤다. 그나마 요즘 몸이 괜찮아졌는데 심한 감기
로 고생하고 싶지는 않았다. 굳은 얼굴로 나가자 요즘 통 보기
힘들었던 주강이 서 있었다.

"뭐야?"

"가주님의 명을 받고 왔습니다."

연이 잠깐 말문을 잊었다. 주강은 연오의 사람이 아니었나?

대체 언제부터 영명의 말을 듣기로 한 거지? 이제는 속까지 다 쓰라렸다. 굳은 얼굴로 걸음을 옮기자 주강이 조용히 뒤를 따랐다. 미약한 배신감이 들었다. 그나마 주강이 완전히 영명을 따르는 것 같지는 않다는 게 다행이라면 다행이었다.

창일당에 도착하여 연은 잠시 문을 노려보았다. 그러다 이내 어쩔 수 없다는 걸 깨닫고 가까이 다가갔다. 기다리고 있던 무사가 문을 열어 주었다. 창일당에 들어서다 연이 멈칫했다.

'뭐지? 이 향기는…… 어디서 맡아 본 것 같은데.'

그가 미처 생각을 잇기도 전에 영명의 말이 먼저 떨어졌다.

"들어오거라."

대체 무슨 말을 하려고 영명이 자신을 불러들였는지 알 수가 없었다. 그와 영명은 보통 연오와 함께 식사하는 자리나 세가의 행사 때나 얼굴을 보곤 하는 사이였다. 이렇게 창일당에 연 혼자 찾아와 독대하는 일은 극히 드물었다.

앞서서 서책을 보고 있던 영명은 연이 들어오자마자 못마땅한 얼굴로 쯧 혀를 차며 책을 덮었다.

"어찌 그리 몸 간수를 못하느냐?"

항상 영명이 저를 보면 하는 소리는 똑같았다. 허약한 것, 세가에 누가 되는, 병약한. 이따금 심기가 안 좋을 때면 쓸모없는 것이라는 말까지 나오기도 했다. 익숙한 소리였으나 듣기 좋은 소리는 아니었다. 안 그래도 좋지 않던 연의 기분은 바닥으로 떨어졌다.

"……어쩐 일로 저를 부르셨습니까?"

영명은 더 안 좋은 소리를 하지는 않았다. 그가 붉은 차를 마시며 고개를 까닥거렸다.

"이제 네 나이도 스무 살이 아니냐."

연은 영명이 자신의 나이를 알고 있다는 게 그저 놀라울 따름이었다. 실제로 그는 연의 나이를 몇 번이나 헷갈린 전적이 있었던 것이다.

"하지만 네 형과는 달리 도통 세가에서 하는 일이 없고 무공의 성취도 낮으니 다른 일이라도 해야겠다."

다른 일이라니, 뭔지는 몰라도 연의 마음에 들 만한 일이 아니라는 건 확실했다. 영명은 탁자 위에 놓여 있던 두루마리를 들어 연의 앞에 놓았다. 마지못해 받아 읽은 연이 표정을 찡그렸다. 그다지 반갑지 않은 성씨가 보인 탓이었다.

"이것이 무엇입니까?"

"너와 혼인할 여식의 이름이다."

연의 표정이 굳었다. 영명은 지금 연에게 결혼으로 남궁세가의 세라도 불리라는 말을 하고 있는 것이다. 그야 연도 항상 자신이 정략결혼을 할 가능성이 높다 생각하긴 했다. 병약하다고는 해도 그는 어쨌든 그 남궁세가의 차남이다. 세가나 문파간의 결속을 높이기 위해서는 혼인보다 더 효과적인 방법은 없었다.

문제는 두루마리에 적힌 사람의 이름이었다. 모용령. 올해 소룡대회에서 한위와 겨룬 모용가의 열여섯 난 여식이다. 모용가 방계 출신으로 뛰어난 성취를 보이고 있는 존재였다. 네 살 차이는 결혼 상대로서는 적절하였으나 문제는 그런 것이 아니었다. 바로 모용이라는 성씨였다.

"싫습니다."

"싫다?"

영명이 찻잔을 탁 내려 두며 연을 쏘아보았다. 은근한 노기임에도 연은 가슴이 다 죄어드는 듯하였다.

"지난번부터 아비에게 아주 버르장머리가 없구나. 네가 감히 싫다 하였느냐? 하는 일도 없이 세가에서 빈둥거리면서 이런 쉬운 일조차 못 하겠다? 이 철없는 것 같으니라고!"

영명이 크게 호통을 쳤다. 연은 꼼짝도 하지 않고 그런 영명을 쏘아보았다. 아들의 버릇없는 행동에 영명의 눈살이 파르르 떨리었다. 마침내 그가 내뱉었다.

"말 안 듣고 고집 센 것은 네 어미와 아주 똑같구나. 똑같아. 네 어미 때문에 모용세가와 사이가 멀어져서 얼마나 손해를 봤는지 아느냐? 너라도 어미 대신 그 빚을 갚을 생각은 못 하고 이렇게 염치없이 굴어?"

영명의 말은 비수처럼 연의 가슴에 꽂혔다. 잠시간 끓어오르는 분노에 숨을 쉴 수가 없었다. 어떻게 저자가 저런 말을 할 수가 있나?

"어찌 그런 말을 할 수 있습니까? 어머니가 누구 때문에 그렇게 돌아가셨는데!"

"누구 때문? 허! 지금 나 때문이라 하는 것은 아니겠지. 네 어미가 그렇게 죽은 것은 다 스스로 자초한 일이다."

"어머니가 그리 돌아가신 게 스스로 자초한 일이라 하셨습니까?"

연이 몸을 떨었다. 영명이 증오스럽고 또 증오스러워 힘만 있다면 이 자리에서 당장 죽여 버리고 싶었다. 이런 자가 어떻게 자신의 아비일 수가 있나? 사람이 어떻게 이리 후안무치하고 조금의 양심도 없을 수가 있지? 더는 참지 못하고 그가 크게 악을 질렀다.

"어머니는 바로 당신 때문에 죽은 거야!"

급기야 영명이 탁자를 엎으며 자리에서 일어났다. 눈빛이 아주 형형하다 못해 미친 자처럼 보이기도 했다. 그는 손을 들어 올렸다가 무슨 생각에서였는지 다시 내렸다. 아마도 연의 몸이 이런 폭력조차 견딜 수 없을 거라 생각한 모양이었다. 대신 그는 찻잔을 집어 던졌다. 쨍강 소리와 함께 찻잔이 산산조각 났다. 붉은 물이 바닥에 번졌다.

"내 기껏 생각하여 좋은 혼처를 찾아 주었더니 은혜도 모르는구나! 여봐라!"

문이 열리며 무사가 들어왔다. 영명은 뭐라 소리 지르려다가 이내 미간을 짚으며 의자에 앉았다. 그러나 분에 못 이겨 근처에 있던 서책도 집어 던졌다. 그러더니 연을 노려보며 말했다.

"내 지시가 있기 전까지 저놈을 화정당에 가두어 나오지 못하게 해라."

한시도 영명을 더 보기 싫었던 연은 그의 말이 끝나기도 전에 휙 뒤돌아섰다. 무사가 조용히 연을 앞세웠다. 혹여라도 연이 어디로 가 버리지는 않을까 우려하는 얼굴이었다.

"가시지요, 연 도련님."

연은 부글부글 화가 끓는 마음으로 차게 걸음을 옮겼다. 그는 영명이 그의 모친인 모용단리가 죽음을 자초한 것이라 말할 때마다 이 남궁세가가 한없이 경멸스러웠다. 그의 어머니는 다름 아닌 영명으로 인해 죽은 것이나 마찬가지였다.

화정당에 돌아오자마자 문 앞은 무사가 지키고 섰다. 연은 신경도 쓰지 않았다. 언제는 그가 화정당 밖으로 나가 돌아다닌 적이 있던가? 침상에 누우니 사나운 심기 때문인지 열기가 머리끝까지 훅 치밀어 올랐다.

시비가 탕약과 식사를 들여왔으나 연은 거들떠도 보지 않았다. 무언가 먹을 만한 입맛이 아니었다. 잠도 오지 않았다. 그저 영명이 증오스러울 따름이었다. 어린 시절의 기억이 떠오르자 연이 질끈 눈을 감았다.

그렇게 얼마나 시간이 흘렀을까. 서서히 해가 지고 어둠이 찾아왔다. 다만 어둠만 찾아온 것은 아니었다.

"환장하겠네. 잠깐 사이에 또 무슨 일이야?"

문 앞을 무사가 지키거나 말거나 자유롭게 드나들 수 있는 모란이 방에 들어왔다. 연은 돌아보지도 않았고 대꾸도 없었다.

열이 펄펄 끓고 있는 이마에 손을 얹은 모란이 얼굴을 찌푸렸다. 그의 눈에 잠시 금빛 고리가 어렸다. 그는 연의 마음이 얼마나 사납고 난폭한지 볼 수 있었다. 증오와 분노가 넘실거리다 못해 흘러넘치고 있었다. 평소와 달리 문 앞을 무사가 지키고 있는 것부터가 수상하긴 했으니 역시 무슨 일이 있는 모양이었다.

'남궁연오가 없으니 아무래도 영명 그자뿐이겠지.'

세가에 남궁가의 둘째 자식을 감금할 만한 자는 많지 않았다. 연오가 지금은 주강의 녹림채를 살피러 가고 없으니 남는 사람은 가주뿐이었다. 영명이 마음에 들지 않는 건 모란도 마찬가지였다. 그러나 연이 영명에게 품고 있는 뿌리 깊은 증오만큼은 아니었다.

전에는 무슨 일인지 궁금하지도 않았으나 지금은 사정이 달랐다. 혼의 동요가 몸에 바로 영향을 미치는 것이다.

그러나 모란은 당장 캐묻지 않고 연을 내버려 두었다. 저런 종류의 분노는 누군가가 달랠 수 있는 성질의 것이 아니었다. 원인을 해결하든가 시간이 지나야 했다.

그는 연에게 이불을 잘 덮어 주고는 자리를 떠났다. 무슨 일이 있는지 본인에게 직접 들을 수는 없어도 개인적으로 알아볼 수는 있었다.

연은 이틀을 내리 앓았다. 역시 녹림채에게 잡혔던 일이 무리였는지 아니면 영명 때문에 심기가 상했기 때문인지는 몰라도 참으로 오랜만에 앓는 것이었다. 덕분에 그는 모친과 남궁영명이 함께 나오는 꿈을 꾸었다. 끔찍한 악몽이었다.

잠에서 깬 뒤에도 숨만 고르게 쉬다가 한참 만에 눈을 뜬 연이 당황했다. 눈을 떠도 시야가 깜깜한 탓이었다. 밤인가 싶었지만 이내 스륵 치워지는 건 손이었다. 모란이 위에서 물끄러미 연을 내려다보았다.

"어……."

연은 좀 시간이 지난 뒤에야 제가 모란의 허벅지를 베고 누워 있었다는 사실을 깨달았다. 어린아이도 아니고 이게 무슨 창피인가 싶어서 벌떡 일어나려 하자 모란이 가슴을 짚었다.

"좀 더 누워 있어. 정말 더럽게 열이 안 떨어지던데."

"이미 충분히 잤어."

얼마나 잤는지 나오는 목소리가 거칠했다. 한숨을 쉬며 연이 몸을 일으켰다. 이제 스물이나 되었는데, 아니지, 모란으로 살았던 것까지 합하면 서른이나 되었다. 그런데도 연은 영명과 마주하는 일이 있을 때마다 크게 앓고 마는 것이다.

"무슨 일이 있는지 다 들었어. 혼인하게 되었다며? 모용세가라면 네 어머니의 가문인가?"

이제는 심기가 많이 가라앉은 연이 그래, 하고 저조한 목소리로 대답했다. 모용세가는 남궁세가만큼은 아니어도 마찬가지로 싫은 세가였다. 필연적으로 어머니가 떠오르니까.

"뭘 해 줄까?"

배가 고프다는 생각을 하고 있던 연이 시선을 올렸다. 모란이 턱을 괴고 그를 바라보며 웃었다.

"네 아비도 싫고 혼인도 싫은 것 아니야? 원하면 무엇이든 해 줄 수 있지. 세가에서 네 아비를 영영 치워 버린다든가, 혼인을 하지 않게 해 준다든가."

연이 눈을 깜박였다. 왜 모란은 자꾸 자신에게 이리 해 주려는 것일까? 초반과 달리 이제 그는 대가도 받지 않았다. 꼭 연을 정말 어여삐 여기는 것 같지 않나. 게다가 언제부터인가 모란은 지나치게 연에게 가까이 붙어 있었다. 마치 연인 사이인 것처럼……. 그러나 결코 연인은 아니었다.

그는 모란이 했던 말을 떠올렸다. 그는 연이 아주 작아서 훅 불면 날아가 버릴 솜털과 같다고 하였다. 지금 생각해도 참 어처구니없고 우스운 비유인데, 그게 모란의 진짜 진심이 아닌가 하는 생각도 동시에 들었다.

"아니."

연의 말에 모란이 눈썹을 들어 올렸다. 그가 예상한 대답과 거리가 멀었다. 그렇다면 무슨 묘수라도 있는 것인가 기다려 보았더니 한참 만에 연이 대꾸했다.

"그냥 혼인할 거야."

"그냥 혼인할 것이라고?"

"그래. 어쩌면 혼인하는 것도 세가에서 나갈 수 있는 좋은 방법 중 하나겠지."

혼인한 뒤부터 연은 당당하게 세가에서 독립해 나가 살 수 있다. 그다지 원하지도, 예상하지도 않은 이른 혼인이나 연은 그렇게 생각했다. 어쩌면 모용령이 그가 예전부터 생각했던 가족 중 한 명이 되어 줄 수도 있었다. 물론, 열여섯 살은 지나치게 어린 나이였지만.

거기까지 생각하다가 연이 한숨을 쉬었다. 정말 지치고 지겹다. 정확히는 이 세가에서 영명을 버텨 내는 일에 신물이 났다.

"흠."

모란은 잠깐 소리를 흘리곤 말이 없었다. 그저 무슨 생각을 하는지 모를 얼굴로 연의 머리카락이나 만지작거렸다. 이틀 내내 않느라 엉망인 머리카락을 자꾸 쓰다듬자 신경 쓰였던 연이 자리에서 벌떡 일어났다. 몸에서 냄새가 나는 것 같았다.

"씻을래."

"씻겨 줄까?"

대꾸도 하지 않고 향하자 모란이 따라오는 게 아닌가. 연이 다소 어이가 없어 바라보았다.

"대답을 하지 않은 건 그러라는 뜻이 아니었어."

"그랬어? 그런데 아니라고 해도 결과는 똑같지 않을까 하는데."

모란이 뻔뻔스럽게도 말했다. 그러더니 목간통에 물을 채웠다. 그냥 허공에서 물이 쏟아지기 시작하는데 놀랍게도 뜨끈뜨끈하니 김이 잔뜩 오르는 물이었다. 연은 저도 모르게 벌어지는 입을 간신히 다물었다. 언제 봐도 모란의 마법이란 것은 퍽 신기하였다. 기왕 물이 데워졌으니, 연은 마지못해 물속으로 들어갔다.

무언가 야한 짓을 할 거라는 예상과 다르게 모란은 놀랍도록 목욕 시중을 잘 들어 주었다. 어쩐지 썩 익숙한 것 같았다.

"누구 많이 씻겨 주었나 보네."

"그랬지. 예전에 노예였거든. 주인이 와서 시중들라고 하면 달려가서 씻기곤 했으니까."

믿기지가 않아 연이 휙 쳐다봤다. 도무지 노예인 모란을 상상할 수가 없었다. 그가 아는 모란은 그 누구의 말도 듣지 않고 제멋대로 행동하는 존재였던 것이다. 심지어 그럴 만한 힘도 있었다.

모란은 따뜻한 물을 부어 주면서 기분 좋게 목덜미를 주물러 주었다. 몸이 금세 노곤노곤 풀렸다.

"나도 처음부터 강했던 건 아니야. 이백오십 년을 공으로 살았겠어? 죽을 위기도 많이 넘겼지."

하도 시중받아서 그런지 그 주인도 나중에는 내 시중을 퍽 잘 들게 되더군. 그렇게 말하며 모란이 뜨거운 물을 정수리부터 부어 주며 살살 매만졌다. 그럴수록 연의 사나웠던 심기도 풀려 나갔다.

성이 풀릴 때까지 목욕을 마치고 난 뒤 연은 식사도 했다. 몸도 따뜻해지고 배도 차자 그제야 제대로 생각을 할 수 있었다. 차까지 마시고 난 뒤 그가 다시 결론을 내렸다.

"역시 안 할래. 혼인을 하는 건 아무래도 좋지만 그자가 조금이라도 흡족해하는 건 눈 뜨고 못 보겠어."

영명이 괜히 모용세가와 혼인을 추진하는 게 아닐 터였다. 분명 얻는 이득이 있으니 그리하는 것이겠지. 연은 차마 그 꼴은 보지 못할 것 같았다. 그런데 모란이 엉뚱한 말을 했다.

"혼인을 하는 건 아무래도 좋다고?"

"그래. 어차피 내 나이면 혼인이 이른 것도 아니고."

연은 어떻게 해야 이 혼인을 피할 수 있을까 고민하느라 모란의 표정은 보지 못했다. 영명은 무슨 수를 써서라도 혼인을 성사시키려고 할 게 뻔했다. 연의 반대 의사 같은 건 아마 별 영향을 미치지도 못할 것이다. 신부와 한방에 들어가지 않더라도 서류만 오가면 끝이었으니.

"아까 혼인을 하지 않게 해 준다 하였잖아. 무슨 수를 쓰려고 했어?"

어떠한 생각에 잠겨 있던 모란이 별생각 없이 대꾸했다.

"글쎄, 이 혼인을 사주한 자를 땅속에 파묻어 치워 버릴까 했는데."

연이 잠시 할 말을 잃었다. 모란이 한 말이 진심이며 실제로도 그렇게 할 수 있다는 걸 알기에 더욱 그랬다. 물어볼 것들이 있어 잠시 눈을 감았다가 제일 궁금한 것부터 물어보았다.

"혼인을 사주한 자가 있어?"

"정확히 말하자면 네 아비를 구슬린 자지. 남궁사영 말이야. 아들이 상주로 있는 상단이 이 혼인으로 이득깨나 보게 되었더군. 모용세가와 거래도 트고."

남궁사영……. 안 그래도 그 작자는 영명의 지시를 받아 소룡대회 건으로 한위를 괴롭혔을 때부터 정말 마음에 들지 않았다. 연이 두 번째로 궁금한 걸 물었다.

"진짜로 남궁사영을 땅속에 파묻어 버리려고 했어?"

"뭐…… 그러면 추적대 따위를 보내도 땅 위에서는 절대 못 찾을 테니까?"

남궁영명을 세가에서 치워 버린다는 것도 비슷한 방법이겠구나 싶어 연이 고개를 저었다. 그러나 남궁사영을 없애 버린다 하여 혼인이 중단될 것 같지는 않았다. 이미 모용세가와 말이 오가고도 남았을 것이다. 사실상 혼인이 약속된 것이나 다름없었다.

남궁영명을 치워 버린다는 것은 더더욱 안 되었다. 아무리 부친이 증오스럽다 한들 연은 영명을 땅속에 파묻어 버리라 사주할 수는 없었다.

"아니면 혼인식 날 행패를 좀 부린다든지."

"……무슨 행패?"

"비를……. 아니, 비는 약하고 우박을 떨어트린다든가, 아니면 주례가 선언하기 전에 이 혼인은 반댈세! 하고 뛰어 들어온다든가."

우박이야 그렇다 쳐도 이 혼인은 반대라며 들어오는 것이 무슨 소용인가 싶었다. 그리고 주례는 또 무어란 말인가? 이번에도 역시 연은 고개를 저었다.

그나저나 이해할 수 없는 점이 있었다. 남궁영명이야 그렇다 쳐도 모용세가도 마찬가지로 이 혼인을 원했다는 건 다소 납득이 가지 않았다. 모용단리가 죽은 후로 남궁세가와 모용세가 사이의 관계는 상당히 경색된 상태였다.

당연하다면 당연한 결과였다. 연의 모친은 나름 모용세가에서는 사랑받던 여식이었으니. 연은 그의 외조부인 모용천을 떠올려 보았다가 입술을 깨물었다. 영명처럼 증오스러운 사람은 아니었으나 결코 반가운 사람도 아니었다.

어쨌든 모란이 제시한 방법은 하나같이 비현실적인 것들이라 별 도움이 되지 않았다. 연이 생각에 잠겼다.

'혹시 그거라면……'

자리에서 일어난 연이 자개장을 뒤졌다. 그가 꺼낸 건 고급스러운 비녀와 서신이었다. 그러나 이건 마지막 수단으로 두고 싶었다. 사실 수단이 될 수 있을지도 모르겠다. 망설이다가 다시 자개장을 닫고는 한숨을 쉬었다. 일단 지금 당장은 할 수 있는 일이 없었다. 그런데 뜻밖에도 모란은 연의 혼인에 끈질긴 관심을 보였다.

"아니면 이건 어때. 네게 다른 청혼자가 있는 거야."

"나에게 청혼할 다른 사람이 누가 있어? 만약에 있다 한들 모용세가에 준하는 힘을 가져야 어떻게 성사가 될 텐데."

"흠."

모란은 또 입을 다물었다. 그러더니 연이 이 모든 상황에 짜증을 내고 있을 때쯤, 한참 만에 이렇게 묻는 것이다.

"네 이상형이 무엇이지?"

"내 이상형……?"

연은 왜 그런 걸 물어보는가 싶어 고개를 갸웃하면서도 성실하게 대답해 주었다.

"일단은 무인이면 좋겠어. 그럼 건강할 테니까. 내가 의원이니 약한 자에게 연민을 가질 수 있는 선한 사람이었으면 좋겠고."

"그럼 외형은? 뭐 그냥 막연히 상상하고 있는 미인도가 있을 거 아냐?"

"있긴 하지만……. 그런데 그런 건 왜 물어봐?"

"어서."

이번에는 모란이 또 무슨 터무니없는 일을 저지를까 불안했다. 연이 마지못해 입을 열었다.

"글쎄, 뭐……. 몸매 좋고 예쁘고…… 빨간 옷이 잘 어울리는 사람? 대체 이런 건 왜 물어보는 거야? 무슨 이상한 일 하려는 건 아니지?"

연이 눈을 가늘게 뜨고 노려보자 모란은 능글맞게 웃어 보일 따름이었다.

"내가 언제 이상한 걸 했다고? 그냥 궁금해서 물어봤어. 내 이상형도 알려 줄까?"

"아니, 별로 알고 싶지 않아……."

하지만 언제나 그렇듯이 모란은 연의 말을 한 귀로 듣고 한 귀로 흘려버렸다. 그리고 묻지도, 궁금하지도 않은 이상형을 나열했다.

"난 상대가 좀 성질이 있었으면 좋겠어. 하지만 가장 좋은 건 우는 모습이 귀여운 사람이지. 특히나 침대 위에서 귀엽게 울면 무엇이든 들어주고 싶어지거든."

그렇게 말하면서 모란이 물끄러미 바라보았다. 연이 인상을 썼다. 그러다 이내 질색하는 얼굴로 뒤로 물러났다. 아무튼 이상형도 평범하지를 않고, 아주……. 이걸 대체 뭐라고 해야 하지? 변태 같다? 모란이 이를 드러내며 웃자 연이 움찔했다. 변태는 변태인데 좀 무서운 변태다.

아무튼 연은 시간을 두고 고민하기로 하였다. 어차피 영명에게 감금되어 있는 동안은—물론 나가고자 한다면 언제든지 나갈 수 있지만— 고민할 시간이 충분하다고 생각했던 것이다.

그러나 시간은 전혀 충분하지 않았다.

시비로부터 말을 전해 들은 연이 제 귀를 의심했다.

"지금 뭐라 했느냐?"

"가주님께서 모용세가에서 온 손님을 맞이할 준비를 하라 하셨습니다."

용건을 전한 시비가 정중하게 함을 내려놓고 사라졌다. 연이 허, 하고 기도 안 찬다는 웃음을 내뱉었다. 아무리 그의 의사가 이 혼인에 아무런 영향을 미치지 못한다고는 해도, 이렇게 막무가내로 밀어붙일 줄은 몰랐다.

모용세가는 요녕성(遼寧省)에 위치해 있는 곳이다. 요녕성에서 안휘성까지 마차로 달려오는 경우에는 꽤나 오랜 여정을 거쳐야 한다. 그런데도 말을 꺼낸 것이 이틀 전인데 벌써 모용세가의 손님이 도착했다니, 영명은 적어도 한 달은 전부터 이 일을 준비한 것이 분명했다.

"이건 또 뭐야."

함을 열어 보니 고급스러운 옷이 들어 있었다. 그러니까 지금 이 옷을 입고 나오라는 거지? 연이 차게 웃었다. 그렇게 해 줄 의향은 전혀 없었다. 무엇이든지 영명이 원하는 건 들어주지 않을 작정이었다. 아예 나가고 싶지도 않았지만 그렇다고 무사들에게 끌려 나가기는 싫었다. 영명은 그렇게 하고도 남을 사람이었다.

연은 평소대로 걸쳐 입고 나갔다. 밖에서는 주강이 기다리고 있었다. 연은 정말로 그가 영명의 지시를 따르는 건지 아닌지 알 수가 없었다.

주강의 호위 아닌 호위를 받으며 창일당에 다다르자 연회가 열리고 있는 중이었다. 연이 잠시 굳은 듯 그 자리에 멈추어 섰다. 연회장은 두 자리로 나뉘어져 있었다. 영명과 장로들이 앉아 있는 남궁세가의 자리, 그리고 모용세가에서 온 손님들을 위한 자리. 그 자리 중앙에 모용천이 앉아 있었다.

모용천이 누구인가 하면 마치 빛처럼 보일 정도로 빠른 검술을 쓴다 하여 광연검(光然劍)라 불리는 사람이었다. 반로환동의 경지에 오른 자라 영명보다 나이가 많으면서도 비슷한 연배로 보였다. 또한 연의 외조부이기도 하였다.

연이 들어서는 쪽으로 모용천이 고개를 돌렸다. 그리고 연이 자리에 앉을 때까지 한참 동안 시선을 떼지 못했다.

영명은 자신이 보낸 옷을 연이 입지 않았다는 걸 알아채자 혀를 찼다. 그러나 중요하지 않았는지 아니면 자리가 자리였기 때문인지 별말을 하지는 않았다.

"무엇 하느냐? 오랜만에 뵙는 네 외조부께 인사드리지 않고."

연은 속으로 한숨을 쉬며, 아직도 자신만 바라보고 있는 모용천에게 인사를 올렸다.

"모용세가의 가주님에게 인사를 드립니다."

조부님이 아닌 가주님이라는 호칭에 모용천의 눈썹이 움틀하였다. 그러나 연은 신경 쓰지 않았다. 외조부? 외조부라 해도 전혀 가깝게 느껴지지 않았다. 그가 마지막으로 모용천을 본 것은 열 살 때의 일이다. 모란으로 지냈던 일까지 포함하면 무려 이십여 년 만에 보는 사람이었다.

사실 연은 모용천이 오리란 생각조차 하지 않았다. 이 자리가 혼인식도 아니고, 혼인을 올리기 전 약식으로 얼굴이나 보자고 마련한 자리가 아니던가?

"참으로 아름다운 정원입니다."

모용사걸이 밝은 얼굴로 입을 열었다. 그는 모용령의 부친이다. 방계 중에서도 한미하고 무공이 뛰어나지는 않았으나 수완이 좋아 현재 모용세가에서 나름대로 한자리 맡고 있는 사람이었다.

그 옆에 앉아 있는 모용령은 조용하니 아무런 말이 없었다. 연은 모용령에게 관심이 가지도 않았다. 아름답게 꾸미기는 하였으나 열여섯이었다. 네 살 차이가 큰 차이는 아니라지만 정도가 있는 법이었다. 게다가 연은 실제 산 세월로 치면 서른이 아니던가? 그의 눈에 모용령은 까마득하게 어려 보였다.

연회는 참으로 지루했다. 정작 당사자인 연이나 모용령이 입을 다물고 있는 동안 이 혼인으로 이득을 볼 자들만 웃고 떠들었다. 말이 없기는 모용천 또한 마찬가지였다. 연은 음식에는 손도 대지 않고 연회가 끝나도록 앉아 있기만 했다. 벌써부터 피곤하여 어서 화정당으로 돌아가고 싶은 마음뿐이었다.

얼마간 시간이 흘렀을까. 결국 참지 못하고 연이 자리에서 일어났다. 더는 이 자리에 있을 이유를 느끼지 못했다.

"피곤하여 저는 이만 가 보겠습니다."

"남궁연. 자리에 앉거라!"

영명이 낮은 목소리로 꾸짖었다. 그러나 다른 사람들 앞이라 더는 어쩌지 못하고 얼굴만 붉으락푸르락할 뿐이었다. 연은 손님들에게 고개를 숙여 보이고 연회장을 나갔다.

'모란은 오늘 언제쯤 돌아올까? 한위나 만나러 갈까? 모용세가도 왔으니 설마 영명이 더는 감금하지는 않겠지. 감금이라니,

정말 웃기지도 않는군.'

그렇게 걸어가고 있을 때였다.

"연아."

연이 몸을 멈추었다. 처음에는 낯선 목소리라 생각했는데 아니었다. 뒤를 돌아보니 어느새 따라온 모용천이 서 있었다. 연은 이 혼인에 모용천의 입김이 많이 들어갔다는 걸 어렴풋이 알 수 있었다.

"모용천 가주님. 무슨 일이십니까?"

그리 말하면서 연은 모용천의 얼굴에서 다른 사람을 보았다. 아마 모용천도 연에게서 다른 사람을 보고 있을 터였다.

연에게 모용천은 제법 강렬한 기억으로 남아 있는 사람이었다. 이제 흐릿하게만 느껴지는 옛날부터 그의 모친은 못해도 일 년에 서너 번은 연을 데리고 요녕성에 가고는 했다. 연은 그저 어미 곁에 가까이 있다는 게 좋아서 요녕성에 가는 것도 좋았다.

그러나 일 년, 이 년……. 시간이 흐를수록 모용단리는 요녕성에 다녀올 때마다 더욱 심한 우울감에 빠지곤 했다. 그녀는 일 년에 서너 번 정도로는 만족하지 못할 정도로 요녕성을 무척 그리워했다.

"안 본 사이 많이 컸구나."

그렇겠지요, 십 년이나 전이었으니. 속으로는 그리 말해도 연은 겉으로 별 대꾸하지 않고 그저 가만히 서 있기만 했다. 그는 모용천에게 별다른 감정이 없었다. 딱히 좋아하거나 싫어하거나 그런 것도 없이 남같이만 느껴졌다.

"정말 단리를 많이 닮았어."

하지만 그 말에, 연은 슬슬 불편한 감정이 들기 시작했다. 저런 말까지 꺼냈으니 모용천이 왜 여기에 왔는지 모를 수가 없었다. 물론 연은 여기서 모용천과 애틋한 가족애 따위를 나누고 싶은 마음이 없었다. 그가 딱 잘라 말했다.

"하실 말씀이 그것뿐이라면 이만 저는 가 보도록 하겠습니다."

"혼인을 한 뒤에는 모용세가에 와서 살거라."

연이 제 귀를 의심했다. 모용천이 꺼낸 이야기는 그만큼 뜬금없는 것이었다. 혼인을 한 뒤 모용세가에서 살라고? 하지만 모용천의 말은 그걸로 끝이 아니었다.

"얼마 전 네가 여기서 잘 지내는 것 같지 않다는 이야기를 전해 들었다. 그러니……."

"그러니, 모용세가에서는 잘 지내게 해 주신다는 것입니까?"

모용단리가 죽은 직후였다면 연은 생각도 하지 않고 모용천의 말에 응했을 것이다. 그러나 벌써 얼굴을 보지 않고 산 지 십 년이나 되었다. 연의 냉랭한 태도를 느끼지 못한 건지 아니면 상관없는 건지 모용천의 표정에는 변화가 없었다.

"어머니가 돌아가신 후 모용세가를 한 번 찾아간 적이 있었습니다. 그때와는 다른 태도시군요. 제 얼굴도 보기 싫어하시더니."

"그때는 사정이 있었다."

당시에 연이 얼마나 간절했는지 모용천은 알고나 있을까? 모용단리가 죽은 뒤 연에게 남궁세가가 얼마나 지독하고 무섭게 느껴졌던가……. 정작 필요로 할 때는 모습도 보이지 않다가 이제 와서 데려간다고 하다니?

이제 연은 모용천이 필요하지도, 그립지도 않았다. 그저 자꾸 어머니에 대한 기억을 수면 위로 올리니 보기 싫을 뿐이었다. 연이 딱 잘라 말했다.

"십 년이 지나도 어머니가 그리우니 어머니를 닮은 절 데려가

시려는 거군요.”

“그 무슨…….”

“그러나 안 되겠습니다. 저는 전혀 이 혼인에 응할 생각이 없으니까요.”

“…….”

“실은 영명 가주님이 마음대로 하신 것이라 저는 제가 혼인하게 된다는 것도 이틀 전에야 알게 되었습니다. 제가 혼인의 당사자인 걸 고려하자면 참으로 놀라운 일이 아닙니까?”

더는 마주하기 싫었던 연이 그리 말하고는 뒤를 돌았다. 모용천이 무어라 더 말을 하려는 것 같기는 했으나 불쾌해서 듣기가 싫었다. 어떻게 가주라는 사람들이 다 하나같이 제멋대로란 말인가?

‘아니면 내가 우습거나 별 의견도, 의지도 없는 머저리로 보이나 보지……. 빌어먹을.’

하루빨리 남궁세가를 나가야 할 이유가 하나 더 생겼다. 일단 한번 혼인이라는 주제가 거론된 이상 영명이 앞으로도 계속 이 문제로 연을 성가시게 만들 것이 분명했다. 제가 싫다고 하면 연오가 반대할 게 뻔하니 주강 동부 지역의 도적들을 살펴보라 보낸 것일 테고 말이다.

저조한 기분으로 화정당에 돌아가려던 연이 문득 멈추었다. 불현듯 그냥 한위가 보고 싶었다. 한위만 보고 싶었을 뿐이랴. 은록도 보고 싶었다. 그래, 정말이지 은록이 보고 싶었다.

‘사부님…….’

찾아가려고 했으나 중간에 워낙 일이 많아서 미처 찾아가기를 못했다. 모란이 한 말이 떠올랐다. 워낙 사방에서 못 살게 구니 은록에게 대놓고 자신이 제자라는 걸 밝혀도 정말 뭐가 대수냐는 생각이 들었다. 그러나 현실적으로 은록은 볼 수 없는 처지니 대신 폐월당으로 향했다. 요즘 아파서 몸져누운 데다가 영명에게 바로 감금까지 당하느라 오래도록 한위를 보지 못했다.

"한위야."

부르며 들어서니 뜰을 쓸고 있던 시비가 정중히 인사를 해 보였다. 요즘 폐월당은 봄을 대비하여 정원사가 한창 뜰을 가꾸는 중이었다. 예전의 그 허름한 분위기는 찾아보기가 힘들 정도로 쾌적했다.

"한위 도련님이 지금 자리를 비우셨는데, 곧 돌아오실 예정입니다."

연이 누굴 찾는지 바로 눈치채고는 시비가 알려 왔다. 고개를 끄덕인 연이 기다리자 잠시 후 한위가 도착했다. 그는 연을 보자마자 눈에 띄게 반가운 얼굴을 했다.

"형님! 몸은 좀 괜찮으십니까? 아프시다는 말을 들었습니다."

"이제는 괜찮단다. 그래, 오늘도 남궁인 장로께 배우고 돌아오는 길이더냐?"

한위가 크게 고개를 끄덕였다. 함께 폐월당 안으로 들어서니 이제는 공기도 훈훈하였다. 바닥에 앉던 연은 문득 이곳과 어울리지 않는 물건을 발견했다. 자개함 위에 옥으로 된 노리개와 전낭이 놓여 있었다.

"노리개?"

한위가 가지기에는 비싼 것이라 의아하여 보고 있었더니 활기찬 대답이 돌아왔다.

"주강 형님이 그다지 화가 난 게 아니셨나 봐요. 어제 주셨어요."

"……그러니?"

대답은 그리했지만 연은 영 찜찜한 기분을 감출 수가 없었다. 남녀 모두 가리지 않고 옷에 달고 다니는 것이 노리개지만 이

건…… 아무리 봐도 여인이 즐겨 사용하는 종류 같았다. 새것은 아니다. 옥은 말끔하였으나 붉은 술의 빛이 바래 있었다. 주강이 사용했을 리는 없었다. 그는 결코 치장하고 다니는 사람이 아니었다.

'대체 이걸 왜 한위에게 주었을까? 그만큼 한위가 주강에게 중요해졌나?'

옆의 전낭도 수상쩍었다. 꽉 차 있는 것이 아무리 봐도 이만저만한 금액이 아니었다.

"혹시 이 전낭도…… 주강이 준 것이냐?"

"앗, 네. 돈을 맡길 곳이 필요한데 아무에게 맡길 수는 없겠다고 제게 맡기셨어요."

"……."

연은 일단 전낭을 집어 주위를 두리번거리다가 침상 아래 깊숙한 곳에 밀어 넣었다. 한위는 멀뚱거리며 연이 하는 모양을 바라보았다.

언뜻 본 전낭의 속은 금빛으로 반짝거리고 있었다. 한두 푼이 아니라는 이야기다. 거의 주강의 전 재산일 텐데……. 여인이나 할 법한 노리개는 왜 주고 전낭은 왜 주는지 연은 도무지 알 수가 없었다. 그렇게 한위에게 정을 많이 주었단 말인가? 그래, 한위가 누군갈 배신할 만한 성격은 아니라지만.

'분명 주강에게 무슨 일이 있는 것이다.'

등잔 밑이 어둡다고, 그래서 제 전 재산을 줬을지도 모르지. 그러나 연으로서는 주강에게 무슨 일이 있는지 알 수가 없었다. 갑자기 영명의 밑에서 일하는 것처럼 보이는 건 그 때문인가? 안 그래도 혼인 일로 머리가 복잡한데 주강까지 고민을 더해 주다니…….

한위와 함께 폐월당 안으로 들어가며 그가 한숨을 쉬었다. 지금 당장은 주강에게 할애할 시간이 없다. 자칫 잘못하다가는 정말 모용령과 혼인하게 될 테니까. 그리 되면 영명과 더불어 모용천까지, 그의 인생에 피곤한 사람이 하나 더 늘어나는 것이다.

"형님?"

한위가 의아하게 보기에 연이 얼른 표정을 고쳤다. 그러나 한위와 식사를 하고 차를 마시며 이야기를 나누어도 저조해진 기분은 돌아오지 않았다.

한참 한위와 시간을 지내다 보니 해가 질 무렵이 되었다. 지금쯤이면 모란이 돌아왔으려나 싶어 화정당으로 가 보니 영명이 보낸 무사들만 얼쩡거리고 있어 연은 더 기분이 상했다.

"왜 갑자기 지금에 와서야······."

모용천은 모용단리가 죽었던 그날을 떠올리게 만들었다. 입술을 깨물던 연의 눈에 문득 바닥에 굴러다니는 술병이 눈에 들어왔다. 모란이 마시고 버려둔 모양이었다. 별생각 없이 집어 들었는데 꽤 묵직했다.

슬쩍 뚜껑을 따서 냄새를 맡아 보니, 향이 아주 그윽한 것이 결코 싸구려 술은 아니었다. 연이 미간을 접으며 술병을 바라보았다. 이 몸으로는 술을 즐기지 않았지만 모란의 몸으로는 꽤 마신 적이 있었다. 그의 몸은 술이 잘 받았고, 마셔도 잘 취하지 않는 체질이었다.

'마시고 싶다. 하지만 안 되겠지.'

하지만 잠시 망설이던 연이 벌컥 술을 들이켰다. 모란은 물론이거니와 남궁영명이며 모용천까지 다 자기 좋을 대로 행동하는데 왜 자신은 마음대로 행동하면 안 된단 말인가?

술은 부드럽고 감미롭게 꿀꺽꿀꺽 잘도 넘어갔다. 어찌나 품질이 뛰어난 술이던지 목 넘김이 아주 좋았다. 두어 모금 더 마시자 몸에 훅 열기가 올라오기 시작했다. 입가를 소매로 훔친 연이 눈을 가늘게 뜨며 술병을 바라보았다.

"……좋은데?"

모란이 돌아온 건 연이 술 한 병을 거의 다 비워 갈 무렵이었다. 별생각 없이 들어오던 모란이 문득 멈추었다. 왜 방에서 이렇게 진탕 술 냄새가 나지? 고개를 돌린 그의 시선에 걸린 건 벌겋게 달아오른 얼굴로 빈 술병을 탈탈 털어 보고 있는 연의 모습이었다. 모란은 드물게도 경악했다.

"……연아?"

설마 아니겠지, 하는 마음으로 물어보자 고개를 돌린 연이 방긋 웃는 게 아닌가. 모란이 한숨을 쉬며 술병을 낚아챘다. 텅텅 비어 있었다. 연이 주정을 부렸다.

"한 병 더 내놔."

그러고는 제 옷자락을 잡아당겨 흔드는 것이다. 주정도 귀엽게 부리네. 그가 탁자 위를 확인해 보고는 한숨을 쉬었다. 안주라고는 조금도 없었다. 이제 연은 어디에 술을 숨겼나 모란의 몸을 더듬거리고 있었다. 그냥 내버려 두자 퍽 시무룩한 얼굴로 털썩 다시 자리에 앉았다. 귀엽기는 하지만 몸 상태가 술을 마셔도 될 만한 상태가 아닐 텐데.

그때 연이 벌겋게 취기가 잔뜩 오른 얼굴로 모란을 빤히 보더니 대뜸 시비를 걸었다.

"너 그 눈깔 하는 거 싫…다……."

"그래……. 네가 이 눈깔 싫어한다 이거지."

금빛 어린 눈으로 상태를 살피던 모란이 픽 웃었다. 다행이랄지, 내일 아침 술병이 날 게 분명하단 걸 빼고는 몸은 크게 나쁘지 않았다. 모란에게서 뜯어낼 술이 없다는 걸 납득하지 못한 연이 침상 위에 쭈그리고 앉았다. 재우는 게 좋을 것 같긴 한데 드물게 몹시 귀여운 모습이라 모란은 조금 더 지켜보기로 했다. 연이 본격적으로 주정을 부렸다.

"혼인하는 것도 싫고……. 완전, 어린애 아냐? 열여섯이면."

그래그래 하고 있으려니 받아 주는 사람이 있어서인지 짜증을 부렸다. 모란이 턱을 괴고 그 모습을 지켜보았다. 얘는 대체 무슨 술수를 부렸기에 뭘 하든 귀엽고 예뻐 보이나?

"열네 살이나 차이가 난다구, 열네 살이나. 양심이 있으면, 응? 한 손은 몰라도 두 손 넘어가는 나이 차는 건들지도 말아야 하는 거 아냐?"

연이 조근조근 정상적인 사람이 가져야 할 마음가짐에 대해 설명하는 동안 모란이 슬쩍 제 손을 바라보았다. 연과 자신 사이의 나이 차를 세어 보려면 손이 몇십 개는 필요하겠는데.

"주강도 그래, 안 그래도 머리 아픈데 고민거리나 얹어 주고……."

"왜, 주강이 뭘 했어?"

모란이 살살 구슬리자 연이 술술 토해 놓았다.

"한위에게 자기 전 재산을 맡겨 놓은 것 같은데……. 무슨 일이 있는 게 분명해……."

전 재산을 그 꼬마에게 맡겨 놓았다 이거지. 모란이 눈썹을 찌푸렸다. 그는 주강이 그리한 이유가 짐작이 갔다. 결코 좋은 이유는 아니었고 시기도 그가 예상한 것보다도 빨랐다.

"그리고 또?"

"또……. 내 외조부란 사람이 너무 귀찮게 하고……. 내 아버지란 작자는 개새끼고……. 내 몸은 완전 쓰레기에다가……."

연의 말이 느릿느릿해졌다. 그러나 졸려서 그런 것은 아니었다. 다만 서글픈 얼굴로 한참 생각에 잠겨 있다가 다시 말을 꺼냈다.

"아무에게도 말 안 했는데, 당신이라서…… 말하는 거야."

"그래, 무슨 말인데?"

한참을 입만 꾹 다물고 있다가 중얼거렸다. 난 항상 아버지가 어머니를 죽였다고 하곤 했는데, 실은 아냐.

"어머니는 자살한 거지. 이 세가가 싫고 아버지도 싫고 나조차도 싫어서."

이불보를 만지작거리며 연은 가만히 모용단리가 죽었던 날을 떠올렸다.

그의 기억 처음부터 모용단리는 언제나 우울하고 창백한 낯을 하고 있었다. 그녀는 항상 슬픈 사람이었다. 자신을 봐 주지 않는 영명 때문에도 슬펐고, 요녕성이 그리워서도 슬펐다. 연은 유모와 시비가 불쌍하다며 소곤거리는 걸 잠결에 듣고 그 이유를 알 수 있었다. 모용단리는 영명을 너무 사랑하여 슬펐으리라.

영명을 처음 만난 것은 어느 세가의 혼인식 날. 모용단리의 눈에 영명은 완벽한 남자로만 보였다. 영명도 모용단리에게 퍽 잘해 주었다. 그렇게 만남이 지속되다 완전히 사랑에 빠져 버렸다. 남궁영명과 혼인하고 싶다는 모용단리의 의사를 모용세가에서는 반갑게 받아들였다. 여러모로 나쁠 것 없었던 것이다.

그러나 결혼한 후 영명은 모용단리를 배반하였다. 모용세가를 뒤에 업고 가주에 오르고 나자 그는 언제 그랬냐는 듯 모용단리를 찾지 않았다. 그것으로도 모자라 황보세희와도 혼인하여 정실로 맞이했을 때, 모용단리의 가슴은 반으로 갈라지는 듯했다.

그녀는 아이를 가지면 영명이 자신을 봐 줄 것이라 생각했지만 아니었다. 연을 낳고도 영명의 태도는 변하지 않았다. 모용세가 금지옥엽의 사랑은 그렇게 비참하고 고통스럽게 끝이 났다.

모용단리는 요녕성으로 너무나도 돌아가고 싶었다. 자신을 사랑해 주는 사람들의 품에 안겨 상처를 다독이고 싶었다. 그래서 영명에게 이혼을 요구했으나 받아들여지지 않았다. 몇 번이나 이혼을 거절당하고 난 뒤, 그녀는 단식까지 결행하였다. 그러자 영명은 어떻게 했던가? 고집이 세니 꺾어야겠다며 아예 감금해 버렸다. 잘못했다고 빌면 문을 열어 주고 음식을 주겠다고 하였다…….

모용단리에게도 절망스러웠겠지만 연에게도 만만찮게 무섭고 절망스러운 상황이었다. 과거를 회상하던 연이 떨리는 한숨을 뱉었다.

"솔직히 백모란으로 있을 때 너무 좋았어. 당신 어머니는 진짜 어머니 같았거든……. 그러다 백모란이 된 지 일 년도 채 안 되어 폐렴으로 돌아가셨는데…… 그때 알았지. 환자에게 살 의지가 없다면 아무리 대단한 실력의 의원이라도 별수는 없더라고."

모란의 어머니는 아들이 제대로 의원의 제자가 되어 제 살길을 찾았다는 걸 알고 난 뒤부터 기력을 잃었다. 일찍 죽은 남편을 잊지 못한 것이다. 반면 모용단리는 달랐다. 그녀는 영명을 잊고 싶어 반쯤 미쳐 있는 상태였다.

끝끝내 모용단리는 잘못했다고 빌거나 방에서 나오는 일 없이 음식을 거부했다. 숨이 넘어갈 지경이 되어서야 영명은 주치의를 들여보내 주었는데, 그리될 때까지 연은 얼마나 영명에게 매달리고 간곡히 애원했는지 모른다. 열리지 않는 창일당 문 앞에 엎드려 제 어머니를 좀 살려 달라고 빌고 또 빌었었다…….

그러나 주치의가 들어갔을 때는 너무 늦었다. 몸이 지나치게 약화되어 모용단리는 그대로 죽어 버리고 말았다. 울고 있는 연에게 다정한 말 한마디 없었다. 그녀는 그저 어린 아들을 한번 보고는 눈을 감고 잠자듯이 숨을 거두었다.

"어머니가 돌아가신 후에 도저히 남궁세가에서는 살 수가 없어서 연오 형님에게 부탁해 모용세가에 찾아간 적이 있었어. 그토록 어머니가 가고 싶어 하던 모용세가니 나를 받아 주지 않을까? 하지만 문조차 열어 주질 않았지."

술기운이라도 빌리지 않고서는 하기 힘든 말들이었다. 툭툭 털어놓고 나니 어느 정도 취기도 가셨다. 모란은 말끄러미 연을 바라보고 있었다.

싫은 것만 말했으니 이제는 좋은 것도 말해야 하지 않겠나. 연은 충동적으로 입을 열었다.

"모란, 당신이 세서 좋아."

"그래?"

전부터 그랬다. 모란의 힘과 재주는 도무지 감이 잡히지 않을 정도라서 좋았다. 그가 가망이 없다고 생각한 몸을 치료해 내는 것도, 침입 불가에 가까운 창연각에서 비급을 훔쳐 나온 것도, 소룡대회에서 한위를 우승시킨 것도, 또 사라졌던 은록을 구해 낸 것도.

연은 모란에게서 일종의 대리만족을 얻고 있었다. 정작 그가 힘이 없고 아무것도 할 수 없는 처지이기 때문이다.

"제멋대로인 건 짜증 나긴 하는데, 그것도 좀 좋아."

"흠. 몸이 완전히 낫고 나면 술 좀 자주 먹여야겠는데."

연은 몸을 기우뚱 앞으로 기울이다가 모란의 품으로 널부럭 안겼다. 사실 안겼다기보다는 가슴이나 명치쯤에 머리로 박치기를 한 것이나 마찬가지였다. 모란이 잠깐 켁, 소리를 내는 사이 연이 하품을 했다.

"실은 그 치료도 좀 좋아…….."

모란이 주는 그 쾌감이며 감각이, 좋긴 좋았다. 부끄러워서
그렇지. 그 말에 모란이 무슨 표정을 짓는지도 모르고 연은 까
무룩 잠에 잠기고 말았다.

"내가 다시 술을 마시면 인간이 아닐 것이야."

연이 이를 갈며 중얼거렸다. 면경을 보니 눈 밑이 퀭했다. 술
병이 난 탓이었다. 아침에 일어나자마자 연은 두통으로 신음했
다. 머리가 쾅쾅 울려 댔다. 더 끔찍한 건 어젯밤 모란에게 했
던 말들이 다 떠오른단 점이었다.

어머니에 대한 이야기는, 그래 괜찮다. 도리어 기분이 괜찮아
졌다. 하지만 잠들기 전에 한 말들은? 죄다 주워 담고 싶었다.

"그렇게 날 좋아하는지는 몰랐지."

모란이 히죽거리며 시비가 타 온 꿀물을 한 모금 마시고는 내
밀었다. 연은 그를 째릿 노려봤지만 일단은 목이 타니 꿀물을
꿀꺽꿀꺽 마셨다. 갈증은 덜했으나 속은 다소 메슥거리고 쓰렸
다. 전형적인 술병의 증상이었다.

"술주정뱅이의 말은 다 헛소리야."

따갑게 쏘아붙이면서도 제 말이 억지라는 건 연도 알았다. 취
중진담이란 말이 괜히 있겠는가? 게다가 더욱 민망하고 부끄러
웠던 건 일어나 보니 옷도 침의로 갈아입혀져 있었다는 점이었
다. 술주정을 한 뒤 상대에게 뒤처리까지 맡기다니……. 그게
모란이라니…….

어제 술을 마실 때 이런 일을 예측하지 못한 것도 아닌데, 한
모금만 마신다는 게 어느새 두 모금이 되고 한 잔이 되고 한 병

이 되어 버렸다.

"오늘 중요한 손님을 맞이해야 할 텐데 낮까지는 좀 자 두지 그래?"

중요한 손님? 연이 미간을 찌푸린 채 뒤를 돌아보았다. 모용천을 말하는 건가 싶었던 것이다. 그러나 무언지 묻기도 전에 뭐가 그리 급한지 모란은 휙 사라져 버리고 말았다. 이틀 전부터 그는 뭘 하는지 꽤 바빴다.

"……뭐, 나쁠 건 없겠지."

안 그래도 몸이 꽤 괴로운 상태였기 때문에 연은 다시 침상으로 기어 들어갔다. 한숨 푹 자고 일어나자 다행히 두통도, 메슥거리는 속도 덜했다.

얼굴도 훨씬 생기가 돌았다. 이제 머리도 맑고 명쾌해진 터라 연은 생각에 잠겼다.

아마 어제 연이 그렇게 자리를 박차고 나가 버렸으니, 모르긴 몰라도 그가 혼인에 그다지 긍정적이지 않다는 건 확실해졌을 터였다. 적어도 모용천만은 모를 수가 없었다. 그래도 영명이 포기하지 않고 계속 혼인을 진행하려 한다면, 연도 좋지 않은 방법을 쓸 수밖에 없었다. 그게 비록 세가가 웃음거리가 되는 일일지라도…….

연이 남궁세가에 가능한 피해를 입히지 않으려는 단 한 가지 이유는 연오뿐이다. 앞으로 연오가 세가를 물려받기 때문이지 다른 이유는 없었다.

"가능한 좋게 끝내고 싶은데."

영명이나 모용천 둘 중 한 명이 마음을 돌리지 않는 이상 불가능하겠지. 연이 중얼거리며 자개장을 열었다. 그리고 마침내 비녀와 낡은 서신을 꺼내 들었다. 한참을 바라보다가 서신은 두고 비녀만 품에 넣었다.

잠시 후 시비가 와서 고했다.

"도련님. 모용천 가주님께서 만나자고 하십니다. 지금 화정당 객실에 계십니다."

그럴 것 같았다. 모용천이 겨우 어제 대화로 혼인을 단념하고 돌아갈 것이었다면 굳이 남궁세가까지 오지도 않았을 것이다. 연이 자리에서 일어났다.

용모를 단정히 하고 화정당의 객실로 향하자 모용천이 앉아 있었다. 그는 객실 안을 주의 깊게 살피고 있었다. 마치 어떠한 흔적이라도 찾고자 하는 것 같았다.

"무슨 일로 찾아오셨습니까?"

그리 말하며 연이 자리에 앉자 모용천이 시선을 돌렸다. 여전히 표정이 담담하였다.

"내 생각은 변하지 않았다는 걸 알려 주기 위해서다."

연이 익히 예상한 대답이었다. 모용천은 시비가 내온 차를 마시며 연에게 제안했다.

"만약 혼인 뒤 모용세가에 온다면 네게 전폭적인 지지를 해 주마. 무공의 성취가 낮고 건강이 안 좋다 하였지. 무림 최고의 의원을 붙여 주마. 필요하다면 내단도 구해다 줄 수 있다."

그다지 끌리는 제안은 아니었다. 연은 속으로 짐작했다. 아무래도 그의 어머니가 지냈던 곳이나 자신을 눈으로 직접 보고 있으니 그리움이 깊어진 모양이지. 연은 모친을 많이 닮은 편이었다. 그러나 시기가 늦어도 너무 늦은 것이다.

"그 제안은 거절하겠습니다. 이미 제게는 좋은 주치의가 있습니다."

모란이라고, 좀 변태적이고 얄밉기는 해도 실력은 아주 좋은 사람이 있었다. 실제로 요즘 연의 상태는 최근 들어 더할 나위 없이 좋았다. 아직 건강하다고까지는 말 못 하지만. 모용천의 미간이 찌푸려졌다.

"주치의가 있는데도 이렇게 몸이 안 좋단 말이냐?"

모용천 같은 고수의 눈에는 연이 그다지 좋지 않다는 게 한눈에 보이는 모양이었다. 하긴 반로환동의 경지에 오른 세가의 장로도 연을 보면서 모용천과 비슷한 반응을 보일 때가 있었다. 혹은 어제 술을 마시고 난 뒤라 더욱 안 좋게 보일 수도 있겠지.

어쨌든 연과는 상관없는 일이었다. 그가 받아들이는 걱정은 오로지 연오와 한위가 보내는 것뿐이다.

혹은…… 모란이라든가.

"마침 잘 오셨습니다. 드릴 것이 있었거든요."

그리 말하며 연이 품속에서 비녀를 꺼내 탁자 위에 올려 두었다. 모용천은 비녀를 바로 알아보았다. 그럴 만도 하겠지. 모용단리가 남궁세가로 올 때 소중히 간직하던 비녀였다. 어지간히 귀한 물건이니만큼 중요한 사람이 선물했을 거라는 생각은 들었다.

비녀를 조심스럽게 쥔 모용천은 눈가가 붉어졌다. 연은 그 모습에 눈을 내리깔았다.

"또한 어머니가 죽기 전 남기신 서신이 있습니다."

"서신…… 말이냐?"

이제부터 비열한 짓을 할 것이기 때문에 연이 입술을 깨물었다. 이렇게까지 해야 하나? 하는 생각이 들었으나 말을 꺼낸 이상 이제는 무를 수 없었다.

"이 혼인을 파해 주시면 그 서신을 드리도록 하겠습니다."

모용천이 자리에서 일어났다. 그리고 노기 서린 얼굴로 연을 바라보았다. 죽은 딸이 남긴 서신이다. 그에게 중요하지 않을 리가 없었다. 왜 안 그렇겠는가? 연에게도 중요한 물건이었기에 저 마음이 어떨지는 잘 알았다. 그러나 아무리 고민해도 이

것 외에는 방법이 없었다.

"진심으로 하는 소리냐?"

처음으로 모용천이 표정을 내보였다. 연은 담담히 탁자만 바라보았다. 잠시 후 힘이 빠진 목소리가 들려왔다.

"고얀 것……. 그토록 모용세가에 오는 것이 싫으냐?"

연이 고개를 들었다. 이러는 그의 기분도 좋지는 않았다. 그러나 이 상황이 지긋지긋해졌다. 남궁세가나, 모용세가나 그가 가족이라 생각하지 않은 자들이 인생을 마음대로 하려고 쥐어흔드는 상황 말이다.

"제가 그토록 가고 싶어 할 때는 가지 못했으니까요. 네, 가기 싫습니다."

한동안 무거운 침묵만이 흘렀으나 연은 꿋꿋하게 버텼다. 모용천은 비녀만 쥐고 있다가 그대로 나가고 말았다. 연의 얼굴이 어두워졌다.

어렸을 적 모용세가에 가서 살았다면 인생이 나아질 수 있었을까? 아니면 지금과 비슷했을까……. 외조부가 그에게 이런 존재가 되어 버렸다는 게 퍽 입맛을 쓰게 만들었다. 빨리 세가를 나가서 아무도 자신을 모르는 먼 곳에서 의원을 차렸으면 싶었다.

'또 술이 마시고 싶군.'

술병으로 아침에 고생한 게 언제냐는 듯 다시 술이 마시고 싶었다. 이래서 다들 술을 마시는 거겠지. 그나저나 어제의 술은 정말 기가 막힌 맛이었다.

그런 술이기에 모란이 매일 마시는 건가? 하루에 한 잔 정도라면 마셔도…… 되지 않겠지.

연은 의원이기 때문에 환자가 하지 말아야 할 일이라면 너무 잘 알고 있었다. 어제 한 일은 절대 하지 말아야 할 목록 중에서도 첫 번째에 가까웠다. 아니, 금기 중의 금기였다.

다시 잠이나 자며 심란한 심기를 다스리려고 자리에서 일어날 때였다. 시비가 다시 종종 찾아와 도련님, 하고 불렀다.

"도련님을 찾으시는 분이 계십니다."

연이 미간을 찌푸렸다. 나를 찾는 사람이 있다고? 남궁영명인가? 아니면 모용사걸? 그것도 아니면 모용령? 그러나 시비가 말하는 이는 뜻밖의 사람이었다.

"남궁단봉 총관님이십니다. 급한 일이라 하십니다."

"남궁단봉 총관이라고?"

저도 모르게 연이 되묻고 말았다. 그도 그럴 것이 남궁단봉 총관은 그와는 전혀 친한 사이가 아니었던 탓이다. 단순히 친하지 않은 사이를 넘어 사사로운 말 한번 건넨 적도 없었다. 겨우 얼굴만 알고 있을 따름이다.

"……들어오시라 하여라."

연이 떨떠름한 얼굴로 허락했다. 그가 왜 자신을 찾아왔는지 도통 짐작 가는 이유가 없었다. 잠시 후 남궁단봉이 땀을 뻘뻘 흘리며 연을 찾아왔다. 꽤나 급한 얼굴이라 연은 의아해졌다.

"무슨 일이십니까, 총관님?"

"연 도련님, 정말 실례되는 일이지만 잠시 시간을 내주실 수 있는지요."

"시간이야 내줄 수 있지만, 대체 무슨 연유입니까?"

그는 아직까지도 남궁단봉 총관이 왜 자신에게 찾아왔는지 이유가 짐작이 가지 않았다. 총관이 무엇을 하는 사람이던가? 세가의 온갖 경비와 중한 거래를 관리하는 사람이었다. 세가와 계약을 한 상단에서 얻는 모든 수익이 일단 총관의 손을 한번 거쳐 간다. 그만큼 총관은 세가에서 가장 바쁘고도 중요한 직위였다.

"연 도련님을 만나 뵙고자 하는 분이 계십니다."

"그게 무슨 소리입니까? 대체 무슨 일인지……."

남궁단봉이 말하는 것은 이러하였다. 최근 세 달간 안휘성 근처에서 결코 무시할 수 없을 정도로 무시무시하게 급성장한 신생 상단이 있다고 했다. 그 상단에서 이번에 세가에게 유리한 조건으로 거래를 트기로 하였는데, 조건으로 남궁가의 직계가 증인으로 참석해 달라 요청했다는 것이다.

그러나 영명은 그런 일에는 나올 신분이 아니고 연오는 주강에 가 있느라 자리에 없다. 한위는 나이가 어리니 안 된다. 남은 사람은 연뿐이었다.

'별 희한한 자도 다 있군.'

연이 미간을 찌푸렸다. 그걸 부정적인 의미로 보았는지 남궁단봉이 땀을 훔쳤다.

"참으로 무례한 자가 아닙니까. 저도 압니다. 하지만 정말 무시할 수가 없는 조건인지라……."

"무슨 조건이기에요?"

"계약금으로 자그마치 금 백 냥을 준다 하였습니다."

금 백 냥! 확실히 총관으로서는 결코 무시할 수 없는 조건이었다. 혹시나 싶었는지 총관은 말을 덧붙여 연을 설득하려고 애를 썼다.

"참으로 아름다운 여인이었습니다. 무림사봉 중 제갈양리도 그 여인에 비하지는 못할 겁니다."

금 백 냥 때문인지 아부가 참으로 대단도 하다……. 그나저나 이 황당한 조건에 돌연 어떤 사람이 떠올랐지만 이내 고개를 저었다. 남자도 아니고 여인이라 하지 않는가. 딱히 아름다운 여인이나 금 백 냥 때문이 아니라, 단봉 총관이 불쌍하여 자리에서 일어났다. 모용천으로 인해 저조해진 심기를 환기할 필요도 있었다.

총관은 연을 영장당(永長堂)으로 안내했다. 보통 세가의 중요한 손님들을 대접할 때 사용하는 전각이다. 어지간히 중한 사람인 모양이었다.

총관은 연을 안내하면서 이 상단의 주인이 얼마나 대단한가에 대해 떠들었다. 세 달 만에 안휘성 자금줄을 휘어잡았다느니 아무도 그 정체를 모른다느니 하는 것들이었다.

영장당에 도착하자마자 연은 무사들이 다소 상기된 얼굴로 건물 안을 흘깃거리고 있다는 걸 깨달았다. 이쯤 되자 연도 미약한 호기심이 들었다. 얼마나 아름답기에 다들 저러는 것인가?

그는 제갈양리를 본 적이 있었다. 무림의 후기지수들이 종종 연오를 만나러 세가에 온 덕분이었다. 정말 아름다운 여인이었다는 건 기억한다. 그런데 그보다도 아름답다라……

그런데 안에 들어서자 정작 장본인은 어디에 갔는지 호위무사로 보이는 이만 자리에 서 있었다. 단봉은 당혹스러운 얼굴이 되었다.

"백매화 님은 어디로 가셨습니까?"

"잠시 답답하여 주위를 둘러보고 오신다 했습니다. 곧 돌아오실 겁니다."

연이 미간을 찌푸렸다. 백매화? 꼭…… 이름이 말이지, 누구와 비슷한데……. 돌연 오늘 아침 모란이 한 말이 떠올랐다. 중요한 손님이 모용천을 의미하는 게 아니라면? 설마 이 백매화란 사람이 그 중요한 손님인가?

점점 백매화를 기다리는 시간이 길어지자 총관은 초조해하며 안절부절못했다. 연은 그저 침착하게 차를 마시며 기다렸다. 중요한 손님이라는 것도 그렇고 백매화라는 이름도 그렇고 아무래도 모란이 꾸민 일 같았다.

'백매화는 그럼 주루의 기녀를 고용한 것인가?'

꽃향기가 훅 풍긴 것은 바로 그때였다. 백매화가 돌아온 모양인지 총관의 얼굴이 밝아졌다. 저벅저벅하는 소리에 연이 고개를 들었다. 그리고 백매화를 보았다.

"컥, 쿨럭, 쿨럭!"

사레가 들린 연이 찻잔을 내려놓다 말고 거세게 기침했다. 덕분에 그의 얼굴이 시뻘겋게 변했다. 아니, 단순히 기침을 했기 때문만은 아니었다. 백매화가, 아니, 백모란이 빙그레 미소 지었다.

"이런, 공자님께서 감기에 들리신 모양이군."

모란이 예측 불가한 행동을 한 건 하루 이틀이 아니지만 이건 정말 꿈에서도 상상해 본 적 없는 모습이었다. 붉은 옷을 차려입은 모란이 의자에 앉았다. 하늘하늘하고 어여쁜 비단 옷이다. 머리에는 비녀며 장신구를 꽂았고 귀에서도 귀걸이가 달랑거렸다.

그런데 그가 차를 마시려고 하자 팔 근육이 불끈했다. 옷이 꽉 끼도록 탄탄한 가슴 근육도 불끈했다. 그랬다. 어딜 봐도 모란은 지금 남자의 외관을 하고 있었다. 연이 입을 다물지 못하자 단봉 총관이 웃었다.

"하하, 도련님께서도 백매화님의 외모에 할 말을 잃으신 모양입니다."

할 말을 잃어? 이건 할 말을 잃은 수준이 아니었다. 어처구니가 없었다. 왜 안 그렇겠는가, 모란이 여장을 하고 연의 앞에 앉은 상황에! 이 모습 어디가 제갈양리보다 아름답단 말이야! 이상형이 붉은 옷이 어울리는 여자라고 했지 붉은 옷을 입은 백모란은 아니었다!

그러나 호위무사며 단봉 총관은 모란을 보고 얼굴을 붉혔다. 모란이 뭔 수를 쓴 게 분명했다. 그리고 이어지는 모란의 말은 더욱 정신을 나가게 만드는 것이었다.

"세상에는 여러 가지 사랑이 있지."

뭐, 뭐라는 거야? 연뿐만이 아니라 다른 사람도 이게 뭐라는 건가 하는 얼굴로 모란을 바라보았다. 여장을 하였다고 하여 모란의 태도가 바뀐 것은 아니었다. 그는 평소보다 더 당당하고 더…… 뻔뻔했다.

"첫눈에 반하는 사랑, 운명적인 사랑, 열정적인 사랑. 아무래도 나는 공자에게 그 모든 사랑을 느껴 버린 듯해."

"뭐, 무, 뭘……?"

연이 얼빠진 소리를 내고 말았다. 총관은 아예 입이 딱 벌어져 있었다. 모란이 눈꼬리를 휘어 웃으며 들고 있던 붉은 부채로 연을 탁 가리켰다.

"연 공자, 나와 혼인해 주지 않겠나?"

연은 그만 정신이 아득해지고 말았다. 여장을 한 모란이 세간에서 자신에게 당당하게 청혼하는 모습은 꿈에서도 상상해 본 적이 없었다. 아니, 꿈에서라도 나올까 무서운 장면이 아닌가. 당황해 하는 사람들 중에서 모란만이 참으로 태연하였다.

"부끄러워서 대답도 하지 못하는군. 그럼 연 공자와 나는 혼인을 하는 것으로."

"자, 잠시만, 백매화 님. 잠시만 기다리십시오. 그, 그건 불가한 일입니다. 연 도련님은 현재 약혼자가 있으신 몸으로……."

"그까짓 거 파혼하면 되는 일 아닌가?"

그렇게 말하면서 모란이 품에서 무언가를 꺼내 던졌다. 전낭이었다. 탁자 위로 떨어지는데 꽤 무거운 소리가 났다. 총관이 조심스럽게 전낭을 열어 보고는 눈을 휘둥그레 떴다. 그곳에서 나온 것은 빛깔도 영롱할 뿐만 아니라 크기도 꽤 큰 금강석이었다. 모르긴 몰라도 값을 따질 수 없을……. 이 무슨 돈지랄인가……. 아니, 그보다도 모란은 대체 저런 금강석을, 어떻게…….

"파혼하면서 입을 손해는 이 정도면 충당이 되지 않을까 하는데."

총관은 조심스럽게 금강석을 내려놓은 뒤 떨리는 손을 감추었다. 그리고 황급히 고개를 숙여 보였다.

"잠, 잠시만 기다려 주십시오. 워낙 중대사인지라, 저 혼자 결정할 문제가 아닙니다."

"그래? 그럼 얼른 뛰어갔다 와."

모란이 파리 내쫓듯 손짓하자 총관이 황급히 밖으로 뛰쳐나갔다. 아무래도 영명에게 알리려는 것 같았다. 총관이 사라지자 모란은 호위무사며 주위에 있던 사람들도 물렸다. 연과 단둘이 남자 그가 히죽 웃었다.

"어때?"

어떠냐고? 연은 한참을 할 말을 찾지 못했다. 살아온 중에 이처럼 황당한 일은 이번이 처음이었다.

"모란, 당신……. 이게 대체 무슨……."

"그래도 어떻게 내가 나인 줄 한눈에 알아봤네. 말투에서 너무 티가 났나?"

그럼 모를 수가 있나! 여장했다고 하여 그 얼굴이 어디 가는 것도 아니고……. 연이 잠시 예의는 집어치우고 차를 벌컥벌컥 마셨다. 목이 탔다.

조금쯤 침착해진 후 모란에게 따지고 들었다. 습관처럼 멱살을 잡을까 생각도 했는데 비단 옷이 너무 하느작거려 멱살을 쥐면 북 찢어질 것 같았다.

"대체 무슨 생각으로 이런 일을 벌인 거야?"

"왜? 좋지 않아? 넌 모용세가와 혼인을 올릴 일도 없고, 일단 나와 약혼을 맺어 놓으면 더는 혼인으로 귀찮아질 일도 없을 테고."

그건……. 여장한 모란 때문에 자꾸 신경이 쓰였으나 일단 안 보려고 노력하며 연이 곰곰이 생각에 잠겼다. 알맹이야 어쨌든 지금 모란은, 아니 '백매화'는 안휘성 주변을 휘어잡는 재력가에, 젊은 여인이다.

모용천에게 서신을 인질로 잡기는 하였으나 정말 제 요구를 들어줄지는 알 수 없는 노릇이 아니던가. 일단 파혼하고 '백매화'와 약혼을 하면 더는 영명이 혼인으로 귀찮게 굴지도 않을 거고, 모란이 실제로 결혼할 것도 아니고.

이윽고 연은 굳게 마음을 먹었다.

"……좋아. 내가 어떻게 하면 되는 건데?"

"간단해. 그냥 내가 좋아 죽겠다고 하면 되는 거지."

연이 잠시간 모란을 빤히 바라보았다. 여장한 모란이 좋아 죽겠으니 파혼해 달라고 한다라……. 좀 어려운 일이 아닌가? 어쨌든 노력은 해 봐야겠지. 연은 모란이 어떻게 상단주가 되었는지, 왜 사람들이 아름다운 미인으로 보는지 묻고 싶은 게 산더미였으나 총관이 다시 돌아와 잠시 질문은 미루어 두었다.

"가주님께서 백매화 님을 뵙고자 하십니다."

이건 긍정적인 신호였다. 영명이 '백매화'의 제안을 고려해 볼 가치도 없다고 여겼다면 아예 세가에서 내쫓아 버렸을 테지. 모란이 자리에서 일어났다.

멀뚱거리며 앉아 있자 뭐 하냐는 듯 손짓을 해 연도 마지못해 일어나 뒤를 따랐다. 하긴 좋아하는 사람 치고 너무 미적거리고 있기는 하였다.

모란이 앞에서 당당히 걸어가는 동안 연은 휘적거리는 비단 자락에 정신이 팔렸다. 여장을 하건 말건 모란은 평소 그 망나니 같은 옷차림새일 때와 똑같이 행동했다. 그런데도 사람들은 조금도 이상하게 보지 않았다. 대체 어떻게 하면 모란이 미인으로 보이는 걸까? 연이 또 팔락거리는 붉은 옷자락에 시선을 뺏기고는 미간을 접었다. 옷이 퍽 아름답기는 하다.

그들이 창일당에 다다르자 영명이 나와 있었다. 금강석이 대단은 한 모양이지.

그런데 이상한 일이었다. 모란을 바라보는 영명의 얼굴은 아름다운 미인을 보는 것과는 거리가 멀었다. 흡사 두려움에 질린 것처럼 보이기까지 하였으니.

"백매화라고 합니다. 남궁 가주님."

모란이 당당하게 외쳤다. 영명은 굳은 얼굴로 모란을 바라보다가 입을 열었다.

"어디서 이 여자를 만났느냐?"

연은 잠시 뒤에야 영명이 자신에게 묻고 있다는 걸 깨달았다. 그는 여전히 영명이 왜 저런 반응을 보이는지 알 수가 없었으나, 일단 대답했다.

"오늘 총관님이 불러 나간 자리에서 처음 뵈었습니다."

그러고는 연이 가까스로 덧붙였다. 아…름다우신 분이지요. 그러고는 목울대를 울렸다. 그는 모란이 평소에 입던 망나니 같은 옷차림새가 무척 그리워졌다.

앞으로는 그런 옷차림을 해도 타박하지 않을 것이다. 영명은 그런 연을 잠시간 보다가 모란을 쏘아보았다. 연은 문득 영명의 시선에 누가 비치는 것인지 궁금해졌다. 왜 저런 반응을 보이는 걸까?

"너는 어디 출신이냐?"

"안휘성 출신입니다."

그렇게 말하며 모란이 의미심장하게 영명의 표정을 살폈다. 그는 한참을 모란을 살펴보더니 차갑게 말했다.

"남궁세가는 네 상단과 거래하는 일이 없을 것이다. 이만 돌아가 보아라."

영명의 말에 총관이 당황해 했다. 어디로 보나 거절할 이유가 없는 거래였던 탓이다. 그러나 가주의 명이니 그저 알겠습니다, 고할 따름이었다. 모란은 당황하지도 않고 씩 웃었다.

"그러면 대신 가주님의 둘째 아드님을 주십시오."

창일당 안으로 들어가려던 영명이 휙 몸을 돌려 모란을 쳐다봤다.

"뭐?"

"거래는 아무래도 좋으니 댁 둘째 아들을 달라 이 말입니다. 한눈에 반했으니. 연 공자님과 혼인을 하고 싶습니다."

그 순간에는 연도 어쩔 수 없이 큰 통쾌함을 느낄 수밖에 없었다. 모란의 저 껄렁함과 얄미움에 영명이 당하고 있으니 너무나도 즐거웠던 것이다.

영명은 그 뻔뻔함에 잠시 할 말을 잃은 듯하더니 잠시 후 노발대발했다.

"지금 이 무슨 행태더냐! 감히 여기가 어디라고!"

"여기가 어디인지 내가 몰라 이러는 것 같습니까? 남궁세가의 창일당 아닌가? 게다가 내가 언제 건방진 행태를 보였습니까? 나처럼 어여쁘고 가녀린 여인이 용기를 내어 청혼을 하는 것이 여기서는 건방진 행태라 보이는 모양입니다."

연이 저도 모르게 입을 벌리고 말았다.

어떻게…… 이렇게 좋을 수가. 모란이 영명에게 깐죽거리고 있는 걸 보니 연은 최근 무거웠던 마음이 구름처럼 다 가벼워졌

다. 세상에 이리도 보기에 즐거운 일이 또 있을까 싶어 아예 작
정하고 이 모습을 구경했다.

당연하지만 영명은 모란의 시건방진 행태를 참아 내지 못하
였다.

"여봐라! 이 건방진 계집을 잡아 가두어라!"

가주의 명령을 받은 무사가 다가올 때도 연은 아무런 걱정도
하지 않았다. 그는 모란의 실력을 익히 알고 있었다.

무사들은 처음에는 머뭇거리며 모란의 팔을 잡아끌었다. 그
러나 모란은 그 자리에서 꿈쩍도 하지 않았다. 서너 명이 달려
들어 잡아당기려 해도 모란의 몸에는 미동도 없었다. 마침내 얼
굴이 시뻘겋게 변한 무사들이 땅에 나동그라질 정도였다. 연이
야 마법이라는 걸 알고 있지만 다른 사람에게는 대단한 천근추
(千斤錘)[17]의 수법으로 보일 게 분명했다.

이쯤 되자 이 자리에 있는 사람들은 모두가 모란이 비범한 실
력의 소유자라는 걸 깨달은 듯했다. 당황한 건 무사뿐만이 아니
었다. 영명이 외쳤다.

"이 무슨 비열한 사술인가!"

"사술이라니 그 무슨 말도 안 되는 소리를. 어제 좀 많이 먹
고 자서 그런가, 내 몸이 무겁나 봅니다."

모란이 심드렁하게 말했다. 무사들이 어이없는 눈으로 바라
보았다.

연은 큭, 하고 나오려는 웃음을 참으려 무던히 애를 써야만
했다. 그간 창일당에는 안 좋은 기억밖에 없었는데 이번 일로
괜찮은 기억이 하나 생겨날 듯하였다.

"네 이년! 네가 감히 나를 능멸해!"

영명이 마침내 검을 뽑아 들었다. 그의 성정을 생각해 보면

---

17) 몸을 마치 천근처럼 무겁게 만드는 수법

왜 진작 뽑아 들지 않았나 의아할 정도였다. 모란이 날아드는 상대의 검을 부채를 들어 막았다. 단숨에 부채가 갈라졌다. 그러나 막상 검이 모란의 손에 닿을 때는 쩡하는 소리가 났다. 검과 손이 닿았다고는 믿기지 않는 소리였다. 몇 번을 봐도 신기한 모습이었다. 경악한 영명이 눈을 부릅뜨고 소리쳤다.

"무인이었구나!"

"상단주는 무인이지 말라는 법이 있습니까?"

모란은 심드렁하게 대꾸하며 영명의 검을 쳐 냈다. 영명은 연달아 몰아쳤으나 공격은 번번이 막혔다. 연신 금속이 울리는 소리가 났다.

모란은 그 자리에서 움직이지도 않았다. 그 얼굴에 잠시 성가신 기색이 스쳐지나가나 싶더니 다음 순간에는 영명의 검이 모란의 손에 꽉 쥐여 있었다. 검게 죽은 영명의 낯빛을 보아하니 검이 빠지지 않는 게 분명했다.

연은 인정할 수밖에 없었다. 정말 멋지고…… 통쾌한 장면이다. 그러니까, 하느작거리는 모란의 붉은 비단 옷만 아니라면.

"어느 사파에서 왔느냐! 역시 마교인 것이냐?!"

모란이 손을 놔 주자 영명이 뒤로 물러났다. 그가 식은땀을 흘리는 게 눈에 보였다. 연은 미간을 찌푸렸다. 이런 일로 식은땀을 흘릴 정도인가? 모란이 강해서 그런지 그는 어쩐지 영명이 쇠약해졌다는 느낌을 지울 수가 없었다.

"마교라……."

모란이 씩 웃었다. 그가 갈라진 부채를 땅에 버리며 물었다.

"단정 짓는 이유라도 있으신지요. 하오문의 문주가 내 신분을 증명해 줄 것입니다. 그리되면 남궁 가주께서는 이 무례를 책임지셔야 할 터."

영명은 모란을 노려보기만 했다. 그럴 수밖에 없었다. 모란이, 아니 '백매화'가 단순히 돈 많은 재력가가 아니라 돈도 많은 고수이기 때문이었다. 무림에서 고수란 결코 무시 못 할 상대였다. 특히나 상대의 힘이 어느 정도인지 모를 때에는 더욱 그랬다. 그런 고수가 무례를 책임지라 하는 것은 결코 우습게 볼 일이 아니었다.

"하지만 저와 연 공자님과의 혼인을 허락하신다면 이 모든 일은 없었던 것으로 하겠습니다. 가주님과 저는 잠시 호승심으로 무력을 겨루어 본 것이지요. 상단과의 거래 또한 무사히 맺어질 것입니다."

모란이 유들유들하게 거래를 제안했다. 연의 입장에서야 짜고 치는 판이었지만, 영명이나 무사들의 입장에서는…… 영락없이 남궁세가 둘째 공자에게 반한 재야의 고수가 혼인하게 해 달라 깽판 치는 것이나 마찬가지일 것이다. 참으로 웃기는 일이었다.

"……당장 여기서 결정할 일이 아니니, 시간이 필요하다."

마침내 영명이 정말 싫은 기색으로 말을 꺼냈다. 자존심 때문에 당장 여기서 그러마 말을 하지 않는 것뿐이지 이미 패배의 기색이 역력했다.

생각해 보면 연이 서신을 인질로 잡고 있으니 모용천이 혼인을 파하겠다고 하면 모란의 청혼을 승낙할 가능성이 높았다. 물론 혼인까지는 아니고 형식상으로 약혼만 이루어지겠지. 영명이 어디 자신에게 모욕을 준 '백매화'를 쉽게 받아들이겠는가?

연은 가만히 영명과 모란이 자신을 주거니 받거니 하는 걸 지켜보았다. 영명은 끝끝내 연에게 의사 한번 물어보지를 않았다.

"그럼 기다리고 있도록 하죠."

어안이 벙벙한 사람들을 뒤로하고 돌아선 모란이 연에게 눈을 찡긋거렸다. 연이 어색하게 웃었다. 이 깽판은 무식하게 센

모란이 아니라면 누구도 할 수 없는 방법이었다. 어찌하지는 못하고 백매화만 노려보던 영명이 연에게 괜한 화풀이를 했다. 벼락같은 노호성이 울렸다.

"네 녀석은 어찌 이런 골칫거리를 데려와서는!"

골칫거리를 데려온 거라 한다면 오히려 단봉 총관이었기에, 그는 어쩔 줄 몰라 쩔쩔맸다. 영명은 더는 말하지 않고 잔뜩 심기가 상해 창일당 안으로 들어갔다. 쾅 하고 문이 닫히는 소리가 울렸다. 단봉 총관이 얼른 달려와 사과했다.

"도련님, 죄송합니다. 저 때문에 괜히 도련님께서……."

"아닙니다. 총관님 덕에 저도 좋은 인연을 만나게 되지 않았습니까?"

여장한 모란이지만 총관의 눈에는 분명 아리따운 여인일 것이기에 연이 시치미를 뗐다. 총관이 겸연쩍은 얼굴을 했다. 그를 보내고 난 뒤 연은 싱숭생숭한 마음으로 화정당으로 돌아왔다. 참으로 진귀한 구경을 했다. 여장한 채로 영명의 공격을 받는 모란이라니…….

그리고 돌아와 침소의 문을 여니 모란이 침상에 떡하니 앉아 있는 게 아닌가. 연이 저도 모르게 문을 세게 닫고 말았다. 양반 다리를 하고 앉은 모란이 씩 길게 웃었다. 여인의 옷을 하고 양반다리를 하니 퍽 민망스러워 보였다. 연이 잠시 미간을 짚었다.

"이런 방법일 줄은 정말 몰랐어. 세상에, 남사스럽기는!"

"도와줘서 고맙다고? 괜찮아. 그리고 무어가 남사스럽단 말이냐?"

모란이 뻔뻔하게도 대꾸했다. 연은 자꾸 쩍 벌린 다리 사이로 가려는 시선을 자제하려고 애썼다.

"사내가 여인의 옷을 입었는데 그럼 남사스럽지 않아!"

모란이 고개를 저으며 쯧쯧 혀를 찼다. 연은 기시감을 느꼈다. 예전에 모란이 '남자가 남자를 좋아하는 것이 뭐 어떠냐?'라든가 '엉덩이를 맞는 것이 어디가 어떠냐?'든가 하며 해괴하지만 반박할 수 없는 논리를 들이댈 때와 비슷한 태도였던 것이다.

"그렇다면 네 말은 여자 옷이 남사스럽다는 것이지?"

"그게 아니라⋯⋯ 사내에게는 사내에게 어울리는 옷이 있고 여인에게는 여인에게 어울리는 옷이 있으니까 하는 말이잖아."

이 말을 하면서도 연은 벌써부터 모란의 논리에 지고 말 것임을 예측했다. 그리고 과연 그 예측대로였다.

"남사스러우면 안 되나? 내가 남사스럽다고 하여 네게 피해를 주는 것이 있어?"

"아니⋯⋯."

대답하면서도 연은 모란에게 '너 정말 싫어'라는 눈빛을 보냈다. 모란은 아랑곳하지 않고 연을 살살 구슬리기 시작했다.

"만약 네가 이런 옷을 입었다고 해 보자."

"나는 죽어도 그런 옷 안 입어!"

모란은 연의 저항을 그대로 무시했다.

"입었는데 기가 막히게 잘 어울리면 그 옷은 더는 남사스러운 옷이 아니지 않아?"

"글쎄, 어느 사내든 그런 옷을 입으면 남사스럽다니까!"

"애초에 그 남사스러움은 누가 정하는 것이지? 그저 내가 보기에 옷이 흡족하기만 하면 되는 것을. 내가 옷을 입고 스스로 만족하면 그만이지 남의 시선이 그리 중요하나? 연이 너는 네가 좋아하는 옷을 남이 싫어한다고 하면 더는 입지 않을 것이냐?"

응? 하고 모란이 물었을 때 연이 푹 한숨을 쉬었다. 그래, 모란이 좋아서 저 옷을 입겠다는데 자신이 어찌할 것인가. 말마따나 모란이 좋아서 저 옷을 입겠다는데 어찌할 사람은 아무도 없었다. 적어도 힘으로 강제하거나 그 앞에서 감히 비난할 자는 없다는 게 분명했다.

"그리고 네가 원하지 않는 혼인을 안 하게 된다면 그런 게 뭐가 대수일까."

그 말에 연은 그만 흔들흔들 넘어가고 말았다. 그랬다. 따지고 보면 모란이 여장까지 하게 된 건 원하지 않는 혼인 안 하게 해 주겠다고 나름대로 나섰기 때문이 아닌가.

연이 우물쭈물하는 동안 모란은 답답했는지 허리에 매고 있던 보드라운 허리대를 풀었다.

복근이 단단한 복부부터 맨가슴까지 아슬아슬 드러나자 연의 생각이 조금 바뀌었다. 이리 보니 썩 괜찮은 붉은 가운 같아 보이기도 한다. 분명 여인의 옷인데도 이상하게 모란에게 어울리는 구석이 있었다.

"그래서 아까 네가 상상했던 대로 붉은 옷이 잘 어울리고 몸매가 좋은 미인이었나?"

연이 멈칫했다. 그리고 가까스로 눈치 빠르게 모란에게 물었다.

"단봉 총관이 제갈양리보다 아름다운 미인이라고 했었는데……. 마법……이었어?"

"그래. 환각 마법이지. 그렇게 완벽하지는 않아서 기본적인 준비는 해야 하지만……."

모란이 붉은 옷자락을 펄럭여 보였다. 그래서 여자 옷을 입은 모양이었다.

"아무튼 내 얼굴을 보는 순간 좋을 대로 자신이 상상하는 미인상을 보게 되는 거야. 뭐 봤던 중 가장 아름다운 사람이라든가, 혹은 연모하는 사람의 얼굴이라든가.”

　그 말에 연이 떠올린 것은 아까 영장당에서 만났을 때 모란이 했던 말이었다. 어떻게 자신인 줄 알아보았냐고 물었었지. 그 말은, 원래라면 연의 눈에는 연모하는 사람이나 아름다운 사람의 얼굴이 보여야 했다는 것이다. 그러나 연의 눈에는 모란밖에는 보이지 않았었다. 연이 얼어붙었다. 누군가가 그의 가슴을 두들기는 듯했다.

　모란이 아름다운 사람이라고는 한 번도 생각해 본 적이 없다. 그렇다면……. 휘휘 고개를 젓고 있는데 모란이 슬금슬금 연의 허벅지에 손을 올렸다.

　어느덧 정신을 차리고 보니 모란의 아래 눕혀져 있는 상황이었다. 그가 마른침을 삼켰다.

　“치료……하려고?”

　“아니. 하지만 꼭 치료할 때만 이러라는 법은 없잖아. 그렇지?”

　모란이 붉은 옷을 훌훌 벗어 던졌다. 그러다 그 옷자락이 연의 손에 닿았는데 과연 부드럽고 촉감이 좋기는 했다. 연이 눈을 굴리다가 물었다.

　“혹 여장이 취향이야?”

　“아니. 하지만 상대에게 야한 옷 입히는 건 취향이긴 하지.”

　눈을 휘어 웃은 모란이 손가락을 세워 연의 허벅다리 안쪽을 살살 어루만졌다. 연이 움찔했다. 모란이 주었던 쾌감이란 워낙 강렬한 것이었기에 작은 동기만으로도 금세 되살아나곤 했던 것이다.

　“방금은 네게 얇은 홑옷 한 장만 입히는 것을 상상했는데…….”

　그리 말하며 모란이 연의 귓불을 세게 빨았다. 얕게 신음하면서 연은 모란의 손길에 굴복하고 말았다. 언제나 그렇듯이 모란의 이와 혀에 급소를 내어 준 연은 문득 의문에 잠겼다.

모란은 사람들이 자신을 보고 가장 아름답다고 생각하거나 혹은 사랑하는 사람의 얼굴을 보았을 것이라 했다. 그렇다면 왜 영명은 아까 모란을 보고 얼굴이 그리 희게 질렸을까? 그런 자도 사랑을 하기는 하였을까?

모용천은 사흘 뒤에 연을 다시 찾아왔다. 그는 다소 씁쓸한 얼굴을 하고 있었다. 과연 무슨 말을 할 것인가 기다리고 있자 한참 후에 그가 입을 열었다.

"네게 사랑하는 여인이 있다고 들었다."

연은 아주 가까스로 차를 뿜지도, 기침을 하지도 않을 수 있었다. 그리고 다시 한번 강호란 곳의 속성을 떠올렸다. 연이 두어 달 남짓 밤에 환자들을 치료하고 다녔다는 것만으로도 화타니 편작 운운하는 이름들이 붙은 곳이었다. 모란과 자신의 사이가 어떻게 소문이 날지 알았어야만 했는데…….

"연인이 있는데 혼인이 들어왔으니 내가 원망스러웠겠구나."

모용천이 담담하게 말했다. 연은 처음으로 모용천을 향해 죄책감 비슷한 감정이 들었다. 그러나 모란이 이미 그런 일을 저지른 마당에 차마 아니라고 부정할 수는 없었다.

"방금 전 남궁 가주에게 이 혼인을 없던 것으로 하겠다고 말하고 돌아오는 길이다."

그리 말하고는 모용천이 잠시 앞에 앉아 있는 손자를 살펴보았다.

사랑하는 딸아이의 죽음은 아무리 반로환동의 경지에 이른 고수라 할지라도 버텨 내기 힘든 것이었다. 남궁세가에서 제 딸이 그다지 행복하게 지내지 않았다는 건 알고 있었다. 그러나 시간이 흐르면서 차차 잘 지내게 될 줄로만 알았다. 그렇게 허망하게 가 버릴 줄은 몰랐다.

온갖 후회가 들었다. 혼인을 시켜 주기 전에 영명의 행실에 대해 좀 더 알아볼 것을, 혹은 딸아이가 어찌 지내는지 더 잘 알아볼 것을. 가주 일이 바쁘다는 핑계로 모른 척하지 말 것을.

생각하는 것만으로도 고통스러워 남궁세가의 소식에서는 완전히 등을 돌리고 있었다. 잠깐 등을 돌리고 있다는 것이, 어느새 십 년이라는 시간이 지나 버렸다.

그러다가 모용사걸이 혼인은 어떠하냐고 넌지시 제안했을 때에야 연의 존재에 대해 새삼 떠올렸다. 그러자 그동안 잠잠해졌다 여겼던 딸아이에 대한 그리움도 해일처럼 몰려들었다.

마지막으로 본 것이 열 살도 채 안 되었을 때였는데 손자는 어느새 스무 살이 되었다고 하였다. 그동안 귀 닫고 있던 온갖 소식들을 들어 보니 모용천에게는 이 혼인이 제법 괜찮게 느껴졌다.

소식을 들어 본 바로는 연은 남궁가에서는 그다지 좋게 지내는 것 같지 않았던 것이다. 그러나 모든 것이 늙은이의 이기적인 마음이며 착각일 뿐이었다.

그 모든 복잡한 마음을 담아 두며 모용천이 입을 열었다.

"서신은…… 되었다. 비녀도 돌려주마. 네게는 어미의 유일한 유품이 아니더냐?"

그가 조심스럽게 비녀를 다시 꺼내 탁자에 올려 두었다. 딸을 그렇게 잃었는데 그는 손자마저 불행하게 만들 수는 없다고 생각했다. 대신 그는 꼼꼼하게 연의 얼굴을 살펴보았다. 이번 파혼으로 겨우 회복되려던 남궁세가와의 관계는 다시 틀어졌다. 아마 어지간해서는 손자 얼굴을 다시 볼 일은 없을 것이었다.

"만약에 시간이 나고 그럴 마음이 들거든, 언제 한번 모용세가에 오려무나. 아니면 힘든 일이 있을 때 도움을 청하여도 된다."

연이 말없이 비녀를 만지작거렸다. 이 비녀는 그에게 남은 유일한 유품이 맞기는 했다. 모용단리가 죽은 뒤 영명이 화정당의 가구들이며 물건을 싹 갈아 치운 탓이었다. 그날을 떠올리면 연은 아직도 약간 마음이 아팠다.

고개를 들어 모용천을 한번 보고는 서신을 꺼내 내밀었다.

"가져가세요."

"연아."

"이 서신은 어머니가 가주님께 남긴 겁니다. 제가 가지고 있을 이유가 없습니다."

진심이었다. 연은 한 번도 서신을 읽어 본 적이 없었다. 읽고 싶기도 했으나 한편으로는 읽고 싶지 않기도 했다. 어머니가 남긴 유일한 서신에 자신에 대한 이야기가 하나도 없다면 큰 상처가 될 것 같았다.

지금도 마찬가지다. 그냥 모르고 지내는 편이 좋으리라, 연은 그리 여겼다.

모용천은 망설이다가 서신을 조심스럽게 받았다. 행여나 구겨질까 염려하는 손길이었다.

"고맙다."

"진작 드렸어야 할 서신입니다."

연이 중얼거렸다. 그가 마지막으로 모용세가에 갔을 때, 품에 그 서신이 들어 있었다. 모용천을 만나지 못해 그대로 돌아오기는 하였으나, 언제라도 사람을 보내 전할 수도 있었다. 하지만 그러지 않았다. 그때는 모든 것이 원망스러워 그러고 싶지 않았다. 앞으로도 영원히 서신을 제가 품고 있을 줄 알았는데 이렇게 외조부에게 서신을 전하고 나니 연은 마음이 복잡하였다.

"세상에는 인연이라는 것이 있지. 연이 너는, 아마도 이런 말을 싫어할 테지만…… 나는 네 외조부다. 부모와 자식 간만큼은 아니지만 혈육은, 그래. 인연 중에서도 가장 질긴 것이 아니더냐."

"……."

"다음에 또 보게 된다면 좋겠구나."

모용천이 자리에서 일어났다. 그리고 마지막으로 물끄러미 연을 보다가 방을 나섰다. 연이 반짝거리는 비녀를 손으로 문질렀다. 이게 무어라고 아직까지 가지고 있었는지.

'모란은 남자가 여자의 것을 사용한다 하여 남사스러운 것 따위는 없다고 하였지. 그러나 누군가가 쓰지도 않는 여인의 물건을 보관하는 것은……. 그런 인연이란 것은…….'

혈육은 인연 중에서도 가장 질긴 것이리라. 하지만 그 질긴 인연이 꼭 혈육뿐이어야 하는가? 오로지 혈육만이 소중한 인연이 될 수 있는 것은 아니었다. 가족보다도 저를 사랑하고 아껴주는 사람이 얼마든지 있을 수 있었다. 연은 그런 사람을 알고 있다.

문득 견딜 수 없어져서 자리에서 일어나 외투를 챙겼다. 비녀를 원래 자리에 돌려놓고는 박차고 나왔다. 모란은 어딜 갔는지 없었고 한위는 보이지 않았다.

주강은 요 근래 통 보이지를 않았다. 오늘따라 왜 이렇게 사무치게 외로운 것인지 그는 알지를 못했다. 연은 손에 든 외투를 걸치고 무작정 걸었다.

화정당을 지나, 영성문. 그리고 영장당. 세가의 정문. 이렇게 지나 지나 걷다 보니 어느새 그의 발길이 닿은 곳은 은록의 의원이었다. 은록이 부상 때문에 진료를 보지 못하는 게 소문이 났는지 마당에 온갖 먹을거리들이 쌓여 있었다.

'사부님.'

그리움을 어쩌지 못하고 연이 마당을 지나 문 앞에 이르렀다. 온 사방에 추억과 기억들이 겹겹이 쌓여 있었다. 한때 연이 진정으로 집이라고 생각했던 곳이다. 연의 눈시울이 잠깐 붉어졌다. 모란에서 연으로 돌아오며 예전 인연은 다 끊겠다고 생각했었지. 그러나 모란의 말대로였다. 한번 엮이게 된 인연은 도통 끊기지를 않았다.

'이래도 되는 걸까?'

거절당하거나, 은록이 믿지 않거나, 혹은 그대로 내쳐질지도 몰랐다. 한동안 망설이던 연은 마침내 인기척을 내고는 안으로 들어섰다. 익숙한 탕약 냄새가 났다. 은록은 자리에 누워 있었다. 그가 연을 보고는 몸을 일으켰다. 여기까지 오기는 하였으나, 연이 어쩌지 못하고 서 있자 그가 권했다.

"앉으십시오."

문을 닫은 연이 천천히 은록의 앞에 앉았다. 앉자마자 그는 연의 진맥을 짚어 보고는 이상이 없음을 깨닫자 손을 놓았다. 연은 한참을 망설였다. 은록은 인내심 깊게 그런 그를 기다려 주었다. 마침내 연이 입을 열었다.

"드릴 말씀이 있습니다."

그리고 망설이다가 덧붙였다.

"사부님."

그 목소리가 떨리었다. 그가 가만히 앉아 있는 은록의 앞에 모든 이야기들을 와르르 쏟아 내었다. 스무 살, 모란을 두들겨 팬 뒤 과거로 가 그의 몸에 들어간 것, 그 후 다시 현재 몸으로 돌아오게 된 것. 모란은 모란이나 모란이 아니며 연이 모란이라는 것을.

그 모든 말을 쏟아 낸 뒤 연은 고개만 숙이고 상대의 판결을 기다렸다. 마치 영원처럼 길게 느껴지는 시간이었다.

그리고 잠시 후, 마침내 연의 얼굴에 환한 미소가 번졌다. 그가 은록 앞에 깊은 절을 하였다. 그래, 쉽게 끊어지지 않는 인연은 혈육지간에서만 있는 것이 아니었다.

2권에서 계속